中国古典文学读本丛书

西遊記

上

吴承恩 著

人民文学出版社

图书在版编目（CIP）数据

西游记/（明）吴承恩著；黄肃秋注释.—北京：人民文学出版社（2023.1重印）
（中国古典文学读本丛书）
ISBN 978-7-02-000873-5

Ⅰ.①西… Ⅱ.①吴…②黄… Ⅲ.①章回小说—中国—明代 Ⅳ.①I242.4

中国版本图书馆 CIP 数据核字(2001)第 03755 号

注　　释　黄肃秋
书名题字　沈尹默
装帧设计　李吉庆
责任印制　宋佳月

出版发行　人民文学出版社
社　　址　北京市朝内大街 166 号
邮政编码　100705

印　　刷　北京新华印刷有限公司
经　　销　全国新华书店等

字　　数　866 千字
开　　本　850 毫米×1168 毫米　1/32
印　　张　40　插页 4
印　　数　4010501—4110500
版　　次　1955 年 2 月北京第 1 版
　　　　　2020 年 4 月北京第 4 版
印　　次　2023 年 1 月第 79 次印刷

书　　号　978-7-02-000873-5
定　　价　47.20 元(共两册)

修订说明

我社的《西游记》，初版于一九五五年，系以明刊本金陵世德堂“新刻出像官板大字《西游记》”为底本，参校六种清代刻本整理而成。具体的整理细则，在《关于本书的整理情况》中有详细说明，读者可以参看。由于当时新中国成立未久，古籍整理工作尚处于探索阶段，相关版本不易看到，初版在底本使用、文字校勘等方面难免存在不足。一九七九年，我社对此书进行了重新排版，校订了部分文字，增补了一些注释，使其质量有了很大提高。这个整理本对《西游记》的普及做出了重要贡献，流传广泛，影响巨大。

前些年，随着一些稀有版本渐次刊布，学术界对《西游记》的研究不断深入，有关专家指出，一九七九年的修订本仍有疏漏和不足。对此，我们非常重视，曾于二〇一〇年做了一次修订。这次修订改正了原来的一些错误，重点是增加了校记。但是现在看来，这次修订仍遗留了一些问题，而增加校记的做法与我们最初的整理思路并不相符。本着打造精品、给读者提供更优质读本的目的，我们决定对本书再做修订。

这次修订由周绚隆同志牵头，邀请河南大学曹炳建教授参与，对全书文字进行了彻底核校，并增补了数百条注释。曹炳建教授对正文做了初步核校，并撰写了拟增补的注释初稿，周绚隆同志对其斟酌取舍，经过仔细比勘和修改，形成了定稿。

这次修订,主要做了六个方面的工作:

一、重新校订全书文字。文字的校改,原则上尽可能尊重底本。凡是底本能通的,即使其他版本的文字更优,也依照底本;底本文字明显不通的,选择参校本中最好的表述予以校改;极个别底本明显不通,参校本也不通的,则根据上下文意酌情校改。底本中的个别文字,如"抖擞""嗖嗖""搜寻"中的"擞、嗖、搜"都写作"搜","抡"都写作"轮","反"都写作"返",按照通俗文学的书写习惯,这虽然并不算错,但为了不让一般读者误解,校改为现代规范用字。

二、取消校记。《西游记》文本最初写定的时候,并没有经过严谨的编辑整理,即使同为"世德堂"本,日本天理大学图书馆藏本和日本广岛市立中央图书馆浅野文库藏本之间,文字上也有差异,而"世德堂"本与其他版本的差异更多。选择"世德堂"本作底本,是因为这个系统的版本最早,但文字上的问题也最多。因此,对《西游记》这样的通俗文学作品,做严格意义上的校勘意义十分有限。

三、更定标点。此书的标点完成于二十世纪五十年代,虽然后来进行了两次较大的修订,但标点基本没变。以今天的阅读习惯看,过去的标点方式仍有改进的必要。这次修订,对全书的标点也做了较大的改动。

四、增订注释。随着时代变化和人们认识的深入,过去的注释有些带有明显的时代痕迹,有些注音和释词不够准确,这次尽可能做了修改。另外,考虑到《西游记》涉及儒、释、道三家的术语和典故较多,过去的注释过于简略,这次特别针对这类内容增加了一些注释。《西游记》属通俗文学作品,里面应用当时的口头语较多,今天理解起来难免吃力,为了减少阅读的障碍,对这类字词也增加了注释。

五、更换前言。本书的前言,过去一直沿用华东师范大学郭豫适、简茂森教授一九七二年所写的文字,限于当时的历史环境,政治化色彩较浓,而《西游记》研究在过去的几十年中取得了很大发展,出现了许多新的成果,为了能让广大读者更好地理解该作品,这次特意邀请北京大学刘勇强教授重新为该书撰写了前言。

六、关于取经途中所遇的八十一难顺序,第九十九回诸神给观音菩萨提供的簿子所记,与小说的叙述不相吻合。由于明清各版本之间互有出入,都未按故事发生的先后排列。一九七九年第二次整理时,我社采用了"书业公记"本的排列顺序。为尊重底本原貌,这次整理仍按世德堂本的顺序。

由于我们能力所限,不足之处在所难免,恳望广大读者批评指正。

人民文学出版社编辑部

二〇一九年八月

前　言

如果要从《西游记》中挑选代表其精神特点的句子，第三十二回的"寻穷天下无名水，历遍人间不到山"也许最为恰切。试想唐僧师徒，出生入死，降妖伏魔，艰难跋涉于险山恶水之间，是多么令人心驰神往的壮举！无论取经四众，还是读者，都能在这一精神漫游中经受灵魂被洗礼的痛苦与愉悦，从而领悟人生的真谛。而在艺术思维上，《西游记》又正如前人所说"纵绝古今，横绝世界，未有如作者之开拓心胸者矣"（《古今小说评林》），以它对人类精神世界的动人表现与非凡想象，获得了超越时空的艺术魅力。

一

《西游记》是以唐代高僧玄奘（六〇二—六六四）到印度求法取经这一历史上的真人真事为原始素材的。玄奘自幼入寺读经，随着佛学造诣的加深，他发现佛教内部宗派很多，教义各不相同，争执不休，佛经翻译也多有不当而致费解或失真，决心去佛教发源地天竺（印度）留学取经，穷究佛法。一路之上，历经艰辛，凭着虔诚的信仰和坚强的毅力，终于抵达了目的地。在印度，玄奘遍学大小乘各种佛教教义，获得了崇高的声誉。贞观十九年（六四五）玄奘返国，到达长安。往返共计十九年（一说十七年,《西游记》中为十四年)。他从印度带回梵文佛经六百五十七部,此后十九年,他先后在长安名刹弘福寺和慈恩寺主持译场,共译经论七十五部,一千三百三十五卷,成为中国佛教史上的一代伟人。

玄奘本人撰著、辩机编次的《大唐西域记》,记载亲身游历过的西域国家和地区的地理环境、城邑关防、交通道路、风土习俗、物产气候、文化政治等方面的情况,具有相当高的史料价值。但玄奘在这部书中没有记述他本人的艰难历程,客观上为后世想象他的旅途故事开了方便之门,也让他的形象被扭曲成为可能。幸好他的弟子慧立、彦悰将其事迹写成《大慈恩寺三藏法师传》,这部历史上最杰出的长篇传记之一记述了玄奘心诚志坚、勇敢无畏的西行经过,与《西游记》中所描写的唐僧有很大不同。

在一千四百年前交通极其落后的条件下,具有玄奘这样长途旅行经历的人屈指可数。当他西行万里,载誉归来,轰动一时,一些神奇传说也随之产生,成为《西游记》故事的源头。如唐代小说《独异志》记载玄奘取经途中,路遇虎豹,一老僧授以《心经》,令其诵之,于是虎豹藏形,山川平易。又记载他取经出发前后寺庙中松枝的指向不同。这些在《西游记》中都还可以看到,表明《西游记》有的情节渊源有自。而《大唐西域记》中西女国只有女子、没有男人的记载以及狮子王抢夺公主为妻、孕男育女的故事,这些带有异域色彩的艺术想象,也融入了《西游记》的艺术世界。

取经题材文学化的定型始于《大唐三藏取经诗话》,这部作品的产生时间还有争议,现在看到的是宋元刊本。此书共十七节。第一节缺失,所以不知它是怎样描写唐僧出身和西行缘起的。从第二节起，猴行者就参加进来了。此后，一行七人，经过了十几个国度和地方，取回佛经。具体情节与《西游记》出入很大，但也有些有明显的渊源关系。如第十节《经过女人国》与《西游记》中“四圣试禅心”和西梁女儿国两段故事近似。其他如深沙神、王母池仙桃等描写，也让人联想到《西游记》的有关人物与情节。《取经诗话》突出描写了猴行者的神通广大，他在大战女妖白虎精中的英勇表现，已初具《西游记》中孙悟空的风采。不过，《取经诗话》的作者并不专注于降妖伏魔的战斗描写，重点在宣扬佛教的法力无边。

元代以来，取经题材的戏曲作品相当多，其中《西游记杂剧》是现存最早的一部完整的取经题材作品，它从唐僧出身遭父难写起，由观音安排西天取经，收伏龙马，率孙行者、沙和尚、猪八戒西行，经过女王逼配、火焰山等磨难，取回真经。与《取经诗话》相比，更接近《西游记》。《西游记杂剧》中唐僧师徒四人，加上白龙马，取经队伍与《西游记》完全相同。不但如此，人物的个性也更鲜明，尤其是孙行者，炼就了铜筋铁骨、火眼金睛，神通广大，变化多端，他“耳朵里取出生金棍”，“一筋斗去十万八千里”，“曾教三界费精神”。被唐僧收为徒弟后，一路降妖伏魔，既机智灵活，又勇敢乐观，与小说中的孙悟空更加相似。

元末明初时，还出现了一部名为《西游记》的平话。这部平话没有完整流传下来，但在《永乐大典》中保存了一个片断，标题是《梦斩泾河龙》。另外，朝鲜古代的汉语教科书《朴通事谚解》中，也述及了《西游记平话》的情节，并引述了“车迟国斗法”的故事。从这些材料可以看出，《西游记平话》的情节已相当复杂。《西游记》中的黑熊精、黄风怪、地涌夫人、蜘蛛精、狮子怪、多目怪、红孩儿怪以及火焰山、女人国等重大关目，平话都已具备。而从现存的片断来看,它的描写也很细致,形象鲜明,且不乏喜剧意味。

到了明代万历二十年(一五九二),我们今天所看到百回本《西游记》终于问世了。

在现存最早的《西游记》版本上,只署着“华阳洞天主人校”。鲁迅根据明天启年间《淮安府志》及清人钱大昕、吴玉搢等人的记载与推论,断定《西游记》出于明代文人吴承恩之手,胡适也赞同这一说法,遂为一时之定论,后来排印出版的《西游记》就都署上了吴承恩的大名。

吴承恩(约一五〇四——一五八二),字汝忠,号射阳山人。吴家世代为儒,后来家道中落,他自幼聪颖好学,但在科举上很不得志,只做过长兴县丞这样的小官。一生悒郁,却性格诙谐,曾著有几种杂记,名噪一时。在《〈禹鼎志〉序》中,他说自己幼年即好奇闻,喜读“野言稗史”类的小说,并产生了强烈的创作欲望。一些学者认为,这为他以后写《西游记》打下了基础。另外,他还有一些诗作,如《二郎搜山图歌》,呼唤二郎神似的神奇英雄,救日月之蚀,斩尽邪恶势力,论者也常将此与《西游记》联系起来。不过,也有人认为《淮安府志》虽记载了吴承恩作《西游记》,并没有说明这是一种什么性质的著作,而黄虞稷《千顷堂书目》曾将吴承恩的《西游记》列入游记类作品,所以怀疑吴承恩是《西游记》的作者。

事实上,明代“四大奇书”中的《三国演义》《水浒传》《金瓶梅》,我们对它们的作者情况所知也甚少。就《西游记》而言,可以肯定的是,它同时具有世代累积型小说的演变特点,和天才小说家集大成又匠心独运的创作特点。

二

如上所述,《西游记》是由玄奘取经为题材演化而来的,因此,天然带有佛教色彩,而道教观念的加入,又使《西游记》具有了道教意味。尽管如此,对于宗教,它却能既入乎其内,又出乎其外,显示出一种更为灵活的态度,甚至常常讥佛讽道,对宗教采取了一定的调侃态度,同时,又注入了作者对世俗生活的体验和知识。那些高高在上的神佛,也被作者拉到了人间,赋予世俗的特点。

正是由于《西游记》关注现世,所以它在宣扬佛道二教的同时,又让整个作品充满了理性和人性的光辉。它以幻想的形式对人的进取精神与奋斗意志,作了热情洋溢的肯定。坚韧不拔的执着追求不再只是奉献给虚幻的宗教信仰,而成了英雄人物斩妖除邪、匡危扶倾的伟大实践和实现自我价值的战斗历程。看完《西游记》,使我们崇尚的绝不是神佛的法力无边,而是敢于斗争、善于斗争、百折不挠、战无不胜的英雄主义和突出的人文关怀。

取经题材的演变过程中,最引人注目的变化是人物焦点的转移与取经团队的形成。早在安西榆林窟的西夏壁画《唐僧取经图》上,我们就可以看到唐僧之外,还有猴行者和白马;而在《取经诗话》中,猴行者的形象已非常突出;到了《西游记杂剧》《西游记平话》中,孙行者不但已向故事的主角演进,而且还具备了反抗的性格,为其形象的进一步发展奠定了重要的基础;再到了百回本《西游记》中,开篇以七回篇幅描写了孙悟空的诞生神话、求师访道和闹三界,他更成了结构上和事实上的主人公。

与此相关的是唐僧形象的弱化，历史上的玄奘是心诚志坚、勇敢无畏的高僧，《西游记》中的唐僧则不然，他虽虔诚坚定，却又庸弱无能，更多地是带有象征性的精神领袖。而猪八戒、沙僧的加入，则使得取经团队获得了一种整体上的意义。作者显然有意识地通过取经四众表现不同的精神品格。

值得一提的是，孙悟空为什么会以猴形象出现，这是《西游记》研究中的一个谜。有的学者认为他是在中国本土传说中的猿精猴怪如"无支祁"之类的基础上形成的，也有的学者认为他的原型是印度史诗《罗摩衍那》中的猴神哈奴曼。但无论是本土传说中的猿精猴怪，还是哈奴曼，都与孙悟空的形象还有很大的距离。

从表面看，《西游记》仍是一部宗教题材的作品，书中对宗教思想也作了大力的颂扬。但是，《西游记》改变了孙悟空在以前取经题材作品中作为宗教信徒和神怪形象的性质，使之成为一个体现着社会愿望的英雄，作者在他身上寄予了当时普遍的英雄观念。他以叱咤风云的战斗姿态，荡魔除邪、匡危扶倾，表现出极大的救世热忱。同时，他又顽强执着、不屈不挠。实际上，挫折和失败对孙悟空来说是常有的事，多少次濒临绝境、九死一生，多少次被妖魔缴去金箍棒，赤手空拳，孤立无援，但是他从不气馁，往往吸取教训，计上心来，重又抖擞精神，强行索战，终于绝处逢生，赢得胜利，显示出昂扬、坚定的斗志。

不过，孙悟空的卓荦不群不仅在于他体现了非凡的英雄品格，还在于他具有强烈的自我意识。正是在后一点上，作者突破了固有的英雄观念及小说塑造英雄的传统模式。他也像《水浒传》中的英雄一样，以极大的热情投入到"专救人间灾害"的斗争中去，也带有除暴安良、见义勇为的江湖好汉特点。但与其说是为了“替天行道”或“建功立业”，毋宁说是出于一种朴素的正义感和他特有的在斗争中开拓人生、获得无穷乐趣的心理特征。有一个例子很典型。当孙悟空去救金圣娘娘时，妖魔讥讽他是替朱紫国为奴，他喝道：“我老孙比那王位还高千倍，他敬之如父母，事之如神明，你怎么说出‘为奴’二字！”（第七十一回）虽然他打的也是“诳上欺君”之徒，却不甘愿以臣仆自居，还要维护自己高傲的人格独立性。他既肩负着匡世济民的伟大责任，又不断追求着自我的价值，两者在他身上得到了完美的结合。

孙悟空的自我意识首先是表现为对自由的渴望。他天生地养，一开始就在精神上超越了宗法制社会对人的种种限制和约束，宣称“天不收、地不管，自由自在”（第三十回）。为此，他不断反抗神佛对他的羁縻。直到全书结尾，小说还描写已经成佛的孙悟空仍未消释心头积怨，要把一直限制他自由的紧箍儿“打得粉碎”。他关心的并不是什么“大法”，而是他始终渴望的自由。

其次，是对自尊的坚守。他大闹天宫的心理动机是玉帝“这般藐视老孙”，秉持着所谓“强者为尊该让我，英雄只此敢争先”的理念（第七回）。在参加取经后，他的心高气盛、傲不为礼也时有流露。用他自己的话说就是“老孙自小儿做好汉，不晓得拜人，就是见了玉皇大帝、太上老君，我也只是唱个喏便罢了”（第十五回）。及至迫于救师降妖的特殊情境，不得不向老怪行礼时，这个铮铮硬汉竟“泪出痛肠”（第三十四回），从反面衬托出他视尊严为性命的刚强精神。

再其次，是对自娱的追求。书中曾借人物之口说孙悟空：“你是人间之喜仙，何闷之有！”（第六十六回）这确实是对孙悟空性格的一个精彩概括。他总是以降妖伏魔为游戏，必要时连神圣的取经也要让位于他的“耍耍”(如第六十八回)。细心的读者会发现,孙悟空的大部分战斗并未取得直接的胜利,闹天宫的代价是困压五百年,取经路上也屡遭挫折。可是我们从不感到他是一个失败的悲剧英雄,因为在反抗和斗争中,他已经得到了极大乐趣,已经实现了他对自我的追求。

《西游记》对孙悟空自我意识的渲染,固然有作品以孙悟空喻“心猿”,从而说明人的私欲爆发、不得不加以遏制的意思。但从小说的实际描写,特别是给读者的印象来说,那种弘扬人的主体精神的倾向更是贯穿全书始终的。

唐僧的形象虽然与历史上的玄奘反差巨大,但也在《西游记》中获得了另一种艺术生命。历史上勇猛精进的高僧,到了《西游记》中,变得离开了徒弟的帮助,简直寸步难行,甚至连一碗斋饭都化不到。一有风吹草动,就吓得魂飞魄散。同时还有是非不分、昏庸偏执、心胸狭窄、自私嫉妒等弱点。不过,他依然表现了虔诚悟道、持戒精进的高僧品格,是取经队伍不可替代的精神领袖。比起他本领非凡的“妖徒”来,他经受了更多的磨难和诱惑,却从不动摇,“铁打的心肠朝佛去”(第八十二回)。事实上,没有唐僧的坚持不懈,取经队伍早就作鸟兽散了。有时候,一个坚强有力的人完成某种事业并不足为奇,而一个软弱无能的人要做出同样的业绩,更让人感佩不已,因为他不仅在战胜困难,还要战胜自己。所以,唐僧也由此得到了徒弟们由衷的尊敬。

相比之下,猪八戒是另一类典型。作者在他身上把人的食色二欲夸张到了极点。他原本是仙界的天蓬元帅,因带酒调戏嫦娥,被贬下尘凡。在《西游记》中,猪八戒与孙悟空形成鲜明对比,孙悟空在花果山自由自在地称王,遨游于精神世界,猪八戒却在高老庄入赘为婿，沉迷于世俗生活。高老庄之于猪八戒，一如花果山之于孙悟空，都是性格的铺垫和预演，他是带着随时可能回高老庄做“回炉女婿”的想法参加取经的。参加取经，他遇到的第一个麻烦是饥饿。一路之上，作者对猪八戒的贪吃也作了不少诙谐的描写。而更严重的是，猪八戒始终没有改变好色的毛病，“四圣试禅心”时受到神灵的教训，仍不思悔改，以后又多次因急情贪色，落入妖怪的圈套。如在盘丝洞，他就自陷“情网”，被女妖用丝绳束缚得无法动弹。直至快到西天了，他仍是“色情未泯”。作者的用意当然并不是要简单否定人的正常欲望，而是通过猪八戒的喜剧性行为，表现基本欲望与理想追求之间的对立和冲突，从而使人能够更深刻地认识自我、把握自我。

尽管猪八戒有许多缺点，如贪吃好色，喜占小便宜等，但他并不是反面人物。其中一个很重要的原因就是猪八戒自己说的“我是个直肠的痴汉”（第二十回）。这种憨厚朴实近乎呆傻的性格，不但使他在复杂多变的现实面前出乖露丑，也让读者因此享有精神上的优越感而产生宽容与同情。况且，他也不是一味的愚笨，他有许多来自生活的智慧，是整天腾云驾雾的孙悟空所不具备的。作者在写尽猪八戒的直与痴时，又为他点缀了些曲与巧，使人物的性格更加鲜明和丰满。

与孙悟空、猪八戒相比，沙和尚显得不那么突出。但他同样是取经队伍不可缺少的一员。他是一个默默奉献的苦行僧，有着“宁死也要往西天去”的坚强意志（第二十三回），每当猪八戒抱怨魔障凶高、西天难到时，沙僧总是鼓励他“且只捱肩磨担，终须有日成功也”（第四十三回），“只把工夫捱他，终须有个到之之日”（第八十回）。正是这种顽强精神支持着他，并通过他影响了取经队伍，起着消弭分歧、调和矛盾的作用。当猪八戒打退堂鼓时，是沙和尚鼓励他坚持下去；当孙悟空吵嚷着散伙时，也是沙和尚中流砥柱，劝得他回心转意。孙悟空说“贤弟，你是个好人”（第二十七回），这朴实的表彰不是什么人都当得起的。尽管沙僧谦虚地说“我也没甚手段”（第四十一回），但没有他的协助，孙悟空有时也孤掌难鸣。在灾难面前，惊恐退缩者和勇猛精进者是两极，沙僧则以其坚韧顽强实现了他独特的个性。

《西游记》就这样通过幻想的形式，描绘了一个具有悠久历史的民族，在历险克难的漫长而曲折的过程中显示出的精神风貌。取经队伍可以说是作者经过精心提炼而建立的一个富有代表性的群体。孙悟空的机智勇敢、诙谐幽默象征着中华民族的英雄主义和乐观主义；唐僧的坚定虔诚、软弱无能则体现了传统知识分子志行修谨，面对瞬息万变的现实却缺乏应对能力；猪八戒的贪图安逸、眼光如豆又反映出小生产者的保守心理；至于沙和尚的勤恳依顺，也折射着我国人民朴实、善良的品性。通过形象生动地概括民族性格的几个重要类型，作者表现出了对民族素质的深刻反省，以及希望人的精神境界臻于完美的高度热忱。

三

《西游记》的结构与此前的《三国演义》《水浒传》明显不同，《三国演义》比较接近史书的编年体形式，基本上是以时间为线索，时空的转换则是以事件为中心的，没有贯穿始终的人物；而《水浒传》某些段落类似于史书的纪传体形式，虽然中心线索是写梁山英雄的聚散过程，但过程本身却又呈现出众水汇流的特点。《西游记》则不然，它的主要人物相对来说比较少，却贯穿全书;情节进展则以主要人物的旅行为骨干,形成一种时序鲜明、段落清晰而又浑然一体的游历型结构。

游历型的结构在古代小说中渊源有自,但具有《西游记》这种宏大规模的游历型作品却是前无古人的。由于情节单元化容易造成雷同的结果,作者为全书设计了两条贯穿全书的情节线索。一条是一路之上取经四众与旋生旋灭的妖魔斗法;一条是取经四众内部的摩擦与矛盾。前者使全书始终保持着惊心动魄、引人入胜的吸引力和显明的目的指向,后者使小说的情节因围绕主要人物展开而具有内在的连贯性和隐约的心性变化。二者相辅相成,促成了取经过程在现实与精神两个层面的实现。

《西游记》情节结构的核心在于"八十一难"的设计与寓意。"八十一难"的设置与解除既是小说内容的反映,也体现了一种情节结构的特点。就基本寓意而言,"八十一难"意味着灾难是接连不断的、不可避免的,但它的设定本身并不严格。有时,作者将一难析为数难,如"黄风怪阻"是一难,"请求灵吉"又算一难。而实际上,后者只是指灵吉菩萨帮助收伏黄风怪,并不是独立的一难。有时,则不是唐僧本人直接遭难,如"心猿遭害三十二难",受磨难的只是孙悟空。至于"祛道兴僧三十六难",就更算不得取经人之难了。

在中国古人看来,灾难作为上苍安排的一种不可改变的宿命,既是对人的意志的考验,也是成功的必经之路。所以,《孟子·告子下》里有这样的警句:"天将降大任于是人也,必先苦其心志,劳其筋骨,饿其体肤,空乏其身,行拂乱其所为。所以动心忍性,曾益其所不能。"而取经的历经磨难,正符合古人从生活经验中总结出的"艰难困苦,玉汝于成"哲理。

不过,在《西游记》中,八十一难又各有寓意,或取譬自然,或象征社会，或影射历史，或直指人心。角度不一，写法各异，多姿多彩地反映了中国古代社会乃至整个人类面临的种种问题。

从题材本身来看，历史上玄奘取经遇到的最大问题实际上是与自然的搏斗。对此，《大慈恩寺三藏法师传》中有具体的记载。在当时的交通条件下，孤身一人，跋山涉水，历经十余个寒暑，确实是气壮山河的英雄之举。取经故事之所以产生流传，最初也正是受此感染的。到了《西游记》中，更遥承上古神话，大量描写了人与自然的矛盾。取经路上，到处是千奇百怪、诡秘莫测的险山恶水，如鸦鹊难飞的鹰愁涧，鹅毛沉底的流沙河，八百里宽的通天河，漫山遍野的荆棘岭，秽气难闻的稀柿衕，烈焰腾腾的火焰山，饮水成胎的子母河等，无不象征着人类在严峻大自然面前的艰难处境。凡此种种，都是其他古代小说中所不多见的。换言之，《西游记》在古代小说发展中占据特殊的地位，其中一个原因，就是它描写了自然加于人的灾难以及人对自然的反抗。

与自然灾难相对的是人生的灾难，在《西游记》中，这方面的描写更为充分。人生的灾难来自两个方面，一个是来自社会的。作者以高度幻想之笔，从历史与现实中提炼具有普遍性的社会矛盾，使之成为世情的写实与折射。明末小说《醒世姻缘传》第二十四回有这样一段话：

> 若是地方中遇着一个魔君持世，便有那些魔神魔鬼、魔风魔雨，……旋又生出一班魔外郎、魔书办、魔皂隶、魔快手，渐渐门子民壮、甲首青夫、舆人番役、库子禁兵，尽是一伙魔头助虐。这几个软弱黎民个个都是这伙魔人的唐僧、猪八戒、悟净、孙行者，镇日的要蒸吃煮吃。

反过来看,《西游记》所写的称王称霸、残民虐民的妖魔,也是社会上各种黑暗、邪恶势力的幻化。作者在介绍妖魔侵占下的狮驼国时,就曾用狼精灵、虎都管、彪总兵等揭示“先年原是天朝国,如今翻作虎狼城”(第七十六回)的触目惊心的景象。读者由此联想到当时横行霸道的宦官权臣、藩王勋爵、地方豪绅、狡胥黠吏令人发指的罪恶,是完全合乎逻辑的。

作者还经常描写妖魔与神佛间千丝万缕的联系。许多妖魔来自神佛,收伏后又归于神佛。因此,孙悟空降伏金、银角大王后,指责太上老君“纵放家属为邪,该问个钤属不严的罪名”;要观音收了金毛犼后“再不可令他私降人间,贻害不浅”;他还嘲笑如来佛“你还是妖精的外甥哩”,等等。而乌鸡国王说自己无处申冤,是因为侵国篡位的狮子精“神通广大,官吏情熟,——都城隍常与他会酒,海龙王尽与他有亲,东岳天齐是他的好朋友,十代阎罗是他的异兄弟。——因此这般,我也无门投告”(第三十七回)。黑河水怪强占了河神府,河神想告他,却因西海龙王是他的母舅,不准河神的状子(第四十三回)。在另一处,太白金星也提醒孙悟空不要轻敌,“那妖精一封书到灵山,五百阿罗都来迎接;一纸简上天宫,十一大曜个个相钦。四海龙曾与他为友,八洞仙常与他作会。十地阎君以兄弟相称,社令、城隍以宾朋相爱”(第七十四回)。作者一再点染这些神魔关系,实际上是对当时普遍存在的上下勾结、纵徒为恶、姑息养奸、官官相护现状的旁敲侧击,加强了作品的社会批判性。同时出现的《金瓶梅》就具体写了西门庆与朝中官员结纳往还,并依靠这种政治上的奥援为所欲为。《金瓶梅》第六十九回文嫂说西门庆“东京蔡太师是他干爷,朱太尉是他旧主,翟管家是他亲家,巡抚巡按都与他相交,知府知县是不消说”,足可作为《西游记》的参证。而在降伏车迟国妖道后,孙悟空告诫国王:“向后来,再不可胡为乱信。望你把三教归一:也敬僧,也敬道,也养育人才。我保你江山永固。”(第四十七回)乃是作者为拯救国家开的一味“十全大补丸”。

人生的另一大难题来自自己的内心世界。“魔”的梵文本意是“扰乱”“障碍”等,从佛教的角度看,则指一切烦恼、疑惑、迷恋等妨碍修行的心理活动,“降魔”其实就是这种内心斗争的具象化。小说第十四回,孙悟空随唐僧上路后,突然遇到六个剪径的强盗,这六个人是眼看喜、耳听怒、鼻嗅爱、舌尝思、意见欲、身本忧,亦即人的六欲的外化。打死这“六贼”就是说要克服“六欲”对取经的干扰。实际上,在佛教典籍中,这样的故事很多。例如有个著名的故事讲净饭王太子发愿坐树下,若道不成,终不起。魔王想破坏太子的道愿,以弓箭、魔女、天位相威胁和诱惑,太子对此毫不动心,终于成佛。敦煌变文中的《破魔变文》等后世文学作品都敷演过这一故事,而《西游记》中“四圣试禅心”等章节,与魔王派三女诱乱太子的情节其实就是一脉相承的。

实际上,所有的灾难都必然在人的内心引起尖锐的冲突。有时,战胜这种内心冲突比战胜外部的妖魔更困难。因此,《西游记》还直接描写了人的心理矛盾,这种矛盾有时甚至构成重大的磨难,如第五十七、五十八回的真假猴王故事就具有这种意义。作者反复提醒读者,“人有二心生祸灾”,真假猴王之争是“二心竞斗”,而消灭此怪,则是“剪断二心”。所以,这里的假猴王,不妨看作孙悟空潜意识的一种表现。而真假猴王的苦战,正说明人要战胜自我最不容易。

四

《西游记》在艺术上也是中国古代小说史上的一部奇书，除了在与其他小说共同的一些长处如人物刻画性格鲜明、情节冲突跌宕有致等等外，它还有一些独到之处，将古代小说的某些艺术特点发挥到了极致。

首先，《西游记》是一部充满幻想色彩的小说，天上人间，殊方绝域，无处不到，无奇不有。在这里，幽冥界勾了生死簿就可以永生；黄河、海水可以瓶装杯泻；风雨雷电，召之即来，挥之即去；南天门上，哪吒把皂旗展开，日月星辰俱遮蔽了，真是乾坤墨染就，宇宙靛装成；火焰山下，用芭蕉扇连扇四十九下，有火处下雨，无火处天晴……这些令人叹为观止的想象，构成了《西游记》最突出的艺术特点。

《西游记》的艺术想象体现了丰富、瑰丽、悠久的文化传统，也吸收到外来文化的影响，不是某一个小说家向壁虚构所能完成的。比如降妖伏魔的叙事模式与古已有之的类似神话传说密切相关，黄帝与蚩尤之战就有很浓烈的神魔相争的意味，蚩尤的外貌、性状、事迹都与演化中的孙悟空有相近之处。蚩尤进攻黄帝，一如孙悟空大闹天宫，是对正统的反叛，结果都是邪不压正。这一穿越数千年的原型显现，说明了中国文化精神正统观念的强大，也昭示了降妖伏魔叙事模式的思想基础。而佛教、道教有关降魔除妖的观念与艺术，对这一叙事模式的产生也有重要影响。如《太平广记》卷十四《许真君》记叙，许真君降伏蛟蜃之精时，蜃精为逃命，化为黄牛。真君以道眼遥观，认出黄牛乃蜃精所变，自己就变为黑牛冲去。蜃精躲不过，重新变为人，许真君也变回人身，追踪蜃精，现其原形。这种神妖交替变化的战斗方式在《西游记》中是常见的，如第六回二郎真君大战孙悟空时，二人就不断变化；第六十一回孙悟空大战牛魔王，也是交替变化的。《西游记》中还直接出现过许逊这一人物，而明末小说《旌阳宫铁树镇妖》以许逊为主人公，又兼及《西游记》中人物，正是古代小说之间辗转影响的实例。大体上，在《西游记》以前，降妖伏魔已逐渐演变成一个比较普遍、稳定的非现实的叙事模式，《西游记》的作者广泛借鉴，全面改造，去其朴野、荒诞的色彩与单纯的宗教意味，强化妖魔的社会特征，使降妖伏魔成为表现社会矛盾的一种明快的、活泼的形式。

其次，诙谐幽默是《西游记》叙事风格的另一个突出特点。作者吸收了传统俳谐、民间笑话的成功经验，涉笔成趣，笑料丛生。夸张时，锋芒毕露，使人捧腹喷饭；含蓄时，旨微语婉，令人会心莞尔。其中既有对世态风俗的讽刺调侃，也有对精神世界的悉心体察。如描写降妖伏魔，不是单纯渲染凶险恐怖，而是善于通过趣笔化解紧张气氛，对妖魔的不自量力多予嘲弄，使读者始终保持着愉悦超然的阅读心理。在人物塑造方面，《西游记》也多用谐谑之笔。唐僧既品德高尚，又庸弱迂腐，就是这样一个人，却要领导三个顽劣不堪的"妖徒"进行神圣的取经，本身就是喜剧性的。而孙悟空、猪八戒更生动地表现出两种不同的喜剧性格。孙悟空是具有自觉意识的、肯定型的喜剧人物。他始终主动地争取乐趣，并以这种英雄的乐观感染读者，使读者为他的战斗方式解颐开颜。猪八戒则是不自觉的、否定型的喜剧性格。构成这种喜剧性格的基本特点是主观与客观的悖谬，他经常表里相背，弄巧成拙，欲盖弥彰，陷入被嘲笑的境地。

众所周知，传统文论十分重视文学的道德教训作用和历史纪实功能，在风格上一向以温柔敦厚、凝重质实为尚。明代中后期观念才开始出现变化，在托名李卓吾批评的袁无涯刊《水浒传》的评语中，甚至提出了“天下文章当以趣为第一”的主张。同是托名李卓吾评点的《西游记》，“趣”也是用得最多的一个字。由于《西游记》有意突破了传统的功利观念的迂拘固陋，更主动地追求文学的审美愉悦性，那种静穆和悦的古典美学法则、传经布道式的贫瘠板滞、装模作样的叙事风格，都被一扫而空，代之而起的是活泼跳荡、疏落俊爽的飞动之致，是褫魂夺魄的奇思异想和毫无拘束的、快活的谑浪笑傲。其中既有对世态人情涉笔成趣的讽刺，也有将紧张的冲突转化为喜剧场面的戏谑，使读者以轻松愉快的心情欣赏情节的跌宕起伏。如此笑料丛生，庄谐相济的长篇巨制，不仅在中国小说史上罕有其比，就是在世界文坛亦足称道。

《西游记》的语言的成就也达到了古代白话文学语言发展的新高度。在《西游记》产生之前，白话小说的发展已有四五百年的历史，但早期白话小说的语言还相当朴拙，个性特点不甚鲜明。《西游记》则不然，它的语言轻松明快，诙谐幽默，句法摇曳多姿、意味无穷，风格十分突出。

《西游记》的散体叙述语言常采用简短、整齐的句式，造成一种轻快的节奏感，又赋予叙述语言以情绪化色彩，避免纯客观的平铺直叙。如第一回叙孙悟空要去寻师访道，“众猴果去采仙桃，摘异果，刨山药，劚黄精，芝兰香蕙，瑶草奇花，般般件件，整整齐齐，摆开石凳石桌，排列仙酒仙肴”，语短句工，跳跃性强，把众猴喜悦神态与生活方式描绘如画，极富感染力。

作者还大量运用韵文，既有义理的表现，也有气氛的烘托，虽然有一些是陈词滥调，有些只是宗教思想的表现，但还有相当多的韵文巧妙地融入了作品的叙述中。在风波迭起的降妖伏魔的过程中,流畅的诗歌构成了情节诗意的背景,也是全书张弛之美的必要环节。而韵文中人物的诗体道白,则成为人物精神世界的精彩抒写。例如孙悟空就有不少这样的道白,渲染了他桀骜不驯的英雄品格与精神状态。他声称:“你去乾坤四海问一问,我是历代驰名第一妖!”(第十七回)“我也曾花果山上伏虎降龙,我也曾上天堂大闹天宫。饥时把老君的丹,略略咬了两三颗;渴时把玉帝的酒,轻轻呼了六七钟。”(第八十一回)诸如此类,无不韵律独特,情境超拔,充满了自豪与骄傲,极易唤起读者的欣赏与共鸣。

至于人物语言的生动与个性化,在《西游记》中更是俯拾皆是。第七十四回路过狮驼岭时,猪八戒听说有恶魔,惊慌地说:“唬出尿来了!如今也不消说,赶早儿各自顾命去罢!”孙悟空却坦然道:“师父放心,没大事。想是这里有便有几个妖精,只是这里人胆小,把他就说出许多人,许多大,所以自惊自怪。有我哩!”于是两人发生争执,猪八戒道:“哥哥说得是那里话!我比你不同:我问的是实,决无虚谬之言。满山满谷都是妖魔,怎生前进?”孙悟空笑道:“呆子嘴脸!不要虚惊!若论满山满谷之魔,只消老孙一路棒,半夜打个罄净!”一个惊恐万状,一个豪气冲天,都通过他们的语言表现出来了。

五

自《西游记》问世以来,对它的诠释就众说纷纭。小说敷演的是佛教徒的事迹,很自然有人认为它宣扬的是佛教思想;但《西游记》在演变中又羼入了道教元素,因此又备受道教徒的青昧，清代以来出现的陈士斌《西游真诠》、刘一明《西游原旨》等，都是从道教的角度对《西游记》进行评点的；而清代张书绅的《新说西游记》则是从理学角度阐发此书“精义”的。近代以来，胡适、鲁迅等人，对上述三教的牵强附会不以为然，认为《西游记》并没有什么微妙的意思，实不过出于作者的游戏。此后，随着研究的逐步深入，人们对《西游记》的理解也不断发展，有人重视作品的政治寓意，有人强调小说的哲理内容，更有人从文化精神的角度探求书中的深刻思想。这一方面反映了《西游记》的创作本旨确实难以定于一尊，另一方面也表现这部作品的丰富性。

张书绅的《新说西游记》从理学角度阐释《西游记》虽有不正确的地方，但他对《西游记》有一句评价，却极为精当，他说：

> 人生斯世，各有正业，是即各有所取之经，各有一条西天之路也。

从这一角度来看，《西游记》所包含的迁善改过、勇猛精进、以臻完美的哲理，对每个人都是有启发意义的，这也是它具有超越时空的思想、艺术魅力的原因所在。我们完全有理由从当下的立场出发，跟随取经四众的脚步，对他们充满艰辛与欢乐的历程，作出符合自己人生体验的印证与理解。

刘勇强

二〇一九年十二月

关于本书的整理情况

本书是根据北京图书馆所藏的明刊本金陵世德堂“新刻出像官板大字《西游记》”摄影胶卷，并参考清代六种刻本校订整理的，初版于一九五五年，以后印过多次。这次重排，又用世德堂本作了复校，并用明崇祯本作了校核，改正了初版的一些疏误。

世德堂本原书我们不曾看见。据胶卷，这个本子刻于一五九二年（明万历二十年），距作者吴承恩去世时不过十来年；虽不一定是最初刻本，但在今天所见到的许多刻本中，却是最早的。

我们所参考的清代六种刻本是：

一，《西游证道书》（清初刊本）；

二，《西游真诠》（清康熙丙子〔一六九六〕原刊本）；

三，《新说西游记》（“晋省书业公记”本，卷首有评注者张书绅所作“西游记总论”，署清乾隆戊辰〔一七四八〕七月；乾隆十四年己巳〔一七四九〕其有堂本。两本差别甚大。）

四，《西游原旨》（清嘉庆二十四年〔一八一九〕护国庵板）；

五，《通易西游正旨》（清道光己亥〔一八三九〕德馨堂本）；

六，《西游记评注》（含晶子评注本）。

明崇祯年间刊“李卓吾批评《西游记》”，是接近世德堂本的较早刊本，初版整理时未能见到。这次我们用此本作了校核，订正了一些文字。

从校勘中看出，世德堂本较清代各种刻本有许多不同之处，主要的有以下几种情形：

第一，除了"书业公记"本《新说西游记》外，其他清代刻本，实际上是世德堂本的删节本。世德堂本中的许多描写景色、人物、战斗场面的极具风趣的骈辞韵语，在这些刻本中，基本上都已删去；其他叙写文字，也作了大量删削。"书业公记"本《新说西游记》虽然是世德堂本系统的本子，没作删节，但有刊漏和改动之处。例如，第七十二回写孙悟空变作一只饿老鹰，世德堂本有一段韵语：

> 但见：毛犹霜雪，眼若明星。妖狐见处魂皆丧，狡兔逢时胆尽惊。钢爪锋芒快，雄姿猛气横。会使老拳供口腹，不辞亲手逐飞腾。万里寒空随上下，穿云检物任他行。

这段韵语，清代各种刻本（包括《新说西游记》）都没有。第四十五回写虎力大仙拜求金丹圣水，世德堂本有一段韵语：

> 诚惶诚恐，稽首归依。臣等兴教，仰望清虚。灭僧鄙俚，敬道光辉。敕修宝殿，御制庭闱。广陈供养，高挂龙旗。通宵秉烛，镇日香馡。一诚达上，寸敬虔归。……

这段韵语，除《新说西游记》外，别本都没有。"香馡""书业公记"本作"香焚"，不仅失韵，意思也不好。

第二，世德堂本中有一些方言，清代各种刻本作了删改。例如，第二十六回写猪八戒在唐僧面前讲孙悟空坏话，世德堂本作：

> ……树死了，又可医得活？他弄个光皮散儿好看，者着

求医治树,单单了脱身走路,还顾得你和我哩!

“者着”是方言,“书业公记”本改作“托着”,别本却根本没有这两个字。第三十四回写两个小妖摸寻宝贝时的举动,世德堂本作:

都去地下乱摸,草里胡寻,呑袖子,揣腰间,那里得有?

“呑袖子”的“呑”是方言。清刻本都作“各袖子”。第九十四回写唐僧骂孙悟空的话,世德堂本作:

我们十节儿已上了九节七八分了,你还把热舌头铎我!快早夹着,切莫开那臭口!

“把热舌头铎我”的“铎”字是方言。“书业公记”本作“把热舌头饵我”,《西游真诠》作“说这样混话”。

世德堂本的特点之一,还在于它保留了一些方言词,因而在叙述上使文字更生动,更形象。例如第五十三回写猪八戒饮子母河水后,

……渐渐肚子大了。用手摸时,似有血团肉块,不住的骨冗骨冗乱动。……

“骨冗”本是方言,形容婴儿在母腹内蠕动。现代均作“咕容”。但清代各种刻本都改为“骨突”。“骨突”是形容水沸时的声音,和形容蠕动的“骨冗”,意思是两回事。这个例子正好说明世德堂本更接近于作者的手稿本,因而是可贵的。——举例的这些方言,在本书中都有注解,这里不多作说明。

第三,世德堂本有一些形容描写之处,清代各种刻本也与之不同。例如,第二十三回写猪八戒偷看四圣所化的妇人,世德堂本“饧眼”二字(饧读 xíng。饧眼是指眼睛发涩、眯成一条缝的样子),大多数清刻本都作“睁眼”。第二十七回写孙悟空被贬退要下拜辞行时,唐僧拒绝不受,世德堂本作“唐僧转回身不

睬，口里唧唧哝哝的道”；清代各种刻本都作“唐僧转回身下拜道”。第三十回写龙马战妖失败后的情况，世德堂本作：

> 却说那小龙潜于水底，半个时辰听不见声息，方才咬着牙，忍着腿疼跳将起去，踏着乌云，径转馆驿。

清代各种刻本都没有其中“咬着牙，忍着腿疼”这七个字。

从上面的例子看来，根据世德堂本整理本书应该是比较合适的。

世德堂本虽有许多好处，却也存在一些缺陷，因而我们又取其他各本的优点，给以增补和校订。例如，补出了关于唐僧出身的叙述。

世德堂本对于本书主角——孙悟空、猪八戒、沙僧、龙马——的出身，都有详细的叙述，但关于唐僧的出身，却反而没有，只在第十一回中，用二十四句七言韵语，作了一个极简略的介绍；这与第十四、第三十七、第四十九、第六十四、第九十三、第九十四各回提到唐僧的地方，很难呼应。尤其是第九十九回总结唐僧经历的灾难，其中前四难——金蝉遭贬、出胎几杀、满月抛江、寻亲报冤，因为前文缺乏叙述，找不出来历。唐僧出身的故事，宋元时代民间已普遍流传，作者似不会不予吸收。很可能原书是有一段叙述唐僧出身的故事的，世德堂本把它刊落了。明崇祯本情况与世德堂本相同。其后，《西游证道书》本补出了这一段；《西游真诠》《新说西游记》各本，都照着补出。虽然补出的文字没有什么描写，没有像各回所有的那些韵语，内容上还有重复和前后不能照应之处，例如，补出的这段（现作为“附录”）写唐僧的师父是法明长老，第十一回韵语中却说是迁安和尚；又如，补出的这段写陈光蕊贞观十三年中状元，中状元之后才招亲,而第十二回写他的儿子唐僧应荐设道场竟也在贞观十三年等。但这些究竟是较小的问题,前面所说的那种较大的缺点没有了,整个“西游”的故事也完整了。因此,初版时,我们就根据“书业公记”本把这一段补了出来,作为第九回,并将世德堂本的第九回到第十二回四回文字,并作三回,分回和回目,均改从《西游真诠》各本的第十到第十二回。这次重排,考虑到补出的这一回既然不像是吴承恩的原作,所以便把它作为“附录”,排在第八回之后,第九到第十二回,仍然恢复世德堂本原貌。这样处理,既弥补了世德堂本情节上的不相照应之处,又保持了它的完整性,可能较为妥当一些。

除了上述变动以外,我们还参考各种刻本,校补了世德堂本一些文字词句上显著的错误和缺漏。例如,第四十七回写灵感大王要吃陈家的小孩,孙悟空和那老者一段问答,世德堂本作:

> 行者道:“要吃童男女么?”老者笑道:“正是。”行者道:“想必轮到你家了?”

那老者这时候的心情,似乎不会“笑”,我们就根据《西游真诠》删去“笑”字。第七十九回写孙悟空烧了清华妖洞之后,世德堂本作:

> 这里才喝退土地,同寿星牵着鹿,拖着狐狸,对国王道……

清华妖洞距离比丘国城池有一段途程,比丘国王又没有到清华妖洞来,孙悟空似乎不能立刻和国王谈话,我们就根据《西游真诠》在“拖着狐狸”句下加了“一齐回到殿前”六字。第八十三回写唐僧被妖摄去,孙悟空眼中流泪,猪八戒只在一旁发笑,世德堂本有这样两句:

> 八戒见他垂泪,吓得仰天大笑。

“仰天大笑”似乎不应由“吓得”而来，我们就根据《西游真诠》把“吓得”改作“忍不住”。

世德堂本和清代各种刻本均误的一些地方，这次依据明崇祯本加以订正。例如，第一回写石猴跳入水帘洞之前，世德堂本和《新说西游记》有一首五言诗，最后一句“天遣入仙宫”，“天”字世德堂本作“王”，《新说西游记》作“正”，都不妥当，这次据崇祯本改“天”；第二十二回写卷帘将自述生平的那篇韵文，“饶死回生不典刑”一句中的“典”字，世德堂本和《新说西游记》均误作“点”，这次据崇祯本订正。

又，从胶卷中看出，这部世德堂本，本身有许多残缺。例如，其中“料字第十六卷”（从第七十六到第八十回），书页上就印明是用较晚出的“书林熊云滨重锲”的本子补的；第九十一回至第一百回皆为“金陵荣寿堂梓行”。又如，第十四回，第四十三回，第四十四回，第六十五回，第八十七回各回，都有残缺；这些残缺之处，我们都根据“书业公记”本把它补齐。

此外，也还有若干问题，仍然存在。例如，第八十八回写豹头山距城七十里，第八十九回却又说距城三十里，程途远近，显然矛盾。这一类的问题，不论从世德堂本，或从其他各本，都不能解决。只好保持原文，不加改动。

初版本的注释，主要侧重于口语方面，比较简略。为了读者阅读的便利，这次除口语方面续有增补外，其他方面的内容，也作了一些补充。

本书初版本的校订整理工作，由黄肃秋同志担任。这次重排，除黄肃秋同志外，陈新和王思宇同志，也参加了校订工作。初版和这次增补的注释，均为黄肃秋同志所作。

在这次校订过程中，路工同志提供了他用崇祯本校核初版本的成果，革命历史博物馆惠借了崇祯本《西游记》；注释工作中还得到了吴晓铃、季镇淮、魏建功等同志的帮助，我们都衷心感谢。

本书的整理工作，一定还存在错误和缺点，热切希望广大读者批评指教，以便今后改正。

人民文学出版社编辑部

一九七九年十月

目　录

第　一　回

灵根育孕源流出　心性修持大道生

诗曰：

混沌未分天地乱，茫茫渺渺无人见。
自从盘古破鸿濛，开辟从兹清浊辨。
覆载群生仰至仁，发明万物皆成善。
欲知造化会元功，须看《西游释厄传》①。

盖闻天地之数，有十二万九千六百岁为一元。将一元分为十二会，乃子、丑、寅、卯、辰、巳、午、未、申、酉、戌、亥之十二支也。每会该一万八百岁。且就一日而论：子时得阳气，而丑则鸡鸣；寅不通光，而卯则日出；辰时食后，而巳则挨排；日午天中，而未则西蹉；申时晡而日落酉；戌黄昏而人定亥。譬于大数，若到戌会之终，则天地昏曚而万物否②矣。再去五千四百岁，交亥会之初，则当黑暗，而两间③人、物俱无矣，故曰混沌。又五千四百岁，亥会将终，贞下起元④，近子之会，而复逐渐开

---

① 《西游释厄传》：是较早的《西游记》传本之一。今所知、见者，有"大略堂"本、"书林刘莲台梓"本等。释指唐僧，厄即灾难，即如本书所载唐僧于取经途中所遭遇的厄难。

② 否(pǐ)：闭塞。此处指毁灭。

③ 两间：天地之间。

④ 贞下起元：古人认为事物循环有元、亨、利、贞四个阶段。"贞下起元"指"贞"之后重新从"元"开始新的循环过程。

明。邵康节①曰:“冬至子之半,天心无改移。一阳初动处,万物未生时。”到此,天始有根。再五千四百岁,正当子会,轻清上腾,有日,有月,有星,有辰。日、月、星、辰,谓之四象。故曰,天开于子。又经五千四百岁,子会将终,近丑之会,而遂渐坚实。《易》曰②:“大哉乾元!至哉坤元!万物资生,乃顺承天。”至此,地始凝结。再五千四百岁,正当丑会,重浊下凝,有水,有火,有山,有石,有土。水、火、山、石、土,谓之五形。故曰,地辟于丑。又经五千四百岁,丑会终而寅会之初,发生万物。历曰:“天气下降,地气上升;天地交合,群物皆生。”至此,天清地爽,阴阳交合。再五千四百岁,正当寅会,生人,生兽,生禽,正谓天、地、人,三才定位。故曰,人生于寅。

感盘古开辟,三皇治世,五帝定伦,世界之间,遂分为四大部洲:曰东胜神洲,曰西牛贺洲,曰南赡部洲,曰北俱芦洲。这部书单表东胜神洲。海外有一国土,名曰傲来国。国近大海,海中有一座名山,唤为花果山。此山乃十洲之祖脉,三岛之来龙,自开清浊而立,鸿蒙判后而成。真个好山!有词赋为证。赋曰:

势镇汪洋,威宁瑶海。势镇汪洋,潮涌银山鱼入穴;威宁瑶海,波翻雪浪蜃离渊。木火方隅③高积土,东海之处耸

① 邵康节:邵雍(一〇一一——一〇七七),康节是他死后的谥号。北宋哲学家、数术家。这里所说的“会元”,即邵雍所谓“元会运世”(三十年为一世,十二世为一运,三十运为一会,十二会为一元)的无稽说法,详见其所著《皇极经世书》中。

② “《易》曰”几句:《易》即《易经》,是我国古代一部讲占卜的书。它包括六十四卦的卦辞和解释卦辞的文字共两大部分。“乾”“坤”为两个卦名,乾为天,坤为地。“大哉乾元”几句系把乾坤两卦彖辞综合在一起,意为万物的资生、发展,都是顺承天地的“德”(基本法则)的。

③ 木火方隅:东南方向。古人认为东方属木,南方属火。

崇巅。丹崖怪石，削壁奇峰。丹崖上，彩凤双鸣；削壁前，麒麟独卧。峰头时听锦鸡鸣，石窟每观龙出入。林中有寿鹿仙狐，树上有灵禽玄鹤。瑶草奇花不谢，青松翠柏长春。仙桃常结果，修竹每留云。一条涧壑藤萝密，四面原堤草色新。正是百川会处擎天柱，万劫无移大地根。

那座山正当顶上，有一块仙石。其石有三丈六尺五寸高，有二丈四尺围圆。三丈六尺五寸高，按周天三百六十五度；二丈四尺围圆，按政历二十四气。上有九窍八孔，按九宫八卦。四面更无树木遮阴，左右倒有芝兰相衬。盖自开辟以来，每受天真地秀，日精月华，感之既久，遂有灵通之意。内育仙胞，一日迸裂，产一石卵，似圆球样大。因见风，化作一个石猴。五官俱备，四肢皆全。便就学爬学走，拜了四方。目运两道金光，射冲斗府。惊动高天上圣大慈仁者玉皇大天尊玄穹高上帝，驾座金阙云宫灵霄宝殿，聚集仙卿，见有金光焰焰，即命千里眼、顺风耳开南天门观看。二将果奉旨出门外，看的真，听的明，须臾回报道："臣奉旨观听金光之处，乃东胜神洲海东傲来小国之界，有一座花果山，山上有一仙石，石产一卵，见风化一石猴，在那里拜四方，眼运金光，射冲斗府。如今服饵水食，金光将潜息矣。"玉帝垂赐恩慈曰："下方之物，乃天地精华所生，不足为异。"

那猴在山中，却会行走跳跃，食草木，饮涧泉，采山花，觅树果；与狼虫为伴，虎豹为群，獐鹿为友，猕猿为亲；夜宿石崖之下，朝游峰洞之中。真是"山中无甲子①，寒尽不知年"。一朝天气

① 甲子：古代用甲乙丙丁等十个天干和子丑寅卯等十二个地支相配，以六十为一周，来纪年月日。这里即指历日。

炎热，与群猴避暑，都在松阴之下顽耍。你看他一个个：

跳树攀枝，采花觅果；抛弹子，邷么儿[1]；跑沙窝，砌宝塔；赶蜻蜓，扑虮蜡[2]；参老天，拜菩萨；扯葛藤，编草帓；捉虱子，咬又掐；理毛衣，剔指甲；挨的挨，擦的擦；推的推，压的压；扯的扯，拉的拉，青松林下任他顽，绿水涧边随洗濯。

一群猴子耍了一会，却去那山涧中洗澡。见那股涧水奔流，真个似滚瓜涌溅。古云："禽有禽言，兽有兽语。"众猴都道："这股水不知是那里的水。我们今日赶闲无事，顺涧边往上溜头寻看源流，耍子去耶！"喊一声，都拖男挈女，呼弟呼兄，一齐跑来，顺涧爬山，直至源流之处，乃是一股瀑布飞泉。但见那：

一派白虹起，千寻雪浪飞。
海风吹不断，江月照还依。
冷气分青嶂，馀流润翠微。
潺湲名瀑布，真似挂帘帷。

众猴拍手称扬道："好水！好水！原来此处远通山脚之下，直接大海之波。"又道："那一个有本事的，钻进去寻个源头出来，不伤身体者，我等即拜他为王。"连呼了三声，忽见丛杂中跳出一个石猴，应声高叫道："我进去！我进去！"好猴！也是他：

今日芳名显，时来大运通。
有缘居此地，天遣入仙宫。

你看他瞑目蹲身，将身一纵，径跳入瀑布泉中，忽睁睛抬头观看，那里边却无水无波，明明朗朗的一架桥梁。他住了身，定了神，仔细再看，原来是座铁板桥。桥下之水，冲贯于石窍之间，

① 邷(wǎ)么儿：一种玩弄碎瓦砾或小石子等的儿童游戏，有些地方称为"抓子儿"。

② 虮(bā)蜡：即蝗虫。

倒挂流出去，遮闭了桥门。却又欠身上桥头，再走再看，却似有人家住处一般，真个好所在。但见那：

翠藓堆蓝，白云浮玉，光摇片片烟霞。虚窗静室，滑凳板生花。乳窟龙珠倚挂，萦回满地奇葩。锅灶傍崖存火迹，樽罍①靠案见肴渣。石座石床真可爱，石盆石碗更堪夸。又见那一竿两竿修竹，三点五点梅花。几树青松常带雨，浑然像个人家。

看罢多时，跳过桥中间，左右观看，只见正当中有一石碣。碣上有一行楷书大字，镌②着"花果山福地，水帘洞洞天"。石猿喜不自胜，急抽身往外便走，复瞑目蹲身，跳出水外，打了两个呵呵道："大造化！大造化！"众猴把他围住，问道："里面怎么样？水有多深？"石猴道："没水！没水！原来是一座铁板桥。桥那边是一座天造地设的家当。"众猴道："怎见得是个家当？"石猴笑道："这股水乃是桥下冲贯石窍，倒挂下来遮闭门户的。桥边有花有树，乃是一座石房。房内有石锅、石灶、石碗、石盆、石床、石凳。中间一块石碣上，镌着'花果山福地，水帘洞洞天'。真个是我们安身之处。里面且是宽阔，容得千百口老小。我们都进去住，也省得受老天之气。这里边：

刮风有处躲，下雨好存身。

霜雪全无惧，雷声永不闻。

烟霞常照耀，祥瑞每蒸薰。

松竹年年秀，奇花日日新。"

众猴听得，个个欢喜，都道："你还先走，带我们进去，进

---

① 樽(zūn)罍(léi)：古代盛酒的容器。

② 镌(juān)：雕刻。

去!”石猴却又瞑目蹲身,往里一跳,叫道:“都随我进来!进来!”那些猴有胆大的,都跳进去了;胆小的,一个个伸头缩颈,抓耳挠腮,大声叫喊,缠一会,也都进去了。跳过桥头,一个个抢盆夺碗,占灶争床,搬过来,移过去,正是猴性顽劣,再无一个宁时,只搬得力倦神疲方止。石猿端坐上面道:“列位呵,‘人而无信,不知其可’。你们才说有本事进得来,出得去,不伤身体者,就拜他为王。我如今进来又出去,出去又进来,寻了这一个洞天与列位安眠稳睡,各享成家之福,何不拜我为王?”众猴听说,即拱伏无违。一个个序齿①排班,朝上礼拜,都称“千岁大王”。自此,石猿高登王位,将“石”字儿隐了,遂称美猴王。有诗为证。诗曰:

三阳交泰产群生,仙石胞含日月精。
借卵化猴完大道,假他名姓配丹成。
内观不识因无相,外合明知作有形。
历代人人皆属此,称王称圣任纵横。

美猴王领一群猿猴、猕猴、马猴等,分派了君臣佐使,朝游花果山,暮宿水帘洞,合契同情,不入飞鸟之丛,不从走兽之类,独自为王,不胜欢乐。是以:

春采百花为饮食,夏寻诸果作生涯。
秋收芋栗延时节,冬觅黄精②度岁华。

美猴王享乐天真,何期有三五百载。一日,与群猴喜宴之间,忽然忧恼,堕下泪来。众猴慌忙罗拜道:“大王何为烦恼?”

① 序齿:按年龄为次序。齿,指年龄。
② 黄精:一种草药名。

猴王道："我虽在欢喜之时，却有一点儿远虑，故此烦恼。"众猴又笑道："大王好不知足！我等日日欢会，在仙山福地，古洞神洲，不伏麒麟辖，不伏凤凰管，又不伏人间王位所拘束，自由自在，乃无量之福，为何远虑而忧也？"猴王道："今日虽不归人王法律，不惧禽兽威服，将来年老血衰，暗中有阎王老子管着，一旦身亡，可不枉生世界之中，不得久注天人之内？"众猴闻此言，一个个掩面悲啼，俱以无常①为虑。

只见那班部中，忽跳出一个通背猿猴，厉声高叫道："大王若是这般远虑，真所谓道心开发也！如今五虫②之内，惟有三等名色，不伏阎王老子所管。"猴王道："你知那三等人？"猿猴道："乃是佛与仙与神圣三者，躲过轮回③，不生不灭，与天地山川齐寿。"猴王道："此三者居于何所？"猿猴道："他只在阎浮世界④之中，古洞仙山之内。"猴王闻之，满心欢喜，道："我明日就辞汝等下山，云游海角，远涉天涯，务必访此三者，学一个不老长生，常躲过阎君之难。"噫！这句话，顿教跳出轮回网，致使齐天大圣成。众猴鼓掌称扬，都道："善哉！善哉！我等明日越岭登山，广寻些果品，大设筵宴送大王也。"

次日，众猴果去采仙桃，摘异果，刨山药，劚⑤黄精，芝兰香蕙，瑶草奇花，般般件件，整整齐齐，摆开石凳石桌，排列仙酒仙

---

① 无常：佛教语，指世间的一切事物，都处在生、灭、变化之中，迁流不停，顷刻不止。这里是死亡的意思。

② 五虫：古人对动物的分类，称做五虫：人类叫倮虫，兽类叫毛虫，禽类叫羽虫，鱼类叫鳞虫，昆虫类叫介虫。

③ 轮回：佛教以为众生展转在天、人、阿修罗、鬼、畜生、地狱六道中，生死不已，像车轮旋转，永不停息，叫轮回。

④ 阎浮世界：阎浮，是梵语"赡部"的异译，原意即指南赡部洲。这里泛指人类世界。

⑤ 劚(zhú)：挖掘。

肴。但见那：

金丸珠弹，红绽黄肥。金丸珠弹腊樱桃，色真甘美；红绽黄肥熟梅子，味果香酸。鲜龙眼，肉甜皮薄；火荔枝，核小囊红。林檎碧实连枝献，枇杷缃苞带叶擎。兔头梨子鸡心枣，消渴除烦更解酲。香桃烂杏，美甘甘似玉液琼浆；脆李杨梅，酸荫荫如脂酥膏酪。红囊黑子熟西瓜，四瓣黄皮大柿子。石榴裂破，丹砂粒现火晶珠；芋栗剖开，坚硬肉团金玛瑙。胡桃银杏可传茶，椰子葡萄能做酒。榛松榧柰满盘盛，橘蔗柑橙盈案摆。熟煨山药，烂煮黄精。捣碎茯苓并薏苡，石锅微火漫炊羹。人间纵有珍羞味，怎比山猴乐更宁？

群猴尊美猴王上坐，各依齿肩排于下边，一个个轮流上前，奉酒，奉花，奉果，痛饮了一日。次日，美猴王早起，教："小的们，替我折些枯松，编作筏子，取个竹竿作篙，收拾些果品之类，我将去也。"果独自登筏，尽力撑开，飘飘荡荡，径向大海波中，趁天风，来渡南赡部洲地界。这一去，正是那：

天产仙猴道行隆，离山驾筏趁天风。

飘洋过海寻仙道，立志潜修建大功。

有分有缘休俗愿，无忧无虑会元龙①。

料应必遇知音者，说破源流万法通。

也是他运至时来，自登木筏之后，连日东南风紧，将他送到西北岸前，乃是南赡部洲地界。持篙试水，偶得浅水，弃了筏子，跳上岸来，只见海边上有人捕鱼、打雁、挖蛤、淘盐。他走近前，弄个把戏，妆个䫫虎②，吓得那些人丢筐弃网，四散奔跑。将那跑不

① 元龙：就是元阳。道教对"得道"的别称。后文第十一回则指皇帝。

② 妆个䫫（qiā）虎：做出一种吓人怪样子。

动的拿住一个，剥了他的衣裳，也学人穿在身上，摇摇摆摆，穿州过府，在于市廛中，学人礼，学人话。朝餐夜宿，一心里访问佛仙神圣之道，觅个长生不老之方。见世人都是为名为利之徒，更无一个为身命者。正是那：

争名夺利几时休？早起迟眠不自由！
骑着驴骡思骏马，官居宰相望王侯。
只愁衣食耽劳碌，何怕阎君就取勾？
继子荫孙图富贵，更无一个肯回头！

猴王参访仙道，无缘得遇。在于南赡部洲，串长城，游小县，不觉八九年馀。忽行至西洋大海，他想着海外必有神仙。独自个依前作筏，又飘过西海，直至西牛贺洲地界。登岸遍访多时，忽见一座高山秀丽，林麓幽深。他也不怕狼虫，不惧虎豹，登山顶上观看。果是好山：

千峰列戟，万仞开屏。日映岚光轻锁翠，雨收黛色冷含青。枯藤缠老树，古渡界幽程。奇花瑞草，修竹乔松。修竹乔松，万载常青欺福地；奇花瑞草，四时不谢赛蓬瀛[1]。幽鸟啼声近，源泉响溜清。重重谷壑芝兰绕，处处巉崖苔藓生。起伏峦头龙脉好，必有高人隐姓名。

正观看间，忽闻得林深之处有人言语，急忙趋步，穿入林中，侧耳而听，原来是歌唱之声。歌曰：

“观棋柯烂，伐木丁丁，云边谷口徐行。卖薪沽酒，狂笑自陶情。苍径秋高，对月枕松根，一觉天明。认旧林，登崖过岭，持斧断枯藤。　　收来成一担，行歌市上，易米三

① 蓬瀛：蓬莱山和瀛洲，神话传说中的仙境。

升。更无些子争竞，时价平平。不会机谋巧算，没荣辱，恬淡延生。相逢处，非仙即道，静坐讲《黄庭》①。”

美猴王听得此言，满心欢喜道：“神仙原来藏在这里！”即忙跳入里面，仔细再看，乃是一个樵子，在那里举斧砍柴。但看他打扮非常：

头上戴箬笠，乃是新笋初脱之箨②。身上穿布衣，乃是木绵捻就之纱。腰间系环绦，乃是老蚕口吐之丝。足下踏草履，乃是枯莎搓就之爽③。手执衠钢斧，担挽火麻绳。扳松劈枯树，争似此樵能！

猴王近前叫道：“老神仙！弟子起手④。”那樵汉慌忙丢了斧，转身答礼道：“不当人⑤！不当人！我拙汉衣食不全，怎敢当‘神仙’二字？”猴王道：“你不是神仙，如何说出神仙的话来？”樵夫道：“我说甚么神仙话？”猴王道：“我才来至林边，只听的你说：‘相逢处，非仙即道，静坐讲《黄庭》。’《黄庭》乃道德真言，非神仙而何？”樵夫笑道：“实不瞒你说，这个词名做《满庭芳》，乃一神仙教我的。那神仙与我舍下相邻。他见我家事劳苦，日常烦恼，教我遇烦恼时，即把这词儿念念，一则散心，二则解困。我才有些不足处思虑，故此念念。不期被你听了。”猴王道：“你家既与神仙相邻，何不从他修行？学得个不老之方，却不是好？”樵夫道：“我一生命苦：自幼蒙父母养育至八九岁，才知人事，不幸父丧，母亲居孀。再无兄弟姊妹，只我一人，没奈何，早

---

① 《黄庭》：道教的“经典”，有《黄庭内景经》和《黄庭外景经》等六种。

② 箨（tuò）：竹笋生长过程中脱落的笋皮。

③ 爽：缐字的简写，就是草鞋上的绞绳。

④ 起手：出家人的敬礼。

⑤ 不当人：这和后文的“不当人子”，都作“罪过”解释。是用于对尊长不敬或亵渎“神圣”时的谴责语。

晚侍奉。如今母老,一发不敢抛离。却又田园荒芜,衣食不足,只得斫两束柴薪,挑向市廛之间,卖几文钱,籴几升米,自炊自造,安排些茶饭,供养老母,所以不能修行。”

猴王道:“据你说起来,乃是一个行孝的君子,向后必有好处。但望你指与我那神仙住处,却好拜访去也。”樵夫道:“不远,不远。此山叫做灵台方寸①山。山中有座斜月三星洞。那洞中有一个神仙,称名须菩提②祖师。那祖师出去的徒弟,也不计其数,见今还有三四十人从他修行。你顺那条小路儿,向南行七八里远近,即是他家了。”猴王用手扯住樵夫道:“老兄,你便同我去去。若还得了好处,决不忘你指引之恩。”樵夫道:“你这汉子,甚不通变。我方才这般与你说了,你还不省?假若我与你去了,却不误了我的生意?老母何人奉养?我要斫柴,你自去,自去。”

猴王听说,只得相辞。出深林,找上路径,过一山坡,约有七八里远,果然望见一座洞府。挺身观看,真好去处!但见:

> 烟霞散彩,日月摇光。千株老柏,万节修篁。千株老柏,带雨半空青冉冉;万节修篁,含烟一壑色苍苍。门外奇花布锦,桥边瑶草喷香。石崖突兀青苔润,悬壁高张翠藓长。时闻仙鹤唳,每见凤凰翔。仙鹤唳时,声振九皋霄汉③远;凤凰翔起,翎毛五色彩云光。玄猿白鹿随隐见,金狮玉象任行藏。细观灵福地,真个赛天堂!

---

① 灵台、方寸:都是“心”的别称。下文的“斜月三星”,是心字的形状:斜月像心字的一勾,三星像心字的三点。本书不少人名、地名,都有这种隐喻,以后与故事不甚相干的,不予注释。

② 须菩提:佛的十大弟子之一。这里是糅合佛、道的一个人物。第二回“悟彻菩提”,菩提是觉悟的意思。

③ 九皋霄汉:九皋,水泽深远。霄,九霄,天空极高处;汉,即银河。

又见那洞门紧闭，静悄悄杳无人迹。忽回头，见崖头立一石碑，约有三丈馀高，八尺馀阔，上有一行十个大字，乃是“灵台方寸山，斜月三星洞”。美猴王十分欢喜道：“此间人果是朴实。果有此山此洞。”看够多时，不敢敲门。且去跳上松枝梢头，摘松子吃了顽耍。

少顷间，只听得呀的一声，洞门开处，里面走出一个仙童，真是丰姿英伟，像貌清奇，比寻常俗子不同。但见他：

髽髻①双丝绾，宽袍两袖风。

貌和身自别，心与相俱空。

物外长年客，山中永寿童。

一尘全不染，甲子任翻腾。

那童子出得门来，高叫道：“甚么人在此搔扰？”猴王扑的跳下树来，上前躬身道：“仙童，我是个访道学仙之弟子，更不敢在此搔扰。”仙童笑道：“你是个访道的么？”猴王道：“是。”童子道：“我家师父正才下榻，登坛讲道，还未说出原由，就教我出来开门，说：‘外面有个修行的来了，可去接待接待。’想必就是你了？”猴王笑道：“是我，是我。”童子道：“你跟我进来。”

这猴王整衣端肃，随童子径入洞天深处观看：一层层深阁琼楼，一进进珠宫贝阙，说不尽那静室幽居。直至瑶台之下，见那菩提祖师端坐在台上，两边有三十个小仙侍立台下。果然是：

大觉金仙没垢姿，西方妙相祖菩提。

不生不灭三三行②，全气全神万万慈。

---

① 髽(zhuā)髻(jì)：就是抓髻。一般是妇女的发形，道士也沿用来挽结他们的长发。

② 三三行：当指佛教的“三三昧”修行。佛教称空三昧、无相三昧、无愿三昧为三三昧，又被称为“三解脱门”。

空寂自然随变化，真如本性任为之。
与天同寿庄严体，历劫明心大法师。

美猴王一见，倒身下拜，磕头不计其数，口中只道："师父！师父！我弟子志心朝礼！志心朝礼！"祖师道："你是那方人氏？且说个乡贯姓名明白，再拜。"猴王道："弟子乃东胜神洲傲来国花果山水帘洞人氏。"祖师喝令："赶出去！他本是个撒诈捣虚之徒，那里修甚么道果！"猴王慌忙磕头不住道："弟子是老实之言，决无虚诈。"祖师道："你既老实，怎么说东胜神洲？那去处到我这里，隔两重大海，一座南赡部洲，如何就得到此？"猴王叩头道："弟子飘洋过海，登界游方，有十数个年头，方才访到此处。"

祖师道："既是逐渐行来的，也罢。你姓甚么？"猴王又道："我无性。人若骂我，我也不恼；若打我，我也不嗔，只是陪个礼儿就罢了。一生无性。"祖师道："不是这个性。你父母原来姓甚么？"猴王道："我也无父母。"祖师道："既无父母，想是树上生的？"猴王道："我虽不是树上生，却是石里长的。我只记得花果山上有一块仙石，其年石破，我便生也。"祖师闻言暗喜，道："这等说，却是个天地生成的。你起来走走我看。"猴王纵身跳起，拐呀拐的走了两遍。祖师笑道："你身躯虽是鄙陋，却像个食松果的猢狲。我与你就身上取个姓氏，意思教你姓'猢'。'猢'字去了个兽傍，乃是个古月。古者，老也；月者，阴也。老阴不能化育，教你姓'狲'倒好。'狲'字去了兽傍，乃是个子系。子者，儿男也；系者，婴细也。正合婴儿之本论。教你姓'孙'罢。"猴王听说，满心欢喜，朝上叩头道："好！好！好！今日方知姓也。万望师父慈悲！既然有姓，再乞赐个名字，却好呼唤。"祖师道："我门中有十二个字，分派起名，到你乃第十辈之小徒矣。"猴王道："那十二个字？"祖师道："乃广、大、智、慧、真、如、性、海、颖、悟、圆、觉十二字。排到你，正当'悟'字。与你起个法名叫做'孙悟空'，好么？"猴王笑道："好！好！好！自今就叫做孙悟空也！"正是：

鸿濛初辟原无姓，打破顽空须悟空。

毕竟不知向后修些甚么道果，且听下回分解。

第　二　回

悟彻菩提真妙理　断魔归本合元神①

话表美猴王得了姓名，怡然踊跃，对菩提前作礼启谢。那祖师即命大众引孙悟空出二门外，教他洒扫应对、进退周旋之节。众仙奉行而出。悟空到门外，又拜了大众师兄，就于廊庑之间，安排寝处。次早，与众师兄学言语礼貌，讲经论道，习字焚香，每日如此。闲时即扫地锄园，养花修树，寻柴燃火，挑水运浆。凡所用之物，无一不备。在洞中不觉倏六七年。一日，祖师登坛高坐，唤集诸仙，开讲大道。真个是：

天花乱坠，地涌金莲。妙演三乘②教，精微万法全。慢摇麈尾③喷珠玉，响振雷霆动九天。说一会道，讲一会禅，三家配合本如然。开明一字皈诚理，指引无生了性玄。

孙悟空在旁闻讲，喜得他抓耳挠腮，眉花眼笑，忍不住手之舞之，足之蹈之。忽被祖师看见，叫孙悟空道："你在班中，怎么颠狂跃舞，不听我讲？"悟空道："弟子诚心听讲，听到老师父妙

---

① 元神：道教的说法。人的灵魂经过了修炼的叫做元神。成仙得道的人，他的元神就能够离开肉体自由来去。

② 三乘：佛教术语。乘，是载运的意思，佛教认为用佛法可以把修行的人载运到佛、仙的世界中去。由于修行程度和方法有所不同，因此分作大乘、中乘、小乘，总名叫三乘。

③ 麈（zhǔ）尾：又名拂尘。古人清谈时用以驱虫、掸尘的工具，后相沿成文人手持的雅器。

音处,喜不自胜,故不觉作此踊跃之状。望师父恕罪!"祖师道:"你既识妙音,我且问你:你到洞中多少时了?"悟空道:"弟子本来懵懂,不知多少时节。只记得灶下无火,常去山后打柴,见一山好桃树,我在那里吃了七次饱桃矣。"祖师道:"那山唤名烂桃山。你既吃七次,想是七年了。你今要从我学些甚么道?"悟空道:"但凭尊师教诲,只是有些道气儿,弟子便就学了。"

祖师道:"'道'字门中有三百六十傍门①,傍门皆有正果。不知你学那一门哩?"悟空道:"凭尊师意思。弟子倾心听从。"祖师道:"我教你个'术'字门中之道,如何?"悟空道:"术门之道怎么说?"祖师道:"术字门中,乃是些请仙扶鸾②,问卜揲蓍③,能知趋吉避凶之理。"悟空道:"似这般可得长生么?"祖师道:"不能!不能!"悟空道:"不学!不学!"

祖师又道:"教你'流'字门中之道,如何?"悟空又问:"流字门中,是甚义理?"祖师道:"流字门中,乃是儒家、释家、道家、阴阳家、墨家、医家,或看经,或念佛,并朝真降圣之类。"悟空道:"似这般可得长生么?"祖师道:"若要长生,也似'壁里安柱'。"悟空道:"师父,我是个老实人,不晓得打市语④。怎么谓之'壁里安柱'?"祖师道:"人家盖房,欲图坚固,将墙壁之间,立一顶柱,有日大厦将颓,他必朽矣。"悟空道:"据此说,也不长久。不学!不学!"

---

① 傍门:道教术语。道教认为只有"金丹一道是条修行正路",其馀皆是外道、傍门,不能成正果。

② 扶鸾:两人执丁字木笔在沙盘上写字叫扶鸾,或扶乩、扶箕。是一种迷信求神以问吉凶的方法。

③ 揲(shé)蓍(shī):古人用五十根蓍草卜卦,先拿出一根,再把四十九根分作两部分,然后四根一数,以定阴爻或阳爻。这种动作叫做揲蓍。

④ 市语:古代行帮使用的隐语。

祖师道:"教你'静'字门中之道,如何?"悟空道:"静字门中,是甚正果?"祖师道:"此是休粮①守谷②,清静无为,参禅打坐,戒语持斋,或睡功,或立功,并入定③坐关④之类。"悟空道:"这般也能长生么?"祖师道:"也似'窑头土坯'。"悟空笑道:"师父果有些滴澾⑤。一行⑥说我不会打市语。怎么谓之'窑头土坯'?"祖师道:"就如那窑头上,造成砖瓦之坯,虽已成形,尚未经水火煅炼,一朝大雨滂沱,他必滥矣。"悟空道:"也不长远。不学!不学!"

祖师道:"教你'动'字门中之道,如何?"悟空道:"动门之道,却又怎么?"祖师道:"此是有为有作,采阴补阳,攀弓踏弩,摩脐过气,用方炮制,烧茅打鼎,进红铅⑦,炼秋石⑧,并服妇乳之类。"悟空道:"似这等也得长生么?"祖师道:"此欲长生,亦如'水中捞月'。"悟空道:"师父又来了!怎么叫做'水中捞月'?"祖师道:"月在长空,水中有影,虽然看见,只是无捞摸处,到底只成空耳。"悟空道:"也不学!不学!"

祖师闻言,咄的一声,跳下高台,手持戒尺,指定悟空道:"你这猢狲,这般不学,那般不学,却待怎么?"走上前,将悟空头上打了三下,倒背着手,走入里面,将中门关了,撇下大众而去。

---

① 休粮:即"避谷",停止进食物。道家的修炼方法之一。
② 守谷:谷,养。守谷,就是养五脏神。道教认为可以达到不死的修炼方法之一。
③ 入定:佛教术语。指闭目打坐时,内心安静,意念专注而无杂念的状态。
④ 坐关:僧、道的修行方法之一。修行者把自己禁闭在只能容身的小屋中,在一定的、相当长的时间内与外界隔绝,叫做坐关。
⑤ 滴澾:噜苏、不爽快。也作滴答。
⑥ 一行:一径、一向、一直。有时也作已经(第三十六回)解释。
⑦ 红铅:道教术语。指女人月经。
⑧ 秋石:用男人的尿熬炼成的药品。

唬得那一班听讲的,人人惊惧,皆怨悟空道:“你这泼猴,十分无状①!师父传你道法,如何不学,却与师父顶嘴?这番冲撞了他,不知几时才出来呵!”此时俱甚报怨他,又鄙贱嫌恶他。悟空一些儿也不恼,只是满脸赔笑。原来那猴王,已打破盘中之谜,暗暗在心,所以不与众人争竞,只是忍耐无言。祖师打他三下者,教他三更时分存心;倒背着手,走入里面,将中门关上者,教他从后门进步,秘处传他道也。

当日悟空与众等喜喜欢欢,在三星仙洞之前,盼望天色,急不能到晚。及黄昏时,却与众就寝,假合眼,定息存神。山中又没支更传箭②,不知时分,只自家将鼻孔中出入之气调定。约到子时前后,轻轻的起来,穿了衣服,偷开前门,躲离大众,走出外,抬头观看。正是那:

月明清露冷,八极③迥无尘。
深树幽禽宿,源头水溜分。
飞萤光散影,过雁字排云。
正值三更候,应该访道真。

你看他从旧路径至后门外,只见那门儿半开半掩。悟空喜道:“老师父果然注意与我传道,故此开着门也。”即曳步近前,侧身进得门里,只走到祖师寝榻之下。见祖师踡跼身躯,朝里睡着

---

① 无状:没有礼貌。

② 传箭:我国古代计量时间,用铜壶滴漏的方法:在壶中立上刻着度数的箭,等到壶中水退,看见箭上露出的度数,便知道时刻变化。传箭,就是报告时间。

③ 八极:古人认为九州之外有八寅,八寅之外有八纮,八纮之外有八极。八极是八方最远的地方。

了。悟空不敢惊动,即跪在榻前。那祖师不多时觉来,舒开两足,口中自吟道:

"难!难!难!道最玄,莫把金丹作等闲。不遇至人传妙诀,空言口困舌头干!"

悟空应声叫道:"师父,弟子在此跪候多时。"祖师闻得声音是悟空即起,披衣盘坐,喝道:"这猢狲!你不在前边去睡,却来我这后边作甚?"悟空道:"师父昨日坛前对众相允,教弟子三更时候,从后门里传我道理,故此大胆径拜老爷榻下。"祖师听说,十分欢喜,暗自寻思道:"这厮①果然是个天地生成的!不然,何就打破我盘中之暗谜也?"悟空道:"此间更无六耳,止只弟子一人,望师父大舍慈悲,传与我长生之道罢,永不忘恩!"祖师道:"你今有缘,我亦喜说。既识得盘中暗谜,你近前来,仔细听之,当传与你长生之妙道也。"悟空叩头谢了,洗耳用心,跪于榻下。祖师云:

"显密圆通真妙诀,惜修性命无他说。
都来总是精炁②神,谨固牢藏休漏泄。
休漏泄,体中藏,汝受吾传道自昌。
口诀记来多有益,屏除邪欲得清凉。
得清凉,光皎洁,好向丹台赏明月。
月藏玉兔日藏乌,自有龟蛇相盘结。
相盘结,性命坚,却能火里种金莲。
攒簇五行颠倒用,功完随作佛和仙。"

此时说破根源,悟空心灵福至,切切记了口诀,对祖师拜谢

① 厮:对男子的贱称。犹如说小子、家伙。
② 炁:同"气"。古人用"炁"来表示先天之气,即元气。

深恩，即出后门观看。但见东方天色微舒白，西路金光大显明。依旧路，转到前门，轻轻的推开进去，坐在原寝之处，故将床铺摇响道："天光了！天光了！起耶！"那大众还正睡哩，不知悟空已得了好事。当日起来打混，暗暗维持，子前午后，自己调息。

却早过了三年，祖师复登宝座，与众说法。谈的是公案比语，论的是外像①包皮②。忽问："悟空何在？"悟空近前跪下："弟子有。"祖师道："你这一向修些甚么道来？"悟空道："弟子近来法性颇通，根源亦渐坚固矣。"祖师道："你既通法性，会得根源，已注神体，却只是防备着'三灾利害'。"悟空听说，沉吟良久道："师父之言谬矣。我尝闻道高德隆，与天同寿；水火既济，百病不生，却怎么有个'三灾利害'？"祖师道："此乃非常之道：夺天地之造化，侵日月之玄机；丹成之后，鬼神难容。虽驻颜益寿，但到了五百年后，天降雷灾打你，须要见性明心，预先躲避。躲得过，寿与天齐；躲不过，就此绝命。再五百年后，天降火灾烧你。这火不是天火，亦不是凡火，唤做'阴火'。自本身涌泉穴③下烧起，直透泥垣宫④，五脏成灰，四肢皆朽，把千年苦行，俱为虚幻。再五百年，又降风灾吹你。这风不是东西南北风，不是和薰金朔风，亦不是花柳松竹风，唤做'赑风'⑤。自囟门中吹入六腑⑥，过丹田⑦，穿

---

① 外像：像同"相"。佛教术语，指善、恶、美、丑表现在身上的，和行动语言表现在外表上的。

② 包皮：指表皮以外，与外像义同。

③ 涌泉穴：指足心。

④ 泥垣宫：指囟(xìn)门，就是儿童顶心跳动的地方。又作泥丸宫。

⑤ 赑(bì)风：佛、道家所谓三劫(灾)中的风劫。

⑥ 六腑：古人以胆、胃、大肠、小肠、膀胱、三焦为六腑。也作六府。

⑦ 丹田：指肚脐以下三寸的地方。

九窍①,骨肉消疏,其身自解。所以都要躲过。"悟空闻说,毛骨竦然,叩头礼拜道:"万望老爷垂悯,传与躲避三灾之法,到底不敢忘恩。"祖师道:"此亦无难。只是你比他人不同,故传不得。"悟空道:"我也头圆顶天,足方履地,一般有九窍四肢,五脏六腑,何以比人不同?"祖师道:"你虽然像人,却比人少腮。"原来那猴子孤拐面②,凹脸尖嘴。悟空伸手一摸,笑道:"师父没成算!我虽少腮,却比人多这个素袋③,亦可准折过也。"祖师说:"也罢!你要学那一般?有一般天罡数,该三十六般变化;有一般地煞数,该七十二般变化。"悟空道:"弟子愿多里捞摸,学一个地煞变化罢。"祖师道:"既如此,上前来,传与你口诀。"遂附耳低言,不知说了些甚么妙法。这猴王也是他一窍通时百窍通,当时习了口诀,自修自炼,将七十二般变化,都学成了。

忽一日,祖师与众门人在三星洞前戏玩晚景。祖师道:"悟空,事成了未曾?"悟空道:"多蒙师父海恩,弟子功果完备,已能霞举飞升也。"祖师道:"你试飞举我看。"悟空弄本事,将身一耸,打了个连扯跟头,跳离地有五六丈,踏云霞去够有顿饭之时,返复不上三里远近,落在面前,扠手④道:"师父,这就是飞举腾云了。"祖师笑道:"这个算不得腾云,只算得爬云而已。自古道:'神仙朝游北海暮苍梧。'似你这半日,去不上三里,即爬云也还算不得哩!"悟空道:"怎么为'朝游北海暮苍梧'?"祖师道:

---

① 九窍:道家认为耳、鼻、眼、口及肛门、小便为九窍。

② 孤拐面:孤拐面、拐子脸(第二十回)、孤拐脸(第三十六回)、骨挝脸(第六十七回),这四个形容猴头的词,是从"脚孤拐"一词衍化来的,都是指一个凸出、下尖的形状而言的。

③ 素袋:素当作嗉,即动物的嗉囊。后文第三十九回的金丹,即从素袋中吐出。

④ 扠手:两手交叉放在胸前,是表示恭敬的拱手姿势。

“凡腾云之辈,早辰起自北海,游过东海、西海、南海,复转苍梧。苍梧者,却是北海零陵之语话也。将四海之外,一日都游遍,方算得腾云。”悟空道:“这个却难!却难!”祖师道:“世上无难事,只怕有心人。”悟空闻得此言,叩头礼拜,启道:“师父,‘为人须为彻’,索性舍个大慈悲,将此腾云之法,一发传与我罢,决不敢忘恩。”祖师道:“凡诸仙腾云,皆跌足而起,你却不是这般。我才见你去,连扯方才跳上。我今只就你这个势,传你个‘筋斗云’罢。”悟空又礼拜恳求。祖师却又传个口诀道:“这朵云,捻着诀,念动真言,攒紧了拳,将身一抖,跳将起来,一筋斗就有十万八千里路哩!”大众听说,一个个嘻嘻笑道:“悟空造化!若会这个法儿,与人家当铺兵①,送文书,递报单,不管那里都寻了饭吃!”师徒们天昏各归洞府。这一夜,悟空即运神炼法,会了筋斗云。逐日家无拘无束,自在逍遥,此亦长生之美。

一日,春归夏至,大众都在松树下会讲多时。大众道:“悟空,你是那世修来的缘法?前日老师父附耳低言,传与你的躲三灾变化之法,可都会么?”悟空笑道:“不瞒诸兄长说,一则是师父传授,二来也是我昼夜殷勤,那几般儿都会了。”大众道:“趁此良时,你试演演,让我等看看。”悟空闻说,抖擞精神,卖弄手段道:“众师兄请出个题目。要我变化甚么?”大众道:“就变棵松树罢。”悟空捻着诀,念动咒语,摇身一变,就变做一棵松树。真个是:

郁郁含烟贯四时,凌云直上秀贞姿。

---

① 铺兵:元代在军事紧急时,设置“急递铺”的驿站,每日最快要走四百里。在“急递铺”专送紧急文件的叫铺兵(急递铺见后文第三十五回)。

　　全无一点妖猴像，尽是经霜耐雪枝。

大众见了，鼓掌呵呵大笑，都道："好猴儿！好猴儿！"不觉的嚷闹，惊动了祖师。祖师急拽杖出门来问道："是何人在此喧哗？"大众闻呼，慌忙检束，整衣向前。悟空也现了本相，杂在丛中道："启上尊师，我等在此会讲，更无外姓喧哗。"祖师怒喝道："你等大呼大叫，全不像个修行的体段！修行的人，口开神气散，舌动是非生。如何在此嚷笑？"大众道："不敢瞒师父，适才孙悟空演变化耍子。教他变棵松树，果然是棵松树。弟子每①俱称扬喝采，故高声惊冒尊师，望乞恕罪。"祖师道："你等起去。"叫："悟空，过来！我问你：弄甚么精神，变甚么松树？这个工夫，可好在人前卖弄？假如你见别人有，不要求他？别人见你有，必然求你。你若畏祸，却要传他；若不传他，必然加害：你之性命又不可保。"悟空叩头道："只望师父恕罪！"祖师道："我也不罪你，但只是你去罢。"悟空闻此言，满眼堕泪道："师父，教我往那里去？"祖师道："你从那里来，便从那里去就是了。"悟空顿然醒悟道："我自东胜神洲傲来国花果山水帘洞来的。"祖师道："你快回去，全你性命；若在此间，断然不可！"悟空领罪，上告尊师："我也离家有二十年矣，虽是回顾旧日儿孙，但念师父厚恩未报，不敢去。"祖师道："那里甚么恩义？你只不惹祸不牵带我就罢了！"

　　悟空见没奈何，只得拜辞，与众相别。祖师道："你这去，定生不良。凭你怎么惹祸行凶，却不许说是我的徒弟。你说出半个字来，我就知之，把你这猢狲剥皮剉骨，将神魂贬在九幽之处，教你万劫不得番身！"悟空道："决不敢提起师父一字，只说是我

① 每：同"们"。宋元时口语。

自家会的便罢。”

悟空谢了，即抽身，捻着诀，丢个连扯，纵起筋斗云，径回东胜。那里消一个时辰，早看见花果山水帘洞。美猴王自知快乐，暗暗的自称道：

“去时凡骨凡胎重，得道身轻体亦轻。
举世无人肯立志，立志修玄玄自明。
当年过海波难进，今日回来甚易行。
别语叮咛还在耳，何期顷刻见东溟。”

悟空按下云头，直至花果山，找路而走。忽听得鹤唳猿啼，鹤唳声冲霄汉外，猿啼悲切甚伤情。即开口叫道：“孩儿们，我来了也！”那崖下石坎边，花草中，树木里，若大若小之猴，跳出千千万万，把个美猴王围在当中，叩头叫道：“大王，你好宽心！怎么一去许久？把我们俱闪①在这里，望你诚如饥渴！近来被一妖魔在此欺虐，强要占我们水帘洞府。是我等舍死忘生，与他争斗。这些时，被那厮抢了我们家火，捉了许多子侄，教我们昼夜无眠，看守家业。幸得大王来了！大王若再年载不来，我等连山洞尽属他人矣！”悟空闻说，心中大怒道：“是甚么妖魔，辄敢无状！你且细细说来，待我寻他报仇。”众猴叩头：“告上大王，那厮自称混世魔王，住居在直北下。”悟空道：“此间到他那里，有多少路程？”众猴道：“他来时云，去时雾，或风或雨，或电或雷，我等不知有多少路。”悟空道：“既如此，你们休怕，且自顽耍，等我寻他去来！”

好猴王，将身一纵跳起去，一路筋斗，直至北下观看，见一座

① 闪：这里作撇下解释。

高山,真是十分险峻。好山:

笔峰挺立,曲涧深沉。笔峰挺立透空霄,曲涧深沉通地户。两崖花木争奇,几处松篁斗翠。左边龙,熟熟驯驯;右边虎,平平伏伏。每见铁牛耕,常有金钱种。幽禽睍睆①声,丹凤朝阳立。石磷磷,波净净,古怪跷蹊真恶狞。世上名山无数多,花开花谢蘩还众。争如此景永长存,八节四时浑不动。诚为三界②坎源山,滋养五行水脏洞!

美猴王正默观看景致,只听得有人言语。径自下山寻觅,原来那陡崖之前,乃是那水脏洞。洞门外有几个小妖跳舞,见了悟空就走。悟空道:"休走!借你口中言,传我心内事。我乃正南方花果山水帘洞洞主。你家甚么混世鸟魔,屡次欺我儿孙,我特寻来,要与他见个上下!"

那小妖听说,疾忙跑入洞里,报道,"大王!祸事了!"魔王道:"有甚祸事?"小妖道:"洞外有猴头称为花果山水帘洞洞主。他说你屡次欺他儿孙,特来寻你见个上下哩。"魔王笑道:"我常闻得那些猴精说他有个大王,出家修行去,想是今番来了。你们见他怎生打扮,有甚器械?"小妖道:"他也没甚么器械,光着个头,穿一领红色衣,勒一条黄丝绦,足下踏一对乌靴,不僧不俗,又不像道士神仙,赤手空拳,在门外叫哩。"魔王闻说:"取我披挂兵器来!"那小妖即时取出。那魔王穿了甲胄,绰③刀在手,与众妖出得门来,即高声叫道:"那个是水帘洞洞主?"悟空急睁睛观看,只见那魔王:

① 睍(xiàn)睆(huàn):清和婉转的鸟鸣声。

② 三界:佛教术语。佛教认为一般的人生死往来的世界,分为三界:欲界(包括所谓的地狱在内),色界,无色界。此处即指人间世界。

③ 绰:就是用手抄、抓、提。指不费力地、轻巧地弄到或捉走而言。

头戴乌金盔，映日光明；身挂皂罗袍，迎风飘荡。下穿着黑铁甲，紧勒皮条；足踏着花褶靴，雄如上将。腰广十围，身高三丈。手执一口刀，锋刃多明亮。称为混世魔，磊落凶模样。

猴王喝道："这泼魔这般眼大，看不见老孙！"魔王见了，笑道："你身不满四尺，年不过三旬，手内又无兵器，怎么大胆猖狂，要寻我见甚么上下？"悟空骂道："你这泼魔，原来没眼！你量我小，要大却也不难。你量我无兵器，我两只手勾着天边月哩！你不要怕，只吃老孙一拳！"纵一纵，跳上去，劈脸就打。那魔王伸手架住道："你这般矬矮，我这般高长，你要使拳，我要使刀，使刀就杀了你，也吃人笑。待我放下刀，与你使路拳看。"悟空道："说得是。好汉子！走来！"那魔王丢开架手①便打，这悟空钻进去相撞相迎。他两个拳捶脚踢，一冲一撞。原来长拳空大，短簇坚牢。那魔王被悟空掏短胁，撞丫裆，几下筋节，把他打重了。他闪过，拿起那板大的钢斧，望悟空劈头就砍。悟空急撤身，他砍了一个空。悟空见他凶猛，即使身外身法，拔一把毫毛，丢在口中嚼碎，望空喷去，叫一声："变！"即变做三二百个小猴，周围攒簇。

原来人得仙体，出神变化无方。不知这猴王自从了道之后，身上有八万四千毛羽，根根能变，应物随心。那些小猴，眼乖会跳，刀来砍不着，枪去不能伤。你看他前踊后跃，钻上去，把个魔王围绕，抱的抱，扯的扯，钻裆的钻裆，扳脚的扳脚，踢打挦毛，抠眼睛，捻鼻子，抬鼓弄②，直打做一个攒盘③。这悟空才去夺得

① 架手：架式。

② 抬鼓弄：许多人把一个人抬起来让他翻倒叫抬鼓弄。

③ 攒盘：四面围着打。

他的刀来，分开小猴，照顶门一下，砍为两段。领众杀进洞中，将那大小妖精，尽皆剿灭。却把毫毛一抖，收上身来。又见那收不上身者，却是那魔王在水帘洞擒去的小猴，悟空道："汝等何为到此？"约有三五十个，都含泪道："我等因大王修仙去后，这两年被他争吵，把我们都摄将来。那不是我们洞中的家火？石盆、石碗都被这厮拿来也。"悟空道："既是我们的家火，你们都搬出外去。"随即洞里放起火来，把那水脏洞烧得枯干，尽归了一体。对众道："汝等跟我回去。"众猴道："大王，我们来时，只听得耳边风响，虚飘飘到于此地，更不识路径，今怎得回乡？"悟空道："这是他弄的个术法儿，有何难也！我如今一窍通，百窍通，我也会弄。你们都合了眼，休怕！"

好猴王，念声咒语，驾阵狂风，云头落下，叫："孩儿们，睁眼。"众猴脚踊①实地，认得是家乡，个个欢喜，都奔洞门旧路。那在洞众猴，都一齐簇拥同入，分班序齿，礼拜猴王。安排酒果，接风贺喜，启问降魔救子之事。悟空备细言了一遍，众猴称扬不尽，道："大王去到那方，不意学得这般手段！"悟空又道："我当年别汝等，随波逐流，飘过东洋大海，径至南赡部洲，学成人像，着此衣，穿此履，摆摆摇摇，云游了八九年馀，更不曾有道；又渡西洋大海，到西牛贺洲地界，访问多时，幸遇一老祖，传了我与天同寿的真功果，不死长生的大法门。"众猴称贺。都道："万劫难逢也！"悟空又笑道："小的们，又喜我这一门皆有姓氏。"众猴道："大王姓甚？"悟空道："我今姓孙，法名悟空。"众猴闻说，鼓掌忻然道："大王是老孙，我们都是二孙、三孙、细孙、小孙——一家孙、一国孙、一窝孙矣！"都来奉承老孙，大盆小碗的椰子

① 踊(xǐ)：踩，踏。

酒、葡萄酒、仙花、仙果,真个是合家欢乐!咦:

贯通一姓身归本,只待荣迁仙箓①名。

毕竟不知怎生结果,居此界终始如何,且听下回分解。

① 箓(lù):簿书、簿册。道家认为"得道"之后,被用素(帛)书记载到仙册上叫做登仙箓。

第　三　回

四海千山皆拱伏　九幽十类尽除名

却说美猴王荣归故里，自剿了混世魔王，夺了一口大刀，逐日操演武艺。教小猴砍竹为标，削木为刀，治旗幡，打哨子，一进一退，安营下寨。顽耍多时，忽然静坐处思想道："我等在此，恐作耍成真，或惊动人王，或有禽王、兽王认此犯头①，说我们操兵造反，兴师来相杀，汝等都是竹竿木刀，如何对敌？须得锋利剑戟方可。如今奈何？"众猴闻说，个个惊恐道："大王所见甚长，只是无处可取。"正说间，转上四个老猴，两个是赤尻马猴，两个是通背猿猴，走在面前道："大王，若要治锋利器械，甚是容易。"悟空道："怎见容易？"四猴道："我们这山向东去，有二百里水面，那厢乃傲来国界。那国界中有一王位，满城中军民无数，必有金银铜铁等匠作。大王若去那里，或买或造些兵器，教演我等，守护山场，诚所谓保泰长久之机也。"悟空闻说，满心欢喜道："汝等在此顽耍，待我去来。"

好猴王，即纵筋斗云，霎时间过了二百里水面。果见那厢有座城池，六街三巷，万户千门，来来往往，人都在光天化日之下。悟空心中想道："这里定有现成的兵器，我待下去买他几件，还不如使个神通觅他几件倒好。"他就捻起诀来，念动咒语，向巽地②

① 犯头：是冒犯的由头。"犯"亦作"泛"，见后文第三十一回。

② 巽（xùn）地：东南方位。古代以八卦对应八方，巽属风，对应东南方位。

上吸一口气,呼的吹将去,便是一阵狂风,飞沙走石,好惊人也。

炮云起处荡乾坤,黑雾阴霾大地昏。
江海波翻鱼蟹怕,山林树折虎狼奔。
诸般买卖无商旅,各样生涯不见人。
殿上君王归内院,阶前文武转衙门。
千秋宝座都吹倒,五凤高楼幌动根。

风起处,惊散了那傲来国君王,三市六街,都慌得关门闭户,无人敢走。悟空才按下云头,径闯入朝门里,直寻到兵器馆武库中。打开门扇看时,那里面无数器械:刀枪剑戟、斧钺毛镰、鞭钯挝简、弓弩叉矛,件件俱备。一见甚喜道:"我一人能拿几何?还使个分身法搬将去罢。"好猴王,即拔一把毫毛,入口嚼烂,喷将出去,念动咒语,叫声"变!"变做千百个小猴,都乱搬乱抢;有力的拿五七件,力小的拿三二件,尽数搬个罄净。径踏云头,弄个摄法,唤转狂风,带领小猴,俱回本处。

却说那花果山大小猴儿,正在那洞门外顽耍,忽听得风声响处,见半空中丫丫叉叉,无边无岸的猴精,唬得都乱跑乱躲。少时,美猴王按落云头,收了云雾,将身一抖,收了毫毛,将兵器都乱堆在山前,叫道:"小的们!都来领兵器!"众猴看时,只见悟空独立在平阳之地,俱跑来叩头问故。悟空将前使狂风、搬兵器一应事说了一遍。众猴称谢毕,都去抢刀夺剑,挝斧争枪,扯弓扳弩,吆吆喝喝,耍了一日。

次日,依旧排营。悟空会聚群猴,计有四万七千馀口。早惊动满山怪兽,都是些狼虫虎豹、麖①麂獐犯、狐狸獾狢、狮象狻

① 麖(jīng):鹿的一种。

猊、猩猩熊鹿、野豕山牛、羚羊青兕、狡儿神獒……各样妖王，共有七十二洞，都来参拜猴王为尊。每年献贡，四时点卯[①]。也有随班操备的，也有随节征粮的，齐齐整整，把一座花果山造得似铁桶金城。各路妖王又有进金鼓，进彩旗，进盔甲的，纷纷攘攘，日逐家习舞兴师。

美猴王正喜间，忽对众说道："汝等弓弩熟谙，兵器精通，奈我这口刀着实榔槺[②]，不遂我意，奈何？"四老猴上前启奏道："大王乃是仙圣，凡兵是不堪用，但不知大王水里可能去得？"悟空道："我自闻道之后，有七十二般地煞变化之功；筋斗云有莫大的神通；善能隐身遁身，起法摄法；上天有路，入地有门；步日月无影，入金石无碍；水不能溺，火不能焚。那些儿去不得？"四猴道："大王既有此神通，我们这铁板桥下，水通东海龙宫。大王若肯下去，寻着老龙王，问他要件甚么兵器，却不趁心？"悟空闻言甚喜，道："等我去来。"

好猴王，跳至桥头，使一个闭水法，捻着诀，扑的钻入波中，分开水路，径入东洋海底。正行间，忽见一个巡海的夜叉，挡住问道："那推水来的，是何神圣？说个明白，好通报迎接。"悟空道："我乃花果山天生圣人孙悟空，是你老龙王的紧邻，为何不识？"那夜叉听说，急转水晶宫传报道："大王，外面有个花果山天生圣人孙悟空，口称是大王紧邻，将到宫也。"东海龙王敖广即忙起身，与龙子龙孙、虾兵蟹将出宫迎道："上仙请进，请进。"直至宫里相见，上坐献茶毕，问道："上仙几时得道，授何仙术？"悟空道："我自生身之后，出家修行，得一个无生无灭之体。近

---

① 点卯：从前官署办公，照例从卯时开始，主管官到时点名，称为点卯。

② 榔槺：形容长大、笨重、使用不方便。也作榔杭（第二十二回）、狼犺（第二十三回）、郎伉（第四十七回）。

因教演儿孙，守护山洞，奈何没件兵器。久闻贤邻享乐瑶宫贝阙，必有多馀神器，特来告求一件。”龙王见说，不好推辞，即着鳜都司取出一把大杆刀奉上。悟空道：“老孙不会使刀，乞另赐一件。”龙王又着鲌大尉领鳝力士，抬出一杆九股叉来。悟空跳下来，接在手中，使了一路，放下道：“轻！轻！轻！又不趁手！再乞另赐一件。”龙王笑道：“上仙，你不曾看，这叉有三千六百斤重哩！”悟空道：“不趁手！不趁手！”龙王心中恐惧，又着鳊提督、鲤总兵抬出一柄画杆方天戟。那戟有七千二百斤重。悟空见了，跑近前接在手中，丢几个架子，撒两个解数，插在中间道：“也还轻！轻！轻！”老龙王一发害怕，道：“上仙，我宫中只有这根戟重，再没甚么兵器了。”悟空笑道：“古人云：‘愁海龙王没宝哩！’你再去寻寻看。若有可意的，一一奉价。”龙王道：“委的[①]再无。”

正说处，后面闪过龙婆、龙女道：“大王，观看此圣，决非小可。我们这海藏中，那一块天河定底的神珍铁，这几日霞光艳艳，瑞气腾腾，敢莫是[②]该出现，遇此圣也？”龙王道：“那是大禹治水之时，定江海浅深的一个定子，是一块神铁，能中何用？”龙婆道：“莫管他用不用，且送与他，凭他怎么改造，送出宫门便了。”老龙王依言，尽向悟空说了。悟空道：“拿出来我看。”龙王摇手道：“扛不动！抬不动！须上仙亲去看看。”悟空道：“在何处？你引我去。”龙王果引导至海藏中间，忽见金光万道。龙王指定道：“那放光的便是。”悟空撩衣上前，摸了一把，乃是一根铁柱子，约有斗来粗，二丈有馀长。他尽力两手挝过道：“忒粗

① 委的：真的、确实的意思。

② 敢莫是：疑问之词。犹莫非是、难道是。

忒长些！再短细些方可用。”说毕，那宝贝就短了几尺，细了一围。悟空又颠一颠道：“再细些更好！”那宝贝真个又细了几分。悟空十分欢喜，拿出海藏看时，原来两头是两个金箍，中间乃一段乌铁；紧挨箍有镌成的一行字，唤做“如意金箍棒，重一万三千五百斤”。心中暗喜道：“想必这宝贝如人意！”一边走，一边心思口念，手颠着道：“再短细些更妙！”拿出外面，只有二丈长短，碗口粗细。

你看他弄神通，丢开解数，打转水晶宫里。唬得老龙王胆战心惊，小龙子魂飞魄散；龟鳖鼋鼍皆缩颈，鱼虾鳌蟹尽藏头。悟空将宝贝执在手中，坐在水晶宫殿上，对龙王笑道：“多谢贤邻厚意。”龙王道：“不敢，不敢。”悟空道：“这块铁虽然好用，还有一说。”龙王道：“上仙还有甚说？”悟空道：“当时若无此铁，倒也罢了；如今手中既拿着他，身上更无衣服相趁，奈何？你这里若有披挂，索性送我一副，一总奉谢。”龙王道：“这个却是没有。”悟空道：“‘一客不犯二主’。若没有，我也定不出此门。”龙王道：“烦上仙再转一海，或者有之。”悟空又道：“‘走三家不如坐一家’。千万告求一副。”龙王道：“委的没有，如有即当奉承。”悟空道：“真个没有，就和你试试此铁！”龙王慌了道：“上仙，切莫动手！切莫动手！待我看舍弟处可有，当送一副。”悟空道：“令弟何在？”龙王道：“舍弟乃南海龙王敖钦、北海龙王敖顺、西海龙王敖闰是也。”悟空道：“我老孙不去！不去！俗语谓‘赊三不跌见二’①，只望你随高就低的送一副便了。”老龙道：“不须上仙去。我这里有一面铁鼓，一口金钟；凡有紧急事，擂得鼓响，

① 赊三不跌见二：赊卖三件货物抵不过收现款卖两件货物。意思是空头的好处虽然多，不如现在就能得到的实惠。见，同“现”。跌，敌，抵。

撞得钟鸣,舍弟们就顷刻而至。”悟空道:“既是如此,快些去擂鼓撞钟!”真个那鼍将便去撞钟,鳖帅即来擂鼓。

霎时,钟鼓响处,果然惊动那三海龙王,须臾来到,一齐在外面会着敖广,道:“大哥有甚紧事,擂鼓撞钟?”老龙道:“贤弟!不好说!有一个花果山甚么天生圣人,早间来认我做邻居,后要求一件兵器,献钢叉嫌小,奉画戟嫌轻。将一块天河定底神珍铁,自己拿出,丢了些解数。如今坐在宫中,又要索甚么披挂。我处无有,故响钟鸣鼓,请贤弟来。你们可有甚么披挂,送他一副,打发他出门去罢了。”敖钦闻言,大怒道:“我兄弟们点起兵,拿他不是!”老龙道:“莫说拿!莫说拿!那块铁,挽着些儿就死,磕着些儿就亡;挨挨儿皮破,擦擦儿筋伤!”北海龙王敖顺说:“二哥不可与他动手。且只凑副披挂与他,打发他出了门,启表奏上上天,天自诛也。”西海龙王敖闰道:“说的是。我这里有一双藕丝步云履哩。”北海龙王敖顺道:“我带了一副锁子黄金甲哩。”南海龙王敖钦道:“我有一顶凤翅紫金冠哩。”老龙大喜,引入水晶宫相见了,以此奉上。悟空将金冠、金甲、云履都穿戴停当,使动如意棒,一路打出去,对众龙道:“聒噪①!聒噪!”四海龙王甚是不平,一边商议进表上奏不题。

你看这猴王分开水道,径回铁板桥头,撺将上来,只见四个老猴领着众猴,都在桥边等候。忽然见悟空跳出波外,身上更无一点水湿,金灿灿的走上桥来。唬得众猴一齐跪下道:“大王,好华彩耶!好华彩耶!”悟空满面春风,高登宝座,将铁棒竖在当中。那些猴不知好歹,都来拿那宝贝,却便似蜻蜓撼铁树,分

① 聒噪:吵闹、打搅。

毫也不能禁动。一个个咬指伸舌道："爷爷呀！这般重，亏你怎的拿来也！"悟空近前，舒开手，一把挝起，对众笑道："物各有主。这宝贝镇于海藏中，也不知几千百年，可可的①今岁放光。龙王只认做是块黑铁，又唤做天河镇底神珍。那厮每都扛抬不动，请我亲去拿之。那时此宝有二丈多长，斗来粗细；被我挝他一把，意思嫌大，他就小了许多；再教小些，他又小了许多；再教小些，他又小了许多；急对天光看处，上有一行字，乃'如意金箍棒，一万三千五百斤'。你都站开，等我再叫他变一变看。"他将那宝贝颠在手中，叫："小！小！小！"即时就小做一个绣花针儿相似，可以揌②在耳朵里面藏下。众猴骇然，叫道："大王！还拿出来耍耍！"猴王真个去耳朵里拿出，托放掌上叫："大！大！大！"即又大做斗来粗细，二丈长短。他弄到欢喜处，跳上桥，走出洞外，将宝贝揝③在手中，使一个法天象地的神通，把腰一躬，叫声："长！"他就长的高万丈，头如太山，腰如峻岭，眼如闪电，口似血盆，牙如剑戟；手中那棒，上抵三十三天，下至十八层地狱，把些虎豹狼虫，满山群怪，七十二洞妖王，都唬得磕头礼拜，战兢兢魄散魂飞。霎时收了法象，将宝贝还变做个绣花针儿，藏在耳内，复归洞府。慌得那各洞妖王，都来参贺。

此时遂大开旗鼓，响振铜锣。广设珍羞百味，满斟椰液萄浆，与众饮宴多时。却又依前教演。猴王将那四个老猴封为健将；将两个赤尻马猴唤做马、流二元帅；两个通背猿猴唤做崩、芭二将军。将那安营下寨、赏罚诸事，都付与四健将维持。他放下心，日逐腾云驾雾，遨游四海，行乐千山。施武艺，遍访英豪；弄

---

① 可可的：恰好、刚巧。

② 揌：同"塞"。用物堵住有孔隙的地方。

③ 揝（zuàn）：抓，握。

神通，广交贤友。此时又会了个七弟兄，乃牛魔王、蛟魔王、鹏魔王、狮狔王、猕猴王、禺狨王，连自家美猴王七个。日逐讲文论武，走斝传觞①，弦歌吹舞，朝去暮回，无般儿不乐。把那万里之遥，只当庭闱之路，所谓点头径过三千里，扭腰八百有馀程。

一日，在本洞分付四健将安排筵宴，请六王赴饮，杀牛宰马，祭天享地，着众怪跳舞欢歌，俱吃得酩酊大醉。送六王出去，都又赏劳大小头目，攲在铁板桥边松阴之下，霎时间睡着。四健将领众围护，不敢高声。只见那美猴王睡里见两人拿一张批文，上有"孙悟空"三字，走近身，不容分说，套上绳，就把美猴王的魂灵儿索了去，踉踉跄跄，直带到一座城边。猴王渐觉酒醒，忽抬头观看，那城上有一铁牌，牌上有三个大字，乃"幽冥界"。美猴王顿然醒悟道："幽冥界乃阎王所居，何为到此？"那两人道："你今阳寿该终，我两人领批，勾你来也。"猴王听说，道："我老孙超出三界外，不在五行中，已不伏他管辖，怎么朦胧②，又敢来勾我？"那两个勾死人③只管扯扯拉拉，定要拖他进去。这猴王恼起性来，耳朵中掣出宝贝，幌一幌，碗来粗细；略举手，把两个勾死人打为肉酱。自解其索，丢开手，抡着棒，打入城中。唬得那牛头鬼东躲西藏，马面鬼南奔北跑。众鬼卒奔上森罗殿，报着："大王！祸事！祸事！外面有一个毛脸雷公，打将来了！"

慌得那十代冥王急整衣来看，见他相貌凶恶，即排下班次，应声高叫道："上仙留名！上仙留名！"猴王道："你既认不得我，怎么差人来勾我？"十王道："不敢！不敢！想是差人差了。"猴

① 走斝（jiǎ）传觞（shāng）：形容喝酒时的快乐气氛。斝、觞都是喝酒时所用的容器。

② 朦胧：这里作糊涂解释。

③ 勾死人：迷信传说中的勾魂鬼。后文第十一回作勾司人。

王道:“我本是花果山水帘洞天生圣人孙悟空。你等是甚么官位?”十王躬身道:“我等是阴间天子十代冥王。”悟空道:“快报名来,免打!”十王道:“我等是秦广王、初江王、宋帝王、忤官王、阎罗王、平等王、泰山王、都市王、卞城王、转轮王。”悟空道:“汝等既登王位,乃灵显感应之类,为何不知好歹?我老孙修仙了道,与天齐寿,超升三界之外,跳出五行之中,为何着人拘我?”十王道:“上仙息怒。普天下同名同姓者多,敢是那勾死人错走了也?”悟空道:“胡说!胡说!常言道:‘官差吏差,来人不差。’你快取生死簿子来我看!”十王闻言,即请上殿查看。

悟空执着如意棒,径登森罗殿上,正中间南面坐下。十王即命掌案的判官取出文簿来查。那判官不敢怠慢,便到司房里,捧出五六簿文书并十类簿子,逐一查看。裸虫、毛虫、羽虫、昆虫、鳞介之属,俱无他名。又看到猴属之类,原来这猴似人相,不入人名;似裸虫,不居国界;似走兽,不伏麒麟管;似飞禽,不受凤凰辖——另有个簿子。悟空亲自检阅,直到那魂字一千三百五十号上,方注着孙悟空名字,乃天产石猴,该寿三百四十二岁,善终。悟空道:“我也不记寿数几何,且只消了名字便罢!取笔过来!”那判官慌忙捧笔,饱掭①浓墨。悟空拿过簿子,把猴属之类但有名者,一概勾之。捽下簿子道:“了帐!了帐!今番不伏你管了!”一路棒,打出幽冥界。那十王不敢相近,都去翠云宫同拜地藏王菩萨,商量启表,奏闻上天,不在话下。

这猴王打出城中,忽然绊着一个草纥繨②,跌了个跜踵③,

① 掭:与舐、舔同义。这里指用笔舐墨;第二十五回的掭子,则是用来舐锁上簧的;第七十六回掭掭的,是指喉咙里像被舐了而发生恶心要呕吐的感觉。
② 草纥繨:纥繨,同“疙瘩”。草纥繨就是草结。
③ 跜(lóng)踵(zhòng):立足不稳要跌倒,接连抢步支持站住的动作。

猛的醒来，乃是南柯①一梦。才觉伸腰，只闻得四健将与众猴高叫道："大王吃了多少酒，睡这一夜，还不醒来?"悟空道："睡还小可，我梦见两个人来此勾我，把我带到幽冥界城门之外，却才醒悟。是我显神通，直嚷到森罗殿，与那十王争吵，将我们的生死簿子看了，但有我等名号，俱是我勾了，都不伏那厮所辖也。"众猴磕头礼谢。自此，山猴多有不老者，以阴司无名故也。美猴王言毕前事，四健将报知各洞妖王，都来贺喜。不几日，六个义兄弟又来拜贺，一闻销名之故，又个个欢喜，每日聚乐不题。

却表启那高天上圣大慈仁者玉皇大天尊玄穹高上帝，一日驾坐金阙云宫灵霄宝殿，聚集文武仙卿早朝之际，忽有丘弘济真人启奏道："万岁，通明殿外，有东海龙王敖广进表，听天尊宣诏。"玉皇传旨："着宣来。"敖广宣至灵霄殿下，礼拜毕。旁有引奏仙童接上表文。玉皇从头看过。表曰：

"水元下界东胜神洲东海小龙臣敖广启奏大天圣主玄穹高上帝君：近因花果山生、水帘洞住妖仙孙悟空者，欺虐小龙，强坐水宅，索兵器，施法施威，要披挂，骋凶骋势。惊伤水族，唬走龟鼍。南海龙战战兢兢，西海龙凄凄惨惨，北海龙缩首归降。臣敖广舒身下拜，献神珍之铁棒，凤翅之金冠，与那锁子甲、步云履，以礼送出。他仍弄武艺，显神通，但云：'聒噪！聒噪！'果然无敌，甚为难制。臣今启奏，伏望圣裁。恳乞天兵，收此妖孽，庶使海岳清宁，下元②安泰。

① 南柯：唐代小说家李公佐著《南柯记》，叙述淳于棼梦中在大槐安国作南柯太守二十年，历尽荣华富贵的故事。后来便把"南柯"作为梦的代称。

② 下元：道教称天空做上元，陆地做中元，水中做下元。这里指水府。

奉奏。”

圣帝览毕，传旨：“着龙神回海，朕即遣将擒拿。”老龙王顿首谢去。下面又有葛仙翁天师启奏道：“万岁，有冥司秦广王赍奉幽冥教主地藏王菩萨表文进上。”旁有传言玉女接上表文，玉皇亦从头看过。表曰：

“幽冥境界，乃地之阴司。天有神而地有鬼，阴阳轮转；禽有生而兽有死，反复雌雄。生生化化，孕女成男，此自然之数，不能易也。今有花果山水帘洞天产妖猴孙悟空，逞恶行凶，不服拘唤。弄神通，打绝九幽鬼使；恃势力，惊伤十代慈王。大闹森罗，强销名号。致使猴属之类无拘，猕猴之畜多寿，寂灭轮回，各无生死。贫僧具表，冒渎天威。伏乞调遣神兵，收降此妖，整理阴阳，永安地府。谨奏。”

玉皇览毕，传旨：“着冥君回归地府，朕即遣将擒拿。”秦广王亦顿首谢去。

大天尊宣众文武仙卿，问曰：“这妖猴是几年产育，何代出身，却就这般有道？”一言未已，班中闪出千里眼、顺风耳道：“这猴乃三百年前天产石猴。当时不以为然，不知这几年在何方修炼成仙，降龙伏虎，强销死籍也。”玉帝道：“那路神将下界收伏？”言未已，班中闪出太白长庚星，俯伏启奏道：“上圣三界中，凡有九窍者，皆可修仙。奈此猴乃天地育成之体，日月孕就之身，他也顶天履地，服露餐霞，今既修成仙道，有降龙伏虎之能，与人何以异哉？臣启陛下：可念生化之慈恩，降一道招安圣旨，把他宣来上界，授他一个大小官职，与他籍名在箓，拘束此间。若受天命，后再升赏；若违天命，就此擒拿。一则不动众劳师，二则收仙有道也。”玉帝闻言甚喜，道：“依卿所奏。”即着文曲星官修诏，着太白金星招安。

金星领了旨，出南天门外，按下祥云，直至花果山水帘洞。对众小猴道："我乃天差天使，有圣旨在此，请你大王上界。快快报知！"洞外小猴，一层层传至洞天深处，道："大王，外面有一老人，背着一角[1]文书，言是上天差来的天使，有圣旨请你也。"美猴王听得大喜，道："我这两日，正思量要上天走走，却就有天使来请。"叫："快请进来！"猴王急整衣冠，门外迎接。金星径入当中，面南立定道："我是西方太白金星，奉玉帝招安圣旨下界，请你上天，拜受仙箓。"悟空笑道："多感老星降临。"教："小的们，安排筵宴款待。"金星道："圣旨在身，不敢久留；就请大王同往，待荣迁之后，再从容叙也。"悟空道："承光顾，空退！空退！"即唤四健将，分付："谨慎教演儿孙，待我上天去看看路，却好带你们上去同居住也。"四健将领诺。这猴王与金星纵起云头，升在空霄之上。正是那：

高迁上品天仙位，名列云班宝箓中。

毕竟不知授个甚么官爵，且听下回分解。

---

① 角：份，封。用在信件、公文前面的量词。

第　四　回

官封弼马心何足　名注齐天意未宁

那太白金星与美猴王，同出了洞天深处，一齐驾云而起。原来悟空筋斗云比众不同，十分快疾，把个金星撇在脑后，先至南天门外。正欲收云前进，被增长天王领着庞、刘、苟、毕、邓、辛、张、陶，一路大力天丁，枪刀剑戟，挡住天门，不肯放进。猴王道："这个金星老儿，乃奸诈之徒！既请老孙，如何教人动刀动枪，阻塞门路？"正嚷间，金星倏到。悟空就觌面发狠道："你这老儿，怎么哄我？被你说奉玉帝招安旨意来请，却怎么教这些人阻住天门，不放老孙进去？"金星笑道："大王息怒。你自来未曾到此天堂，却又无名，众天丁又与你素不相识，他怎肯放你擅入？等如今见了天尊，授了仙箓，注了官名，向后随你出入，谁复挡也？"悟空道："这等说，也罢，我不进去了。"金星又用手扯住道："你还同我进去。"

将近天门，金星高叫道："那天门天将，大小吏兵，放开路者。此乃下界仙人，我奉玉帝圣旨宣他来也。"那增长天王与众天丁俱才敛兵退避。猴王始信其言，同金星缓步入里观看。真个是：

> 初登上界，乍入天堂。金光万道滚红霓，瑞气千条喷紫雾。只见那南天门，碧沉沉，琉璃造就；明幌幌，宝玉妆成。两边摆数十员镇天元帅，一员员顶梁靠柱，持铣拥旄；四下

列十数个金甲神人，一个个执戟悬鞭，持刀仗剑。外厢犹可，入内惊人：里壁厢有几根大柱，柱上缠绕着金鳞耀日赤须龙；又有几座长桥，桥上盘旋着彩羽凌空丹顶凤。明霞幌幌映天光，碧雾濛濛遮斗口①。这天上有三十三座天宫，乃遣云宫、毗沙宫、五明宫、太阳宫、化乐宫，……一宫宫脊吞金稳兽；又有七十二重宝殿，乃朝会殿、凌虚殿、宝光殿、天王殿、灵官殿，……一殿殿柱列玉麒麟。寿星台上，有千千年不卸的名花；炼药炉边，有万万载常青的绣草。又至那朝圣楼前，绛纱衣，星辰灿烂；芙蓉冠，金璧辉煌。玉簪朱履，紫绶金章。金钟撞动，三曹神表进丹墀；天鼓鸣时，万圣朝王参玉帝。又至那灵霄宝殿，金钉攒玉户，彩凤舞朱门。复道回廊，处处玲珑剔透；三檐四簇，层层龙凤翱翔。上面有个紫巍巍，明幌幌，圆丢丢，亮灼灼，大金葫芦顶；下面有天妃悬掌扇，玉女捧仙巾。恶狠狠，掌朝的天将；气昂昂，护驾的仙卿。正中间，琉璃盘内，放许多重重叠叠太乙丹；玛瑙瓶中，插几枝弯弯曲曲珊瑚树。正是天宫异物般般有，世上如他件件无。金阙银銮并紫府，琪花瑶草暨琼葩。朝王玉兔坛边过，参圣金乌着底飞。猴王有分来天境，不堕人间点污泥。

太白金星领着美猴王，到于灵霄殿外，不等宣诏，直至御前朝上礼拜。悟空挺身在旁，且不朝礼，但侧耳以听金星启奏。金星奏道："臣领圣旨，已宣妖仙到了。"玉帝垂帘问曰："那个是妖仙？"悟空却才躬身答应道："老孙便是。"仙卿们都大惊失色道："这个野猴！怎么不拜伏参见，辄敢这等答应道：'老孙便是！'

① 斗口：又称"斗魁"，即北斗星四星所组成的勺口。

却该死了！该死了！”玉帝传旨道：“那孙悟空乃下界妖仙，初得人身，不知朝礼，且姑恕罪。”众仙卿叫声：“谢恩！”猴王却才朝上唱个大喏①。玉帝宣文选武选仙卿，看那处少甚官职，着孙悟空去除授②。旁边转过武曲星君，启奏道：“天宫里各宫各殿，各方各处，都不少官，只是御马监缺个正堂管事。”玉帝传旨道：“就除他做个‘弼马温’③罢。”众臣叫谢恩，他也只朝上唱个大喏。玉帝又差木德星官送他去御马监到任。

当时猴王欢欢喜喜，与木德星官径去到任。事毕，木德回宫。他在监里，会聚了监丞、监副、典簿、力士大小官员人等，查明本监事务，止有天马千匹。乃是：

> 骅骝④骐骥，騄駬纤离；龙媒紫燕，挟翼骕骦；駃騠银騔，騕褭飞黄；騊駼翻羽，赤兔超光；逾辉弥景，腾雾胜黄；追风绝地，飞翮奔霄；逸飘赤电，铜爵浮云；骢珑虎騆，绝尘紫鳞；四极大宛，八骏九逸，千里绝群，——此等良马，一个个，嘶风逐电精神壮，踏雾登云气力长。

这猴王查看了文簿，点明了马数。本监中典簿管征备草料；力士官管刷洗马匹、扎草⑤、饮水、煮料；监丞、监副辅佐催办；弼马昼夜不睡，滋养马匹。日间舞弄犹可，夜间看管殷勤：但是马睡的，赶起来吃草；走的捉将来靠槽。那些天马见了他，泯耳攒

---

① 唱个大喏：一面拱揖，一面口中称“喏”，这样敬礼，叫做唱喏。喏声很大、腰弯的很低，叫做唱个大喏或唱个肥喏。

② 除授：封官授职。除，封官。

③ 弼马温：民间传说，猴子可以避马瘟。这里的官名是作者采用了这个传说，改换了弼（避）、温（瘟）两个同音字而成的。

④ 骅（huá）骝（liú）：传说是周穆王（前九七六—前九二二）八骏马之一。骅也作华。这以下至“紫鳞”，全是古代骏马名，不再一一注释。

⑤ 扎草：扎同“铡”。把草切成寸段喂马，叫做铡草。

蹄,都养得肉肥膘满。

不觉的半月有馀。一朝闲暇,众监官都安排酒席,一则与他接风,一则与他贺喜。正在欢饮之间,猴王忽停杯问曰:“我这‘弼马温’,是个甚么官衔?”众曰:“官名就是此了。”又问:“此官是个几品?”众道:“没有品从。”猴王道:“没品,想是大之极也。”众道:“不大,不大,只唤做‘未入流’。”猴王道:“怎么叫做‘未入流’?”众道:“末等。这样官儿,最低最小,只可与他看马。似堂尊[①]到任之后,这等殷勤,喂得马肥,只落得道声‘好’字;如稍有些尪羸[②],还要见责;再十分伤损,还要罚赎问罪。”猴王闻此,不觉心头火起,咬牙大怒道:“这般藐视老孙!老孙在那花果山,称王称祖,怎么哄我来替他养马?养马者,乃后生小辈下贱之役,岂是待我的!不做他!不做他!我将去也!”忽辣的一声,把公案推倒,耳中取出宝贝,幌一幌,碗来粗细,一路解数,直打出御马监,径至南天门。众天丁知他受了仙箓,乃是个弼马温,不敢阻当,让他打出天门去了。

须臾,按落云头,回至花果山上。只见那四健将与各洞妖王,在那里操演兵卒。这猴王厉声高叫道:“小的们!老孙来了!”一群猴都来叩头,迎接进洞天深处,请猴王高登宝位,一壁厢办酒接风。都道:“恭喜大王,上界去十数年,想必得意荣归也?”猴王道:“我才半月有馀,那里有十数年?”众猴道:“大王,你在天上,不觉时辰。天上一日,就是下界一年哩。请问大王,官居何职?”猴王摇手道:“不好说!不好说!活活的羞杀人!那玉帝不会用人,他见老孙这般模样,封我做个甚么‘弼马温’,

① 堂尊:明清时对本署长官的敬称。

② 尪(wāng)羸:指瘦弱。

原来是与他养马,未入流品之类。我初到任时不知,只在御马监中顽耍。只今日问我同寮,始知是这等卑贱。老孙心中大恼,推倒席面,不受官衔,因此走下来了。”众猴道:“来得好!来得好!大王在这福地洞天之处为王,多少尊重快乐,怎么肯去与他做马夫?”教:“小的们,快办酒来,与大王释闷。”

正饮酒欢会间,有人来报道:“大王,门外有两个独角鬼王,要见大王。”猴王道:“教他进来。”那鬼王整衣跑入洞中,倒身下拜。美猴王问他:“你见我何干?”鬼王道:“久闻大王招贤,无由得见;今见大王授了天禄,得意荣归,特献赭黄袍一件,与大王称庆。肯不弃鄙贱,收纳小人,亦得效犬马之劳。”猴王大喜,将赭黄袍穿起,众等忻然排班朝拜,即将鬼王封为前部总督先锋。鬼王谢恩毕,复启道:“大王在天许久,所授何职?”猴王道:“玉帝轻贤,封我做个甚么‘弼马温’!”鬼王听言,又奏道:“大王有此神通,如何与他养马?就做个‘齐天大圣’,有何不可?”猴王闻说,欢喜不胜,连道几个“好!好!好!”教四健将:“就替我快置个旌旗,旗上写‘齐天大圣’四大字,立竿张挂。自此以后,只称我为齐天大圣,不许再称大王。亦可传与各洞妖王,一体知悉。”此不在话下。

却说那玉帝次日设朝,只见张天师引御马监监丞、监副,在丹墀下拜奏道:“万岁,新任弼马温孙悟空,因嫌官小,昨日反下天宫去了。”正说间,又见南天门外增长天王领众天丁,亦奏道:“弼马温不知何故,走出天门去了。”玉帝闻言,即传旨:“着两路神元,各归本职,朕遣天兵擒拿此怪。”班部中闪上托塔李天王与哪吒三太子,越班奏上道:“万岁,微臣不才,请旨降此妖怪。”玉帝大喜,即封托塔天王李靖为降魔大元帅,哪吒三太子为三坛海会①大神，即刻兴师下界。

李天王与哪吒叩头谢辞，径至本宫，点起三军，帅众头目，着巨灵神为先锋，鱼肚将掠后，药叉将催兵。一霎时出南天门外，径来到花果山。选平阳处安了营寨，传令教巨灵神挑战。巨灵神得令，结束整齐，抡着宣花斧，到了水帘洞外。只见那洞门外，许多妖魔，都是些狼虫虎豹之类，丫丫叉叉，抡枪舞剑，在那里跳斗咆哮。这巨灵神喝道："那业畜！快早去报与弼马温知道，吾乃上天大将，奉玉帝旨意，到此收伏。教他早早出来受降，免致汝等皆伤残也。"那些怪奔奔波波，传报洞中道："祸事了！祸事了！"猴王问："有甚祸事？"众妖道："门外有一员天将，口称大圣官衔，道奉玉帝圣旨，来此收伏。教早早出去受降，免伤我等性命。"猴王听说，教："取我披挂来！"就戴上紫金冠，贯上黄金甲，蹬上步云鞋，手执如意金箍棒，领众出门，摆开阵势。这巨灵神睁睛观看，真好猴王：

身穿金甲亮堂堂，头戴金冠光映映。
手举金箍棒一根，足踏云鞋皆相称。
一双怪眼似明星，两耳过眉查又硬。
挺挺身才变化多，声音响亮如钟磬。
尖嘴咨牙②弼马温，心高要做齐天圣。

巨灵神厉声高叫道："那泼猴！你认得我么？"大圣听言，急问道："你是那路毛神？老孙不曾会你，你快报名来。"巨灵神道："我把你那欺心的猢狲！你是认不得我！我乃高上神霄托塔李天王部下先锋，巨灵天将！今奉玉帝圣旨，到此收降你。你

① 海会：佛教术语。比喻德深如海，圣众会聚之多。
② 咨牙：开口见齿。犹龇(zī)牙。

快卸了装束，归顺天恩，免得这满山诸畜遭诛；若道半个'不'字，教你顷刻化为齑粉！"猴王听说心中大怒，道："泼毛神，休夸大口，少弄长舌！我本待一棒打死你，恐无人去报信。且留你性命，快早回天，对玉皇说他甚不用贤！老孙有无穷的本事，为何教我替他养马？你看我这旌旗上字号，若依此字号升官，我就不动刀兵，自然的天地清泰。如若不依，时间①就打上灵霄宝殿，教他龙床定坐不成！"这巨灵神闻此言，急睁睛迎风观看，果见门外竖一高竿，竿上有旌旗一面，上写着"齐天大圣"四大字。巨灵神冷笑三声道："这泼猴，这等不知人事，辄敢无状，你就要做齐天大圣！好好的吃吾一斧！"劈头就砍将去。那猴王正是会家不忙，将金箍棒应手相迎。这一场好杀：

棒名如意，斧号宣花。他两个乍相逢，不知深浅；斧和棒，左右交加。一个暗藏神妙，一个大口称夸。使动法，喷云嗳雾；展开手，播土扬沙。天将神通就有道，猴王变化实无涯。棒举却如龙戏水，斧来犹似凤穿花。巨灵名望传天下，原来本事不如他：大圣轻轻抡铁棒，着头一下满身麻。

巨灵神抵敌他不住，被猴王劈头一棒，慌忙将斧架隔，扢扠②的一声，把个斧柄打做两截，急撤身败阵逃生。猴王笑道："脓包！脓包！我已饶了你，你快去报信！快去报信！"

巨灵神回至营门，径见托塔天王，忙哈哈跪下道："弼马温是果神通广大！末将战他不得，败阵回来请罪。"李天王发怒道："这厮剉吾锐气，推出斩之！"旁边闪出哪吒太子，拜告："父王息怒，且恕巨灵之罪，待孩儿出师一遭，便知深浅。"天王听

① 时间：立刻，马上。

② 扢(gē)扠(chā)：形容东西折断的声音。后文第三十回作扢咋，第三十二回作扢揸。

谏，且教回营待罪管事。

这哪吒太子甲胄齐整，跳出营盘，撞至水帘洞外。那悟空正来收兵，见哪吒来的勇猛。好太子：

总角才遮囟，披毛未苫肩。
神奇多敏悟，骨秀更清妍。
诚为天上麒麟子，果是烟霞彩凤仙。
龙种自然非俗相，妙龄端不类尘凡。
身带六般神器械，飞腾变化广无边。
今受玉皇金口诏，敕封海会号三坛。

悟空迎近前来问曰：“你是谁家小哥？闯近吾门，有何事干？”哪吒喝道：“泼妖猴！岂不认得我？我乃托塔父王三太子哪吒是也。今奉玉帝钦差，至此捉你！”悟空笑道：“小太子，你的奶牙尚未退，胎毛尚未干，怎敢说这般大话？我且留你的性命，不打你。你只看我旌旗上是甚么字号，拜上玉帝，是这般官衔，再也不须动众，我自皈依。若是不遂我心，定要打上灵霄宝殿。”哪吒抬头看处，乃“齐天大圣”四字。哪吒道：“这妖猴能有多大神通，就敢称此名号！不要怕！吃吾一剑！”悟空道：“我只站下不动，任你砍几剑罢。”那哪吒奋怒，大喝一声叫：“变！”即变做三头六臂，恶狠狠，手持着六般兵器，乃是斩妖剑、砍妖刀、缚妖索、降妖杵、绣球儿、火轮儿，丫丫叉叉，扑面来打。悟空见了，心惊道：“这小哥倒也会弄些手段！莫无礼，看我神通！”好大圣，喝声：“变！”也变做三头六臂，把金箍棒幌一幌也变作三条，六只手拿着三条棒架住。这场斗，真个是地动山摇，好杀也：

六臂哪吒太子，天生美石猴王，相逢真对手，正遇本源流。那一个蒙差来下界，这一个欺心闹斗牛。斩妖宝剑锋芒快，砍妖刀狠鬼神愁；缚妖索子如飞蟒，降妖大杵似狼头；

火轮掣电烘烘艳，往往来来滚绣球。大圣三条如意棒，前遮后挡运机谋。苦争数合无高下，太子心中不肯休。把那六件兵器都教变，百千万亿照头丢。猴王不惧呵呵笑，铁棒翻腾自运筹。以一化千千化万，满空乱舞赛飞虬。唬得各洞妖王都闭户，遍山鬼怪尽藏头。神兵怒气云惨惨，金箍铁棒响飕飕。那壁厢，天丁呐喊人人怕；这壁厢，猴怪摇旗个个忧。发狠两家齐斗勇，不知那个刚强那个柔。

三太子与悟空各骋神威，斗了个三十回合。那太子六般兵，变做千千万万；孙悟空金箍棒，变作万万千千。半空中似雨点流星，不分胜负。原来那悟空手疾眼快，正在那混乱之时，他拔下一根毫毛，叫声："变！"就变做他的本相，手挺着棒，演[1]着哪吒；他的真身却一纵，赶至哪吒脑后，着左膊上一棒打来。哪吒正使法间，听得棒头风响，急躲闪时，不能措手，被他着了一下，负痛逃走；收了法，把六件兵器依旧归身，败阵而回。

那阵上李天王早已看见，急欲提兵助战。不觉太子倏至面前，战兢兢报道："父王！弼马温真个有本事！孩儿这般法力，也战他不过，已被他打伤膊也。"天王大惊失色，道："这厮恁的[2]神通，如何取胜？"太子道："他洞门外竖一竿旗，上写'齐天大圣'四字，亲口夸称，教玉帝就封他做齐天大圣，万事俱休。若还不是此号，定要打上灵霄宝殿哩！"天王道："既然如此，且不要与他相持，且去上界，将此言回奏，再多遣天兵围捉这厮，未为迟也。"太子负痛，不能复战，故同天王回天启奏不题。

---

① 演：就是后文所说的"掩样法"。一种骗人和迷惑人的幻象。第三十二回的"演样"，第三十四回的"演到厨中"，义同。

② 恁(nèn)的：这样的意思。有时又作怎样解释。

你看那猴王得胜归山，那七十二洞妖王与那六弟兄，俱来贺喜，在洞天福地饮乐无比。他却对六弟兄说："小弟既称齐天大圣，你们亦可以大圣称之。"内有牛魔王忽然高叫道："贤弟言之有理！我即称做平天大圣。"蛟魔王道："我称做覆海大圣。"鹏魔王道："我称混天大圣。"狮狔王道："我称移山大圣。"猕猴王道："我称通风大圣。"㺀狨王道："我称驱神大圣。"此时七大圣自作自为，自称自号，耍乐一日，各散讫。

却说那李天王与三太子领着众将，直至灵霄宝殿，启奏道："臣等奉圣旨出师下界，收伏妖仙孙悟空，不期他神通广大，不能取胜，仍望万岁添兵剿除。"玉帝道："谅一妖猴，有多少本事，还要添兵？"太子又近前奏道："望万岁赦臣死罪！那妖猴使一条铁棒，先败了巨灵神，又打伤臣臂膊。洞门外立一竿旗，上书'齐天大圣'四字，道是封他这官职，即便休兵来投。若不是此官，还要打上灵霄宝殿也。"玉帝闻言，惊讶道："这妖猴何敢这般狂妄！着众将即刻诛之。"正说间，班部中又闪出太白金星，奏道："那妖猴只知出言，不知大小。欲加兵与他争斗，想一时不能收伏，反又劳师。不若万岁大舍恩慈，还降招安旨意，就教他做个齐天大圣。只是加他个空衔，有官无禄便了。"玉帝道："怎么唤做'有官无禄'？"金星道："名是齐天大圣，只不与他事管，不与他俸禄，且养在天壤之间，收他的邪心，使不生狂妄，庶乾坤安靖，海宇得清宁也。"玉帝闻言道："依卿所奏。"即命降了诏书，仍着金星领去。

金星复出南天门，直至花果山水帘洞外观看。这番比前不同，威风凛凛，杀气森森，各样妖精，无般不有。一个个都执剑拈枪，拿刀弄杖的，在那里咆哮跳跃。一见金星，皆上前动手。金星道："那众头目来！累你去报你大圣知之，吾乃上帝遣来天使，有圣旨在此请他。"众妖即跑入报道："外面有一老者，他说是上界天使,有旨意请你。”悟空道:“来得好!来得好!想是前番来的那太白金星。那次请我上界,虽是官爵不堪,却也天上走了一次,认得那天门内外之路。今番又来,定有好意。”教众头目大开旗鼓,摆队迎接。大圣即带引群猴,顶冠贯甲,甲上罩了赭黄袍,足踏云履,急出洞门,躬身施礼,高叫道:“老星请进,恕我失迎之罪。”

金星趋步向前,径入洞内,面南立着道:“今告大圣,前者因大圣嫌恶官小,躲离御马监,当有本监中大小官员奏了玉帝。玉帝传旨道:‘凡授官职,皆由卑而尊,为何嫌小?’即有李天王领哪吒下界取战。不知大圣神通,故遭败北,回天奏道大圣立一竿旗,要做齐天大圣。众武将还要支吾,是老汉力为大圣冒罪奏闻,免兴师旅,请大王授箓。玉帝准奏,因此来请。”悟空笑道:“前番动劳,今又蒙爱,多谢!多谢!但不知上天可与我‘齐天大圣’之官衔也?”金星道:“老汉以此衔奏准,方敢领旨而来,如有不遂,只坐罪老汉便是。”

悟空大喜,恳留饮宴不肯,遂与金星纵着祥云,到南天门外。那些天丁天将,都拱手相迎。径入灵霄殿下,金星拜奏道:“臣奉诏宣弼马温孙悟空已到。”玉帝道:“那孙悟空过来。今宣你做个‘齐天大圣’,官品极矣,但切不可胡为。”这猴亦止朝上唱个喏,道声谢恩。玉帝即命工干官——张、鲁二班——在蟠桃园右首,起一座齐天大圣府,府内设个二司:一名安静司,一名宁神司。司俱有仙吏,左右扶持。又差五斗星君送悟空去到任,外赐御酒二瓶,金花十朵,着他安心定志,再勿胡为。那猴王信受奉行,即日与五斗星君到府,打开酒瓶,同众尽饮。送星官回转本宫,他才遂心满意,喜地欢天,在于天宫快乐,无挂无碍。正是:

仙名永注长生箓,不堕轮回万古传。

毕竟不知向后如何,且听下回分解。

第五回

乱蟠桃大圣偷丹　反天宫诸神捉怪

话表齐天大圣到底是个妖猴，更不知官衔品从，也不较俸禄高低，但只注名便了。那齐天府下二司仙吏，早晚伏侍，只知日食三餐，夜眠一榻，无事牵萦，自由自在。闲时节会友游宫，交朋结义。见三清，称个“老”字；逢四帝，道个“陛下”。与那九曜星、五方将、二十八宿、四大天王、十二元辰、五方五老、普天星相、河汉群神，俱只以弟兄相待，彼此称呼。今日东游，明朝西荡，云去云来，行踪不定。

一日，玉帝早朝，班部中闪出许旌阳真人，頫囟①启奏道：“今有齐天大圣，无事闲游，结交天上众星宿，不论高低，俱称朋友，恐后闲中生事。不若与他一件事管，庶免别生事端。”玉帝闻言，即时宣诏。那猴王欣然而至，道：“陛下，诏老孙有何升赏？”玉帝道：“朕见你身闲无事，与你件执事。你且权管那蟠桃园，早晚好生在意。”大圣欢喜谢恩，朝上唱喏而退。

他等不得穷忙，即入蟠桃园内查勘。本园中有个土地拦住，问道：“大圣何往？”大圣道：“吾奉玉帝点差，待管蟠桃园，今来查勘也。”那土地连忙施礼，即呼那一班锄树力士、运水力士、修

---

① 頫（fǔ）囟（xìn）：就是磕头。頫同“俯”。囟，囟门。本指婴儿头顶骨未合缝的地方。这里指头顶。

桃力士、打扫力士，都来见大圣磕头，引他进去。但见那：

夭夭灼灼，棵棵株株。夭夭灼灼桃盈树，棵棵株株果压枝。果压枝头垂锦弹，花盈枝上簇胭脂。时开时结千年熟，无夏无冬万载迟。先熟的，酡①颜醉脸；还生的，带蒂青皮。凝烟肌带绿，映日显丹姿。树下奇葩并异卉，四时不谢色齐齐。左右楼台并馆舍，盈空常见罩云霓。不是玄都②凡俗种，瑶池王母自栽培。

大圣看玩多时，问土地道："此树有多少株数？"土地道："有三千六百株：前面一千二百株，花微果小，三千年一熟，人吃了成仙了道，体健身轻。中间一千二百株，层花甘实，六千年一熟，人吃了霞举飞升，长生不老。后面一千二百株，紫纹缃核，九千年一熟，人吃了与天地齐寿，日月同庚。"大圣闻言，欢喜无任。当日查明了株树，点看了亭阁回府。自此后，三五日一次赏玩，也不交友，也不他游。

一日，见那老树枝头，桃熟大半，他心里要吃个尝新。奈何本园土地、力士并齐天府仙吏紧随不便。忽设一计道："汝等且出门外伺候，让我在这亭上少憩片时。"那众神果退。只见那猴王脱了冠服，爬上大树，拣那熟透的大桃，摘了许多，就在树枝上自在受用。吃了一饱，却才跳下树来，簪冠着服，唤众等仪从回府。迟三二日，又去设法偷桃，尽他享用。

一朝，王母娘娘设宴，大开宝阁，瑶池中做"蟠桃胜会"，即着那红衣仙女、青衣仙女、素衣仙女、皂衣仙女、紫衣仙女、黄衣仙女、绿衣仙女，各顶花篮，去蟠桃园摘桃建会。七衣仙女直至

---

① 酡（tuó）：喝酒时脸红叫酡。

② 玄都：即唐代长安城的玄都观，观中盛植桃树。刘禹锡《游玄都观》有"玄都观里桃千树，尽是刘郎去后栽"诗句。

园门首，只见桃园土地、力士同齐天府二司仙吏，都在那里把门。仙女近前道："我等奉王母懿旨，到此摘桃设宴。"土地道："仙娥且住。今岁不比往年了，玉帝点差齐天大圣在此督理，须是报大圣得知，方敢开园。"仙女道："大圣何在？"土地道："大圣在园内，因困倦，自家在亭子上睡哩。"仙女道："既如此，寻他去来，不可迟误。"土地即与同进。寻至花亭不见，只有衣冠在亭，不知何往。四下里都没寻处。原来大圣耍了一会，吃了几个桃子，变做二寸长的个人儿，在那大树梢头浓叶之下睡着了。七衣仙女道："我等奉旨前来，寻不见大圣，怎敢空回？"旁有仙吏道："仙娥既奉旨来，不必迟疑。我大圣闲游惯了，想是出园会友去了。汝等且去摘桃，我们替你回话便是。"那仙女依言，入树林之下摘桃。先在前树摘了二篮，又在中树摘了三篮；到后树上摘取，只见那树上花果稀疏，止有几个毛蒂青皮的。原来熟的都是猴王吃了。七仙女张望东西，只见向南枝上止有一个半红半白的桃子。青衣女用手扯下枝来，红衣女摘了，却将枝子望上一放。

原来那大圣变化了，正睡在此枝，被他惊醒。大圣即现本相，耳朵里掣出金箍棒，幌一幌，碗来粗细，咄的一声道："你是那方怪物，敢大胆偷摘我桃！"慌得那七仙女一齐跪下道："大圣息怒。我等不是妖怪，乃王母娘娘差来的七衣仙女，摘取仙桃，大开宝阁，做'蟠桃胜会'。适至此间，先见了本园土地等神，寻大圣不见。我等恐迟了王母懿旨，是以等不得大圣，故先在此摘桃，万望恕罪。"大圣闻言，回嗔作喜道："仙娥请起。王母开阁设宴，请的是谁？"仙女道："上会自有旧规。请的是西天佛老、菩萨、圣僧、罗汉，南方南极观音，东方崇恩圣帝、十洲三岛仙翁，北方北极玄灵，中央黄极黄角大仙，——这个是五方五老。还有五斗星君，上八洞三清、四帝、太乙天仙等众；中八洞玉皇、九垒、海岳神仙；下八洞幽冥教主、注世地仙。各宫各殿大小尊神，俱一齐赴蟠桃嘉会。”大圣笑道：“可请我么？”仙女道：“不曾听得说。”大圣道：“我乃齐天大圣，就请我老孙做个席尊，有何不可？”仙女道：“此是上会旧规，今会不知如何。”大圣道：“此言也是，难怪汝等。你且立下，待老孙先去打听个消息，看可请老孙不请。”

好大圣，捻着诀，念声咒语，对众仙女道：“住！住！住！”这原来是个定身法，把那七衣仙女，一个个睖睖睁睁①，白着眼，都站在桃树之下。大圣纵朵祥云，跳出园内，径奔瑶池路上而去。正行时，只见那壁厢：

一天瑞霭光摇曳，五色祥云飞不绝。
白鹤声鸣振九皋，紫芝色秀分千叶。
中间现出一尊仙，相貌昂然丰采别。
神舞虹霓幌汉霄，腰悬宝箓无生灭。
名称赤脚大罗仙，特赴蟠桃添寿节。

那赤脚大仙觌面撞见大圣，大圣低头定计，赚哄真仙，他要暗去赴会，却问：“老道何往？”大仙道：“蒙王母见招，去赴蟠桃嘉会。”大圣道：“老道不知。玉帝因老孙筋斗云疾，着老孙五路邀请列位，先至通明殿下演礼，后方去赴宴。”大仙是个光明正大之人，就以他的诳语作真，道：“常年就在瑶池演礼谢恩，如何先去通明殿演礼，方去瑶池赴会？”无奈，只得拨转祥云，径往通明殿去了。

大圣驾着云，念声咒语，摇身一变，就变做赤脚大仙模样，前

① 睖（lèng）睖睁（zheng）睁：眼睛发呆、发直。

奔瑶池。不多时，直至宝阁，按住云头，轻轻移步，走入里面。只见那里：

琼香缭绕，瑞霭缤纷。瑶台铺彩结，宝阁散氤氲。凤翥鸾翔形缥缈，金花玉萼影浮沉。上排着九凤丹霞扆，八宝紫霓墩。五彩描金桌，千花碧玉盆。桌上有龙肝和凤髓，熊掌与猩唇。珍羞百味般般美，异果嘉肴色色新。

那里铺设得齐齐整整，却还未有仙来。这大圣点看不尽，忽闻得一阵酒香扑鼻。忽转头，见右壁厢长廊之下，有几个造酒的仙官，盘糟的力士，领几个运水的道人，烧火的童子，在那里洗缸刷瓮，已造成了玉液琼浆，香醪佳酿。大圣止不住口角流涎，就要去吃，奈何那些人都在这里。他就弄个神通，把毫毛拔下几根，丢入口中嚼碎，喷将出去，念声咒语，叫："变！"即变做几个瞌睡虫，奔在众人脸上。你看那伙人手软头低，闭眉合眼，丢了执事，都去盹睡。大圣却拿了些百味八珍，佳肴异品，走入长廊里面，就着缸，挨着瓮，放开量，痛饮一番。吃够了多时，酕醄①醉了。自揣自摸道："不好！不好！再过会，请的客来，却不怪我？一时拿住，怎生是好？不如早回府中睡去也。"

好大圣，摇摇摆摆，仗着酒，任情乱撞，一会把路差了，不是齐天府，却是兜率天宫。一见了，顿然醒悟道："兜率宫是三十三天之上，乃离恨天太上老君之处，如何错到此间？——也罢！也罢！一向要来望此老，不曾得来，今趁此残步②，就望他一望也好。"即整衣撞进去。那里不见老君，四无人迹。原来那老君与燃灯古佛，在三层高阁朱陵丹台上讲道，众仙童、仙将、仙官、

① 酕（máo）醄（táo）：大醉的样子，意同"酩酊"。

② 残步：顺路、便道。

仙吏，都侍立左右听讲。这大圣直至丹房里面，寻访不遇，但见丹灶之旁，炉中有火。炉左右安放着五个葫芦，葫芦里都是炼就的金丹。大圣喜道："此物乃仙家之至宝。老孙自了道以来，识破了内外相同之理，也要炼些金丹济人，不期到家无暇；今日有缘，却又撞着此物，趁老子①不在，等我吃他几丸尝新。"他就把那葫芦都倾出来，就都吃了，如吃炒豆相似。

一时间丹满酒醒，又自己揣度道："不好！不好！这场祸，比天还大，若惊动玉帝，性命难存。走！走！走！不如下界为王去也！"他就跑出兜率宫，不行旧路，从西天门使个隐身法逃去。即按云头，回至花果山界。但见那旌旗闪灼，戈戟光辉，原来是四健将与七十二洞妖王，在那里演习武艺。大圣高叫道："小的们！我来也！"众怪丢了器械，跪倒道："大圣好宽心！丢下我等许久，不来相顾！"大圣道："没多时！没多时！"且说且行，径入洞天深处。四健将打扫安歇，叩头礼拜毕，俱道："大圣在天这百十年，实受何职？"大圣笑道："我记得才半年光景，怎么就说百十年话？"健将道："在天一日，即在下方一年也。"大圣道："且喜这番玉帝相爱，果封做'齐天大圣'，起一座齐天府，又设安静、宁神二司，司设仙吏侍卫。向后见我无事，着我待管蟠桃园。近因王母娘娘设'蟠桃大会'，未曾请我，是我不待他请，先赴瑶池，把他那仙品、仙酒，都是我偷吃了。走出瑶池，踉踉跄跄误入老君宫阙，又把他五个葫芦金丹也偷吃了。但恐玉帝见罪，方才走出天门来也。"

众怪闻言大喜，即安排酒果接风，将椰酒满斟一石碗奉上。

---

① 老子：即李耳（约前五七〇—前五〇〇），道家学派创始人。后被道教奉为教主，即太上老君。

大圣喝了一口，即咨牙倈嘴[①]道："不好吃！不好吃！"崩、芭二将道："大圣在天宫，吃了仙酒、仙肴，是以椰酒不甚美口。常言道：'美不美，乡中水。'"大圣道："你们就是'亲不亲，故乡人'。我今早在瑶池中受用时，见那长廊之下，有许多瓶罐，都是那玉液琼浆。你们都不曾尝着。待我再去偷他几瓶回来，你们各饮半杯，一个个也长生不老。"众猴欢喜不胜。大圣即出洞门，又翻一筋斗，使个隐身法，径至蟠桃会上。进瑶池宫阙，只见那几个造酒、盘糟、运水、烧火的，还鼾睡未醒。他将大的从左右胁下挟了两个，两手提了两个，即拨转云头回来，会众猴在于洞中，就做个"仙酒会"，各饮了几杯，快乐不题。

却说那七衣仙女自受了大圣的定身法术，一周天方能解脱。各提花篮，回奏王母说："齐天大圣使术法困住我等，故此来迟。"王母问道："汝等摘了多少蟠桃？"仙女道："只有两篮小桃，三篮中桃。至后面，大桃半个也无，想都是大圣偷吃了。及正寻间，不期大圣走将出来，行凶拷打，又问设宴请谁。我等把上会事说了一遍，他就定住我等，不知去向。直到如今，才得醒解回来。"

王母闻言，即去见玉帝，备陈前事。说不了，又见那造酒的一班人，同仙官等来奏："不知甚么人，搅乱了'蟠桃大会'，偷吃了玉液琼浆，其八珍百味，亦俱偷吃了。"又有四个大天师来奏上："太上道祖来了。"玉帝即同王母出迎。老君朝礼毕，道："老道宫中，炼了些'九转金丹'，伺候陛下做'丹元大会'，不期被贼偷去，特启陛下知之。"玉帝见奏悚惧。少时，又有齐天府仙吏

① 倈嘴：犹咧嘴。

叩头道："孙大圣不守执事，自昨日出游，至今未转，更不知去向。"玉帝又添疑思。只见那赤脚大仙又頫囟上奏道："臣蒙王母诏昨日赴会，偶遇齐天大圣，对臣言万岁有旨，着他邀臣等先赴通明殿演礼，方去赴会。臣依他言语，即返至通明殿外，不见万岁龙车凤辇，又急来此俟候。"玉帝越发大惊道："这厮假传旨意，赚哄贤卿，快着纠察灵官缉访这厮踪迹！"

灵官领旨，即出殿遍访，尽得其详细。回奏道："搅乱天宫者，乃齐天大圣也。"又将前事尽诉一番。玉帝大恼，即差四大天王，协同李天王并哪吒太子，点二十八宿、九曜星官、十二元辰、五方揭谛、四值功曹、东西星斗、南北二神、五岳四渎、普天星相，共十万天兵，布一十八架天罗地网下界，去花果山围困，定捉获那厮处治。众神即时兴师，离了天宫。这一去，但见那：

黄风滚滚遮天暗，紫雾腾腾罩地昏。只为妖猴欺上帝，致令众圣降凡尘。四大天王，五方上帝：四大天王权总制，五方大圣调多兵。李托塔中军掌号，恶哪吒前部先锋。罗候星为头检点，计都星随后峥嵘。太阴星精神抖擞，太阳星照耀分明。五行星偏能豪杰，九曜星最喜相争。元辰星子午卯酉，一个个都是大力天丁。五瘟五岳东西摆，六丁六甲左右行。四渎龙神分上下，二十八宿密层层。角亢氐房为总领，奎娄胃昴惯翻腾。斗牛女虚危室壁，心尾箕星个个能。井鬼柳星张翼轸，抡枪舞剑显威灵。停云降雾临凡世，花果山前扎下营。

诗曰：

天产猴王变化多，偷丹偷酒乐山窝。

只因搅乱蟠桃会，十万天兵布网罗。

当时李天王传了令，着众天兵扎了营，把那花果山围得水泄不通。上下布了十八架天罗地网,先差九曜恶星出战。九曜即提兵径至洞外,只见那洞外大小群猴跳跃顽耍。星官厉声高叫道:"那小妖!你那大圣在那里?我等乃上界差调的天神,到此降你这造反的大圣。教他快快来归降。若道半个'不'字,教汝等一概遭诛!"那小妖慌忙传入道:"大圣,祸事了!祸事了!外面有九个凶神,口称上界差来的天神,收降大圣。"

那大圣正与七十二洞妖王,并四健将分饮仙酒,一闻此报,公然不理道:"'今朝有酒今朝醉,莫管门前是与非。'"说不了,一起小妖又跳来道:"那九个凶神,恶言泼语,在门前骂战哩!"大圣笑道:"莫采他。'诗酒且图今日乐,功名休问几时成。'"说犹未了,又一起小妖来报:"爷爷!那九个凶神已把门打破,杀进来也!"大圣怒道:"这泼毛神,老大无礼!本待不与他计较,如何上门来欺我?"即命:"独角鬼王领帅七十二洞妖王出阵,老孙领四健将随后。"那鬼王疾帅妖兵,出门迎敌,却被九曜恶星一齐掩杀,抵住在铁板桥头,莫能得出。

正嚷间,大圣到了。叫一声:"开路!"掣开铁棒,幌一幌,碗来粗细,丈二长短,丢开架手,打将出来。九曜星那个敢抵,一时打退。那九曜星立住阵势道:"你这不知死活的弼马温!你犯了十恶之罪,先偷桃,后偷酒,搅乱了蟠桃大会,又窃了老君仙丹,又将御酒偷来此处享乐,你罪加罪,岂不知之?"大圣笑道:"这几桩事,实有!实有!但如今你怎么?"九曜星道:"吾奉玉帝金旨,帅众到此收降你,快早皈依!免教这些生灵纳命。不然,就踊平了此山,掀翻了此洞也!"大圣大怒道:"量你这些毛神,有何法力,敢出浪言。不要走,请吃老孙一棒!"这九曜星一齐踊跃。那美猴王不惧分毫,抡起金箍棒,左遮右挡,把那九曜星战得筋疲力软,一个个倒拖器械,败阵而走,急入中军帐下,对托塔天王道："那猴王果十分骁勇！我等战他不过，败阵来了。"李天王即调四大天王与二十八宿，一路出师来斗。大圣也公然不惧，调出独角鬼王、七十二洞妖王与四个健将，就于洞门外列成阵势。你看这场混战好惊人也：

寒风飒飒，怪雾阴阴。那壁厢旌旗飞彩，这壁厢戈戟生辉。滚滚盔明，层层甲亮。滚滚盔明映太阳，如撞天的银磬；层层甲亮砌岩崖，似压地的冰山。大杆刀，飞云掣电，楮白枪，度雾穿云。方天戟，虎眼鞭，麻林摆列；青铜剑，四明铲，密树排阵。弯弓硬弩雕翎箭，短棍蛇矛挟了魂。大圣一条如意棒，翻来复去战天神。杀得那空中无鸟过，山内虎狼奔；扬砂走石乾坤黑，播土飞尘宇宙昏。只听兵兵朴朴惊天地，煞煞威威振鬼神。

这一场自辰时布阵，混杀到日落西山。那独角鬼王与七十二洞妖怪，尽被众天神捉拿去了，止走了四健将与那群猴，深藏在水帘洞底。这大圣一条棒，抵住了四大天神与李托塔、哪吒太子，俱在半空中。杀够多时，大圣见天色将晚，即拔毫毛一把，丢在口中，嚼碎了，喷将出去，叫声："变！"就变了千百个大圣，都使的是金箍棒，打退了哪吒太子，战败了五个天王。

大圣得胜，收了毫毛，急转身回洞，早又见铁板桥头，四个健将领众叩迎，那大众哽哽咽咽大哭三声，又唏唏哈哈大笑三声。大圣道："汝等见了我，又哭又笑，何也？"健将道："今早帅众将与天王交战，把七十二洞妖王与独角鬼王，尽被众神捉了，我等逃生，故此该哭。这见大圣得胜回来，未曾伤损，故此该笑。"大圣道："胜负乃兵家之常。古人云：'杀人一万，自损三千。'况捉了去的头目乃是虎豹狼虫、獾獐狐狢之类，我同类者未伤一个，何须烦恼？他虽被我使个分身法杀退，他还要安营在我山脚下。

我等且紧紧防守，饱餐一顿，安心睡觉，养养精神。天明看我使个大神通，拿这些天将，与众报仇。”四将与众猴将椰酒吃了几碗，安心睡觉不题。

那四大天王收兵罢战，众各报功：有拿住虎豹的，有拿住狮象的，有拿住狼虫狐狢的，更不曾捉着一个猴精。当时果又安辕营，下大寨，赏劳了得功之将，分付了天罗地网之兵，各各提铃喝号，围困了花果山，专待明早大战。各人得令，一处处谨守。此正是：

妖猴作乱惊天地，布网张罗昼夜看。

毕竟天晓后如何处治，且听下回分解。

第　六　回

观音赴会问原因　小圣施威降大圣

且不言天神围绕，大圣安歇。话表南海普陀落伽山大慈大悲救苦救难灵感观世音菩萨，自王母娘娘请赴蟠桃大会，与大徒弟惠岸行者同登宝阁瑶池，见那里荒荒凉凉，席面残乱，虽有几位天仙，俱不就座，都在那里乱纷纷讲论。菩萨与众仙相见毕，众仙备言前事。菩萨道："既无盛会，又不传杯，汝等可跟贫僧去见玉帝。"众仙怡然随往。至通明殿前，早有四大天师、赤脚大仙等众，俱在此迎着菩萨，即道玉帝烦恼，调遣天兵，擒怪未回等因。菩萨道："我要见见玉帝，烦为转奏。"天师丘弘济即入灵霄宝殿启知，宣入。时有太上老君在上，王母娘娘在后。

菩萨引众同入里面，与玉帝礼毕，又与老君、王母相见，各坐下便问："蟠桃盛会如何？"玉帝道："每年请会，喜喜欢欢，今年被妖猴作乱，甚是虚邀也。"菩萨道："妖猴是何出处？"玉帝道："妖猴乃东胜神洲傲来国花果山石卵化生的。当时生出，即目运金光，射冲斗府。始不介意，继而成精，降龙伏虎，自削死籍。当有龙王、阎王启奏，朕欲擒拿，是长庚星启奏道：'三界之间，凡有九窍者，可以成仙。'朕即施教育贤，宣他上界，封为御马监弼马温官。那厮嫌恶官小，反了天宫。即差李天王与哪吒太子收降，又降诏抚安，宣至上界，就封他做个'齐天大圣'，只是有官无禄。他因没事干管理，东游西荡。朕又恐别生事端，着他代管蟠桃园。他又不遵法律,将老树大桃,尽行偷吃。及至设会,他乃无禄人员,不曾请他,他就设计赚哄赤脚大仙,却自变他相貌入会,将仙肴仙酒尽偷吃了,又偷老君仙丹,又偷御酒若干,去与本山众猴享乐。朕心为此烦恼,故调十万天兵,天罗地网收伏。这一日不见回报,不知胜负如何。"

菩萨闻言,即命惠岸行者道:"你可快下天宫,到花果山打探军情如何。如遇相敌,可就相助一功,务必的实①回话。"惠岸行者整整衣裙,执一条铁棍,驾云离阙,径至山前。见那天罗地网,密密层层,各营门提铃喝号,将那山围绕的水泄不通。惠岸立住,叫:"把营门的天丁,烦你传报:我乃李天王二太子木叉,南海观音大徒弟惠岸,特来打探军情。"那营里五岳神兵,即传入辕门之外。早有虚日鼠、昴日鸡、星日马、房日兔,将言传到中军帐下。李天王发下令旗,教开天罗地网,放他进来。此时东方才亮,惠岸随旗进入,见四大天王与李天王下拜。拜讫,李天王道:"孩儿,你自那厢来者?"惠岸道:"愚男随菩萨赴蟠桃会,菩萨见胜会荒凉,瑶池寂寞,引众仙并愚男去见玉帝。玉帝备言父王等下界收伏妖猴,一日不见回报,胜负未知。菩萨因命愚男到此打听虚实。"李天王道:"昨日到此安营下寨,着九曜星挑战,被这厮大弄神通,九曜星俱败走而回。后我等亲自提兵,那厮也排开阵势。我等十万天兵,与他混战至晚,他使个分身法战退。及收兵查勘时,止捉他些狼虫虎豹之类,不曾捉得他半个妖猴。今日还未出战。"

说不了,只见辕门外有人来报道:"那大圣引一群猴精,在外面叫战。"四大天王与李天王并太子正议出兵,木叉道:"父

① 的实:确实。

王，愚男蒙菩萨分付，下来打探消息，就说若遇战时可助一功。今不才愿往，看他怎么个大圣！”天王道：“孩儿，你随观音修行这几年，想必也有些神通，切须在意。”

好太子，双手抡着铁棍，束一束绣衣，跳出辕门，高叫：“那个是齐天大圣？”大圣挺如意棒，应声道：“老孙便是！你是甚人，辄敢问我？”木叉道：“吾乃李天王第二太子木叉，今在观音菩萨宝座前为徒弟护教，法名惠岸是也。”大圣道：“你不在南海修行，却来此见我做甚？”木叉道：“我蒙师父差来打探军情，见你这般猖獗，特来擒你！”大圣道：“你敢说那等大话！且休走！吃老孙这一棒！”木叉全然不惧，使铁棒劈手相迎。他两个立那半山中，辕门外，这场好斗：

> 棍虽对棍铁各异，兵纵交兵人不同。一个是太乙散仙呼大圣，一个是观音徒弟正元龙。浑铁棍乃千锤打，六丁六甲运神功；如意棒是天河定，镇海神珍法力洪。两个相逢真对手，往来解数实无穷。这个的阴手棍，万千凶，绕腰贯索疾如风；那个的夹枪棒，不放空，左遮右挡怎相容？那阵上旌旗闪闪，这阵上鼍鼓冬冬。万员天将团团绕，一洞妖猴簇簇丛。怪雾愁云漫地府，狼烟煞气射天宫。昨朝混战还犹可，今日争持更又凶。堪羡猴王真本事，木叉复败又逃生。

这大圣与惠岸战经五六十合，惠岸臂膊酸麻，不能迎敌，虚幌一幌，败阵而走。大圣也收了猴兵，安扎在洞门之外。只见天王营门外大小天兵，接住了太子，让开大路，径入辕门，对四天王、李托塔、哪吒，气哈哈的，喘息未定：“好大圣！好大圣！着实神通广大！孩儿战不过，又败阵而来也！”李天王见了心惊，即命写表求助，便差大力鬼王与木叉太子上天启奏。

二人当时不敢停留，闯出天罗地网，驾起瑞霭祥云。须臾，径至通明殿下，见了四大天师，引至灵霄宝殿，呈上表章。惠岸又见菩萨施礼，菩萨道："你打探的如何？"惠岸道："始领命到花果山，叫开天罗地网门，见了父亲，道师父差命之意。父王道：'昨日与那猴王战了一场，止捉得他虎豹狮象之类，更未捉他一个猴精。'正讲间，他又索战。是弟子使铁棍与他战经五六十合，不能取胜，败走回营。父亲因此差大力鬼王同弟子上界求助。"菩萨低头思忖。

却说玉帝拆开表章，见有求助之言，笑道："叵耐①这个猴精，能有多大手段，就敢敌过十万天兵！李天王又来求助，却将那路神兵助之？"言未毕，观音合掌启奏道："陛下宽心，贫僧举一神，可擒这猴。"玉帝道："所举者何神？"菩萨道："乃陛下令甥显圣二郎真君，见居灌洲灌江口，享受下方香火。他昔日曾力诛六怪，又有梅山兄弟与帐前一千二百草头神，神通广大。奈他只是听调不听宣②。陛下可降一道调兵旨意，着他助力，便可擒也。"玉帝闻言，即传调兵的旨意，就差大力鬼王赍调③。

那鬼王领了旨，即驾起云，径至灌江口。不消半个时辰，直至真君之庙。早有把门的鬼判，传报至里道："外有天使，捧旨而至。"二郎即与众弟兄，出门迎接旨意，焚香开读。旨意上云：

> "花果山妖猴齐天大圣作乱。因在宫偷桃、偷酒、偷丹，搅乱蟠桃大会，见着十万天兵，一十八架天罗地网，围山收伏，未曾得胜。今特调贤甥同义兄弟，即赴花果山助力剿除。成功之后，高升重赏。"

---

① 叵耐：不可耐。这里有可恨的意思。

② 听调不听宣：听从调动，但拒绝奉宣召进见。

③ 赍(jī)调：奉旨调遣。赍，持。此指拿着玉帝的召书。

真君大喜道:“天使请回,吾当[1]就去拔刀相助也。”鬼王回奏不题。

这真君即唤梅山六兄弟——乃康、张、姚、李四太尉,郭甲、直健二将军,聚集殿前道:“适才玉帝调遣我等往花果山收降妖猴,同去去来。”众弟兄俱忻然愿往。即点本部神兵,驾鹰牵犬,踏弩张弓,纵狂风,霎时过了东洋大海,径至花果山。见那天罗地网密密层层,不能前进,因叫道:“把天罗地网的神将听着:吾乃二郎显圣真君,蒙玉帝调来,擒拿妖猴者,快开营门放行。”一时各神一层层传入,四大天王与李天王俱出辕门迎接。相见毕,问及胜败之事,天王将上项事备陈一遍。真君笑道:“小圣来此,必须与他斗个变化。列公将天罗地网,不要幔了顶上,只四围紧密,让我赌斗。若我输与他,不必列公相助,我自有兄弟扶持;若赢了他,也不必列公绑缚,我自有兄弟动手。只请托塔天王与我使个照妖镜,住立空中。恐他一时败阵逃窜他方,切须与我照耀明白,勿走了他。”天王各居四维,众天兵各挨排列阵去讫。

这真君领着四太尉、二将军,连本身七兄弟,出营挑战。分付众将紧守营盘,收全了鹰犬,众草头神得令。真君只到那水帘洞外,见那一群猴齐齐整整,排作个蟠龙阵势;中军里立一竿旗,上书“齐天大圣”四字。真君道:“那泼妖,怎么称得起齐天之职?”梅山六弟道:“且休赞叹,叫战去来。”那营口小猴见了真君,急走去报知。那猴王即掣金箍棒,整黄金甲,蹬步云履,按一按紫金冠,腾出营门,急睁睛观看,那真君的相貌果是清奇,打扮

① 吾当:我。当,语助词,无实义。

得又秀气。真个是：

仪容清俊貌堂堂，两耳垂肩目有光。

头戴三山飞凤帽，身穿一领淡鹅黄。

缕金靴衬盘龙袜，玉带团花八宝妆。

腰挎弹弓新月样，手执三尖两刃枪。

斧劈桃山曾救母①，弹打椤罗双凤凰。

力诛八怪声名远，义结梅山七圣行。

心高不认天家眷，性傲归神住灌江。

赤城昭惠英灵圣，显化无边号二郎。

大圣见了，笑嘻嘻的将金箍棒掣起，高叫道："你是何方小将，辄敢大胆到此挑战？"真君喝道："你这厮有眼无珠，认不得我么！吾乃玉帝外甥，敕封昭惠灵显王二郎是也。今蒙上命，到此擒你这反天宫的弼马温猢狲，你还不知死活！"大圣道："我记得当年玉帝妹子思凡下界，配合杨君，生一男子，曾使斧劈桃山的，是你么？我行②要骂你几声，曾奈无甚冤仇；待要打你一棒，可惜了你的性命。你这郎君小辈，可急急回去，换你四大天王出来。"真君闻言，心中大怒道："泼猴！休得无礼！吃吾一刃！"大圣侧身躲过，疾举金箍棒，劈手相还。他两个这场好杀：

昭惠二郎神，齐天孙大圣。这个心高欺敌美猴王，那个面生压伏真梁栋。两个乍相逢，各人皆赌兴。从来未识浅和深，今日方知轻与重。铁棒赛飞龙，神锋如舞凤。左挡右攻，前迎后映。这阵上梅山六弟助威风，那阵上马流四将传军令。摇旗擂鼓各齐心，呐喊筛锣都助兴。两个钢刀有见

---

① 劈山救母：我国古代神话传说，杨戬（二郎）曾经用斧劈开桃山，救出他被玉帝贬谪的母亲。

② 我行（háng）：我这里。行，宋元以后常用在人称后表示处所。

机，一来一往无丝缝；金箍棒是海中珍，变化飞腾能取胜。若还身慢命该休，但要差池为蹭蹬①。

真君与大圣斗经三百馀合，不知胜负。那真君抖擞神威，摇身一变，变得身高万丈，两只手举着三尖两刃神锋，好便似华山顶上之峰，青脸獠牙，朱红头发，恶狠狠望大圣着头就砍。这大圣也使神通，变得与二郎身躯一样，嘴脸一般，举一条如意金箍棒，却就如昆仑顶上的擎天之柱，抵住二郎神。唬得那马、流元帅，战兢兢，摇不得旌旗；崩、芭二将，虚怯怯，使不得刀剑。这阵上，康、张、姚、李、郭甲、直健传号令，撒放草头神，向他那水帘洞外，纵着鹰犬，搭弩张弓，一齐掩杀。可怜冲散妖猴四健将，捉拿灵怪二三千！那些猴，抛戈弃甲，撇剑丢枪；跑的跑，喊的喊；上山的上山，归洞的归洞：好似夜猫惊宿鸟，飞洒满天星。众弟兄得胜不题。

却说真君与大圣变做法天象地的规模，正斗时，大圣忽见本营中妖猴惊散，自觉心慌，收了法象，掣棒抽身就走。真君见他败走，大步赶上道："那里走？趁早归降，饶你性命！"大圣不恋战，只情②跑起。将近洞口，正撞着康、张、姚、李四太尉，郭甲、直健二将军，一齐帅众挡住道："泼猴！那里走！"大圣慌了手脚，就把金箍棒捏做个绣花针，藏在耳内，摇身一变，变作个麻雀儿，飞在树梢头钉住。那六兄弟慌慌张张，前后寻觅不见，一齐吆喝道："走了这猴精也！走了这猴精也！"

正嚷处，真君到了，问："兄弟们，赶到那厢不见了？"众神道："才在这里围住，就不见了。"二郎圆睁凤目观看，见大圣变

① 蹭（cèng）蹬（dèng）：不走运、倒霉。

② 只情：尽情。

了麻雀儿,钉在树上,就收了法象,撇了神锋,卸下弹弓,摇身一变,变作个鹁鹰①儿,抖开翅,飞将去扑打。大圣见了,嗖的一翅飞起去,变作一只大鹚老,冲天而去。二郎见了,急抖翎毛,摇身一变,变作一只大海鹤,钻上云霄来嗛②。大圣又将身按下,入涧中,变作一个鱼儿,淬③入水内。二郎赶至涧边,不见踪迹,心中暗想道:"这猢狲必然下水去也,定变作鱼虾之类。等我再变变拿他。"果一变变作个鱼鹰儿,飘荡在下溜头波面上,等待片时。那大圣变鱼儿顺水正游,忽见一只飞禽,似青庄毛片不青,似鹭鸶顶上无缨,似老鹳腿又不红:"想是二郎变化了等我哩!……"急转头,打个花④就走。二郎看见道:"打花的鱼儿,似鲤鱼尾巴不红,似鳜鱼花鳞不见,似黑鱼头上无星,似鲂鱼鳃上无针。他怎么见了我就回去了?必然是那猴变的。"赶上来,刷的啄一嘴。那大圣就撺出水中,一变,变作一条水蛇,游近岸,钻入草中,二郎因嗛他不着。他见水响中,见一条蛇撺出去,认得是大圣,急转身,又变了着一只朱绣顶的灰鹤,伸着一个长嘴,与一把尖头铁钳子相似,径来吃这水蛇。水蛇跳一跳,又变做一只花鸨,木木樗樗⑤的,立在蓼汀之上。二郎见他变得低贱,——花鸨乃鸟中至贱至淫之物,不拘鸾、凤、鹰、鸦都与交群⑥——故此不去拢傍,即现原身,走将去,取过弹弓拽满,一弹子把他打个踜踵。

那大圣趁着机会,滚下山崖,伏在那里又变,变一座土地庙儿:大张着口,似个庙门;牙齿变做门扇,舌头变做菩萨,眼睛变

① 鹁(sōng)鹰:又名爵鹁,一种猛禽,似鹰而小。
② 嗛(qiān):啄。
③ 淬(cuì):铸刀剑烧红了放在水中叫淬。这里指氽进水里。
④ 花:漩涡。
⑤ 木木樗(chū)樗:形容痴呆、孤单的样子。
⑥ 交群:禽、兽交配。

做窗棂。只有尾巴不好收拾,竖在后面,变做一根旗竿。真君赶到崖下,不见打倒的鸨鸟,只有一间小庙,急睁凤眼仔细看之,见旗竿立在后面,笑道:"是这猢狲了!他今又在那里哄我。我也曾见庙宇,更不曾见一个旗竿竖在后面的。断是这畜生弄喧①!他若哄我进去,他便一口咬住。我怎肯进去?等我掣拳先捣窗棂,后踢门扇!"大圣听得心惊,道:"好狠!好狠!门扇是我牙齿,窗棂是我眼睛。若打了牙,捣了眼,却怎么是好?"扑的一个虎跳,又冒在空中不见。

真君前前后后乱赶,只见四太尉、二将军一齐拥至道:"兄长,拿住大圣了么?"真君笑道:"那猴儿才自变座庙宇哄我。我正要捣他窗棂,踢他门扇,他就纵一纵,又渺无踪迹。可怪!可怪!"众皆愕然,四望更无形影。真君道:"兄弟们在此看守巡逻,等我上去寻他。"急纵身驾云,起在半空。见那李天王高擎照妖镜,与哪吒住立云端,真君道:"天王,曾见那猴王么?"天王道:"不曾上来。我这里照着他哩。"真君把那赌变化,弄神通,拿群猴一事说毕,却道:"他变庙宇,正打处,就走了。"李天王闻言,又把照妖镜四方一照,呵呵的笑道:"真君,快去!快去!那猴使了个隐身法,走出营围,往你那灌江口去也。"二郎听说,即取神锋,回灌江口来赶。

却说那大圣已至灌江口,摇身一变,变作二郎爷爷的模样,按下云头,径入庙里。鬼判不能相认,一个个磕头迎接。他坐中间,点查香火:见李虎拜还的三牲,张龙许下的保福②,赵甲求子

---

① 弄喧:弄玄虚、耍花招儿。后文第八十回作"弄喧儿"。

② 保福:为乞福而许下的愿。

的文书,钱丙告病的良愿。正看处,有人报:“又一个爷爷来了。”众鬼判急急观看,无不惊心。真君却道:“有个甚么齐天大圣,才来这里否?”众鬼判道:“不曾见甚么大圣,只有一个爷爷在里面查点哩。”真君撞进门,大圣见了,现出本相道:“郎君不消嚷,庙宇已姓孙了。”这真君即举三尖两刃神锋,劈脸就砍。那猴王使个身法让过神锋,掣出那绣花针儿幌一幌,碗来粗细,赶到前,对面相还。两个嚷嚷闹闹,打出庙门,半雾半云,且行且战,复打到花果山。慌得那四大天王等众,提防愈紧。这康、张太尉等迎着真君,合心努力,把那美猴王围绕不题。

话表大力鬼王既调了真君与六兄弟提兵擒魔去后,却上界回奏。玉帝与观音菩萨、王母并众仙卿,正在灵霄殿讲话,道:“既是二郎已去赴战,这一日还不见回报。”观音合掌道:“贫僧请陛下同道祖出南天门外,亲去看看虚实如何?”玉帝道:“言之有理。”即摆驾,同道祖、观音、王母与众仙卿至南天门。早有些天丁、力士接着,开门遥观。只见众天丁布罗网,围住四面;李天王与哪吒,擎照妖镜,立在空中;真君把大圣围绕中间,纷纷赌斗哩。菩萨开口对老君说:“贫僧所举二郎神如何?——果有神通,已把那大圣围困,只是未得擒拿。我如今助他一功,决拿住他也。”老君道:“菩萨将甚兵器?怎么助他?”菩萨道:“我将那净瓶杨柳抛下去,打那猴头;即不能打死,也打个一跌,教二郎小圣好去拿他。”老君道:“你这瓶是个磁器,倘打着他便好,如打不着他的头,或撞着他的铁棒,却不打碎了?你且莫动手,等我老君助他一功。”菩萨道:“你有甚么兵器?”老君道:“有,有,有。”捋起衣袖,左膊上取下一个圈子,说道:“这件兵器,乃锟钢抟炼的,被我将还丹点成,养就一身灵气,善能变化,水火不侵,又能套诸物。一名‘金钢琢’,又名‘金钢套’。当年过函关,化胡为佛，甚是亏他。早晚最可防身。等我丢下去打他一下。”

话毕，自天门上往下一掼，滴流流，径落花果山营盘里，可可的着猴王头上一下。猴王只顾苦战七圣，却不知天上坠下这兵器，打中了天灵，立不稳脚，跌了一跤，爬将起来就跑；被二郎爷爷的细犬赶上，照腿肚子上一口，又扯了一跌。他睡倒在地，骂道：“这个亡人！你不去妨家长，却来咬老孙！”急翻身爬不起来，被七圣一拥按住，即将绳索捆绑，使勾刀穿了琵琶骨①，再不能变化。

那老君收了金钢琢，请玉帝同观音、王母、众仙等俱回灵霄殿。这下面四大天王与李天王诸神，俱收兵拔寨，近前向小圣贺喜，都道：“此小圣之功也！”小圣道：“此乃天尊洪福，众圣威权，我何功之有？”康、张、姚、李道：“兄长不必多叙，且押这厮去上界见玉帝，请旨发落去也。”真君道：“贤弟，汝等未受天箓，不得面见玉帝。教天甲神兵押着，我同天王等上界回旨。你们帅众在此搜山，搜净之后，仍回灌口。待我请了赏，讨了功，回来同乐。”四太尉、二将军依言领诺。这真君与众即驾云头，唱凯歌，得胜朝天。不多时，到通明殿外。天师启奏道：“四大天王等众已捉了妖猴齐天大圣了。来此听宣。”玉帝传旨，即命大力鬼王与天丁等众，押至斩妖台，将这厮碎剁其尸。咦！正是：

欺诳今遭刑宪苦，英雄气概等时休。

毕竟不知那猴王性命如何，且听下回分解。

---

① 琵琶骨：肩胛骨。穿琵琶骨是过去控制犯人的一种刑罚，能让犯人失去反抗能力，也不能逃跑。

第七回

八卦炉中逃大圣　五行山下定心猿

富贵功名，前缘分定，为人切莫欺心。正大光明，忠良善果弥深。些些狂妄天加谴，眼前不遇待时临。问东君[①]因甚，如今祸害相侵。只为心高图罔极[②]，不分上下乱规箴[③]。

话表齐天大圣被众天兵押去斩妖台下，绑在降妖柱上，刀砍斧剁，枪刺剑刳，莫想伤及其身。南斗星奋令火部众神，放火煨烧，亦不能烧着。又着雷部众神以雷屑钉打，越发不能伤损一毫。那大力鬼王与众启奏道："万岁，这大圣不知是何处学得这护身之法，臣等用刀砍斧剁，雷打火烧，一毫不能伤损，却如之何？"玉帝闻言道："这厮这等，这等……如何处治？"太上老君即奏道："那猴吃了蟠桃，饮了御酒，又盗了仙丹，——我那五壶丹，有生有熟，被他都吃在肚里，运用三昧火，煅成一块，所以浑做金钢之躯，急不能伤。不若与老道领去，放在八卦炉中，以文武火煅炼。炼出我的丹来，他身自为灰烬矣。"玉帝闻言，即教六丁六甲将他解下，付与老君。老君领旨去讫。一壁厢宣二郎显圣，赏赐金花百朵，御酒百瓶，还丹百粒，异

① 东君：神话传说中的太阳神。
② 罔极：没边界，没止境。这里形容奢望没有边际。
③ 规箴：劝勉，告诫。这里是"规矩"的意思。

宝、明珠、锦绣等件，教与义兄弟分享。真君谢恩，回灌江口不题。

那老君到兜率宫，将大圣解去绳索，放了穿琵琶骨之器，推入八卦炉中，命看炉的道人，架火的童子，将火扇起煅炼。原来那炉是乾、坎、艮、震、巽、离、坤、兑八卦。他即将身钻在“巽宫”位下。巽乃风也，有风则无火。只是风搅得烟来，把一双眼燭①红了，弄做个老害病眼，故唤作“火眼金睛”。

真个光阴迅速，不觉七七四十九日，老君的火候俱全。忽一日，开炉取丹。那大圣双手侮②着眼，正自揉搓流涕，只听炉头声响。猛睁睛看见光明，他就忍不住，将身一纵，跳出丹炉，唿喇一声，蹬倒八卦炉，往外就走。慌得那架火、看炉与丁甲一班人来扯，被他一个个都放倒，好似癫痫的白额虎，风狂的独角龙。老君赶上抓一把，被他一捽，捽了个倒栽葱，脱身走了。即去耳中掣出如意棒，迎风幌一幌，碗来粗细，依然拿在手中，不分好歹，却又大乱天宫，打得那九曜星闭门闭户，四天王无影无形。好猴精！有诗为证。诗曰：

混元体正合先天，万劫千番只自然。
渺渺无为浑太乙，如如不动号初玄③。
炉中久炼非铅汞，物外长生是本仙。

① 燭（chǎo）：熏的意思。

② 侮：这里同“捂”。掩住、遮住、按住的意思。后文第三十四回、四十一回写作“忤”。

③ 如如不动号初玄：如如不动，佛教语，意为完全以随缘与平静来应对面对一切事物，是修行圆满者的心理状态。初玄，这里指不为外物所遮蔽的最初本心。

变化无穷还变化，三皈五戒①总休言。

又诗：

一点灵光彻太虚，那条拄杖亦如之：

或长或短随人用，横竖横排任卷舒。

又诗：

猿猴道体配人心，心即猿猴意思深。

大圣齐天非假论，官封“弼马”是知音。

马猿合作心和意，紧缚牢拴莫外寻。

万相归真从一理，如来同契住双林②。

这一番，那猴王不分上下，使铁棒东打西敌，更无一神可挡。只打到通明殿里，灵霄殿外。幸有佑圣真君的佐使王灵官执殿。他见大圣纵横，掣金鞭近前挡住道：“泼猴何往！有吾在此，切莫猖狂！”这大圣不由分说，举棒就打。那灵官鞭起相迎。两个在灵霄殿前厮浑一处。好杀：

赤胆忠良名誉大，欺天诳上声名坏。一低一好幸相持，豪杰英雄同赌赛。铁棒凶，金鞭快，正直无私怎忍耐？这个是太乙雷声应化尊，那个是齐天大圣猿猴怪。金鞭铁棒两家能，都是神宫仙器械。今日在灵霄宝殿下弄威风，各展雄才真可爱。一个欺心要夺斗牛宫，一个竭力匡扶元圣界。苦争不让显神通，鞭棒往来无胜败。

他两个斗在一处，胜败未分。早有佑圣真君，又差将佐发文到雷府，调三十六员雷将齐来，把大圣围在垓心，各骋凶恶鏖战。那

① 三皈五戒：佛教以归依三宝（佛、法、僧）为三皈，以不杀生、不偷盗、不邪淫、不妄语、不饮酒为五戒。

② 双林：即沙罗双树。传说佛祖示寂（死亡）的地方。

大圣全无一毫惧色，使一条如意棒，左遮右挡，后架前迎。一时，见那众雷将的刀枪剑戟、鞭简挝锤、钺斧金瓜、旄镰月铲，来的甚紧，他即摇身一变，变做三头六臂；把如意棒幌一幌，变作三条；六只手使开三条棒，好便似纺车儿一般，滴流流，在那垓心里飞舞，众雷神莫能相近。真个是：

圆陀陀，光灼灼，亘古常存人怎学？入火不能焚，入水何曾溺？光明一颗摩尼①珠，剑戟刀枪伤不着。也能善，也能恶，眼前善恶凭他作。善时成佛与成仙，恶处披毛并带角。无穷变化闹天宫，雷将神兵不可捉。

当时众圣把大圣攒在一处，却不能近身，乱嚷乱斗，早惊动玉帝。遂传旨着游奕灵官同翊圣真君上西方请佛老降伏。

那二圣得了旨，径到灵山胜境，雷音宝刹之前，对四金刚、八菩萨礼毕，即烦转达。众神随至宝莲台下启知，如来召请。二圣礼佛三匝，侍立台下。如来问："玉帝何事，烦二圣下临？"二圣即启道："向时花果山产一猴，在那里弄神通，聚众猴搅乱世界。玉帝降招安旨，封为'弼马温'，他嫌官小反去。当遣李天王、哪吒太子擒拿未获，复招安他，封做'齐天大圣'，先有官无禄。着他代管蟠桃园，他即偷桃；又走至瑶池，偷肴偷酒，搅乱大会；仗酒又暗入兜率宫，偷老君仙丹，反出天宫。玉帝复遣十万天兵，亦不能收伏。后观世音举二郎真君同他义兄弟追杀，他变化多端，亏老君抛金钢琢打重，二郎方得拿住。解赴御前，即命斩之。刀砍斧剁，火烧雷打，俱不能伤；老君奏准领去，以火煅炼。四十九日开鼎，他却又跳出八卦炉，打退天丁，径入通明殿里，灵霄殿外；被佑圣真君的佐使王灵官挡住苦战，又调三十六员雷将，把

① 摩尼：梵语译音。珠宝的总名。也作牟尼、末尼。

他困在垓心，终不能相近。因此，玉帝特请如来救驾。”如来闻诏，即对众菩萨道：“汝等在此稳坐法堂，休得乱了禅位，待我炼魔救驾去来。”

如来即唤阿傩、迦叶二尊者相随，离了雷音，径至灵霄门外。忽听得喊声振耳，乃三十六员雷将围困着大圣哩。佛祖传法旨：“教雷将停息干戈，放开营所，叫那大圣出来，等我问他有何法力。”众将果退。大圣也收了法象，现出原身近前，怒气昂昂，厉声高叫道：“你是那方善士，敢来止住刀兵问我？”如来笑道：“我是西方极乐世界释迦牟尼尊者，南无阿弥陀佛①。今闻你猖狂村野，屡反天宫，不知是何方生长，何年得道，为何这等暴横？”大圣道：“我本：

天地生成灵混仙，花果山中一老猿。
水帘洞里为家业，拜友寻师悟太玄。
炼就长生多少法，学来变化广无边。
因在凡间嫌地窄，立心端要住瑶天。
灵霄宝殿非他久，历代人王有分传。
强者为尊该让我，英雄只此敢争先。”

佛祖听言，呵呵冷笑道：“你那厮乃是个猴子成精，焉敢欺心，要夺玉皇上帝龙位？他自幼修持，苦历过一千七百五十劫，每劫该十二万九千六百年。你算，他该多少年数，方能享受此无极大道？你那个初世为人的畜生，如何出此大言！不当人子！不当人子！折了你的寿算！趁早皈依，切莫胡说！但恐遭了毒手，性命顷刻而休，可惜了你的本来面目！”大圣道：“他虽年劫修长，

① 南(nā)无(mó)阿弥陀佛：佛教所说的极乐世界教主。南无，顶礼、致敬的意思。释迦牟尼和阿弥陀佛并不是同一神祇。作者这里是有意或无意地误用。

也不应久占在此。常言道：'皇帝轮流做，明年到我家。'只教他搬出去，将天宫让与我，便罢了；若还不让，定要搅攘，永不清平！"佛祖道："你除了长生变化之法，再有何能，敢占天宫胜境？"大圣道："我的手段多哩！我有七十二般变化，万劫不老长生；会驾筋斗云，一纵十万八千里。如何坐不得天位？"佛祖道："我与你打个赌赛：你若有本事，一筋斗打出我这右手掌中，算你赢，再不用动刀兵苦争战，就请玉帝到西方居住，把天宫让你；若不能打出手掌，你还下界为妖，再修几劫，却来争吵。"

那大圣闻言，暗笑道："这如来十分好呆！我老孙一筋斗去十万八千里。他那手掌，方圆不满一尺，如何跳不出去？"急发声道："既如此说，你可做得主张？"佛祖道："做得！做得！"伸开右手，却似个荷叶大小。那大圣收了如意棒，抖擞神威，将身一纵，站在佛祖手心里，却道声："我出去也！"你看他一路云光，无形无影去了。佛祖慧眼观看，见那猴王风车子一般相似，不住只管前进。大圣行时，忽见有五根肉红柱子，撑着一股青气。他道："此间乃尽头路了。这番回去，如来作证，灵霄宫定是我坐也。"又思量说："且住！等我留下些记号，方好与如来说话。"拔下一根毫毛，吹口仙气，叫："变！"变作一管浓墨双毫笔，在那中间柱子上写一行大字云："齐天大圣，到此一游。"写毕，收了毫毛。又不庄尊，却在第一根柱子根下，撒了一泡猴尿。翻转筋斗云，径回本处，站在如来掌内道："我已去，今来了。你教玉帝让天宫与我。"

如来骂道："我把你这个尿精猴子！你正好不曾离了我掌哩！"大圣道："你是不知。我去到天尽头，见五根肉红柱，撑着一股青气，我留个记在那里，你敢和我同去看么？"如来道："不消去，你只自低头看看。"那大圣睁圆火眼金睛，低头看时，原来佛祖右手中指写着“齐天大圣，到此一游”，大指丫里，还有些猴尿臊气。大圣吃了一惊道：“有这等事！有这等事！我将此字写在撑天柱子上，如何却在他手指上？莫非有个未卜先知的法术？我决不信！不信！等我再去来！”

好大圣，急纵身又要跳出，被佛祖翻掌一扑，把这猴王推出西天门外，将五指化作金、木、水、火、土五座联山，唤名“五行山”，轻轻的把他压住。众雷神与阿傩、迦叶，一个个合掌称扬道：“善哉！善哉！

当年卵化学为人，立志修行果道真。
万劫无移居胜境，一朝有变散精神。
欺天罔上思高位，凌圣偷丹乱大伦。
恶贯满盈今有报，不知何日得翻身。”

如来佛祖殄灭①了妖猴，即唤阿傩、迦叶同转西方极乐世界。时有天蓬、天佑急出灵霄宝殿道：“请如来少待，我主大驾来也。”佛祖闻言，回首瞻仰。须臾，果见八景鸾舆，九光宝盖；声奏玄歌妙乐，咏哦无量神章；散宝花，喷真香，直至佛前谢曰：“多蒙大法收殄妖邪，望如来少停一日，请诸仙做一会筵奉谢。”如来不敢违悖，即合掌谢道：“老僧承大天尊宣命来此，有何法力？还是天尊与众神洪福。敢劳致谢？”玉帝传旨，即着雷部众神，分头请三清、四御、五老、六司、七元、八极、九曜、十都，千真万圣，来此赴会，同谢佛恩。又命四大天师、九天仙女，大开玉京金阙、太玄宝宫、洞阳玉馆，请如来高坐七宝灵台，调设各班座位，安排龙肝凤髓，玉液蟠桃。

不一时，那玉清元始天尊、上清灵宝天尊、太清道德天尊、五

---

① 殄(tiǎn)灭：消灭。这里是降服的意思。

炁真君、五斗星君、三官四圣、九曜真君、左辅、右弼、天王、哪吒，玄虚一应灵通，对对旌旗，双双幡盖，都捧着明珠异宝，寿果奇花，向佛前拜献曰："感如来无量法力，收伏妖猴。蒙大天尊设宴呼唤，我等皆来陈谢。请如来将此会立一名，如何？"如来领众神之托曰："今欲立名，可作个'安天大会'。"各仙老异口同声，俱道："好个'安天大会'！好个'安天大会'！"言讫，各坐座位，走斝传觞，簪花鼓瑟。果好会也，有诗为证。诗曰：

宴设蟠桃猴搅乱，安天大会胜蟠桃。
龙旗鸾辂祥光蔼，宝节幢幡瑞气飘。
仙乐玄歌音韵美，凤箫玉管响声高。
琼香缭绕群仙集，宇宙清平贺圣朝。

众皆畅然喜会，只见王母娘娘引一班仙子、仙娥、美姬、毛女，飘飘荡荡舞向佛前，施礼曰："前被妖猴搅乱蟠桃嘉会，请众仙众佛，俱未成功。今蒙如来大法链锁顽猴，喜庆'安天大会'，无物可谢，今是我净手亲摘大株蟠桃数颗奉献。"真个是：

半红半绿喷甘香，艳丽仙根万载长。
堪笑武陵源上种，争如①天府更奇强！
紫纹娇嫩寰中少，缃核清甜世莫双。
延寿延年能易体，有缘食者自非常。

佛祖合掌向王母谢讫。王母又着仙姬、仙子唱的唱，舞的舞。满会群仙，又皆赏赞。正是：

缥渺天香满座，缤纷仙蕊仙花。玉京金阙大荣华，异品奇珍无价。　　对对与天齐寿，双双万劫增加。桑田沧海任更差，他自无惊无讶。

---

① 争如：怎如，哪里比得上。

王母正着仙姬仙子歌舞，觥筹交错，不多时，忽又闻得：

一阵异香来鼻噢，惊动满堂星与宿。
天仙佛祖把杯停，各各抬头迎目候。
霄汉中间现老人，手捧灵芝飞蔼绣。
葫芦藏蓄万年丹，宝箓名书千纪寿。
洞里乾坤任自由，壶中日月随成就。
遨游四海乐清闲，散淡十洲容辐辏。
曾赴蟠桃醉几遭，醒时明月还依旧。
长头大耳短身躯，南极之方称老寿。

寿星又到。见玉帝礼毕，又见如来，申谢曰："始闻那妖猴被老君引至兜率宫煅炼，以为必致平安，不期他又反出。幸如来善伏此怪，设宴奉谢，故此闻风而来。更无他物可献，特具紫芝瑶草，碧藕金丹奉上。"诗曰：

碧藕金丹奉释迦，如来万寿若恒沙。
清平永乐三乘锦，康泰长生九品花。
无相门中真法主，色空天上是仙家。
乾坤大地皆称祖，丈六金身福寿赊①。

如来忻然领谢。寿星得座，依然走斝传觞。只见赤脚大仙又至。向玉帝前頫囟礼毕，又对佛祖谢道："深感法力，降伏妖猴。无物可以表敬，特具交梨二颗，火枣数枚奉献。"诗曰：

大仙赤脚枣梨香，敬献弥陀寿算长。
七宝莲台山样稳，千金花座锦般妆。
寿同天地言非谬，福比洪波话岂狂。
福寿如期真个是，清闲极乐那西方。

---

① 赊（shē）：同"奢"，多的意思。

如来又称谢了，叫阿傩、迦叶，将各所献之物，一一收起，方向玉帝前谢宴。众各酩酊。只见个巡视灵官来报道："那大圣伸出头来了。"佛祖道："不妨，不妨。"袖中只取出一张帖子，上有六个金字："唵、嘛、呢、叭、𠺗、吽。"①递与阿傩，叫贴在那山顶上。这尊者即领帖子，拿出天门，到那五行山顶上，紧紧的贴在一块四方石上。那座山即生根合缝，可运用呼吸之气，手儿爬出，可以摇挣摇挣。阿傩回报道："已将帖子贴了。"

如来即辞了玉帝众神，与二尊者出天门之外，又发一个慈悲心，念动真言咒语，将五行山召一尊土地神祇，会同五方揭谛，居住此山监押。但他饥时，与他铁丸子吃；渴时，与他溶化的铜汁饮。待他灾愆②满日，自有人救他。正是：

妖猴大胆反天宫，却被如来伏手降。
渴饮溶铜捱岁月，饥餐铁弹度时光。
天灾苦困遭磨蛰，人事凄凉喜命长。
若得英雄重展挣③，他年奉佛上西方。

又诗曰：

伏逞豪强大势兴，降龙伏虎弄乖能。
偷桃偷酒游天府，受箓承恩在玉京。
恶贯满盈身受困，善根不绝气还升。
果然脱得如来手，且待唐朝出圣僧。

毕竟不知向后何年何月，方满灾殃，且听下回分解。

---

① 唵嘛呢叭𠺗吽(hōng)：梵语莲花珠的译音。我国明代民间把这句话说成"俺把你哄了"，是当时对迷信佛教的讽刺。

② 灾愆(qiān)：灾难。

③ 展挣：挣扎、动弹，这里是施展的意思。后文第九十七回则作抵赖解释。

第八回

我佛造经传极乐　观音奉旨上长安

试问禅关，参求无数，往往到头虚老。磨砖作镜，积雪为粮，迷了几多年少？毛吞大海，芥纳须弥①，金色头陀微笑。悟时超十地②三乘，凝滞了四生③六道④。　谁听得绝想崖前，无阴树下，杜宇一声春晓？曹溪⑤路险，鹫岭⑥云深，此处故人音杳。千丈冰崖，五叶莲开，古殿帘垂香袅。那时节，识破源流，便见龙王三宝⑦。

这一篇词，名《苏武慢》。话表我佛如来，辞别了玉帝，回至雷音宝刹，但见那三千诸佛、五百阿罗、八大金刚、无边菩萨，一个个都执着幢幡宝盖，异宝仙花，摆列在灵山仙境，娑罗双林之

---

① 芥纳须弥：芥，芥菜籽。颗粒很小。须弥，佛教传说高达三百三十六万里的大山。此喻小事物中蕴含着大道理。

② 十地：佛教术语，指菩萨修行所经历的十种境界，叫做：欢喜地、离垢地、发光地、焰慧地、极难胜地、现前地、远行地、不动地、善慧地、法震地。

③ 四生：佛教的说法，指胎生、卵生、湿生和化生。

④ 六道：佛教以地狱、饿鬼、畜生、阿修罗、人间、天上为六道。认为行善入天道，作恶下地狱，报应循环，始终轮回、升沉在这六道之中。

⑤ 曹溪：水名，源出广东省曲江县。溪的上流有宝林寺，是佛教禅宗六祖慧能宣传佛法的地方。

⑥ 鹫(jiù)岭：也称灵山。地在中印度。相传如来佛在这里讲过《法华经》。

⑦ 龙王三宝：当为“龙王三宝阶”的简称。相传龙王在海边化作金、银、琉璃三宝阶，引导佛在中阶、诸菩萨在右阶、诸声闻弟子在左阶进入龙宫。

下接迎。如来驾住祥云,对众道:“我以

甚深般若,遍观三界。根本性原,毕竟寂灭。同虚空相,一无所有。殄伏乖猴,是事莫识,名生死始,法相如是。”

说罢,放舍利之光,满空有白虹四十二道,南北通连。大众见了,皈身礼拜。少顷间,聚庆云彩雾,登上品莲台,端然坐下。那三千诸佛、五百罗汉、八金刚、四菩萨,合掌近前礼毕,问曰:“闹天宫搅乱蟠桃者,何也?”如来道:“那厮乃花果山产的一妖猴,罪恶滔天,不可名状。概天①神将,俱莫能降伏;虽二郎捉获,老君用火煅炼,亦莫能伤损。我去时,正在雷将中间,扬威耀武,卖弄精神;被我止住兵戈,问他来历。他言有神通,会变化,又驾筋斗云,一去十万八千里。我与他打了个赌赛,他出不得我手,却将他一把抓住,指化五行山,封压他在那里。玉帝大开金阙瑶宫,请我坐了首席,立‘安天大会’谢我,却方辞驾而回。”大众听言喜悦,极口称扬。谢罢,各分班而退,各执乃事,共乐天真。果然是:

瑞霭漫天竺,虹光拥世尊。西方称第一,无相法王门。常见玄猿献果,麋鹿衔花;青鸾舞,彩凤鸣;灵龟捧寿,仙鹤噙芝。安享净土祇园②,受用龙宫沙界。日日花开,时时果熟。习静归真,参禅果正。不灭不生,不增不减。烟霞缥缈随来往,寒暑无侵不记年。

诗曰:

去来自在任优游,也无恐怖也无愁。

---

① 概天:即诸天。概,大凡、所有。后文概众,即大众。第十二回又作盖众,与此义同。

② 祇园:祇树给孤独园的简称。传说佛在此讲过经。

极乐场中俱坦荡，大千之处没春秋。

佛祖居于灵山大雷音宝刹之间，一日，唤聚诸佛、阿罗、揭谛、菩萨、金刚、比丘僧尼等众，曰："自伏乖猿安天之后，我处不知年月，料凡间有半千年矣。今值孟秋望日①，我有一宝盆，盆中具设百样奇花、千般异果等物，与汝等享此'盂兰盆会'，如何？"概众一个个合掌，礼佛三匝领会。如来却将宝盆中花果品物，着阿傩捧定，着迦叶布散。大众感激，各献诗伸谢。

福诗曰：

福星光耀世尊前，福纳弥深远更绵。
福德无疆同地久，福缘有庆与天连。
福田广种年年盛，福海洪深岁岁坚。
福满乾坤多福荫，福增无量永周全。

禄诗曰：

禄重如山彩凤鸣，禄随时泰祝长庚。
禄添万斛身康健，禄享千钟世太平。
禄俸齐天还永固，禄名似海更澄清。
禄恩远继多瞻仰，禄爵无边万国荣。

寿诗曰：

寿星献彩对如来，寿域光华自此开。
寿果满盘生瑞霭，寿花新采插莲台。
寿诗清雅多奇妙，寿曲调音按美才。
寿命延长同日月，寿如山海更悠哉。

① 孟秋望日：七月十五日。孟，四季中每季的第一个月。望日，每月十五月圆之日。

众菩萨献毕。因请如来明示根本,指解源流。那如来微开善口,敷演大法,宣扬正果,讲的是三乘妙典,五蕴《楞严》①。但见那天龙围绕,花雨缤纷。正是:禅心朗照千江月,真性清涵万里天。

如来讲罢,对众言曰:“我观四大部洲,众生善恶,各方不一:东胜神洲者,敬天礼地,心爽气平;北俱芦洲者,虽好杀生,只因糊口,性拙情疏,无多作践;我西牛贺洲者,不贪不杀,养气潜灵,虽无上真,人人固寿;但那南赡部洲者,贪淫乐祸,多杀多争,正所谓口舌凶场,是非恶海。我今有三藏真经,可以劝人为善。”诸菩萨闻言,合掌皈依,向佛前问曰:“如来有那三藏真经?”如来曰:“我有《法》一藏,谈天;《论》一藏,说地;《经》一藏,度鬼。三藏共计三十五部,该一万五千一百四十四卷,乃是修真之经,正善之门。我待要送上东土,叵耐那方众生愚蠢,毁谤真言,不识我法门之旨要,怠慢了瑜迦之正宗②。怎么得一个有法力的,去东土寻一个善信,教他苦历千山,询经万水,到我处求取真经,永传东土,劝化众生,却乃是个山大的福缘,海深的善庆。谁肯去走一遭来?”当有观音菩萨,行近莲台,礼佛三匝道:“弟子不才,愿上东土寻一个取经人来也。”诸众抬头观看,那菩萨:

理圆四德③,智满金身。缨络垂珠翠,香环结宝明。乌

① 五蕴《楞严》:佛教术语,就是色(形色)、受(嗜欲)、想(意念)、行(业缘)、识(心灵)等五种蕴聚,认为一切众生都要为这五蕴所支配。《楞严》,佛经名。

② 瑜迦之正宗:瑜迦宗,佛教中密教的总名。这里泛指佛门、佛法而言。

③ 四德:佛教术语。指常(没有变革生灭)、乐(寂灭永安、自在随心)、我(体真实而用实在)、净(解脱一切垢染)。

云巧叠盘龙髻，绣带轻飘彩凤翎。碧玉纽，素罗袍，祥光笼罩；锦绒裙，金落索，瑞气遮迎。眉如小月，眼似双星。玉面天生喜，朱唇一点红。净瓶甘露年年盛，斜插垂杨岁岁青。解八难①，度群生，大慈悯：故镇太山，居南海，救苦寻声，万称万应，千圣千灵。兰心欣紫竹，蕙性爱香藤。他是落伽山上慈悲主，潮音洞里活观音。

如来见了，心中大喜道："别个是也去不得，须是观音尊者，神通广大，方可去得。"菩萨道："弟子此去东土，有甚言语分付？"如来道："这一去，要踏看路道，不许在霄汉中行，须是要半云半雾；目过山水，谨记程途远近之数，叮咛那取经人。但恐善信难行，我与你五件宝贝。"即命阿傩、迦叶，取出锦襕袈裟一领，九环锡杖一根，对菩萨言曰："这袈裟、锡杖，可与那取经人亲用。若肯坚心来此，穿我的袈裟，免堕轮回；持我的锡杖，不遭毒害。"这菩萨皈依拜领。如来又取出三个箍儿，递与菩萨道："此宝唤做'紧箍儿'；虽是一样三个，但只用各不同。我有'金紧禁'的咒语三篇。假若路上撞见神通广大的妖魔，你须是劝他学好，跟那取经人做个徒弟。他若不伏使唤，可将此箍儿与他戴在头上，自然见肉生根。各依所用的咒语念一念，眼胀头疼，脑门皆裂，管教他入我门来。"

那菩萨闻言，踊跃作礼而退，即唤惠岸行者随行。那惠岸使一条浑铁棍，重有千斤，只在菩萨左右，作一个降魔的大力士。菩萨遂将锦襕袈裟，作一个包裹，令他背了。菩萨将金箍藏了，执了锡杖，径下灵山。这一去，有分教：佛子还来归本愿，金蝉长

---

① 八难：佛教《楞严经》以苦恼难、大火难、大水难、罗刹难、刀兵难、诸鬼难、枷锁难、劫贼难为八难，称观音菩萨可使众生"八难无畏"。

老裹栴檀。

那菩萨到山脚下，有玉真观金顶大仙在观门首接住，请菩萨献茶。菩萨不敢久停，曰："今领如来法旨，上东土寻取经人去。"大仙道："取经人几时方到？"菩萨道："未定，约摸二三年间，或可至此。"遂辞了大仙，半云半雾，约记程途。有诗为证。诗曰：

万里相寻自不言，却云谁得意难全？
求人忽若浑如此，是我平生岂偶然？
传道有方成妄语，说明无信也虚传。
愿倾肝胆寻相识，料想前头必有缘。

师徒二人正走间，忽然见弱水①三千，乃是流沙河界。菩萨道："徒弟呀，此处却是难行。取经人浊骨凡胎，如何得渡？"惠岸道："师父，你看河有多远？"那菩萨停立云步看时，只见：

东连沙碛，西抵诸番；南达乌戈，北通鞑靼。径过有八百里遥，上下有千万里远。水流一似地翻身，浪滚却如山耸背。洋洋浩浩，漠漠茫茫，十里遥闻万丈洪。仙槎难到此，莲叶莫能浮。衰草斜阳流曲浦，黄云影日暗长堤。那里得客商来往？何曾有渔叟依栖？平沙无雁落，远岸有猿啼。只是红蓼花蘩知景色，白蘋香细任依依。

菩萨正然点看，只见那河中泼刺一声响亮，水波里跳出一个妖魔来，十分丑恶。他生得：

青不青，黑不黑，晦气色脸；长不长，短不短，赤脚筋躯。眼光闪烁，好似灶底双灯；口角丫叉，就如屠家火钵②。獠

① 弱水：险恶难渡的河海。
② 火钵：同"血钵"。屠户盛血的盆子。

牙撑剑刃，红发乱蓬松。一声叱咤如雷吼，两脚奔波似滚风。

那怪物手执一根宝杖，走上岸就捉菩萨，却被惠岸掣浑铁棒挡住，喝声："休走！"那怪物就持宝杖来迎。两个在流沙河边，这一场恶杀，真个惊人：

木叉浑铁棒，护法显神通；怪物降妖杖，努力逞英雄。双条银蟒河边舞，一对神僧岸上冲。那一个威镇流沙施本事，这一个力保观音建大功。那一个翻波跃浪，这一个吐雾喷风。翻波跃浪乾坤暗，吐雾喷风日月昏。那个降妖杖，好便似出山的白虎；这个浑铁棒，却就如卧道的黄龙。那个使将来，寻蛇拨草；这个丢开去，扑鹞分松。只杀得昏漠漠，星辰灿烂；雾腾腾，天地朦胧。那个久住弱水惟他狠，这个初出灵山第一功。

他两个来来往往，战上数十合，不分胜负。那怪物架住了铁棒道："你是那里和尚，敢来与我抵敌？"木叉道："我是托塔天王二太子木叉惠岸行者，今保我师父往东土寻取经人去。你是何怪，敢大胆阻路？"那怪方才醒悟道："我记得你跟南海观音在紫竹林中修行，你为何来此？"木叉道："那岸上不是我师父？"

怪物闻言，连声喏喏；收了宝杖，让木叉揪了去，见观音纳头下拜，告道："菩萨，恕我之罪，待我诉告。我不是妖邪，我是灵霄殿下侍銮舆的卷帘大将。只因在蟠桃会上，失手打碎了玻璃盏，玉帝把我打了八百，贬下界来，变得这般模样。又叫七日一次，将飞剑来穿我胸胁百馀下方回，故此这般苦恼。没奈何，饥寒难忍，三二日间，出波涛寻一个行人食用；不期今日无知，冲撞了大慈菩萨。"菩萨道："你在天有罪，既贬下来，今又这等伤生，正所谓罪上加罪。我今领了佛旨，上东土寻取经人。你何不入我门来，皈依善果，跟那取经人做个徒弟，上西天拜佛求经？我叫飞剑不来穿你。那时节功成免罪，复你本职，心下如何？”那怪道：“我愿皈正果。”又向前道：“菩萨，我在此间吃人无数，向来有几次取经人来，都被我吃了。凡吃的人头，抛落流沙，竟沉水底。这个水，鹅毛也不能浮。惟有九个取经人的骷髅，浮在水面，再不能沉。我以为异物，将索儿穿在一处，闲时拿来顽耍。这去，但恐取经人不得到此，却不是反误了我的前程也？”菩萨曰：“岂有不到之理？你可将骷髅儿挂在头项下，等候取经人，自有用处。”怪物道：“既然如此，愿领教诲。”菩萨方与他摩顶受戒，指沙为姓，就姓了沙；起个法名，叫做个沙悟净。当时入了沙门，送菩萨过了河，他洗心涤虑，再不伤生，专等菩萨。

菩萨与他别了，同木叉径奔东土。行了多时，又见一座高山，山上有恶气遮漫，不能步上。正欲驾云过山，不觉狂风起处，又闪上一个妖魔。他生得又甚凶险。但见他：

卷脏莲蓬吊搭嘴，耳如蒲扇显金睛。
獠牙锋利如钢锉，长嘴张开似火盆。
金盔紧系腮边带，勒甲丝绦蟒退鳞。
手执钉钯龙探爪，腰挎弯弓月半轮。
纠纠威风欺太岁，昂昂志气压天神。

他撞上来，不分好歹，望菩萨举钯就筑。被木叉行者挡住，大喝一声道：“那泼怪，休得无礼！看棒！”妖魔道：“这和尚不知死活！看钯！”两个在山底下，一冲一撞，赌斗输赢。真个好杀：

妖魔凶猛，惠岸威能。铁棒分心捣，钉钯劈面迎。播土扬尘天地暗，飞砂走石鬼神惊。九齿钯，光耀耀，双环响亮；一条棒，黑悠悠，两手飞腾。这个是天王太子，那个是元帅精灵。一个在普陀为护法，一个在山洞作妖精。这场相遇争高下，不知那个亏输那个赢。

他两个正杀到好处，观世音在半空中抛下莲花，隔开钯杖。怪物见了心惊，便问："你是那里和尚，敢弄甚么眼前花儿哄我？"木叉道："我把你个肉眼凡胎的泼物！我是南海菩萨的徒弟。这是我师父抛来的莲花，你也不认得哩！"那怪道："南海菩萨，可是扫三灾①救八难的观世音么？"木叉道："不是他是谁？"怪物撇了钉钯，纳头下礼道："老兄，菩萨在那里？累烦你引见一引见。"木叉仰面指道："那不是？"怪物朝上磕头，厉声高叫道："菩萨，恕罪！恕罪！"观音按下云头，前来问道："你是那里成精的野豕，何方作怪的老彘，敢在此间挡我？"那怪道："我不是野豕，亦不是老彘，我本是天河里天蓬元帅。只因带酒戏弄嫦娥，玉帝把我打了二千锤，贬下尘凡。一灵真性，径来夺舍投胎，不期错了道路，投在个母猪胎里，变得这般模样。是我咬杀猪母，可②死群彘，在此处占了山场，吃人度日。不期撞着菩萨，万望拔救拔救。"菩萨道："此山叫做甚么山？"怪物道："叫做福陵山。山中有一洞，叫做云栈洞。洞里原有个卯二姐。他见我有些武艺，招我做了家长，又唤做'倒蹅门'③。不上一年，他死了，将一洞的家当，尽归我受用。在此日久年深，没有赡身的勾当④，只是依本等吃人度日。万望菩萨恕罪。"菩萨道："古人云：'若要有前程，莫做没前程。'你既上界违法，今又不改凶心，伤生造孽，却不是二罪俱罚？"那怪道："前程！前程！若依你，教

---

① 三灾：佛教以刀兵、疾疫、饥馑为三灾。
② 可：方言。这里用作"嗑"字。咬、噬。
③ 倒蹅门：即倒插门。指男人在女家就亲。亦称入赘。
④ 赡身的勾当：养身的营生。

我嗑风！常言道：‘依着官法打杀，依着佛法饿杀。’去也！去也！还不如捉个行人，肥腻腻的吃他家娘！管甚么二罪三罪，千罪万罪！”菩萨道：“‘人有善愿，天必从之。’汝若肯归依正果，自有养身之处。世有五谷，可以济饥，为何吃人度日？”怪物闻言，似梦方觉，向菩萨施礼道：“我欲从正，奈何‘获罪于天，无所祷也’！”菩萨道：“我领了佛旨，上东土寻取经人。你可跟他做个徒弟，往西天走一遭来，将功折罪，管教你脱离灾瘴。”那怪满口道：“愿随！愿随！”菩萨才与他摩顶受戒，指身为姓，就姓了猪；替他起个法名，就叫做猪悟能。遂此领命归真，持斋把素，断绝了五荤①三厌②，专候那取经人。

菩萨却与木叉辞了悟能，半兴云雾前来。正走处，只见空中有一条玉龙叫唤。菩萨近前问曰：“你是何龙，在此受罪？”那龙道：“我是西海龙王敖闰之子。因纵火烧了殿上明珠，我父王表奏天庭，告了忤逆。玉帝把我吊在空中，打了三百，不日遭诛。望菩萨搭救搭救。”

观音闻言，即与木叉撞上南天门里。早有丘、张二天师接着，问道：“何往？”菩萨道：“贫僧要见玉帝一面。”二天师即忙上奏。玉帝遂下殿迎接。菩萨上前礼毕，道：“贫僧领佛旨上东土寻取经人，路遇孽龙悬吊，特来启奏，饶他性命，赐与贫僧，教他与取经人做个脚力。”玉帝闻言，即传旨赦宥③，差天将解放，送

① 五荤：佛教称大蒜、小蒜、洋葱、葱、薤是五荤，列入戒条，不准食用。

② 三厌：道教认为天上的雁，有夫妇的伦常；地上的狗，有保卫家的好处；水中的乌鱼，有忠敬之心。把不吃这三种东西列为教条，叫三厌。厌，不忍食的意思。

③ 赦宥（yòu）：宽恕，赦免。宥，饶恕。

与菩萨。菩萨谢恩而出。这小龙叩头谢活命之恩，听从菩萨使唤。菩萨把他送在深涧之中，只等取经人来，变做白马，上西方立功。小龙领命潜身不题。

菩萨带引木叉行者过了此山，又奔东土。行不多时，忽见金光万道，瑞气千条。木叉道："师父，那放光之处，乃是五行山了，见有如来的压帖在那里。"菩萨道："此却是那搅乱蟠桃会大闹天宫的齐天大圣，今乃压在此也。"木叉道："正是，正是。"师徒俱上山来，观看帖子，乃是"唵、嘛、呢、叭、咪、吽"六字真言。菩萨看罢，叹惜不已，作诗一首。诗曰：

堪叹妖猴不奉公，当年狂妄逞英雄。
欺心搅乱蟠桃会，大胆私行兜率宫。
十万军中无敌手，九重天上有威风。
自遭我佛如来困，何日舒伸再显功！

师徒们正说话处，早惊动了那大圣。大圣在山根下，高叫道："是那个在山上吟诗，揭我的短哩？"菩萨闻言，径下山来寻看。只见那石崖之下，有土地、山神、监押大圣的天将，都来拜接了菩萨，引至那大圣面前。看时，他原来压于石匣之中，口能言，身不能动。菩萨道："姓孙的，你认得我么？"大圣睁开火眼金睛，点着头儿高叫道："我怎么不认得你？你好的是那南海普陀落伽山救苦救难大慈大悲南无观世音菩萨。承看顾！承看顾！我在此度日如年，更无一个相知的来看我一看。你从那里来也？"菩萨道："我奉佛旨，上东土寻取经人去，从此经过，特留残步看你。"大圣道，"如来哄了我，把我压在此山，五百馀年了，不能展挣。万望菩萨方便一二，救我老孙一救！"菩萨道："你这厮罪业弥深，救你出来，恐你又生祸害，反为不美。"大圣道："我已

知悔了。但愿大慈悲指条门路,情愿修行。”这才是:

人心生一念,天地尽皆知。

善恶若无报,乾坤必有私。

那菩萨闻得此言,满心欢喜,对大圣道:“圣经云:‘出其言善,则千里之外应之;出其言不善,则千里之外违之。’你既有此心,待我到了东土大唐国寻一个取经的人来,教他救你。你可跟他做个徒弟,秉教迦持,入我佛门,再修正果,如何?”大圣声声道:“愿去!愿去!”菩萨道:“既有善果,我与你起个法名。”大圣道:“我已有名了,叫做孙悟空。”菩萨又喜道:“我前面也有二人归降,正是‘悟’字排行。你今也是‘悟’字,却与他相合,甚好,甚好!这等也不消叮嘱,我去也。”那大圣见性明心归佛教,这菩萨留情在意访神僧。

他与木叉离了此处,一直东来,不一日就到了长安大唐国。敛雾收云,师徒们变作两个疥癞游僧,入长安城里,早不觉天晚。行至大市街旁,见一座土地神祠,二人径入。唬得那土地心慌,鬼兵胆战,知是菩萨,叩头接入。那土地又急跑报与城隍、社令,及满长安各庙神祇,都知是菩萨,参见告道:“菩萨,恕众神接迟之罪。”菩萨道:“汝等切不可走漏一毫消息。我奉佛旨,特来此处寻访取经人。借你庙宇,权住几日,待访着真僧即回。”众神各归本处,把个土地赶在城隍庙里暂住,他师徒们隐遁真形。毕竟不知寻出那个取经人来,且听下回分解。

附　　录①

陈光蕊赴任逢灾　江流僧复仇报本

话表陕西大国长安城，乃历代帝王建都之地。自周、秦、汉以来，三州花似锦，八水绕城流，真个是名胜之邦。方今却是大唐太宗文皇帝登基，改元贞观，此时已登极十三年，岁在己巳②。天下太平，八方进贡，四海称臣。

忽一日，太宗登位，聚集文武众官。朝拜礼毕，有魏征丞相出班奏道："方今天下太平，八方宁静，武将纷纷，文官少有。微臣欲依古法，开立选场，招取贤士，擢用人材。伏乞圣鉴。"太宗道："贤卿所奏有理。"就出一道招贤榜文，颁布天下：各府州县，不拘军民人等，但有读书儒流，立志向上，文义明畅，三场③精通者，前赴长安应试，考取贤才授官。

此榜行至海州地方。那海州弘农县聚贤庄，有一人姓陈名萼，表字光蕊。一日入城，见了此榜，即时回家，对母张氏道：

---

① 附录：世德堂本无此回唐僧身世故事。此"附录"系根据清代早期版本汪象旭的《西游证道书》第九回补入，并校以真诠本和新说本。

② "话表陕西大国长安城"数句：按，这一段文字是汪象旭从明代繁本《西游记》第九回中移用过来的。为保留《西游证道书》的本来面目，所以虽然此数句和世德堂本第九回篇首重复，亦不再删削。

③ 三场：明代科举考试乡试（省级考试）共分三场：第一场考"四书"，第二场考试论，第三场考经史和时务策等。三场合格，才能到京城参加会试。

"朝廷出下黄榜[1],诏开南省,招取贤才。孩儿意欲前去应试。倘求得一官半职,显亲扬名,封妻荫子,光显门闾,乃儿之志也。特此禀告母亲前去。"张氏道:"我儿,你去赴举,路上须要小心;得了官,早早回来。"光蕊便分付家僮收拾行李,即日拜辞母亲上路。

不则一日,已到长安。正值大开选场,光蕊就同众举子进场应考。考毕,中选。及廷试三策,唐王御笔亲赐状元,跨马游街三日。不期游到丞相殷开山门首,有丞相所生一女,名唤温娇,又名满堂娇,未曾匹配与人,正高结彩楼,抛打绣球卜婿。正值陈光蕊在楼下经过,小姐一见光蕊人材出众,况是新科状元,心内十分欢喜,就在彩楼上将绣球抛下,正打着光蕊的乌纱帽。只听得一派笙箫细乐,十数个婢妾走下楼来,把光蕊马头挽住,迎状元入了相府。即请丞相和夫人出堂,唤宾人赞礼,小姐就与光蕊拜了天地,夫妻交拜毕,又拜了岳丈、岳母。丞相分付安排酒席,欢饮一宵。二人同携素手,共入兰房。

次日五更三点,太宗驾坐金銮宝殿,文武众臣趋朝。太宗问道:"新科状元陈光蕊应授何官?"魏征丞相奏道:"臣查所属州郡,止有江州缺官。乞我主授他此职。"太宗就命光蕊为江州州主:"即收拾起身,勿误限期。"光蕊谢恩出朝,回到相府,与妻商议,拜辞岳丈、岳母,同妻前赴江州之任。离了长安登途,正是暮春天气,和风吹柳绿,细雨点花红。

光蕊便道回家,同妻参拜母亲张氏。张氏道:"恭喜我儿,且又娶亲回来。"光蕊道:"孩儿叨赖母亲福庇,忝[2]中状元。唐

① 黄榜:皇帝的公告用黄纸书写,叫做黄榜。
② 忝(tiǎn):羞愧。一般作谦辞用。

王赐儿游街。路往殷丞相门前经过,遇抛打绣球适中,蒙丞相将小姐招孩儿为婿。朝廷敕赐孩儿衣锦回家,除孩儿为江州州主。今来接取母亲,同去赴任。”张氏大喜,收拾行程。

在路数日,前至万花店刘小二家安下。张氏身体忽然染病,与光蕊道:“我身上不安,且在店中安歇两日再去。”光蕊遵命。至次日早晨,见店门前有一人把着个金色鲤鱼叫卖,光蕊即将一贯钱买了。欲待烹与母亲吃,只见其鱼闪闪䀹①眼,光蕊道:“怪哉!闻人说鱼蛇䀹眼,决不是等闲之物!”遂问渔人道:“这鱼那里打来的?”渔人道:“离府十五里洪江内打来的。”光蕊就把鱼送在洪江里去了。回店对母亲道知此事,张氏道:“我儿,你将去放生,甚好。”光蕊道:“此店已住三日了。钦限紧急,孩儿意欲明日起身,不知母亲身体好否?”张氏道:“我身子不快。此时路上炎热,恐添疾病。你可这里赁间房屋与我住,付些盘缠在此。你两口儿先上任去,候秋凉却来接我。”光蕊与妻商议,就租了屋宇,付了盘缠与母亲,同妻拜辞前去。

途路艰苦,甚不可言。晓行夜宿,不觉已到洪江渡口。只见稍水②刘洪、李彪二人撑船到岸迎接。也是光蕊前生合当有此灾难,正撞遇这冤家。光蕊令家僮将行李搬上船去,夫妇齐齐上船。刘洪睁眼看时,只见那殷小姐面如满月,眼似秋波,樱桃小口,绿柳蛮腰,真个有沉鱼落雁之容,闭月羞花之貌。刘洪陡起狼心,遂与李彪设计,将船撑至没人烟处,候至夜静三更,先将家僮杀死,次将光蕊打死,把尸首都推在水里去了。小姐见他打死了丈夫,也便将身赴水。刘洪一把抱住道:“你若从我,万事皆

① 䀹(zhǎn):同“眨”。

② 稍水:撑船的人。

休;若不从时,一刀两段!"那小姐没奈何,只得权时应承,顺了刘洪。那贼把船渡到南岸,将船付与李彪自管,他就穿了光蕊衣冠,带了官凭,同小姐往江州上任去了。

却说刘洪杀死的家僮尸首,顺水流去,惟有陈光蕊的尸首,沉在水底不动。有洪江口巡海夜叉见了,星飞报入龙宫。正值龙王升殿,夜叉报道:"今洪江口不知甚人,把一个读书士子打死,将尸撇在水底。"龙王叫将尸抬来,放在面前,仔细一看,道:"此人正是救我的恩人,如何被人谋死?常言道:'恩将恩报。'我今日须索①救他性命,以报日前之恩。"即写下牒文一道,差夜叉径往洪州城隍、土地处投下,要取秀才魂魄来,救他的性命。城隍、土地遂唤小鬼,把陈光蕊的魂魄交付与夜叉去。

夜叉带了魂魄到水晶宫,禀覆了龙王。龙王问道:"你这秀才姓甚名谁?何方人氏?因甚到此被人打死?"光蕊躬身施礼道:"上告龙君:小生陈萼,表字光蕊,系海州弘农县人,忝中新科状元,叨授江州州主。同妻赴任,行至江边上船,不料稍子刘洪贪谋我妻,将我打死抛尸。乞大王救我一救,没世不忘也。"龙王闻言道:"原来如此。先生,你前者所放金色鲤鱼,乃是我也。你是我的大恩人。你今有难,吾当救之。"就把光蕊的尸身放在一壁,口内含一颗定颜珠,休教损坏了,日后好还魂报仇。龙王道:"汝今真魂权且在我水府中做个都领。"光蕊叩头拜谢。龙王设宴相待不题。

却说殷小姐痛恨刘贼,恨不食肉寝皮,只因身怀有孕,未知男女,万不得已,权且勉强相从,再作区处。转盼之间,不觉已到

① 须索:必须、一定要。

江州，吏书门皂①俱来迎接，所属官员公堂设宴相叙。刘洪道："学生到此，全赖诸公大力匡持。"属官答道："堂尊大魁高才，自然视民如子，讼简刑清，我等合属有光。何必如此过谦？"公宴已罢，众人各散。

光阴迅速。一日，刘洪公事远出。小姐在衙思念亲夫，正在花亭上感叹，忽然身体困倦，腹内疼痛，晕闷在地，不觉生下一子，耳边听得有人嘱曰："满堂娇，听吾叮嘱：吾乃南极星君，奉观世音菩萨法旨，特送此子与你。异日声名远大，非比等闲。刘贼若回，必害此子，汝可用心保护。汝夫已得龙王相救，日后夫妻相会，子母团圆，雪冤报仇，定有日也。谨记吾言。快醒，快醒！"言讫而去。小姐醒来，句句记得，将子抱定，无计可施。忽然刘洪回来，一见此子，便要淹杀。小姐再三哀求："今日天色已晚，容待明日抛去江中。"

幸喜次早刘洪又有公事远出。小姐且将此子藏在身边，乳哺已及一月。小姐自思："此番贼人回来，此子性命休矣！不如及早抛弃江中，听其生死。倘或皇天见怜，有人收养此子。——他日相逢，何以识认？……"于是咬破手指，写下血书一纸，将父母姓名、跟脚②缘由，备细开载；又将此子左脚上一个小指，用口咬下，以为记验；取贴身汗衫一件，包裹此子，抱出衙门。幸喜官衙离江不远。小姐到了江边，大哭一场。正欲将此子抛弃，忽见江岸岸侧飘起一片木板。小姐即朝天拜祷，将此子安在板上，用带缚住，血书系在胸前，推放江中，听其所之。小姐仍大哭回衙不题。

① 吏书门皂：指吏员、书手、门人、皂隶（差役），都是古代衙门的职员。

② 跟脚：又作"根脚"，来历，出身。

却说此子在木板上，顺水流去，一直流到金山寺脚下停住。那金山寺长老叫做法明和尚，修真悟道，已得无生妙诀。当日打坐参禅，忽闻得小儿啼哭之声，一时心动，急走到江边观看。只见涯边一片木板上，睡着一个婴儿。长老道："善哉，善哉。不知是何人家所弃。出家人慈悲为本，救人一命，胜造浮图。"即将此子取起。见了怀中血书，方知来历。将此子取个乳名，叫做"江流"，托人抚养。血书紧紧收藏。

光阴似箭，日月如梭。不觉其子年长一十八岁。长老就叫他削发修行，取法名为玄奘。摩顶受戒，坚心修道。

一日，暮春天气，众人同在松阴之下讲经参禅，谈说奥妙。那酒肉和尚却被玄奘难倒。和尚大怒，骂道："没爷娘的杂种！我是个前辈，吃盐多似饭，何事不晓！你这业畜，姓名也不知，父母也不识，还在此捣甚么鬼！"玄奘被他骂出这般言语，入寺跪告师父，眼泪双流道："人生于天地之间，禀阴阳而资五行①，尽由父生母养，岂有为人在世而无父母者乎？"再三哀告，求问父母姓名。长老道："你真个要寻父母，可随我到方丈②里来。"玄奘就跟着师父，直到方丈。长老到重梁之上，取下一个小匣儿，打开来，取出血书一纸，汗衫一件，付与玄奘。玄奘将血书拆开读之，才备细晓得父母姓名，并冤仇事迹。玄奘读罢，不觉哭倒在地，道："父母之仇，不能报复，何以为人？十八年来，不识生身父母，至今日方知有母亲。此身若非师父捞救，抚养成人，亦安得有今日？待弟子去寻见母亲，然后头顶香盆，重建殿宇，报答师父之深恩也！"师父道："你要去寻母，可带这血书与汗衫前

---

① 禀阴阳而资五行：这里指人承受阴阳之气而生，具备五行的材质。

② 方丈：传说和尚的住室一丈见方，故以方丈代指和尚居住的屋子。后用以代指寺院的主持者。

去，只做化缘，径往江州私衙，才得你母亲相见。”玄奘领了师父言语，就装做化缘的和尚，径至江州。适值刘洪有事出外，也是天教他母子相会，玄奘就直至私衙门口抄化①。

那殷小姐正在衙内思想，夜来得了一梦，梦见月缺再圆。小姐自思：“我丈夫被这贼谋杀；我的儿子抛在江中，若有人收养，屈指算来，今已十八年矣，或今日天教相会，亦未可知。……”正沉吟间，忽听得私衙前有人念经，连叫“抄化”。小姐便出来问道：“你是何处来的？”玄奘答道：“贫僧乃是金山寺法明长老的徒弟。”小姐道：“你既是金山寺长老的徒弟——”叫进衙来，且请坐下，便将斋饭与玄奘吃。——“仔细看他举止言谈，好似我丈夫一般。”小姐将从婢打发开去，问道：“你这小师父，还是自幼出家？还是中年出家？姓甚名谁？可有父母否？”玄奘答道：“我也不是自幼出家，也不是中年出家。我说起来，冤有天来大，仇有海样深！我父被人打死，我母却被贼人占了。我师法明长老教我在江州衙内寻我母亲。”小姐问道：“你母姓甚？”玄奘道：“我母姓殷，名唤温娇，我父姓陈，名光蕊。我小名叫做江流，法名取为玄奘。”小姐道：“温娇就是我。——但你今有何凭据？”玄奘听说是他母亲，双膝跪下，哀哀大哭：“我娘若不信，见有血书汗衫为证。”温娇接过一看，果然是真，母子相抱而哭，就叫：“我儿快去！”玄奘道：“十八年不识生身父母，今朝才见母亲，教孩儿如何割舍？”小姐道：“我儿，你火速抽身前去！刘贼若回，他必害你性命！我明日假装一病，只说先年曾许舍百双僧鞋，来你寺中还愿。那时节，我有话与你说。”玄奘依言拜别。

却说小姐自见儿子之后，心内一喜一忧。忽一日推病，茶饭

① 抄化：和尚向人募化。

不吃,卧于床上。刘洪归衙,问其缘故,小姐道:“我幼时曾许下一愿,许舍僧鞋一百双。昨五日之前,梦见个和尚,手执利刃,要索僧鞋,便觉身子不快。”刘洪道:“这些小事,何不早说?”随升堂分付王左衙、李右衙:江州城内百姓,每家要办僧鞋一双,暑袜一双,限五日内完纳。百姓俱依限完纳讫。小姐对刘洪道:“既僧鞋做完,这里有甚么寺院,好去还愿?”刘洪道:“这江州有个金山寺、焦山寺,听你在那个寺里去。”小姐道:“久闻金山寺好个寺院,我就往金山寺去。”刘洪即唤王、李二衙,办下船只。小姐带一个心腹人,同上了船。稍水将船撑开,就投金山寺去。

却说玄奘回寺,见法明长老,把前项事说了一遍。长老甚喜。次日,只见一个丫鬟先到,说夫人来寺还愿。众僧都出寺迎接。小姐径进寺门,参了菩萨,大设斋衬①,唤丫鬟将僧鞋暑袜,托于盘内。来到法堂,小姐复拈心香礼拜,就教法明长老分俵②与众僧去讫。

玄奘见众僧散了,法堂上并无一人,他却近前跪下。小姐叫他脱了鞋袜看时,那左脚上果然少了一个小指头。当时两个又抱住而哭,拜谢长老养育之恩。法明道:“汝今母子相会,恐奸贼知之,可速速抽身回去,庶免其祸。”小姐道:“我儿,我与你一只香环。你径到洪州西北地方,约有一千五百里之程。那里有个万花店,当时留下婆婆张氏在那里,是你父亲生身之母。我再写一封书与你,径到唐王皇城之内,金殿左边,殷开山丞相是你外公。你将我的书递与外公,叫外公奏上唐王,统领人马,擒杀此贼,与父报仇,那时才救得老娘的身子出来。我今不敢久停,

① 斋衬:布施给寺院的钱物。

② 分俵(biào):分配,散发。

诚恐贼汉怪我归迟。”玄奘悲啼，甚难割舍。小姐临行又嘱道：“我儿，紧记我的言语，火速起身，勿得担误。”小姐便出寺登舟而去。

玄奘哭回寺中，告过师父，即时拜别，径往洪州。来到万花店，问那店主刘小二道：“昔年有陈客官寄下一个婆婆，在你店中，如今好么？”刘小二道：“他原在我店中，后来昏了眼，三四年并无店租还我；如今在南门头一个破瓦窑里，每日上街叫化度日。那客官一去许久，到如今竟无消息，不知为何。”玄奘听罢，即时问到南门头破瓦窑，寻着婆婆。婆婆道：“你声音好似我儿陈光蕊。”玄奘道：“我不是陈光蕊。我是陈光蕊的儿子。温娇小姐是我的娘。”婆婆道：“你爹娘怎么不来？”玄奘道：“我爹被强盗打死了，我娘被强盗霸占为妻。”婆婆道：“你怎么晓得来寻我？”玄奘道：“是我娘着我来寻婆婆。我娘有书在此，又有香环一只。”那婆婆接了书并香环，放声痛哭道：“我儿为功名到此，我只道他背义忘亲，那知他被人谋死。且喜得皇天怜念，不绝我儿之后，今日孙子来见我。”玄奘问：“婆婆的眼，如何都昏了？”婆婆道：“我因思量你父亲，终日悬望，不见他来，因此上哭得两眼都昏了。”玄奘出了窑门，便跪倒向天拜告道：“念玄奘一十八岁，父母之仇不能报复。今日领母命来寻婆婆。天若怜鉴弟子诚意，保我婆婆双眼光明！”玄奘祝罢，就进窑中，将舌尖与婆婆舔眼。须臾之间，将双眼舔开，仍复如初。婆婆觑了小和尚道：“你果是我的孙子，恰和我儿子光蕊形容无二！”婆婆又喜又悲。玄奘就领婆婆出了窑门，还到刘小二店内，将些房钱赁屋一间，与婆婆栖身；又将盘缠与婆婆道：“我此去只月余就回。”

随即辞了婆婆，径往京城，寻到皇城东街殷丞相府上。玄奘与门上人道：“小僧是亲眷，来探相公。”门上人禀知丞相。丞相道:“我与和尚并无亲戚。”夫人道:“我昨夜梦见我女儿满堂娇来家,莫不是女婿有书信回来也。”丞相便教请小和尚来到厅上。小和尚见了丞相与夫人,哭拜在地,就怀中取出一封书来,递与丞相。丞相拆开,从头读罢,放声痛哭。夫人问道:“相公,有何事故?”丞相道:“这和尚是我与你的外甥。女婿陈光蕊被贼谋死,满堂娇被贼强占为妻。”夫人听罢,亦痛哭不止。丞相道:“夫人休得烦恼。来朝奏知主上,亲自统兵,定要与女婿报仇。”

次早,丞相入朝,启奏唐王曰:“今有臣婿状元陈光蕊,带领家小往江州赴任,被稍水刘洪打死,占女为妻;假冒臣婿,为官多年。事属异变。乞陛下立发人马,剿除贼寇。”唐王见奏大怒,就发御林军六万,着殷丞相押兵前去。丞相领旨出朝,即到教场内点了兵,径往江州进发。晓行夜宿,星落鸟飞,不觉已到江州。殷丞相兵马,俱在北岸下了营寨,星夜令金牌下户,唤到江州同知、州判二人。丞相对他说知此事,叫他提兵相助,一同过江而去。天尚未明,就把刘洪衙门围了。刘洪正在梦中,听得火炮一响,金鼓齐鸣,众兵杀进私衙。刘洪措手不及,早被众兵擒倒。丞相传下军令,将刘洪一干人犯,绑赴法场,令众军俱在城外安营去了。

丞相直入衙内正厅坐下,请小姐出来相见。小姐欲待要出,又羞见父,就将绳索自缢。玄奘闻知,忙进宅内,急急将母救解,双膝跪下,对母道:“儿与外公统兵至此,与父报仇。今日贼已擒捉,母亲何故反要寻死?母亲若死,孩儿岂能存乎?”丞相亦进衙劝解。小姐道:“吾闻‘妇人从一而终’。痛夫已被贼人所杀,岂可靦颜①从贼?止因遗腹在身,只得忍耻偷生。今幸儿已

① 靦(tiǎn)颜:厚颜。靦,羞愧。

长大，又见老父提兵报仇，为女儿者，有何面目相见！惟有一死以报丈夫耳！”丞相道：“此非我儿以盛衰改节，皆因出乎不得已，何得为耻！”父子相抱而哭。

玄奘亦哀哀不止。丞相拭泪道：“你二人且休烦恼。我今已擒捉仇贼，且去发落去来。”即起身到法场。恰好江州同知亦差哨兵拿获水贼李彪解到。丞相大喜，就令军牢押过刘洪、李彪，每人痛打一百大棍，取了供状，招了先年不合①谋杀陈光蕊情由。先将李彪钉在木驴上，推去市曹，剐了千刀，枭首示众讫。把刘洪拿至洪江渡口先年原打死陈光蕊处。丞相与小姐、玄奘三人，亲到江边，望空祭奠，活剜取刘洪心肝，祭了光蕊，烧了祭文一道。

三人望江痛哭，早已惊动水府。有巡海夜叉，将祭文呈与龙王。龙王看罢，就差鳖元帅去请光蕊来到，道：“先生，恭喜，恭喜！今有先生的夫人、公子同岳丈，俱在江边祭你。我今送你还魂去也。再有如意珠一颗，走盘珠二颗，鲛绡十端，明珠玉带一条奉送。你今日便可夫妻、父子相会也。”光蕊再三拜谢。龙王就令夜叉，将光蕊身尸送出江口还魂。夜叉领命而去。

却说殷小姐哭奠丈夫一番，又欲将身赴水而死，慌得玄奘拚命扯住。正在仓皇之际，忽见水面上一个死尸浮出，靠近江岸之旁。小姐忙向前认看，认得是丈夫的尸首，一发嚎啕大哭不已。众人俱来观看，只见光蕊舒拳伸脚，身子渐渐展动，忽地爬将起来坐下。众人不胜惊骇。光蕊睁开眼，早见殷小姐与丈人殷丞相同着小和尚，俱在身边啼哭。光蕊道：“你们为何在此？”小姐道：“因汝被贼人打死，后来妾身生下此子，幸遇金山寺长老抚

① 不合：不应该。

养。此子长大来寻我，我教他去寻外公。父亲得知，奏闻主上，统兵到此，拿住贼人。适才生取心肝，望空祭奠我夫，不知我夫怎生又得还魂。”光蕊道：“皆因我与你昔年在万花店时，买放了那尾金色鲤鱼，谁知那鲤鱼就是此处龙王。后来逆贼把我推在水中，全亏得他救我，方才又赐我还魂，送我宝物，俱在身上。更不想你生下这儿子，又得岳丈为我报仇。真是苦尽甘来，莫大之喜！”

众官闻知，都来贺喜。丞相就令安排酒席，答谢所属官员。即日军马起程，不觉来到万花店。丞相传令众人安营。光蕊便同玄奘到刘家店来寻婆婆。那婆婆当夜得一梦，梦见枯木开花，屋后喜鹊频频喧噪。婆婆想道：“莫不是我孙儿来也？……”说犹未了，只见店门外光蕊父子齐到。小和尚指道：“这不是俺婆婆？”光蕊见了老母，连忙拜倒。母子抱头痛哭一场，把上项事说了一遍，算还了小二店钱，回见丞相。丞相即令起程，将软车护送婆婆与小姐，一同到了京城。进了相府，光蕊同小姐与婆婆、玄奘，都来见了夫人。夫人不胜之喜，分付家僮，大排筵宴庆贺。丞相道：“今日此宴，可取名为‘团圆会’。”真正合家欢乐。

次日早朝，唐王登殿。殷丞相出班叩首，将前后事情备细启奏一本，并荐光蕊才可大用。唐王准奏，就命升陈萼为学士之职，随朝理政。玄奘立意安禅，送在洪福寺内修行。后来殷小姐毕竟从容自尽。玄奘自到金山寺中报答法明师父。

不知后来事体若何，且听下回分解。

第　九　回

袁守诚妙算无私曲　老龙王拙计犯天条

诗曰：

都城大国实堪观，八水周流绕四山。

多少帝王兴此处，古来天下说长安。

此单表陕西大国长安城，乃历代帝王建都之地。自周、秦、汉以来，三川花似锦，八水绕城流。三十六条花柳巷，七十二座管弦楼。华夷图①上看，天下最为头。真是个奇胜之方。今却是大唐太宗文皇帝登基，改元龙集②贞观。此时已登极十三年，岁在己巳。且不说他驾前有安邦定国的英豪，与那创业争疆的杰士。

却说长安城外泾河岸边，有两个贤人：一个是渔翁，名唤张稍；一个是樵子，名唤李定。他两个是不登科的进士，能识字的山人③。一日，在长安城里，卖了肩上柴，货了篮中鲤，同入酒馆之中，吃了半酣，各携一瓶，顺泾河岸边，徐步而回。张稍道："李兄，我想那争名的，因名丧体；夺利的，为利亡身；受爵的，抱虎而眠；承恩的，袖蛇而走。算起来，还不如我们水秀山青，逍遥自在，甘淡薄，随缘而过。"李定道："张兄说得有理。但只是你

① 华夷图：中国及其周边国家的地图。古代称周边少数民族为夷。

② 龙集：岁次、岁在。

③ 山人：隐士的通称。

那水秀，不如我的山青。”张稍道：“你山青不如我的水秀。有一《蝶恋花》调为证。词曰：

烟波万里扁舟小，静依孤篷，西施声音绕。涤虑洗心名利少，闲攀蓼穗蒹葭草。　数点沙鸥堪乐道，柳岸芦湾，妻子同欢笑。一觉安眠风浪俏，无荣无辱无烦恼。”

李定道：“你的水秀，不如我的山青。也有个《蝶恋花》词为证。词曰：

云林一段松花满，默听莺啼，巧舌如调管。红瘦绿肥春正暖，倏然夏至光阴转。　又值秋来容易换，黄花香，堪供玩。迅速严冬如指捻，逍遥四季无人管。”

渔翁道：“你山青不如我水秀，受用些好物。有一《鹧鸪天》为证：

仙乡云水足生涯，摆橹横舟便是家。活剖鲜鳞烹绿鳖，旋蒸紫蟹煮红虾。　青芦笋，水荇芽，菱角鸡头更可夸。娇藕老莲芹叶嫩，慈菇茭白鸟英花。”

樵夫道：“你水秀不如我山青，受用些好物。亦有一《鹧鸪天》为证：

崔巍峻岭接天涯，草舍茅庵是我家。腌腊鸡鹅强蟹鳖，獐犯兔鹿胜鱼虾。　香椿叶，黄楝芽，竹笋山茶更可夸。紫李红桃梅杏熟，甜梨酸枣木樨花。”

渔翁道：“你山青真个不如我的水秀。又有《天仙子》一首：

一叶小舟随所寓，万叠烟波无恐惧。垂钩撒网捉鲜鳞，没酱腻，偏有味，老妻稚子团圆会。　鱼多又货长安市，换得香醪吃个醉。蓑衣当被卧秋江，鼾鼾睡，无忧虑，不恋人间荣与贵。”

樵子道：“你水秀还不如我的山青。也有《天仙子》一首：

茅舍数椽山下盖，松竹梅兰真可爱。穿林越岭觅干柴，没人怪，从我卖，或少或多凭世界。　将钱沽酒随心快，瓦钵磁瓯殊自在。酕醄醉了卧松阴，无挂碍，无利害，不管人间兴与败。”

渔翁道：“李兄，你山中不如我水上生意快活。有一《西江月》为证：

红蓼花蘩映月，黄芦叶乱摇风。碧天清远楚江空，牵搅一潭星动。　入网大鱼捉队，吞钩小鳜成丛。得来烹煮味偏浓，笑傲江湖打哄。”

樵夫道：“张兄，你水上还不如我山中的生意快活。亦有《西江月》为证：

败叶枯藤满路，破梢老竹盈山。女萝干葛乱牵攀，折取收绳杀担。　虫蛀空心榆柳，风吹断头松楠。采来堆积备冬寒，换酒换钱从俺。”

渔翁道：“你山中虽可比过，还不如水秀的幽雅。有一《临江仙》为证：

潮落旋移孤艇去，夜深罢棹歌来。蓑衣残月甚幽哉，宿鸥惊不起，天际彩云开。　困卧芦洲无个事，三竿日上还捱。随心尽意自安排，朝臣寒待漏①，曾似我宽怀？”

樵夫道：“你水秀的幽雅，还不如我山青更幽雅。亦有《临江仙》可证：

苍径秋高拽斧去，晚凉抬担回来。野花插鬓更奇哉，拨云寻路出，待月叫门开。　稚子山妻欣笑接，草床木枕攲

① 待漏：古代百官早朝前集会在“待漏院”，等候朝见皇帝。漏，时间，见第二回传箭注。

捱。蒸梨炊黍旋铺排，瓮中新酿熟，真个壮幽怀！”

渔翁道：“这都是我两个生意，赡身的勾当，你却没有我闲时节的好处。有诗为证。诗曰：

闲看天边白鹤飞，停舟溪畔掩苍扉。
倚篷教子搓钓线，罢棹同妻晒网围。
性定果然知浪静，身安自是觉风微。
绿蓑青笠随时着，胜挂朝中紫绶衣。”

樵夫道：“你那闲时又不如我的闲时好也。亦有诗为证。诗曰：

闲观缥缈白云飞，独坐茅庵掩竹扉。
无事训儿开卷读，有时对客把棋围。
喜来策杖歌芳径，兴到携琴上翠微。
草履麻绦粗布被，心宽强似着罗衣。”

张稍道：“李定，我两个‘真是微吟可相狎，不须檀板共金樽。’①但散道词章，不为稀罕；且各联几句，看我们渔樵攀话何如？”李定道：“张兄言之最妙。请兄先吟。”

“舟停绿水烟波内，家住深山旷野中。
偏爱溪桥春水涨，最怜岩岫晓云蒙。
龙门鲜鲤时烹煮，虫蛀干柴日燎烘。
钓网多般堪赡老，担绳二事可容终。
小舟仰卧观飞雁，草径斜敧听唳鸿。
口舌场中无我分，是非海内少吾踪。
溪边挂晒缯如锦，石上重磨斧似锋。
秋月晖晖常独钓，春山寂寂没人逢。

---

① 真是微吟可相狎，不须檀板共金樽：这是宋代林逋（九六七——〇二八）所作《山园小梅二首》诗中前一首的末两句。“真是”原作“幸有”。

鱼多换酒同妻饮，柴剩沽壶共子丛。
自唱自斟随放荡，长歌长叹任颠风①。
呼兄唤弟邀船伙，挈友携朋聚野翁。
行令猜拳频递盏，拆牌道字②漫传钟。
烹虾煮蟹朝朝乐，炒鸭爊③鸡日日丰。
愚妇煎茶情散淡，山妻造饭意从容。
晓来举杖淘轻浪，日出担柴过大冲④。
雨后披蓑擒活鲤，风前弄斧伐枯松。
潜踪避世妆痴蠢，隐姓埋名作哑聋。”

张稍道：“李兄，我才僭先起句。今到我兄先起一联，小弟亦当续之。”

“风月佯狂山野汉，江湖寄傲老馀丁。
清闲有分随潇洒，口舌无闻喜太平。
月夜身眠茅屋稳，天昏体盖箬蓑轻。
忘情结识松梅友，乐意相交鸥鹭盟。
名利心头无算计，干戈耳畔不闻声。
随时一酌香醪酒，度日三餐野菜羹。
两束柴薪为活计，一竿钓线是营生。
闲呼稚子磨钢斧，静唤憨儿补旧缯。
春到爱观杨柳绿，时融喜看荻芦青。
夏天避暑修新竹，六月乘凉摘嫩菱。

---

① 颠风：即颠疯。风，同“疯”。本书“疯”皆作“风”。

② 拆牌道字：文字游戏之一种。如《西厢记》“君瑞是个肖字这边着个立人”，拆“俏”字是。一般叫做拆白道字。

③ 爊（āo）：小火慢炖。今作“熬”。

④ 大冲：大街。

霜降鸡肥常日宰，重阳蟹壮及时烹。

冬来日上还沉睡，数九天高自不蒸。

八节山中随放性，四时湖里任陶情。

采薪自有仙家兴，垂钓全无世俗形。

门外野花香艳艳，船头绿水浪平平。

身安不说三公位，性定强如十里城。

十里城高防阃令①，三公位显听宣声。

乐水乐山真是罕，谢天谢地谢神明。”

他二人既各道词章，又相联诗句，行到那分路去处，躬身作别。张稍道：“李兄呵，途中保重！上山仔细看虎。假若有些凶险，正是‘明日街头少故人’！”李定闻言，大怒道：“你这厮惫懒②！好朋友也替得生死，你怎么咒我？我若遇虎遭害，你必遇浪翻江！”张稍道：“我永世也不得翻江。”李定道：“‘天有不测风云，人有暂时祸福。’你怎么就保得无事？”张稍道：“李兄，你虽这等说，你还没捉摸；不若我的生意有捉摸，定不遭此等事。”李定道：“你那水面上营生，极凶极险，隐隐暗暗，有甚么捉摸？”张稍道：“你是不晓得。这长安城里，西门街上，有一个卖卦的先生。我每日送他一尾金色鲤，他就与我袖传一课。依方位，百下百着。今日我又去买卦，他教我在泾河湾头东边下网，西岸抛钩，定获满载鱼虾而归。明日上城来，卖钱沽酒，再与老兄相叙。”二人从此叙别。

这正是“路上说话，草里有人”。原来这泾河水府有一个巡

① 阃(kǔn)令：军令、将令。

② 惫懒：与疲赖、痞赖义同。

水的夜叉，听见了百下百着之言，急转水晶宫，慌忙报与龙王道："祸事了！祸事了！"龙王问："有甚祸事？"夜叉道："臣巡水去到河边，只听得两个渔樵攀话，相别时，言语甚是利害。那渔翁说：长安城里，西门街上，有个卖卦先生，算得最准；他每日送他鲤鱼一尾，他就袖传一课，教他百下百着。若依此等算准，却不将水族尽情打了？何以壮观水府，何以跃浪翻波，辅助大王威力？"龙王甚怒，急提了剑，就要上长安城，诛灭这卖卦的。旁边闪过龙子龙孙、虾臣蟹士、鲥军师、鳜少卿、鲤太宰，一齐启奏道："大王且息怒。常言道：'过耳之言，不可听信。'大王此去，必有云从，必有雨助，恐惊了长安黎庶，上天见责。大王隐显莫测，变化无方，但只变一秀士，到长安城内，访问一番。果有此辈，容加诛灭不迟；若无此辈，可不是妄害他人也？"龙王依奏，遂弃宝剑，也不兴云雨，出岸上，摇身一变，变作一个白衣秀士。真个：

丰姿英伟，耸壑昂霄。步履端祥，循规蹈矩。语言遵孔孟，礼貌体周文。身穿玉色罗襕服，头戴逍遥一字巾。

上路来拽开云步，径到长安城西门大街上。只见一簇人，挤挤杂杂，闹闹哄哄，内有高谈阔论的道："属龙的本命，属虎的相冲。寅辰巳亥，虽称合局，但只怕的是日犯岁君①。"龙王闻言，情知是那卖卜之处，走上前，分开众人，望里观看。只见：

四壁珠玑，满堂绮绣。宝鸭②香无断，磁瓶水恁清。两边罗列王维画，座上高悬鬼谷③形。端溪砚，金烟墨，相衬着霜毫大笔；《火珠林》，郭璞④数，谨对了台政新经。六爻

① 岁君：就是太岁。古人称木星为太岁，认为冲犯它是不吉利的。

② 宝鸭：鸭形的香炉。

③ 鬼谷：即鬼谷子。我国古代隐士。传说苏秦、张仪都做过他的学生。

④ 郭璞：晋代有名的卜筮家。

熟谙，八卦精通。能知天地理，善晓鬼神情。一盘子午①安排定，满腹星辰布列清。真个那未来事，过去事，观如月镜；几家兴，几家败，鉴若神明。知凶定吉，断死言生。开谈风雨迅，下笔鬼神惊。招牌有字书名姓，神课先生袁守诚。

此人是谁？原来是当朝钦天监台正先生袁天罡的叔父，袁守诚是也。那先生果然相貌稀奇，仪容秀丽；名扬大国，术冠长安。龙王入门来，与先生相见。礼毕，请龙上坐，童子献茶。先生问曰："公来问何事？"龙王曰："请卜天上阴晴事如何。"先生即袖传一课，断曰："云迷山顶，雾罩林梢。若占雨泽，准在明朝。"龙曰："明日甚时下雨？雨有多少尺寸？"先生道："明日辰时布云，巳时发雷，午时下雨，未时雨足，共得水三尺三寸零四十八点。"龙王笑曰："此言不可作戏。如是明日有雨，依你断的时辰、数目，我送课金五十两奉谢。若无雨，或不按时辰、数目，我与你实说：定要打坏你的门面，扯碎你的招牌，即时赶出长安，不许在此惑众！"先生忻然而答："这个一定任你。请了，请了。明朝雨后来会。"

龙王辞别，出长安，回水府。大小水神接着，问曰："大王访那卖卦的如何？"龙王道："有，有，有！但是一个掉嘴口讨春②的先生。我问他几时下雨，他就说明日下雨；问他甚么时辰，甚么雨数，他就说辰时布云，巳时发雷，午时下雨，未时雨足，得水三尺三寸零四十八点。我与他打了个赌赛：若果如他言，送他谢金五十两；如略差些，就打破他门面，赶他起身，不许在长安惑众。"众水族笑曰："大王是八河都总管，司雨大龙神，有雨无雨，

① 一盘子午：即罗盘，古代确定方向的工具。
② 掉嘴口讨春：卖弄嘴皮子算卦。讨春，算命、打卦。

惟大王知之;他怎敢这等胡言?那卖卦的定是输了!定是输了!”

此时龙子龙孙与那鱼卿蟹士正欢笑谈此事未毕,只听得半空中叫:“泾河龙王接旨。”众抬头上看,是一个金衣力士,手擎玉帝敕旨,径投水府而来。慌得龙王整衣端肃,焚香接了旨。金衣力士回空而去。龙王谢恩,拆封看时,上写着:

“敕命八河总,驱雷掣电行;

明朝施雨泽,普济长安城。”

旨意上辰时、数目,与那先生判断者毫发不差,唬得那龙王魂飞魄散。少顷苏醒,对众水族曰:“尘世上有此灵人!真个是能通天地理,却不输与他呵!”鲥军师奏云:“大王放心。要赢他有何难处?臣有小计,管教灭那厮的口嘴。”龙王问计,军师道:“行雨差了时辰,少些点数,就是那厮断卦不准,怕不赢他?那时捽碎招牌,赶他跑路,果何难也?”龙王依他所奏,果不担忧。

至次日,点札①风伯、雷公、云童、电母,直至长安城九霄空上。他挨到那巳时方布云,午时发雷,未时落雨,申时雨止,却只得三尺零四十点:改了他一个时辰,克了他三寸八点。雨后发放众将班师。他又按落云头,还变作白衣秀士,到那西门里大街上,撞入袁守诚卦铺,不容分说,就把他招牌、笔、砚等一齐捽碎。那先生坐在椅上,公然不动。这龙王又抡起门板便打,骂道:“这妄言祸福的妖人,擅惑众心的泼汉!你卦又不灵,言又狂谬!说今日下雨的时辰、点数俱不相对,你还危然高坐?趁早去,饶你死罪!”守诚犹公然不惧分毫,仰面朝天冷笑道:“我不怕!我不怕!我无死罪,只怕你倒有个死罪哩!别人好瞒,只是

① 点札:检阅、调遣、指挥。

难瞒我也。我认得你:你不是秀士,乃是泾河龙王。你违了玉帝敕旨,改了时辰,克了点数,犯了天条。你在那‘剐龙台’上,恐难免一刀,你还在此骂我?”

龙王见说,心惊胆战,毛骨悚然。急丢了门板,整衣伏礼,向先生跪下道:“先生休怪,前言戏之耳。岂知弄假成真,果然违犯天条,奈何?望先生救我一救!不然,我死也不放你。”守诚曰:“我救你不得,只是指条生路与你投生便了。”龙曰:“愿求指教。”先生曰:“你明日午时三刻,该赴人曹官魏征处听斩。你果要性命,须当急急去告当今唐太宗皇帝方好。那魏征是唐王驾下的丞相,若是讨他个人情,方保无事。”龙王闻言,拜辞含泪而去。不觉红日西沉,太阴星上。但见:

烟凝山紫归鸦倦,远路行人投旅店。渡头新雁宿眭[①]沙,银河现,催更筹,孤村灯火光无焰。　风袅炉烟清道院,蝴蝶梦中人不见。月移花影上栏杆,星光乱,漏声换,不觉深沉夜已半。

这泾河龙王也不回水府,只在空中等到子时前后,收了云头,敛了雾角,径来皇宫门首。此时唐王正梦出宫门之外,步月花阴。忽然龙王变作人相,上前跪拜,口叫:“陛下,救我!救我!”太宗云:“你是何人?朕当救你。”龙王云:“陛下是真龙,臣是业龙。臣因犯了天条,该陛下贤臣人曹官魏征处斩,故来拜求,望陛下救我一救!”太宗曰:“既是魏征处斩,朕可以救你。你放心前去。”龙王欢喜,叩谢而去。

却说太宗梦醒后,念念在心。早已至五鼓三点,太宗设朝,

① 眭(suī):深。

聚集两班文武官员。但见那：

烟笼凤阙，香霭龙楼。光摇丹扆①动，云拂翠华流。君臣相契同尧舜，礼乐威严近汉周。侍臣灯，宫女扇，双双映彩；孔雀屏，麒麟殿，处处光浮。山呼②万岁，华祝③千秋。静鞭④三下响，衣冠拜冕旒。宫花灿烂天香袭，堤柳轻柔御乐讴。珍珠帘，翡翠帘，金钩高控；龙凤扇，山河扇，宝辇停留。文官英秀，武将抖擞。御道分高下，丹墀列品流。金章紫绶乘三象，地久天长万万秋。

众官朝贺已毕，各各分班。唐王闪凤目龙睛，一一从头观看，只见那文官内是房玄龄、杜如晦、徐世勣、许敬宗、王珪等，武官内是马三宝、段志玄、殷开山、程咬金、刘弘基、胡敬德、秦叔宝等，一个个威仪端肃，却不见魏征丞相。唐王召徐世勣上殿道："朕夜间得一怪梦：梦见一人，迎面拜谒，口称是泾河龙王，犯了天条，该人曹官魏征处斩，拜告寡人救他。朕已许诺。今日班前独不见魏征，何也？"世勣对曰："此梦告准，须唤魏征来朝，陛下不要放他出门。过此一日，可救梦中之龙。"唐王大喜，即传旨，着当驾官宣魏征入朝。

却说魏征丞相在府，夜观乾象，正爇⑤宝香，只闻得九霄鹤唳，却是天差仙使，捧玉帝金旨一道，着他午时三刻，梦斩泾河老龙。这丞相谢了天恩，斋戒沐浴，在府中试慧剑，运元神，故此不

---

① 丹扆（yǐ）：朱红色的屏风。

② 山呼：汉武帝（刘彻）登嵩山的高峰，他的群臣三呼万岁。后来凡是朝见皇帝呼万岁的，就叫做山呼或嵩呼。

③ 华祝：古代传说尧游华山，管理山林的人（封人），祝他多寿、多富、多男子。后来就叫做"华封三祝"或"华祝"。

④ 静鞭：封建时代皇帝仪仗的一种，振之作响，令人肃静，也叫鸣鞭。

⑤ 爇（ruò）：点燃。

曾入朝。一见当驾官赍旨来宣，惶惧无任；又不敢违迟君命，只得急急整衣束带，同旨入朝，在御前叩头请罪。唐王出旨道："赦卿无罪。"那时诸臣尚未退朝，至此，却命卷帘散朝。独留魏征，宣上金銮，召入便殿，先议论安邦之策，定国之谋。将近巳末午初时候，却命宫人取过大棋来："朕与贤卿对弈一局。"众嫔妃随取棋枰，铺设御案。魏征谢了恩，即与唐王对着。毕竟不知胜负如何，且听下回分解。

第 十 回

二将军宫门镇鬼　唐太宗地府还魂

却说太宗与魏征在便殿对弈，一递一着，摆开阵势。正合《烂柯①经》云：

博弈之道，贵乎严谨。高者在腹，下者在边，中者在角，此棋家之常法。法曰："宁输一子，不失一先。击左则视右，攻后则瞻前。有先而后，有后而先。两生勿断，皆活勿连。阔不可太疏，密不可太促。与其恋子以求生，不若弃之而取胜；与其无事而独行，不若固之而自补。彼众我寡，先谋其生；我众彼寡，务张其势。善胜者不争，善阵者不战；善战者不败，善败者不乱。夫棋始以正合，终以奇胜。凡敌无事而自补者，有侵绝之意；弃小而不救者，有图大之心。随手而下者，无谋之人；不思而应者，取败之道。《诗》云：'惴惴小心，如临于谷。'②此之谓也。"

诗曰：

棋盘为地子为天，色按阴阳造化全。

---

① 烂柯：相传晋代有个叫王质的人，入山打柴，遇见两个童子下围棋。王质吃了童子给他的一枚枣核，因此不饿。一局棋终，王质的斧柄已烂，恍惚间已过了百年。柯，斧柄。

② 惴惴小心，如临于谷：这是《诗经·小宛》中的两句，意思是像临着深谷一样恐惧、小心，害怕掉下去。

下到玄微通变处，笑夸当日烂柯仙。

君臣两个对弈此棋，正下到午时三刻，一盘残局未终，魏征忽然踏伏在案边，鼾鼾盹睡。太宗笑曰："贤卿真是匡扶社稷之心劳，创立江山之力倦，所以不觉盹睡。"太宗任他睡着，更不呼唤。不多时，魏征醒来，俯伏在地道："臣该万死！臣该万死！却才晕困，不知所为，望陛下赦臣慢君之罪！"太宗道："卿有何慢罪？且起来，拂退残棋，与卿从新更着。"魏征谢了恩，却才捻子在手，只听得朝门外大呼小叫。原来是秦叔宝、徐茂公等，将着一个血淋的龙头，掷在帝前，启奏道："陛下，海浅河枯曾有见，这般异事却无闻。"太宗与魏征起身道："此物何来？"叔宝、茂公道："千步廊南，十字街上，云端里落下这颗龙头。微臣不敢不奏。"唐王惊问魏征："此是何说？"魏征转身叩头道："是臣才一梦斩的。"唐王闻言，大惊道："贤卿盹睡之时，又不曾见动身动手，又无刀剑，如何却斩此龙？"魏征奏道："主公，臣的身在君前，梦离陛下。身在君前对残局，合眼朦胧；梦离陛下乘瑞云，出神抖擞。那条龙，在剐龙台上，被天兵将绑缚其中。是臣道：'你犯天条，合当死罪。我奉天命，斩汝残生。'龙闻哀苦，臣抖精神。龙闻哀苦，伏爪收鳞甘受死；臣抖精神，撩衣进步举霜锋。扢扠一声刀过处，龙头因此落虚空。"太宗闻言，心中悲喜不一。喜者：夸奖魏征好臣，朝中有此豪杰，愁甚江山不稳？悲者：谓梦中曾许救龙，不期竟致遭诛。只得强打精神，传旨着叔宝将龙头悬挂市曹①，晓谕长安黎庶。一壁厢赏了魏征，众官散讫。

当晚回宫，心中只是忧闷：想那梦中之龙，哭啼啼哀告求生，

---

① 市曹：城市内商业集中之处。古代多于此处决犯人。

岂知无常,难免此患。思念多时,渐觉神魂倦怠,身体不安。当夜二更时分,只听得宫门外有号泣之声,太宗愈加惊恐。正朦胧睡间,又见那泾河龙王,手提着一颗血淋淋的首级,高叫:"唐太宗!还我命来!还我命来!你昨夜满口许诺救我,怎么天明时反宣人曹官来斩我?你出来!你出来!我与你到阎君处折辨折辨!"他扯住太宗,再三嚷闹不放。太宗箝口难言,只挣得汗流遍体。正在那难分难解之时,只见正南上香云缭绕,彩雾飘摇,有一个女真人上前,将杨柳枝用手一摆,那没头的龙,悲悲啼啼,径往西北而去。原来这是观音菩萨,领佛旨,上东土,寻取经人,此住长安城都土地庙里,夜闻鬼泣神号,特来喝退业龙,救脱皇帝。那龙径到阴司地狱具告不题。

却说太宗苏醒回来,只叫:"有鬼!有鬼!"慌得那三宫皇后、六院嫔妃,与近侍太监,战兢兢一夜无眠。不觉五更三点,那满朝文武多官,都在朝门外候朝。等到天明,犹不见临朝,唬得一个个惊惧踌躇。及日上三竿,方有旨意出来道:"朕心不快,众官免朝。"不觉倏五七日,众官忧惶,都正要撞门见驾问安,只见太后有旨,召医官入宫用药。众人在朝门等候讨信。少时,医官出来,众问何疾。医官道:"皇上脉气不正,虚而又数①,狂言见鬼;又诊得十动一代②,五脏无气,恐不讳③只在七日之内矣。"众官闻言,大惊失色。

---

① 数(shuò):中医脉象之一。它的特征是一呼一吸五次以上,多主热症。有力者为实热,无力者为虚热。

② 十动一代:中医临床脉象之一。就是跳动十次有一次间歇。代,间歇、停顿。这里指危症而言。

③ 不讳:不避讳。这里指死亡。

正怆惶间，又听得太后有旨，宣徐茂公、护国公、尉迟公见驾。三公奉旨，急入到分宫楼下。拜毕，太宗正色强言道："贤卿，寡人十九岁领兵，南征北伐，东挡西除，苦历数载，更不曾见半点邪祟，今日之下却反见鬼！"尉迟公道："创立江山，杀人无数，何怕鬼乎？"太宗道："卿是不信。朕这寝宫门外，入夜就抛砖弄瓦，鬼魅呼号，着然①难处。白日犹可，昏夜难禁。"叔宝道："陛下宽心。今晚臣与敬德把守宫门，看有甚么鬼祟。"太宗准奏。茂公谢恩而出。当日天晚，各取披挂，他两个介胄整齐，执金瓜钺斧，在宫门外把守。好将军！你看他怎生打扮：

> 头戴金盔光烁烁，身披铠甲龙鳞。护心宝镜幌祥云，狮蛮②收紧扣，绣带彩霞新。这一个凤眼朝天星斗怕，那一个环睛映电月光浮。他本是英雄豪杰旧勋臣，只落得千年称户尉，万古作门神③。

二将侍立门旁，一夜天晚，更不曾见一点邪祟。是夜，太宗在宫，安寝无事；晓来宣二将军，重重赏劳道："朕自得疾，数日不能得睡，今夜仗二将军威势甚安。卿且请出安息安息，待晚间再一护卫。"二将谢恩而出。遂此二三夜把守，俱安。只是御膳减损，病转觉重。太宗又不忍二将辛苦，又宣叔宝、敬德与房、杜诸公入宫，分付道："这两日朕虽得安，却只难为秦、胡二将军彻夜辛苦。朕欲召巧手丹青，传二将军真容，贴于门上，免得劳他，如何？"众臣即依旨，选两个会写真的，着胡、秦二公依前披挂，照样画了，贴在门上。夜间也即无事。

---

① 着然：实在、简直。

② 狮蛮：古代武官腰带钩上多用狮子、蛮王形象作装饰，故称其为狮蛮带。

③ 门神：护门之神。相传左边的叫门丞，右边的叫户尉。《三教搜神大全》说是秦叔宝、胡敬德，可证这个说法流传很早。

如此二三日，又听得后宰门乒乒乓乓，砖瓦乱响，晓来急宣众臣曰："连日前门幸喜无事，今夜后门又响，却不又惊杀寡人也！"茂公进前奏道："前门不安，是敬德、叔宝护卫；后门不安，该着魏征护卫。"太宗准奏。又宣魏征今夜把守后门。征领旨，当夜结束整齐，提着那诛龙的宝剑，侍立在后宰门前，真个的好英雄也！他怎生打扮：

熟绢青巾抹额①，锦袍玉带垂腰。兜风氅袖采霜飘，压赛垒荼②神貌。　脚踏乌靴坐折，手持利刃凶骁。圆睁两眼四边瞧，那个邪神敢到？

一夜通明，也无鬼魅。虽是前后门无事，只是身体渐重。一日，太后又传旨，召众臣商议殡殓后事。太宗又宣徐茂公，分付国家大事，叮嘱仿刘蜀主托孤之意。言毕，沐浴更衣，待时而已。旁闪魏征，手扯龙衣，奏道："陛下宽心，臣有一事，管保陛下长生。"太宗道："病势已入膏肓③，命将危矣，如何保得？"征云："臣有书一封，进与陛下，捎去到冥司，付酆都④判官崔珏。"太宗道："崔珏是谁？"征云："崔珏乃是太上先皇帝驾前之臣，先受兹州令，后升礼部侍郎。在日与臣八拜为交，相知甚厚。他如今已死，现在阴司做掌生死文簿的酆都判官，梦中常与臣相会。此去若将此书付与他，他念微臣薄分，必然放陛下回来。管教魂魄还阳世，定取龙颜转帝都。"太宗闻言，接在手中，笼入袖里，遂瞑

① 抹额：束在额上的头巾。

② 垒荼：即神荼、郁垒。是我国古代神话中两个看守门户的神。荼，这里读shū。

③ 病势已入膏肓（huāng）：形容病到了无法医治的地步。我国古代医学上把心尖脂肪叫做膏，把心脏和隔膜之间叫做肓。

④ 酆（fēng）都：此处指阴曹地府。

目而亡。那三宫六院、皇后嫔妃、侍长储君①及两班文武,俱举哀戴孝;又在白虎殿上,停着梓宫②不题。

却说太宗渺渺茫茫,魂灵径出五凤楼前,只见那御林军③马,请大驾出朝采猎。太宗忻然从之,缥渺而去。行多时,人马俱无,独自个散步荒郊草野之间。正惊惶难寻道路,只见那一边,有一人高声大叫道:"大唐皇帝,往这里来!往这里来!"太宗闻言,抬头观看,只见那人:

头顶乌纱,腰围犀角。头顶乌纱飘软带,腰围犀角显金厢④。手擎牙笏凝祥霭,身着罗袍隐瑞光。脚踏一双粉底靴,登云促雾;怀揣一本生死簿,注定存亡。鬓发蓬松飘耳上,胡须飞舞绕腮旁。昔日曾为唐国相,如今掌案侍阎王。

太宗行到那边,只见他跪拜路旁,口称:"陛下,赦臣失误远迎之罪!"太宗问曰:"你是何人?因甚事前来接拜?"那人道:"微臣半月前,在森罗殿上见泾河鬼龙告陛下许救反诛之故,第一殿秦广大王即差鬼使催请陛下,要三曹对案⑤。臣已知之,故来此间候接。不期今日来迟,望乞恕罪,恕罪。"太宗道:"你姓甚名谁?是何官职?"那人道:"微臣存日,在阳曹侍先君驾前,为兹州令,后拜礼部侍郎,姓崔名珏。今在阴司,得受酆都掌案判官。"太宗大喜,近前来御手忙搀道:"先生远劳。朕驾前魏征有书一封,正寄与先生,却好相遇。"判官谢恩,问书在何处。太宗即袖中取出递与崔珏。珏接了拆封而看。其书曰:

① 储君:太子。
② 梓宫:皇帝和皇后的棺材多用梓木制作,故称梓宫。
③ 御林军:从前皇帝侍卫的军队。又作羽林军。
④ 厢:义同"镶"。此指镶边。
⑤ 三曹对案:三曹就是三造。一般指原告、被告、证佐三方。

"辱爱弟魏征,顿首书拜大都案契兄崔老先生台下:忆昔交游,音容如在。倏尔数载,不闻清教。常只是遇节令设蔬品奉祭,未卜享否?又承不弃,梦中临示,始知我兄长大人高迁。奈何阴阳两隔,各天一方,不能面觌。今因我太宗文皇帝倏然而故,料是对案三曹,必然得与兄长相会。万祈俯念生日交情,方便一二,放我陛下回阳,殊为爱也。容再修谢。不尽。"

那判官看了书,满心欢喜道:"魏人曹前日梦斩老龙一事,臣已早知,甚是夸奖不尽;又蒙他早晚看顾臣的子孙。今日既有书来,陛下宽心,微臣管送陛下还阳,重登玉阙。"太宗称谢了。

二人正说间,只见那边有一对青衣童子,执幢幡宝盖,高叫道:"阎王有请,有请。"太宗遂与崔判官并二童子举步前进。忽见一座城,城门上挂着一面大牌,上写着"幽冥地府鬼门关"七个大金字。那青衣将幢幡摇动,引太宗径入城中,顺街而走。只见那街旁边有先主李渊、先兄建成、故弟元吉,上前道:"世民来了!世民来了!"那建成、元吉就来揪打索命。太宗躲闪不及,被他扯住。幸有崔判官唤一个青面獠牙鬼使,喝退了建成、元吉,太宗方得脱身而去。行不数里,见一座碧瓦楼台,真个壮丽。但见:

飘飘万叠彩霞堆,隐隐千条红雾现。
耿耿檐飞怪兽头,辉辉瓦叠鸳鸯片。
门钻几路赤金钉,槛设一横白玉段。
窗牖近光放晓烟,帘栊幌亮穿红电。
楼台高耸接青霄,廊庑平排连宝院。
兽鼎香云袭御衣,绛纱灯火明宫扇。
左边猛烈摆牛头,右下峥嵘罗马面。

接亡送鬼转金牌，引魄招魂垂素练。

唤作阴司总会门，下方阎老森罗殿。

太宗正在外面观看，只见那壁厢环珮叮当，仙香奇异，外有两对提烛，后面却是十代阎王降阶而至。是那十代阎君：秦广王、楚江王、宋帝王、忤官王、阎罗王、平等王、泰山王、都市王、卞城王、转轮王。

十王出在森罗宝殿，控背①躬身，迎迓太宗。太宗谦下，不敢前行。十王道："陛下是阳间人王，我等是阴间鬼王，礼所当然，何须过让？"太宗道："朕得罪麾下，岂敢论阴阳人鬼之道？"逊之不已。太宗前行，径入森罗殿上，与十王礼毕，分宾主坐定。

约有片时，秦广王拱手而进言曰："泾河鬼龙告陛下许救而反杀之，何也？"太宗道："朕曾夜梦老龙求救，实是允他无事；不期他犯罪当刑，该我那人曹官魏征处斩。朕宣魏征在殿着棋，不知他一梦而斩。这是那人曹官出没神机，又是那龙王犯罪当死，岂是朕之过也？"十王闻言，伏礼道："自那龙未生之前，南斗星死簿上已注定该遭杀于人曹之手，我等早已知之。但只是他在此折辩，定要陛下来此三曹对案。是我等将他送入轮藏，转生去了。今又有劳陛下降临，望乞恕我催促之罪。"言毕，命掌生死簿判官："急取簿子来，看陛下阳寿天禄该有几何？"崔判官急转司房，将天下万国国王天禄总簿，先逐一检阅。只见南赡部洲大唐太宗皇帝注定贞观一十三年。崔判官吃了一惊，急取浓墨大笔，将"一"字上添了两画，却将簿子呈上。十王从头看时，见太宗名下注定三十三年。阎王惊问："陛下登基多少年了？"太宗道："朕即位今一十三年了。"阎王道："陛下宽心勿虑，还有二十

---

① 控背：躬身敬礼。

年阳寿。此一来已是对案明白,请返本还阳。”太宗闻言,躬身称谢。十阎王差崔判官、朱太尉二人,送太宗还魂。太宗出森罗殿,又起手问十王道:“朕宫中老少安否如何?”十王道:“俱安,但恐御妹寿似不永。”太宗又再拜启谢:“朕回阳世,无物可酬谢,惟答瓜果而已。”十王喜曰:“我处颇有东瓜、西瓜,只少南瓜。”太宗道:“朕回去即送来,即送来。”从此遂相揖而别。

那太尉执一首引魂幡,在前引路。崔判官随后保着太宗,径出幽司。太宗举目而看,不是旧路,问判官曰:“此路差矣?”判官道:“不差。阴司里是这般,有去路,无来路。如今送陛下自‘转轮藏’出身:一则请陛下游观地府,一则教陛下转托超生。”太宗只得随他两个引路前来。

径行数里,忽见一座高山,阴云垂地,黑雾迷空。太宗道:“崔先生,那厢是甚么山?”判官道:“乃幽冥背阴山。”太宗悚惧道:“朕如何去得?”判官道:“陛下宽心,有臣等引领。”太宗战战兢兢,相随二人上得山岩,抬头观看。只见:

形多凸凹,势更崎岖。峻如蜀岭,高似庐岩。非阳世之名山,实阴司之险地。荆棘丛丛藏鬼怪,石崖磷磷隐邪魔。耳畔不闻兽鸟噪,眼前惟见鬼妖行。阴风飒飒,黑雾漫漫。阴风飒飒,是神兵口内哨来烟;黑雾漫漫,是鬼祟暗中喷出气。一望高低无景色,相看左右尽猖亡①。那里山也有,峰也有,岭也有,洞也有,涧也有;只是山不生草,峰不插天,岭不行客,洞不纳云,涧不流水。岸前皆魍魉②,岭下尽神魔。洞中收野鬼,涧底隐邪魂。山前山后,牛头马面乱喧呼;半

① 猖亡:邪恶的鬼怪。
② 魍(wǎng)魉(liǎng):鬼怪。

掩半藏，饿鬼穷魂时对泣。催命的判官，急急忙忙传信票；追魂的太尉，吆吆喝喝趱公文。急脚子，旋风滚滚；勾司人，黑雾纷纷。

太宗全靠着那判官保护，过了阴山。

前进，又历了许多衙门，一处处俱是悲声振耳，恶怪惊心。太宗又道："此是何处？"判官道："此是阴山背后'一十八层地狱'。"太宗道："是那十八层？"判官道："你听我说：

吊筋狱、幽枉狱、火坑狱，寂寂寥寥，烦烦恼恼，尽皆是生前作下千般业，死后通来受罪名。酆都狱、拔舌狱、剥皮狱，哭哭啼啼，凄凄惨惨，只因不忠不孝伤天理，佛口蛇心堕此门。磨捱狱、碓捣狱、车崩狱，皮开肉绽，抹嘴咨牙，乃是瞒心昧己不公道，巧语花言暗损人。寒冰狱、脱壳狱、抽肠狱，垢面蓬头，愁眉皱眼，都是大斗小秤欺痴蠢，致使灾屯累自身。油锅狱、黑暗狱、刀山狱，战战兢兢，悲悲切切，皆因暴横欺良善，藏头缩颈苦伶仃。血池狱、阿鼻狱、秤杆狱，脱皮露骨，折臂断筋，也只为谋财害命，宰畜屠生，堕落千年难解释，沉沦永世不翻身。一个个紧缚牢拴，绳缠索绑，差些赤发鬼、黑脸鬼，长枪短剑；牛头鬼、马面鬼，铁简铜锤；只打得皱眉苦面血淋淋，叫地叫天无救应。——正是人生却莫把心欺，神鬼昭彰放过谁？善恶到头终有报，只争来早与来迟。"

太宗听说，心中惊惨。

进前又走不多时，见一伙鬼卒，各执幢幡，路旁跪下道："桥梁使者来接。"判官喝令起去，上前引着太宗，从金桥而过。太宗又见那一边有一座银桥，桥上行几个忠孝贤良之辈，公平正大之人，亦有幢幡接引；那壁厢又有一桥，寒风滚滚，血浪滔滔，号

泣之声不绝。太宗问道:“那座桥是何名色?”判官道:“陛下,那叫做奈河桥。若到阳间,切须传记。那桥下都是些:

奔流浩浩之水,险峻窄窄之路。俨如匹练搭长江,却似火坑浮上界。阴气逼人寒透骨,腥风扑鼻味钻心。波翻浪滚,往来并没渡人船;赤脚蓬头,出入尽皆作业鬼。桥长数里,阔只三虘戈[1]。高有百尺,深却千重。上无扶手栏杆,下有抢人恶怪。枷杻缠身,打上奈河险路。你看那桥边神将甚凶顽,河内孽魂真苦恼。桠杈树上,挂的是青红黄紫色丝衣;壁陡崖前,蹲的是毁骂公婆淫泼妇。铜蛇铁狗任争餐,永堕奈河无出路。”

诗曰:

时闻鬼哭与神号,血水浑波万丈高。

无数牛头并马面,狰狞把守奈河桥。

正说间,那几个桥梁使者早已回去了。太宗心又惊惶,点头暗叹,默默悲伤,相随着判官、太尉,早过了奈河恶水,血盆苦界。前又到枉死城,只听哄哄人嚷,分明说:“李世民来了!李世民来了!”太宗听叫,心惊胆战。见一伙拖腰折臂、有足无头的鬼魅,上前拦住,都叫道:“还我命来!还我命来!”慌得那太宗藏藏躲躲,只叫:“崔先生救我!崔先生救我!”判官道:“陛下,那些人都是那六十四处烟尘,七十二处草寇,众王子、众头目的鬼魂;尽是枉死的冤业,无收无管,不得超生,又无钱钞盘缠,都是孤寒饿鬼。陛下得些钱钞与他,我才救得哩。”太宗道:“寡人空身到此,却那里得有钱钞?”判官道:“陛下,阳间有一人,金银若干,在我这阴司里寄放。陛下可出名立一约,小判可作保,且借

---

① 虘戈(zhǎ):用拇指与食指(或中指)伸展量物叫虘戈。

他一库，给散这些饿鬼，方得过去。”太宗问曰：“此人是谁？”判官道：“他是河南开封府人氏，姓相名良。他有十三库金银在此。陛下若借用过他的，到阳间还他便了。”太宗甚喜，情愿出名借用。遂立了文书与判官，借钱金银一库，着太尉尽行给散。判官复分付道：“这些金银，汝等可均分用度，放你大唐爷爷过去。他的阳寿还早哩。我领了十王钧语①，送他还魂，教他到阳间做一个水陆大会②，度汝等超生，再休生事。”众鬼闻言，得了金银，都唯唯而退。判官令太尉摇动引魂幡，领太宗出离了枉死城中，奔上平阳大路，飘飘荡荡而去。毕竟不知从那条路出身，且听下回分解。

① 钧语：尊长或者上级的话。钧，敬辞，用于尊长和上级。

② 水陆大会：即水陆道场，佛教法会之一，通过设坛诵经，施舍饮食，超度水陆一切亡魂。

第十一回

还受生唐王遵善果　度孤魂萧瑀正空门

诗曰：

百岁光阴似水流，一生事业等浮沤[1]。
昨朝面上桃花色，今日头边雪片浮。
白蚁阵残[2]方是幻，子规声切早回头。
古来阴骘[3]能延寿，善不求怜天自周。

却说唐太宗随着崔判官、朱太尉，自脱了冤家债主，前进多时，却来到"六道轮回"之所。又见那腾云的身披霞帔，受箓的腰挂金鱼，僧尼道俗，走兽飞禽，魑魅魍魉[4]，滔滔都奔走那轮回之下，各进其道。唐王问曰："此意何如？"判官道："陛下明心见性，是必记了，传与阳间人知。这唤做'六道轮回'：行善的，升化仙道；尽忠的，超生贵道；行孝的，再生福道；公平的，还生人道；积德的，转生富道；恶毒的，沉沦鬼道。"唐王听说，点头叹曰：

---

① 浮沤(ōu)：水上泡沫。

② 白蚁阵残：据唐李公佐《南柯太守传》，淳于棼梦中进入槐安国，做了南柯太守。后兵败失势醒来，发现槐安国竟是一个大蚁穴。这里用以比喻人生如梦，世事无常。

③ 阴骘(zhì)：阴德，暗中积下的功德。

④ 魑(chī)魅(mèi)魍魉：各种害人的鬼怪的统称。

“善哉真善哉！作善果无灾！

善心常切切，善道大开开。

莫教兴恶念，是必少刁乖。

休言不报应，神鬼有安排。”

判官送唐王直至那“超生贵道门”，拜呼唐王道：“陛下呵，此间乃出头之处，小判告回，着朱太尉再送一程。”唐王谢道：“有劳先生远跡。”判官道：“陛下到阳间，千万做个‘水陆大会’，超度那无主的冤魂，切勿忘了。若是阴司里无报怨之声，阳世间方得享太平之庆。凡百不善之处，俱可一一改过。普谕世人为善，管教你后代绵长，江山永固。”唐王一一准奏，辞了崔判官，随着朱太尉，闯入门来。那太尉见门里有一匹海骝马，鞍韂齐备，急请唐王上马，太尉左右扶持。马行如箭，早到了渭水河边，只见那水面上有一对金色鲤鱼在河里翻波跳斗。唐王见了心喜，兜马贪看不舍。太尉道：“陛下，趱动些，趁早赶时辰进城去也。”那唐王只管贪看，不肯前行，被太尉撮着脚，高呼道：“还不走等甚！”扑的一声，望那渭河推下马去，却就脱了阴司，径回阳世。

却说那唐朝驾下有徐茂公、秦叔宝、胡敬德、段志玄、马三宝、程咬金、高士廉、张公谨、房玄龄、杜如晦、萧瑀、傅奕、张道源、张士衡、王珪等两班文武，俱保着那东宫太子与皇后、嫔妃、宫娥、侍长，都在那白虎殿上举哀。一壁厢议传哀诏，要晓谕天下，欲扶太子登基。时有魏征在旁道：“列位且住。不可！不可！假若惊动州县，恐生不测。且再按候一日，我王必还魂也。”下边闪上许敬宗道：“魏丞相言之甚谬。自古云：‘泼水难收，人逝不返。’你怎么还说这等虚言，惑乱人心，是何道理！”魏征道：“不瞒许先生说，下官自幼得授仙术，推算最明，管取陛下不死。”

正讲处，只听得棺中连声大叫道：“淹杀我耶！”唬得个文官武将心慌，皇后嫔妃胆战。一个个：

面如秋后黄桑叶，腰似春前嫩柳条。储君脚软，难扶丧杖进哀仪；侍长魂飞，怎戴梁冠①遵孝礼？嫔妃打跌②，彩女欹斜。嫔妃打跌，却如狂风吹倒败芙蓉；彩女欹斜，好似骤雨冲歪娇菡萏。众臣悚惧，骨软筋麻。战战兢兢，痴痴哑哑③。把一座白虎殿却像断梁桥，闹丧台就如倒塌寺。

此时众宫人走得精光，那个敢近灵扶柩。多亏了正直的徐茂公，理烈④的魏丞相，有胆量的秦琼，忒猛撞的敬德，上前来扶着棺材，叫道：“陛下有甚么放不下心处，说与我等，不要弄鬼，惊伤了眷族。”魏征道：“不是弄鬼，此乃陛下还魂也。快取器械来！”打开棺盖，果见太宗坐在里面，还叫：“淹死我了！是谁救捞？”茂公等上前扶起道：“陛下苏醒莫怕，臣等都在此护驾哩。”唐王方才开眼道：“朕当好苦：躲过阴司恶鬼难，又遭水面丧身灾。”众臣道：“陛下宽心勿惧，有甚水灾来？”唐王道：“我骑着马，正行至渭水河边，见双头鱼戏；被朱太尉欺心，将朕推下马来，跌落河中，几乎淹死。”魏征道：“陛下鬼气尚未解。”急着太医院进安神定魄汤药，又安排粥膳。连服一二次，方才反本还原，知得人事。一计唐王死去已三昼夜，复回阳间为君。诗曰：

万古江山几变更，历来数代败和成。
周秦汉晋多奇事，谁似唐王死复生？

---

① 梁冠：即孝帽。人死后亲人要穿丧服，戴孝帽。

② 打跌：摔倒。

③ 痴痴哑哑：形容由于惊惧吓得痴呆说不出话的神态。

④ 理烈：形容人秉持公理，刚正方直。

当日天色已晚，众臣请王归寝，各各散讫。

次早，脱却孝衣，换了彩服，一个个红袍乌帽，一个个紫绶金章，在那朝门外等候宣符①。

却说太宗自服了安神定魄之剂，连进了数次粥汤，被众臣扶入寝室，一夜稳睡，保养精神，直至天明方起，抖擞威仪，你看他怎生打扮：

戴一顶冲天冠，穿一领赭黄袍。系一条蓝田碧玉带，踏一对创业无忧履。貌堂堂，赛过当朝；威烈烈，重兴今日。好一个清平有道的大唐王，起死回生的李陛下！

唐王上金銮宝殿，聚集两班文武，山呼已毕，依品分班。只听得传旨道："有事出班来奏，无事退朝。"那东厢闪过徐世勣、魏征、王珪、杜如晦、房玄龄、袁天罡、李淳风、许敬宗等，西厢闪过殷开山、刘弘基、马三宝、段志玄、程咬金、秦叔宝、胡敬德、薛仁贵等，一齐上前，在白玉阶前俯伏启奏道："陛下前朝一梦，如何许久方觉？"太宗道："日前接得魏征书，朕觉神魂出殿，只见羽林军请朕出猎。正行时，人马无踪。又见那先君父王与先兄弟争嚷。正难解处，见一人乌帽皂袍，乃是判官崔珏，喝退先兄弟。朕将魏征书传递与他。正看时，又见青衣者，执幢幡，引朕入内。到森罗殿上，与十代阎王叙坐。他说那泾河龙诬告我许救转杀之事，是朕将前言陈具一遍。他说已三曹对过案了，急命取生死文簿，检看我的阳寿。时有崔判官传上簿子。阎王看了，道寡人有三十三年天禄，才过得一十三年，还该我二十年阳寿，即着朱太尉、崔判官送朕回来。朕与十王作别，允了送他瓜果谢恩。自出

① 宣符：宣召。符，向下属发出的命令或者通知。

了森罗殿，见那阴司里，不忠不孝，非礼非义，作践五谷，明欺暗骗，大斗小秤，奸盗诈伪，淫邪欺罔之徒，受那些磨烧舂锉之苦，煎熬吊剥之刑，有千千万万，看之不足。又过着枉死城中，有无数的冤魂，尽都是六十四处烟尘的草寇，七十二处叛贼的魂灵，挡住了朕之来路。幸亏崔判官作保，借得河南相老儿的金银一库，买转鬼魂，方解前行。崔判官教朕回阳世，千万作一场'水陆大会'，超度那无主的孤魂，将此言叮咛分别。出了那'六道轮回'之下，有朱太尉请朕上马，飞也相似行到渭水河边。我看见那水面上有双头鱼戏，正欢喜处，他将我撮着脚，推下水中，朕方得还魂也。"众臣闻此言无不称贺，遂此编行传报，天下各府县官员，上表称庆不题。

却说太宗又传旨赦天下罪人，又查狱中重犯。时有审官将刑部绞斩罪人，查有四百馀名呈上。太宗放赦回家，拜辞父母兄弟，托产与亲戚子侄，明年今日赴曹，仍领应得之罪。众犯谢恩而退。又出恤孤榜文，又查宫中老幼彩女共有三千人，出旨配军。自此，内外俱善。有诗为证。诗曰：

大国唐王恩德洪，道过尧舜万民丰。
死囚四百皆离狱，怨女三千放出宫。
天下多官称上寿，朝中众宰贺元龙。
善心一念天应佑，福荫应传十七宗。

太宗既放宫女，出死囚已毕，又出御制榜文，遍传天下。榜曰：

"乾坤浩大，日月照鉴分明；宇宙宽洪，天地不容奸党。使心用术，果报只在今生；善布浅求，获福休言后世。千般巧计，不如本分为人；万种强徒，争似随缘节俭。心行慈善，何须努力看经？意欲损人，空读如来一藏！"

自此时，盖天下无一人不行善者。一壁厢又出招贤榜，招人进瓜果到阴司里去；一壁厢将宝藏库金银一库，差尉迟公胡敬德上河南开封府，访相良还债。榜张数日，有一赴命进瓜果的贤者，本是均州人，姓刘名全，家有万贯之资。只因妻李翠莲在门首拔金钗斋僧，刘全骂了他几句，说他不遵妇道，擅出闺门。李氏忍气不过，自缢而死。撇下一双儿女年幼，昼夜悲啼。刘全又不忍见，无奈，遂舍了性命，弃了家缘，撇了儿女，情愿以死进瓜，将皇榜揭了，来见唐王。王传旨意，教他去金亭馆里，头顶一对南瓜，袖带黄钱，口噙药物。

那刘全果服毒而死，一点魂灵，顶着瓜果，早到鬼门关上。把关的鬼使喝道："你是甚人，敢来此处？"刘全道："我奉大唐太宗皇帝钦差，特进瓜果与十代阎王受用的。"那鬼使欣然接引。刘全径至森罗宝殿，见了阎王，将瓜果进上，道："奉唐王旨意，远进瓜果，以谢十王宽宥之恩。"阎王大喜道："好一个有信有德的太宗皇帝！"遂此收了瓜果。便问那进瓜的人姓名，那方人氏。刘全道："小人是均州城民籍，姓刘名全。因妻李氏缢死，撇下儿女，无人看待，小人情愿舍家弃子，捐躯报国，特与我王进贡瓜果，谢众大王厚恩。"十王闻言，即命查勘刘全妻李氏。那鬼使速取来在森罗殿下，与刘全夫妻相会。诉罢前言，回谢十王恩宥。那阎罗却检生死簿子看时，他夫妻们都有登仙之寿，急差鬼使送回。鬼使启上道："李翠莲归阴日久，尸首无存，魂将何附？"阎王道："唐御妹李玉英，今该促死；你可借他尸首，教他还魂去也。"那鬼使领命，即将刘全夫妻二人还魂。待定出了阴司，那阴风绕绕，径到了长安大国，将刘全的魂灵，推入金亭馆里；将翠莲的灵魂，带进皇宫内院。只见那玉英公主，正在花阴下徐步绿苔而行，被鬼使扑个满怀，推倒在地，活捉了他魂；却将翠莲的魂灵，推入玉英身内。鬼使回转阴司不题。

却说宫院中的大小侍婢，见玉英跌死，急走金銮殿，报与三宫皇后道："公主娘娘跌死也！"皇后大惊，随报太宗。太宗闻言，点头叹曰："此事信有之也。朕曾问十代阎君：'老幼安乎？'他道：'俱安。但恐御妹寿促。'果中其言。"合宫人都来悲切，尽到花阴下看时，只见那公主微微有气。唐王道："莫哭！莫哭！休惊了他。"遂上前将御手扶起头来，叫道："御妹苏醒，苏醒。"那公主忽的翻身，叫："丈夫慢行，等我一等！"太宗道："妹妹，是我等在此。"公主抬头睁眼观看，道："你是谁人，敢来扯我？"太宗道："是你皇兄、皇嫂。"公主道："我那里得个甚么皇兄、皇嫂！我娘家姓李，我的乳名唤做李翠莲，我丈夫姓刘名全。两口儿都是均州人氏。因为我三个月前，拔金钗在门首斋僧，我丈夫怪我擅出内门，不遵妇道，骂了我几句。是我气塞胸堂，将白绫带悬梁缢死，撇下一双儿女，昼夜悲啼。今因我丈夫蒙唐王钦差，赴阴司进瓜果，阎王怜悯，放我夫妻回来。他在前走，因我来迟，赶不上他，我绊了一跌。你等无礼！不知姓名，怎敢扯我！"太宗闻言，与众宫人道："想是妹妹跌昏了，胡说哩。"传旨教太医院进汤药，将玉英扶入宫中。

唐王当殿，忽有当驾官奏道："万岁，今有进瓜果人刘全还魂，在朝门外等旨。"唐王大惊，急传旨，将刘全召进，俯伏丹墀。太宗问道："进瓜果之事何如？"刘全道："臣顶瓜果，径至鬼门关，引上森罗殿，见了那十代阎君，将瓜果奉上，备言我王殷勤致谢之意。阎君甚喜，多多拜上我王道：'真是个有信有德的太宗皇帝！'"唐王道："你在阴司见些甚么来？"刘全道："臣不曾远行，没见甚的，只闻得阎王问臣乡贯、姓名。臣将弃家舍子，因妻缢死，愿来进瓜之事，说了一遍。他急差鬼使，引过我妻，就在森罗殿下相会。一壁厢又检看死生文簿，说我夫妻都有登仙之寿，便差鬼使送回。臣在前走,我妻后行,幸得还魂。但不知妻投何所?”唐王惊问道:“那阎王可曾说你妻甚么?”刘全道:“阎王不曾说甚么。只听得鬼使说:‘李翠莲归阴日久,尸首无存。’阎王道:‘唐御妹李玉英今该促死,教翠莲即借玉英尸还魂去罢。’臣不知‘唐御妹’是甚地方,家居何处,还未曾得去找寻哩。”

唐王闻奏,满心欢喜,当对多官道:“朕别阎君,曾问宫中之事;他言老幼俱安,但恐御妹寿促。却才御妹玉英花阴下跌死,朕急扶看,须臾苏醒,口叫:‘丈夫慢行,等我一等!’朕只道是他跌昏了胡言。又问他详细,他说的话,与刘全一般。”魏征奏道:“御妹偶尔寿促,少苏醒即说此言,此是刘全妻借尸还魂之事。此事也有。可请公主出来,看他有甚话说。”唐王道:“朕才命太医院去进药,不知何如。”便教妃嫔入宫去请。那公主在里面乱嚷道:“我吃甚么药!这里那是我家!我家是清亮瓦屋,不像这个害黄病①的房子,花狸狐哨②的门扇!放我出去!放我出去!”

正嚷处,只见四五个女官,两三个太监,扶着他直至殿上。唐王道:“你可认得你丈夫么?”玉英道:“说那里话?我两个从小儿的结发夫妻,与他生男长女,怎的不认得?”唐王叫内官搀他下去。那公主下了宝殿,直至白玉阶前,见了刘全,一把扯住道:“丈夫,你往那里去,就不等我一等!我跌了一跤,被那些没道理的人围住我嚷。这是怎的说!”那刘全听他说的话是妻之言,视其人非妻之面,不敢相认。唐王道:“这正是山崩地裂有人见,捉生替死却难逢!”好一个有道的君王:即将御妹的妆奁③、衣物、首饰,尽赏

① 害黄病:形容黄琉璃瓦的宫殿,像得黄疸病一样。

② 花狸狐哨:指装璜、衣服过分炫耀。有时也用以形容颜色杂乱。

③ 妆奁(lián):古代女子梳妆用的镜匣等物品。

赐了刘全,就如陪嫁一般。又赐与他永免差徭的御旨,着他带领御妹回去。他夫妻两个,便在阶前谢了恩,欢欢喜喜还乡。有诗为证:

人生人死是前缘,短短长长各有年。
刘全进瓜回阳世,借尸还魂李翠莲。

他两个辞君,径来均州城里,见旧家业儿女俱好,两口儿宣扬善果不题。

却说那尉迟公将金银一库,上河南开封府访看相良。原来卖水为活,同妻张氏在门首贩卖乌盆瓦器营生,但撰[1]得些钱儿,只以盘缠为足,其多少斋僧布施,买金银纸锭,记库焚烧,故有此善果臻身[2]。阳世间是一条好善的穷汉,那世里却是个积玉堆金的长者。尉迟公将金银送上他门,唬得那相公、相婆魂飞魄散。又兼有本府官员,茅舍外车马骈集[3],那老两口子如痴如哑,跪在地下,只是磕头礼拜。尉迟公道:"老人家请起。我虽是个钦差官,却赍着我王的金银送来还你。"他战兢兢的答道:"小的没有甚么金银放债,如何敢受这不明之财?"尉迟公道:"我也访得你是个穷汉,只是你斋僧布施,尽其所用,就买办金银纸锭,烧记阴司,阴司里有你积下的钱钞。是我太宗皇帝死去三日,还魂复生,曾在那阴司里借了你一库金银,今此照数送还与你。你可一一收下,等我好去回旨。"那相良两口儿只是朝天礼拜,那里敢受,道:"小的若受了这些金银,就死得快了。虽然是烧纸记库,此乃冥冥之事;况万岁爷爷那世里借了金银,亦何

① 撰:义同"赚"。
② 臻(zhēn)身:达到身上。此处指得到善果。
③ 骈集:聚集。

凭据？我决不敢受。”尉迟公道：“陛下说，借你的东西，有崔判官作保可证。你收下罢。”相良道：“就死也是不敢受的。”

尉迟公见他苦苦推辞，只得具本差人启奏。太宗见了本，知相良不受金银，道：“此诚为善良长者！”即传旨教胡敬德将金银与他修理寺院，起盖生祠，请僧作善，就当还他一般。旨意到日，敬德望阙谢恩宣旨，众皆知之。遂将金银买到城里军民无碍的地基一段，周围有五十亩宽阔，在上兴工，起盖寺院，名“敕建相国寺”。左有相公相婆的生祠，镌碑刻石，上著着“尉迟公监造”。即今大相国寺是也。

工完回奏，太宗甚喜。却又聚集多官，出榜招僧，修建“水陆大会”，超度冥府孤魂。榜行天下，着各处官员推选有道的高僧，上长安做会。那消个月之期，天下多僧俱到。唐王传旨，着太史丞傅奕选举高僧，修建佛事。傅奕闻旨，即上疏止浮图①，以言无佛。表曰：

“西域之法，无君臣父子，以三涂②六道，蒙诱愚蠢；追既往之罪，窥将来之福；口诵梵言，以图偷免。且生死寿夭，本诸自然；刑德威福，系之人主。今闻俗徒矫托，皆云由佛。自五帝、三王，未有佛法；君明臣忠，年祚长久。至汉明帝始立胡神，然惟西域桑门③，自传其教。实乃夷犯中国，不足为信。”

---

① 浮图：又作“浮屠”，梵语音译。指佛或佛教，有时也指佛塔。

② 三涂：涂同“途”。佛教的说法，作恶的人结果不外三条道路：一是猛火烧身的地狱道路，一是互相血食的畜生道路，一是刀杖逼迫的饿鬼道路。这三条道路，总名叫做三涂。

③ 桑门：就是沙门。佛教认为勤行善事，止息诸恶为沙门。后用为出家修道者的代称。

太宗闻言，遂将此表掷付群臣议之。时有宰相萧瑀，出班俯囟奏曰："佛法兴自屡朝，弘善遏恶，冥助国家，理无废弃。佛，圣人也。非圣者无法，请置严刑。"傅奕与萧瑀论辨，言："礼本于事亲事君，而佛背亲出家，以匹夫抗天子，以继体悖所亲；萧瑀不生于空桑，乃遵无父之教，正所谓非孝者无亲。"萧瑀但合掌曰："地狱之设，正为是人。"太宗召太仆卿张道源、中书令张士衡，问佛事营福，其应何如。二臣对曰："佛在清净仁恕，果正佛空。周武帝以三教分次；大慧禅师有赞幽远，历众供养而无不显；五祖投胎，达摩现像。自古以来，皆云三教至尊而不可毁，不可废。伏乞陛下圣鉴明裁。"太宗甚喜道："卿之言合理。再有所陈者，罪之。"遂着魏征与萧瑀、张道源，邀请诸佛，选举一名有大德行者作坛主，设建道场。众皆顿首谢恩而退。自此时出了法律：但有毁僧谤佛者，断其臂。

次日，三位朝臣聚众僧，在那山川坛里，逐一从头查选。内中选得一名有德行的高僧。你道他是谁人？

灵通本讳号金蝉：只为无心听佛讲，
转托尘凡苦受磨，降生世俗遭罗网。
投胎落地就逢凶，未出之前临恶党。
父是海州陈状元，外公总管当朝长。
出身命犯落江星，顺水随波逐浪泱。
海岛金山有大缘，迁安和尚将他养。
年方十八认亲娘，特赴京都求外长。
总管开山调大军，洪州剿寇诛凶党。
状元光蕊脱天罗，子父相逢堪贺奖。
复谒当今受主恩，凌烟阁上贤名响。
恩官不受愿为僧，洪福沙门将道访。

小字江流古佛儿，法名唤做陈玄奘。

当日对众举出玄奘法师。这个人自幼为僧，出娘胎就持斋受戒。他外公见是当朝一路总管殷开山。他父亲陈光蕊，中状元，官拜文渊殿大学士。一心不爱荣华，只喜修持寂灭。查得他根源又好，德行又高；千经万典，无所不通；佛号仙音，无般不会。当时三位引至御前，扬尘舞蹈，拜罢奏曰："臣瑀等蒙圣旨，选得高僧一名陈玄奘。"太宗闻其名，沉思良久道："可是学士陈光蕊之儿玄奘否？"江流儿叩头曰："臣正是。"太宗喜道："果然举之不错。诚为有德行有禅心的和尚。朕赐你左僧纲、右僧纲、天下大阐都僧纲[1]之职。"玄奘顿首谢恩，受了大阐官爵。又赐五彩织金袈裟一件，毗卢帽[2]一顶。教他用心再拜明僧，排次阇黎[3]班首，书办旨意，前赴化生寺，择定吉日良时，开演经法。

玄奘再拜领旨而出，遂到化生寺里，聚集多僧，打造禅榻，妆修功德，整理音乐。选得大小明僧共计一千二百名，分派上中下三堂。诸所佛前物件皆齐，头头有次。选到本年九月初三日，黄道良辰，开启做七七四十九日"水陆大会"。即具表申奏，太宗及文武国戚皇亲，俱至期赴会，拈香听讲。毕竟不知圣意如何，且听下回分解。

---

① 都僧纲：僧纲，管理僧人的僧官。都僧纲，管理僧纲的总僧官。

② 毗卢帽：和尚所戴的绣有毗卢佛像的僧帽。

③ 阇(shé)黎：又作"阇梨"，梵文音译"阿阇梨"的省称，意指高僧。后泛指一般僧人。

第十二回

玄奘秉诚建大会　观音显像化金蝉

诗曰：

龙集贞观正十三，王宣大众把经谈。

道场开演无量法，云雾光乘大愿龛。

御敕垂恩修上刹，金蝉脱壳化西涵。

普施善果超沉没，秉教宣扬前后三。

贞观十三年岁次己巳，九月甲戌初三日，癸卯良辰。陈玄奘大阐法师，聚集一千二百名高僧，都在长安城化生寺开演诸品妙经。那皇帝早朝已毕，帅文武多官，乘凤辇龙车，出离金銮宝殿，径上寺来拈香。怎见那銮驾？真个是：

一天瑞气，万道祥光。仁风轻淡荡，化日丽非常。千官环佩分前后，五卫旌旗列两旁。执金瓜，擎斧钺，双双对对；绛纱烛，御炉香，霭霭堂堂。龙飞凤舞，鹗荐鹰扬。圣明天子正，忠义大臣良。介福千年过舜禹，升平万代赛尧汤。又见那曲柄伞，滚龙袍，辉光相射；玉连环，彩凤扇，瑞霭飘扬。珠冠玉带，紫绶金章。护驾军千队，扶舆将两行。这皇帝沐浴虔诚尊敬佛，皈依善果喜拈香。

唐王大驾，早到寺前，分付住了音乐响器，下了车辇，引着多官，拜佛拈香。三匝已毕，抬头观看，果然好座道场。但见：

幢幡飘舞，宝盖飞辉。幢幡飘舞，凝空道道彩霞摇；宝盖飞辉，映日翩翩红电彻。世尊金象貌臻臻①，罗汉玉容威烈烈。瓶插仙花，炉焚檀降②。瓶插仙花，锦树辉辉漫宝刹；炉焚檀降，香云霭霭透清霄。时新果品砌朱盘，奇样糖酥堆彩案。高僧罗列诵真经，愿拔孤魂离苦难。

太宗文武俱各拈香，拜了佛祖金身，参了罗汉。又见那大阐都纲陈玄奘法师引众僧罗拜唐王。礼毕，分班各安禅位。法师献上济孤榜文③与太宗看。榜曰：

"至德渺茫，禅宗寂灭。清净灵通，周流三界。千变万化，统摄阴阳。体用真常，无穷极矣。观彼孤魂，深宜哀愍。此是奉太宗圣命，选集诸僧，参禅讲法。大开方便门庭，广运慈悲舟楫，普济苦海群生，脱免沉疴六趣④。引归真路，普玩鸿濛；动止无为，混成纯素。仗此良因，邀赏清都绛阙；乘吾胜会，脱离地狱凡笼。早登极乐任逍遥，永往西方随自在。"

诗曰：

一炉永寿香，几卷超生箓。
无边妙法宣，无际天恩沐。
冤孽尽消除，孤魂皆出狱。
愿保我邦家，清平万咸福。

太宗看了，满心欢喜，对众僧道："汝等秉立丹衷，切休怠慢佛事。待后功成完备，各各福有所归，朕当重赏，决不空劳。"那一千二百僧，一齐顿首称谢。当日三斋已毕，唐王驾回。待七日正

① 臻臻：整齐。
② 檀降：全名"降真香"，传说中焚烧后可以令神降临的香料。
③ 济孤榜文：超度孤魂饿鬼的榜文。
④ 六趣：指根据众生生前的善恶，分别有六种轮回的转生的趋向。

会,复请拈香。时天色将晚,各官俱退。怎见得好晚?你看那:

万里长空淡落辉,归鸦数点下楼迟。

满城灯火人烟静,正是禅僧入定时。

一宿晚景题过。次早,法师又升坐,聚众诵经不题。

却说南海普陀山观世音菩萨,自领了如来佛旨,在长安城访察取经的善人,日久未逢真实有德行者。忽闻得太宗宣扬善果,选举高僧,开建大会;又见得法师坛主,乃是江流儿和尚,正是极乐中降来的佛子,又是他原引送投胎的长老,菩萨十分欢喜,就将佛赐的宝贝,捧上长街,与木叉货卖。你道他是何宝贝?有一件锦襕异宝袈裟、九环锡杖。还有那金紧禁三个箍儿,密密藏收,以俟后用。只将袈裟、锡杖出卖。长安城里,有那选不中的愚僧,倒有几贯村钞①。见菩萨变化个疥癞形容,身穿破衲,赤脚光头,将袈裟捧定,艳艳生光,他上前问道:"那癞和尚,你的袈裟要卖多少价钱?"菩萨道:"袈裟价值五千两,锡杖价值二千两。"那愚僧笑道:"这两个癞和尚是风子②!是傻子!这两件粗物,就卖得七千两银子?只是除非穿上身长生不老,就得成佛作祖,也值不得这许多!拿了去!卖不成!"那菩萨更不争吵,与木叉往前又走。

行够多时,来到东华门前,正撞着宰相萧瑀散朝而回,众头踏③喝开街道。那菩萨公然不避,当街上拿着袈裟,径迎着宰相。宰相勒马观看,见袈裟艳艳生光,着手下人问那卖袈裟的要价几何。菩萨道:"袈裟要五千两,锡杖要二千两。"萧瑀道:"有

① 有几贯村钞:犹如现在说"有几个臭钱"。

② 风子:即疯子。

③ 头踏:官出行时,走在前面的仪仗队。

何好处,值这般高价?”菩萨道:“袈裟有好处,有不好处;有要钱处,有不要钱处。”萧瑀道:“何为好?何为不好?”菩萨道:“着了我袈裟,不入沉沦,不堕地狱,不遭恶毒之难,不遇虎狼之灾,便是好处;若贪淫乐祸的愚僧,不斋不戒的和尚,毁经谤佛的凡夫,难见我袈裟之面,这便是不好处。”又问道:“何为要钱、不要钱?”菩萨道:“不遵佛法,不敬三宝,强买袈裟、锡杖,定要卖他七千两,这便是要钱;若敬重三宝,见善随喜,皈依我佛,承受得起,我将袈裟、锡杖,情愿送他,与我结个善缘,这便是不要钱。”萧瑀闻言,倍添春色,知他是个好人,即便下马,与菩萨以礼相见,口称:“大法长老,恕我萧瑀之罪。我大唐皇帝十分好善,满朝的文武无不奉行。即今起建‘水陆大会’,这袈裟正好与大都阐陈玄奘法师穿用。我和你入朝见驾去来。”

菩萨忻然从之,拽转步,径进东华门里。黄门官转奏,蒙旨宣至宝殿。见萧瑀引着两个疥癞僧人立于阶下,唐王问曰:“萧瑀来奏何事?”萧瑀俯伏阶前道:“臣出了东华门前,偶遇二僧,乃卖袈裟与锡杖者。臣思法师玄奘可着此服,故领僧人启见。”太宗大喜,便问那袈裟价值几何。菩萨与木叉侍立阶下,更不行礼,因问袈裟之价,答道:“袈裟五千两,锡杖二千两。”太宗道:“那袈裟有何好处,就值许多?”菩萨道:

“这袈裟,龙披一缕,免大鹏吞噬之灾;鹤挂一丝,得超凡入圣之妙。但坐处,有万神朝礼;凡举动,有七佛随身。

这袈裟是冰蚕造炼抽丝,巧匠翻腾为线。仙娥织就,神女机成。方方簇幅绣花缝,片片相帮堆锦簆①。玲珑散碎

① 簆(kòu):织机上的机件,形似梳子,用以确定经线的密度,并把纬线推到织口压紧。

斗妆花，色亮飘光喷宝艳。穿上满身红雾绕，脱来一段彩云飞。三天门外透元光，五岳山前生宝气。重重嵌就西番莲，灼灼悬珠星斗象。四角上有夜明珠，攒顶间一颗祖母绿。虽无全照原本体，也有生光八宝攒。

这袈裟，闲时折叠，遇圣才穿。闲时折叠，千层包裹透虹霓；遇圣才穿，惊动诸天神鬼怕。上边有如意珠、摩尼珠、辟尘珠、定风珠；又有那红玛瑙、紫珊瑚、夜明珠、舍利子。偷月沁白，与日争红。条条仙气盈空，朵朵祥光捧圣。条条仙气盈空，照彻了天关；朵朵祥光捧圣，影遍了世界。照山川，惊虎豹；影海岛，动鱼龙。沿边两道销金锁，扣领连环白玉琮。

诗曰：

三宝巍巍道可尊，四生六道尽评论。
明心解养人天法，见性能传智慧灯。
护体庄严金世界，身心清净玉壶冰。
自从佛制袈裟后，万劫谁能敢断僧？"

唐王在那宝殿上闻言，十分欢喜，又问："那和尚，九环杖有甚好处？"菩萨道："我这锡杖，是那：

铜镶铁造九连环，九节仙藤永驻颜。
入手厌看青骨瘦，下山轻带白云还。
摩呵立祖游天阙，罗卜寻娘①破地关。
不染红尘些子秽，喜伴神僧上玉山。"

唐王闻言，即命展开袈裟，从头细看，果然是件好物，道："大法

① 罗卜寻娘：罗卜即目连。本名目犍连或大目犍连。传说他是佛弟子最具神通法力的。由于他母亲堕入饿鬼道中，他以极大法力从地狱中将母亲救出来。这就是我国小说、戏曲中多年流传的目连救母的故事。

长老,实不瞒你:朕今大开善教,广种福田,见在那化生寺聚集多僧,敷演经法。内中有一个大有德行者,法名玄奘。朕买你这两件宝物,赐他受用。你端的要价几何?”菩萨闻言,与木叉合掌皈依,道声佛号,躬身上启道:“既有德行,贫僧情愿送他,决不要钱。”说罢,抽身便走。唐王急着萧瑀扯住,欠身立于殿上,问曰:“你原说袈裟五千两,锡杖二千两,你见朕要买,就不要钱,敢是说朕心倚恃君位,强要你的物件?——更无此理。朕照你原价奉偿,却不可推避。”菩萨起手道:“贫僧有愿在前,原说果有敬重三宝,见善随喜,皈依我佛,不要钱,愿送与他。今见陛下明德正善,敬我佛门,况又高僧有德有行,宣扬大法,理当奉上,决不要钱。贫僧愿留下此物告回。”唐王见他这等恳恳,甚喜,随命光禄寺大排素宴酬谢。菩萨又坚辞不受,畅然而去,依旧望都土地庙中隐避不题。

却说太宗设午朝,着魏征赍旨,宣玄奘入朝。那法师正聚众登坛,讽经诵偈,一闻有旨,随下坛整衣,与魏征同往见驾。太宗道:“求证善事,有劳法师,无物酬谢。早间萧瑀迎着二僧,愿送锦襕异宝袈裟一件,九环锡杖一条。今特召法师领去受用。”玄奘叩头谢恩。太宗道:“法师如不弃,可穿上与朕看看。”长老遂将袈裟抖开,披在身上,手持锡杖,侍立阶前。君臣个个忻然。诚为如来佛子。你看他:

凛凛威颜多雅秀,佛衣可体如裁就。
晖光艳艳满乾坤,结彩纷纷凝宇宙。
朗朗明珠上下排,层层金线穿前后。
兜罗四面锦沿边,万样稀奇铺绮绣。
八宝妆花缚钮丝,金环束领攀绒扣。

佛天大小列高低，星象尊卑分左右。
玄奘法师大有缘，现前此物堪承受。
浑如极乐活阿罗，赛过西方真觉秀。
锡杖叮当斗九环，毗卢帽映多丰厚。
诚为佛子不虚传，胜似菩提无诈谬。

当时文武阶前喝采，太宗喜之不胜。即着法师穿了袈裟，持了宝杖；又赐两队仪从，着多官送出朝门，教他上大街行道，往寺里去，就如中状元夸官的一般。这去，玄奘再拜谢恩，在那大街上，烈烈轰轰，摇摇摆摆。你看那长安城里，行商坐贾、公子王孙、墨客文人、大男小女，无不争看夸奖，俱道："好个法师！真是活罗汉下降，活菩萨临凡。"玄奘直至寺里，僧人下榻来迎。一见他披此袈裟，执此锡杖，都道是地藏王来了，各各归依，侍于左右。玄奘上殿，炷香礼佛，又对众感述圣恩已毕，各归禅座。又不觉红轮西坠。正是那：

日落烟迷草树，帝都钟鼓初鸣。叮叮三响断人行，前后街前寂静。　　上刹辉煌灯火，孤村冷落无声。禅僧入定理残经，正好炼魔养性。

光阴捻指，却当七日正会，玄奘又具表请唐王拈香。此时善声遍满天下。太宗即排驾，率文武多官，后妃国戚，早赴寺里。那一城人，无论大小尊卑，俱诣寺听讲。当有菩萨与木叉道："今日是水陆正会，以一七继七七，可矣了。我和你杂在众人丛中，一则看他那会何如，二则看金蝉子可有福穿我的宝贝，三则也听他讲的是那一门经法。"两人随投寺里。正是有缘得遇旧相识，般若还归本道场。入到寺里观看，真个是天朝大国，果胜娑婆[1]，赛过祇

[1] 娑婆：佛教"娑婆世界"的简称，指释迦牟尼所教化的三千大千世界。

园舍卫，也不亚上刹招提①。那一派仙音响亮，佛号喧哗。这菩萨直至多宝台边，果然是明智金蝉之相。诗曰：

万象澄明绝点埃，大兴玄奘坐高台。
超生孤魂暗中到，听法高流市上来。
施物应机心路远，出生随意藏门开。
对看讲出无量法，老幼人人放喜怀。

又诗曰：

因游法界讲堂中，逢见相知不俗同。
尽说目前千万事，又谈尘劫许多功。
法云容曳舒群岳，教网张罗满太空。
检点人生归善念，纷纷天雨落花红。

那法师在台上，念一会《受生度亡经》，谈一会《安邦天宝篆》，又宣一会《劝修功卷》。这菩萨近前来，拍着宝台，厉声高叫道："那和尚，你只会谈'小乘教法'，可会谈'大乘教法'么？"玄奘闻言，心中大喜，翻身跳下台来，对菩萨起手道："老师父，弟子失瞻②，多罪。见前的盖众僧人，都讲的是'小乘教法'，却不知'大乘教法'如何。"菩萨道："你这小乘教法，度不得亡者超升，只可浑俗和光而已；我有大乘佛法三藏，能超亡者升天，能度难人脱苦，能修无量寿身③，能作无来无去。"

正讲处，有那司香巡堂官急奏唐王道："法师正讲谈妙法，被两个疥癞游僧，扯下来乱说胡话。"王令擒来。只见许多人将二僧推拥进后法堂。见了太宗，那僧人手也不起，拜也不拜，仰

① 招提：梵语译音。四方的意思。后来衍为佛寺的代称。
② 失瞻：谦辞，表示对对方有失于瞻仰。
③ 无量寿身：极言长寿之身。意指长生不老。

面道："陛下问我何事？"唐王却认得他，道："你是前日送袈裟的和尚？"菩萨道："正是。"太宗道："你既来此处听讲，只该吃些斋便了，为何与我法师乱讲，扰乱经堂，误我佛事？"菩萨道："你那法师讲的是小乘教法，度不得亡者升天。我有大乘佛法三藏，可以度亡脱苦，寿身无坏。"太宗正色喜问道："你那大乘佛法，在于何处？"菩萨道："在大西天天竺国大雷音寺我佛如来处，能解百冤之结，能消无妄之灾。"太宗道："你可记得么？"菩萨道："我记得。"太宗大喜道："教法师引去，请上台开讲。"

那菩萨带了木叉，飞上高台，遂踏祥云直至九霄，现出救苦原身，托了净瓶杨柳。左边是木叉惠岸，执着棍，抖擞精神。喜的个唐王朝天礼拜，众文武跪地焚香。满寺中僧尼道俗，士人工贾，无一人不拜祷道："好菩萨！好菩萨！"有诗为证。但见那：

瑞霭散缤纷，祥光护法身。九霄华汉里，现出女真人。那菩萨头上戴一顶金叶纽，翠花铺，放金光，生瑞气的垂珠缨络；身上穿一领淡淡色，浅浅妆，盘金龙，飞彩凤的结素蓝袍；胸前挂一面对月明，舞清风，杂宝珠，攒翠玉的砌香环珮；腰间系一条冰蚕丝，织金边，登彩云，促瑶海的锦绣绒裙；面前又领一个飞东洋，游普世，感恩行孝，玉毛红嘴白鹦哥；手内托着一个施恩济世的宝瓶，瓶内插着一枝洒青霄，撒大恶，扫开残雾垂杨柳。玉环穿绣扣，金莲足下深。三天许出入，这才是救苦救难观世音。

喜的个唐太宗，忘了江山；爱的那文武官，失却朝礼；盖众多人，都念"南无观世音菩萨"。太宗即传旨，教巧手丹青描下菩萨真像。旨意一声，选出个图神写圣远见高明的吴道子——此人即后图功臣于凌烟阁者，当时展开妙笔，图写真形。那菩萨祥云渐远，霎时间不见了金光。只见那半空中，滴流流落下一张简

帖,上有几句颂子,写得明白。颂曰:

“礼上大唐君,西方有妙文。程途十万八千里,大乘进殷勤。此经回上国,能超鬼出群。若有肯去者,求正果金身。”

太宗见了颂子,即命众僧:“且收胜会,待我差人取得大乘经来,再秉丹诚,重修善果。”众官无不遵依。当时在寺中问曰:“谁肯领朕旨意,上西天拜佛求经?”问不了,旁边闪过法师,帝前施礼道:“贫僧不才,愿效犬马之劳,与陛下求取真经,祈保我王江山永固。”唐王大喜,上前将御手扶起道:“法师果能尽此忠贤,不怕程途遥远,跋涉①山川,朕情愿与你拜为兄弟。”玄奘顿首谢恩。唐王果是十分贤德,就去那寺里佛前,与玄奘拜了四拜,口称“御弟圣僧”。玄奘感谢不尽,道:“陛下,贫僧有何德何能,敢蒙天恩眷顾如此?我这一去,定要捐躯努力,直至西天。如不到西天,不得真经,即死也不敢回国,永堕沉沦地狱。”随在佛前拈香,以此为誓。唐王甚喜,即命回銮,待选良利日辰发牒出行,遂此驾回,各散。

玄奘亦回洪福寺里。那本寺多僧与几个徒弟,早闻取经之事,都来相见,因问:“发誓愿上西天,实否?”玄奘道:“是实。”他徒弟道:“师父呵,尝闻人言,西天路远,更多虎豹妖魔。只怕有去无回,难保身命。”玄奘道:“我已发了洪誓大愿,不取真经,永堕沉沦地狱。大抵是受王恩宠,不得不尽忠以报国耳。我此去真是渺渺茫茫,吉凶难定。”又道:“徒弟们,我去之后,或三二年,或五七年,但看那山门里松枝头向东,我即回来;不然,断不

① 跋涉:艰辛远行。

回矣。”众徒将此言切切而记。

次早，太宗设朝，聚集文武，写了取经文牒，用了通行宝印。有钦天监奏曰：“今日是人专吉星①，堪宜出行远路。”唐王大喜。又见黄门官奏道：“御弟法师朝门外候旨。”随即宣上宝殿道：“御弟，今日是出行吉日。这是通关文牒。朕又有一个紫金钵盂，送你途中化斋而用。再选两个长行的从者，又银騌白马一匹，送为远行脚力。你可就此行程。”玄奘大喜，即便谢了恩，领了物事，更无留滞之意。

唐王排驾，与多官同送至关外，只见那洪福寺僧与诸徒，将玄奘的冬夏衣服，俱送在关外相等。唐王见了，先教收拾行囊、马匹俱备，然后着宫人执壶酌酒。太宗举爵，又问曰：“御弟雅号甚称？”玄奘道：“贫僧出家人，未敢称号。”太宗道：“当时菩萨说，西天有经三藏。御弟可指经取号，号作‘三藏’何如？”玄奘又谢恩，接了御酒道：“陛下，酒乃僧家头一戒。贫僧自为人，不会饮酒。”太宗道：“今日之行，比他事不同。此乃素酒，只饮此一杯，以尽朕奉饯之意。”三藏不敢不受。接了酒，方待要饮，只见太宗低头，将御指拾一撮尘土，弹入酒中。三藏不解其意。太宗笑道：“御弟呵，这一去，到西天，几时可回？”三藏道：“只在三年，径回上国。”太宗道：“日久年深，山遥路远，御弟可进此酒：宁恋本乡一捻土，莫爱他乡万两金。”三藏方悟捻土之意，复谢恩饮尽，辞谢出关而去。唐王驾回。毕竟不知此去何如，且听下回分解。

---

① 人专吉星：道教观星择日术中所说的九星之一。人专为吉星，此星值日，利于迁徙、嫁娶等。

第十三回

陷虎穴金星解厄　双叉岭伯钦留僧

诗曰：

大有唐王降敕封，钦差玄奘问禅宗。
坚心磨琢寻龙穴，着意修持上鹫峰。
边界远游多少国，云山前度万千重。
自今别驾投西去，秉教迦持悟大空。

却说三藏自贞观十三年九月望前三日①，蒙唐王与多官送出长安关外，一二日马不停蹄，早至法门寺。本寺住持上房长老，带领众僧有五百馀人，两边罗列，接至里面，相见献茶。茶罢进斋。斋后不觉天晚。正是那：

影动星河近，月明无点尘。
雁声鸣远汉，砧韵响西邻。
归鸟栖枯树，禅僧讲梵音。
蒲团一榻上，坐到夜将分。

众僧们灯下议论佛门定旨，上西天取经的原由。有的说水远山高，有的说路多虎豹；有的说峻岭陡崖难度，有的说毒魔恶怪难降。三藏拑口不言，但以手指自心，点头几度。众僧们莫解其意，合掌请问道："法师指心点头者，何也？"三藏答曰："心生，种

---

① 望前三日：指十二日。古代以每月十五日为望日。

种魔生；心灭，种种魔灭。我弟子曾在化生寺对佛设下洪誓大愿，不由我不尽此心。这一去，定要到西天，见佛求经，使我们法轮回转，愿圣王皇图永固。”众僧闻得此言，人人称羡，个个宣扬，都叫一声：“忠心赤胆大阐法师！”夸赞不尽，请师入榻安寐。

早又是竹敲残月落，鸡唱晓云生。那众僧起来，收拾茶水早斋。玄奘遂穿了袈裟，上正殿，佛前礼拜，道：“弟子陈玄奘，前往西天取经，但肉眼愚迷，不识活佛真形。今愿立誓：路中逢庙烧香，遇佛拜佛，遇塔扫塔。但愿我佛慈悲，早现丈六金身，赐真经，留传东土。”祝罢，回方丈进斋。斋毕，那二从者整顿了鞍马，促趱①行程。三藏出了山门，辞别众僧。众僧不忍分别，直送有十里之遥，噙泪而返。三藏遂直西前进。正是那季秋天气，但见：

数村木落芦花碎，几树枫杨红叶坠。路途烟雨故人稀，黄菊丽，山骨细，水寒荷破人憔悴。　白蘋红蓼霜天雪，落霞孤鹜长空坠。依稀黯淡野云飞，玄鸟去，宾鸿至，嘹嘹呖呖声宵碎。

师徒们行了数日，到了巩州城。早有巩州合属官吏人等，迎接入城中。安歇一夜，次早出城前去。一路饥餐渴饮，夜住晓行者三日，又至河州卫，此乃是大唐的山河边界。早有镇边的总兵与本处僧道，闻得是钦差御弟法师，上西方见佛，无不恭敬，接至里面供给了，着僧纲请往福原寺安歇。本寺僧人一一参见，安排晚斋。斋毕，分付二从者饱喂马匹，天不明就行。及鸡方鸣，随唤从者，却又惊动寺僧，整治茶汤斋供。斋罢，出离边界。

这长老心忙，太起早了。原来此时秋深时节，鸡鸣得早，只好有四更天气。一行三人，连马四口，迎着清霜，看着明月，行有

① 促趱（zǎn）：催着快走。

数十里远近，见一山岭，只得拨草寻路，说不尽崄峻难走，又恐怕错了路径。正疑思之间，忽然失足，三人连马都跌落坑坎之中。三藏心慌，从者胆战。却才悚惧，又闻得里面哮吼高呼，叫："拿将来！拿将来！"只见狂风滚滚，拥出五六十个妖邪，将三藏、从者揪了上去。这法师战战兢兢的偷睛观看，上面坐的那魔王十分凶恶，真个是：

雄威身凛凛，猛气貌堂堂。
电目飞光艳，雷声振四方。
锯牙舒口外，凿齿露腮旁。
锦绣围身体，文斑裹脊梁。
钢须稀见肉，钩爪利如霜。
东海黄公①惧，南山白额王。

唬得个三藏魂飞魄散，二从者骨软筋麻。魔王喝令绑了，众妖一齐将三人用绳索绑缚。正要安排吞食，只听得外面喧哗，有人来报："熊山君与特处士二位来也。"三藏闻言，抬头观看，前走的是一条黑汉。你道他是怎生模样：

雄豪多胆量，轻健夯②身躯。
涉水惟凶力，跑林逞怒威。
向来符吉梦，今独露英姿。
绿树能攀折，知寒善谕时。
唯灵惟显处，故此号山君。

又见那后边来的是一条胖汉。你道怎生模样：

嵯峨双角冠，端肃耸肩背。

① 东海黄公：古代传说东海有个叫黄公的人，能用法术治虎。后年迈力衰，饮酒过度，不能复行其术，结果被虎吃了。

② 夯（bèn）：蠢、笨。后文第十九回的"夯货"，则是骂人蠢东西。

性服青衣稳，蹄步多迟滞。

宗名父作牯，原号母称牸①。

能为田者功，因名特处士。

这两个摇摇摆摆，走入里面，慌得那魔王奔出迎接。熊山君道："寅将军，一向得意。可贺！可贺！"特处士道："寅将军丰姿胜常。真可喜！真可喜！"魔王道："二公连日如何？"山君道："惟守素耳。"处士道："惟随时耳。"三个叙罢，各坐谈笑。

只见那从者绑得痛切悲啼。那黑汉道："此三者何来？"魔王道："自送上门来者。"处士笑云："可能待客否？"魔王道："奉承！奉承！"山君道："不可尽用，食其二，留其一可也。"魔王领诺，即呼左右，将二从者剖腹剜心，剁碎其尸。将首级与心肝奉献二客，将四肢自食，其馀骨肉尽分给各妖。只听得啯啅②之声，真似虎啖羊羔，霎时食尽。把一个长老，几乎唬死。这才是初出长安第一场苦难。

正怆慌之间，渐渐的东方发白。那二怪至天晓方散，俱道："今日厚扰，容日竭诚奉酬。"方一拥而退。不一时，红日高升。三藏昏昏沉沉，也辨不得东西南北。正在那不得命处，忽然见一老叟，手持拄杖而来，走上前用手一拂，绳索皆断。对面吹了一口气，三藏方苏，跪拜于地道："多谢老公公搭救贫僧性命！"老叟答礼道："你起来。你可曾疏失了甚么东西？"三藏道："贫僧的从人，已是被怪食了。只不知行李、马匹在于何处？"老叟用杖指定道："那厢不是一匹马，两个包袱？"三藏回头看时，果是他的物件，并不曾失落，心才略放下些，问老叟曰："老公公，此

---

① 牸（zì）：一般指雌性牲畜。此处指母牛。前文"牯"指公牛。

② 啯（guō）啅（zhuó）：形容吞咽食物的声音。

处是甚所在？公公何由在此?”老叟道:“此是双叉岭,乃虎狼巢穴处。你为何堕此?”三藏道:“贫僧鸡鸣时出河州卫界,不料起得早了,冒霜拨露,忽失落此地。见一魔王,凶顽太甚,将贫僧与二从者绑了。又见一条黑汉,称是熊山君;一条胖汉,称是特处士;走进来,称那魔王是寅将军。他三个把我二从者吃了,天光才散。不想我是那里有这大缘大分,感得老公公来此救我?”老叟道:“处士者是个野牛精,山君者是个熊罴精,寅将军者是个老虎精。左右妖邪,尽都是山精树鬼,怪兽苍狼。只因你的本性元明,所以吃不得你。你跟我来,引你上路。”三藏不胜感激,将包袱捎在马上,牵着缰绳,相随老叟径出了坑坎之中,走上大路。却将马拴在道旁草头上,转身拜谢那公公,那公公遂化作一阵清风,跨一只朱顶白鹤,腾空而去。只见风飘飘遗下一张简帖,书上四句颂子。颂子云:

“吾乃西天太白星,特来搭救汝生灵。

前行自有神徒助,莫为艰难报怨经。”

三藏看了,对天礼拜道:“多谢金星,度脱此难。”拜毕,牵了马匹,独自个孤孤恓恓,往前苦进。这岭上真个是:

寒飒飒雨林风,响潺潺涧下水。香馥馥野花开,密丛丛乱石磊。闹嚷嚷鹿与猿,一队队獐和麂。喧杂杂鸟声多,静悄悄人事靡。那长老,战兢兢心不宁;这马儿,力怯怯蹄难举。

三藏舍身拚命,上了那峻岭之间。行经半日,更不见个人烟村舍。一则腹中饥了,二则路又不平。正在危急之际,只见前面有两只猛虎咆哮,后边有几条长蛇盘绕;左有毒虫,右有怪兽。三藏孤身无策,只得放下身心,听天所命。又无奈那马腰软蹄弯,便屎俱下,伏倒在地,打又打不起,牵又牵不动。苦得个法师衬身无地，真个有万分凄楚，已自分必死，莫可奈何。

却说他虽有灾迍①，却有救应。正在那不得命处，忽然见毒虫奔走，妖兽飞逃，猛虎潜踪，长蛇隐迹。三藏抬头看时，只见一人，手执钢叉，腰悬弓箭，自那山坡前转出，果然是一条好汉。你看他：

头上戴一顶艾叶花斑豹皮帽，身上穿一领羊绒织锦叵罗衣，腰间束一条狮蛮带，脚下蹦一对麂皮靴。环眼圆睛如吊客②，圈须乱扰似河奎。悬一囊毒药弓矢，拿一杆点钢大叉。雷声震破山虫胆，勇猛惊残野雉魂。

三藏见他来得渐近，跪在路旁，合掌高叫道："大王救命！大王救命！"那条汉到边前，放下钢叉，用手搀起道："长老休怕。我不是歹人。我是这山中的猎户，姓刘名伯钦，绰号镇山太保。我才自来，要寻两只山虫食用，不期遇着你，多有冲撞。"三藏道："贫僧是大唐驾下钦差往西天拜佛求经的和尚。适间来到此处，遇着些狼虎蛇虫，四边围绕，不能前进。忽见太保来，众兽皆走，救了贫僧性命。多谢！多谢！"伯钦道："我在这里住人，专倚打些狼虎为生，捉些蛇虫过活，故此众兽怕我，走了。你既是唐朝来的，与我都是乡里。此间还是大唐的地界，我也是唐朝的百姓，我和你同食皇王的水土，诚然是一国之人。你休怕，跟我来。到我舍下歇马，明朝我送你上路。"三藏闻言，满心欢喜，谢了伯钦，牵马随行。

过了山坡，又听得呼呼风响。伯钦道："长老休走，坐在此间。风响处，是个山猫来了。等我拿他家去管待你。"三藏见说，又胆战心惊，不敢举步。那太保执了钢叉，拽开步，迎将上

① 灾迍(zhūn)：灾祸，困顿。
② 吊客：与下文的"河奎"，都是古代凶神名字。

去。只见一只斑斓虎，对面撞见。他看见伯钦，急回头就走。这太保霹雳一声，咄道："那业畜！那里走！"那虎见赶，急转身抡爪扑来。这太保三股叉举手迎敌，唬得个三藏软瘫在草地。这和尚自出娘肚皮，那曾见这样凶险的勾当？太保与那虎在那山坡下，人虎相持，果是一场好斗。但见：

怒气纷纷，狂风滚滚。怒气纷纷，太保冲冠多膂力；狂风滚滚，斑彪逞势喷红尘。那一个张牙舞爪，这一个转步回身。三股叉擎天幌日，千花尾扰雾飞云。这一个当胸乱刺，那一个劈面来吞。闪过的再生人道，撞着的定见阎君。只听得那斑彪哮吼，太保声哏①。斑彪哮吼，振裂山川惊鸟兽；太保声哏，喝开天府现星辰。那一个金睛怒出，这一个壮胆生嗔。可爱镇山刘太保，堪夸据地兽之君。人虎贪生争胜负，些儿有慢丧三魂。

他两个斗了有一个时辰，只见那虎爪慢腰松，被太保举叉平胸刺倒，可怜呵，钢叉尖穿透心肝，霎时间血流满地。揪着耳朵，拖上路来。好男子！气不连喘，面不改色，对三藏道："造化！造化！这只山猫，够长老食用几日。"三藏夸赞不尽，道："太保真山神也！"伯钦道："有何本事，敢劳过奖？这个是长老的洪福。去来！赶早儿剥了皮，煮些肉，管待你也。"他一只手执着叉，一只手拖着虎，在前引路。三藏牵着马，随后而行。迤逦行过山坡，忽见一座山庄。那门前真个是：

参天古树，漫路荒藤。万壑风尘冷，千崖气象奇。一径野花香袭体，数竿幽竹绿依依。卓门楼，篱笆院，堪描堪画；石板桥，白土壁，真乐真稀。秋容潇索，爽气孤高。道傍黄

① 哏（hěn）：同"狠"，后文第十五回的哏哏，就是狠狠的意思。

叶落，岭上白云飘。疏林内山禽聒聒，庄门外细犬嘹嘹。

伯钦到了门首，将死虎掷下，叫："小的们何在？"只见走出三四个家僮，都是怪形恶相之类，上前拖拖拉拉，把只虎扛将进去。伯钦分付教："赶早剥了皮，安排将来待客。"复回头迎接三藏进内。彼此相见，三藏又拜谢伯钦厚恩怜悯救命。伯钦道："同乡之人，何劳致谢。"坐定茶罢，有一老妪领着一个媳妇，对三藏进礼。伯钦道："此是家母、山妻。"三藏道："请令堂上坐，贫僧奉拜。"老妪道："长老远客，各请自珍，不劳拜罢。"伯钦道："母亲呵，他是唐王驾下差往西天见佛求经者。适间在岭头上遇着孩儿，孩儿念一国之人，请他来家歇马，明日送他上路。"老妪闻言，十分欢喜道："好！好！好！就是请他，不得这般恰好。明日你父亲周忌①，就浼②长老做些好事，念卷经文，到后日送他去罢。"这刘伯钦虽是一个杀虎手，镇山的太保，他却有些孝顺之心。闻得母言，就要安排香纸，留住三藏。

说话间，不觉的天色将晚。小的们排开桌凳，拿几盘烂熟虎肉，热腾腾的放在上面。伯钦请三藏权用，再另办饭。三藏合掌当胸道："善哉！贫僧不瞒太保说：自出娘胎就做和尚，更不晓得吃荤。"伯钦闻得此说，沉吟了半晌道："长老，寒家历代以来，不晓得吃素；就是有些竹笋，采些木耳，寻些干菜，做些豆腐，也都是獐鹿虎豹的油煎，却无甚素处。有两眼锅灶，也都是油腻透了。这等奈何？反是我请长老的不是。"三藏道："太保不必多心，请自受用。我贫僧就是三五日不吃饭，也可忍饿，只是不敢破了斋戒。"伯钦道："倘或饿死，却如之何？"三藏道："感得太保

① 周忌：死者的周年纪念日。

② 浼(měi)：请求，央求。

天恩，搭救出虎狼丛里，就是饿死，也强如喂虎。”伯钦的母亲闻说，叫道：“孩儿不要与长老闲讲，我自有素物，可以管待。”伯钦道：“素物何来？”母亲道：“你莫管我，我自有素的。”叫媳妇将小锅取下，着火烧了油腻，刷了又刷，洗了又洗，却仍安在灶上。先烧半锅滚水别用；却又将些山地榆叶子，着水煎作茶汤；然后将些黄粱粟米，煮起饭来；又把些干菜煮熟；盛了两碗，拿出来铺在桌上。老母对三藏道：“长老请斋。这是老身与儿妇亲自动手，整理的些极洁极净的茶饭。”三藏下来谢了，方才上坐。那伯钦另设一处，铺排些没盐没酱的老虎肉、香獐肉、蟒蛇肉、狐狸肉、兔肉点剁①、鹿肉干巴，满盘满碗的，陪着三藏吃斋。方坐下，心欲举箸，只见三藏合掌诵经，唬得个伯钦不敢动箸，急起身立在旁边。三藏念不数句，却教：“请斋。”伯钦道：“你是个念短头经的和尚？”三藏道：“此非是经，乃是一卷揭斋之咒。”伯钦道：“你们出家人，偏有许多计较，吃饭便也念诵念诵。”

吃了斋饭，收了盘碗，渐渐天晚，伯钦引着三藏出中宅，到后边走走。穿过夹道，有一座草亭。推开门，入到里面，只见那四壁上挂几张强弓硬弩，插几壶箭；过梁上搭两块血腥的虎皮；墙根头插着许多枪刀叉棒；正中间设两张坐器。伯钦请三藏坐坐。三藏见这般凶险腌脏，不敢久坐，遂出了草亭。又往后再行，是一座大园子，却看不尽那丛丛菊蕊堆黄，树树枫杨挂赤。又见呼的一声，跑出十来只肥鹿，一大阵黄獐，见了人，呢呢痴痴②，更不恐惧。三藏道：“这獐鹿想是太保养家了的？”伯钦道：“似你那长安城中人家，有钱的集财宝，有庄的集聚稻粮；似我们这打

① 点剁：剁碎的肉。

② 呢呢痴痴：形容柔驯无猜的神态。

猎的，只得聚养些野兽，备天阴耳。”他两个说话闲行，不觉黄昏，复转前宅安歇。

次早，那家老小都起来，就整素斋，管待长老，请开启念经。这长老净了手，同太保家堂①前拈了香，拜了家堂，三藏方敲响木鱼，先念了净口业的真言，又念了净身心的神咒，然后开《度亡经》一卷。诵毕，伯钦又请写荐亡疏一道。再开念《金刚经》、《观音经》，一一朗音高诵。诵毕，吃了午斋，又念《法华经》、《弥陀经》。各诵几卷，又念一卷《孔雀经》，及谈苾蒭洗业的故事②。早又天晚。献过了种种香火，化了众神纸马，烧了荐亡文疏。佛事已毕，又各安寝。

却说那伯钦的父亲之灵，超荐得脱沉沦，鬼魂儿早来到东家宅内，托一梦与合宅长幼道：“我在阴司里苦难难脱，日久不得超生。今幸得圣僧，念了经卷，消了我的罪业，阎王差人送我上中华富地、长者人家托生去了。你们可好生谢送长老，不要怠慢，不要怠慢。我去也。”这才是：万法庄严端有意，荐亡离苦出沉沦。那合家儿梦醒，又早太阳东上。伯钦的娘子道：“太保，我今夜梦见公公来家，说他在阴司苦难难脱，日久不得超生。今幸得圣僧念了经卷，消了他的罪业，阎王差人送他上中华富地、

① 家堂：原指安放祖先神位的房间，后也指祖先的神位。

② 苾（bì）蒭（chú）洗业的故事：佛教相传，如来在给孤独园东北一座塔下，看见一个愁苦独居的修行人，如来问他：“为甚么独居愁苦？”他说：“有病无人看顾。”如来用手抚摩他，他的病就好了。如来将他扶出屋外，给他盥洗，改穿新衣，劝他努力。这个修行人，从此心身感到非常的愉快。这个故事，佛教称为“苾蒭洗业的故事”。苾蒭，也作比丘，是印度称修行人的音译。业，梵语羯磨的译意。属于过去的为宿业，现在的为现业。这里是指宿业言。

长者人家托生去，教我们好生谢那长老，不得怠慢。他说罢，径出门，徉徜去了。我们叫他不应，留他不住，醒来却是一梦。”伯钦道：“我也是那等一梦，与你一般。我们起去对母亲说去。”他两口子正欲去说，只见老母叫道：“伯钦孩儿，你来，我与你说话。”二人至前，老母坐在床上道：“儿呵，我今夜得了个喜梦，梦见你父亲来家，说多亏了长老超度，已消了罪业，上中华富地、长者家去托生。”夫妻们俱呵呵大笑道：“我与媳妇皆有此梦，正来告禀，不期母亲呼唤，也是此梦。”遂叫一家大小起来，安排谢意，替他收拾马匹，都至前拜谢道：“多谢长老超荐我亡父脱难超生，报答不尽！”三藏道：“贫僧有何能处，敢劳致谢？”

伯钦把三口儿的梦话，对三藏陈诉一遍，三藏也喜。早供给了素斋，又具白银一两为谢。三藏分文不受。一家儿又恳恳拜央，三藏毕竟分文未受，但道：“是你肯发慈悲送我一程，足感至爱。”伯钦与母、妻无奈，急做了些粗面烧饼干粮，叫伯钦远送。三藏欢喜收纳。太保领了母命，又唤两三个家僮，各带捕猎的器械，同上大路。看不尽那山中野景，岭上风光。

行经半日，只见对面处有一座大山，真个是高接青霄，崔巍险峻。三藏不一时到了边前，那太保登此山如行平地。正走到半山之中，伯钦回身立于路下道：“长老，你自前进，我却告回。”三藏闻言，滚鞍下马道：“千万敢劳太保再送一程！”伯钦道：“长老不知：此山唤做两界山。东半边属我大唐所管，西半边乃是鞑靼的地界。那厢狼虎，不伏我降，我却也不能过界，故此告回，你自去罢。”三藏心惊，抡开手，牵衣执袂，滴泪难分。正在叮咛拜别之际，只听得山脚下叫喊如雷道：“我师父来也！我师父来也！”唬得个三藏痴呆，伯钦打挣。毕竟不知是甚人叫喊，且听下回分解。

第十四回

心猿归正　六贼[1]无踪

诗曰：

佛即心兮心即佛，心佛从来皆要物。
若知无物又无心，便是真如法身佛。
法身佛，没模样，一颗圆光涵万象。
无体之体即真体，无相之相即实相。
非色非空非不空，不来不向不回向。
无异无同无有无，难舍难取难听望。
内外灵光到处同，一佛国在一沙中。
一粒沙含大千界，一个身心万个同。
知之须会无心诀，不染不滞为净业。
善恶千端无所为，便是南无释迦叶。

却说那刘伯钦与唐三藏惊惊慌慌，又闻得叫声"师父来也"。众家僮道："这叫的必是那山脚下石匣中老猿。"太保道："是他！是他！"三藏问："是甚么老猿？"太保道："这山旧名五行山，因我大唐王征西定国，改名两界山。先年间曾闻得老人家说：'王莽篡汉之时，天降此山，下压着一个神猴，不怕寒暑，不吃饮食，自有土神监押，教他饥餐铁丸，渴饮铜汁，自昔到今，冻

① 六贼：佛教认为眼、耳、鼻、舌、身、意为六贼。

饿不死。'这叫必定是他。长老莫怕,我每下山去看来。"三藏只得依从,牵马下山。行不数里,只见那石匣之间,果有一猴,露着头,伸着手,乱招手道:"师父,你怎么此时才来?来得好!来得好!救我出来,我保你上西天去也!"这长老近前细看,你道他是怎生模样:

尖嘴朔①腮,金睛火眼。头上堆苔藓,耳中生薜萝。鬓边少发多青草,颔下无须有绿莎。眉间土,鼻凹泥,十分狼狈;指头粗,手掌厚,尘垢馀多。还喜得眼睛转动,喉舌声和。语言虽利便,身体莫能那②。正是五百年前孙大圣,今朝难满脱天罗。

刘太保诚然胆大,走上前来,与他拔去了鬓边草,颔下莎,问道:"你有甚么说话?"那猴道:"我没话说。教那个师父上来,我问他一问。"三藏道:"你问我甚么?"那猴道:"你可是东土大王差往西天取经去的么?"三藏道:"我正是。你问怎么?"那猴道:"我是五百年前大闹天宫的齐天大圣。只因犯了诳上之罪,被佛祖压于此处。前者有个观音菩萨,领佛旨意,上东土寻取经人。我教他救我一救,他劝我再莫行凶,归依佛法,尽殷勤保护取经人往西方拜佛,功成后自有好处。故此昼夜提心,晨昏吊胆,只等师父来救我脱身。我愿保你取经,与你做个徒弟。"三藏闻言,满心欢喜道:"你虽有此善心,又蒙菩萨教诲,愿入沙门,只是我又没斧凿,如何救得你出?"那猴道:"不用斧凿,你但肯救我,我自出来也。"三藏道:"我自救你,你怎得出来?"那猴道:"这山顶上有我佛如来的金字压帖。你只上山去将帖儿揭

①　朔:"缩"的借字。

②　那:同"挪"。本书"挪"多作"那"。

起，我就出来了。”三藏依言，遂回头央浼刘伯钦道：“太保呵，我与你上山走一遭。”伯钦道：“不知真假何如！”那猴高叫道：“是真！决不敢虚谬！”伯钦只得呼唤家僮牵了马匹，他却扶着三藏复上高山。攀藤附葛，只行到那极巅之处，果然见金光万道，瑞气千条，有块四方大石，石上贴着一封皮，却是“唵、嘛、呢、叭、嚜、吽”六个金字。三藏近前跪下，朝石头看着金字，拜了几拜，望西祷祝道：“弟子陈玄奘，特奉旨意求经，果有徒弟之分，揭得金字，救出神猴，同证灵山；若无徒弟之分，此辈是个凶顽怪物，哄赚弟子，不成吉庆，便揭不得起。”祝罢，又拜。拜毕，上前将六个金字轻轻揭下。只闻得一阵香风，劈手把压帖儿刮在空中，叫道：“吾乃监押大圣者。今日他的难满，吾等回见如来，缴此封皮去也。”吓得个三藏与伯钦一行人，望空礼拜。径下高山，又至石匣边，对那猴道：“揭了压帖矣，你出来么。”那猴欢喜，叫道：“师父，你请走开些，我好出来。莫惊了你。”

伯钦听说，领着三藏，一行人回东即走。走了五七里远近，又听得那猴高叫道：“再走！再走！”三藏又行了许远，下了山，只闻得一声响亮，真个是地裂山崩。众人尽皆悚惧。只见那猴早到了三藏的马前，赤淋淋跪下，道声：“师父，我出来也！”对三藏拜了四拜，急起身，与伯钦唱个大喏道：“有劳大哥送我师父，又承大哥替我脸上薅①草。”谢毕，就去收拾行李，扣背马匹。那马见了他，腰软蹄矬，战兢兢的立站不住。盖因那猴原是弼马温，在天上看养龙马的，有些法则，故此凡马见他害怕。

三藏见他意思，实有好心，真个像沙门中的人物，便叫：“徒弟啊，你姓甚么？”猴王道：“我姓孙。”三藏道：“我与你起个法

---

① 薅（hāo）：拔草。

名，却好呼唤。”猴王道：“不劳师父盛意。我原有个法名，叫做孙悟空。”三藏欢喜道：“也正合我们的宗派。你这个模样，就像那小头陀一般，我再与你起个混名，称为行者，好么？”悟空道：“好！好！好！”自此时又称为孙行者。

那伯钦见孙行者一心收拾要行，却转身对三藏唱个喏道：“长老，你幸此间收得个好徒，甚喜，甚喜！此人果然去得。我却告回。”三藏躬身作礼相谢道：“多有拖步，感激不胜。回府多多致意令堂老夫人，令荆夫人，贫僧在府多扰，容回时踵谢①。”伯钦回礼，遂此两下分别。

却说那孙行者请三藏上马，他在前边背着行李，赤条条，拐步而行。不少时，过了两界山，忽然见一只猛虎，咆哮剪尾而来。三藏在马上惊心。行者在路旁欢喜道：“师父莫怕他。他是送衣服与我的。”放下行李，耳朵里拔出一个针儿，迎着风幌一幌，原来是个碗来粗细一条铁棒。他拿在手中，笑道：“这宝贝，五百馀年不曾用着他，今日拿出来挣件衣服儿穿穿。”你看他拽开步，迎着猛虎，道声：“业畜！那里去！”那只虎蹲着身，伏在尘埃，动也不敢动动。却被他照头一棒，就打的脑浆迸万点桃红，牙齿喷几珠玉块，唬得那陈玄奘滚鞍落马，咬指道声：“天那！天那！刘太保前日打的斑斓彪，还与他斗了半日；今日孙悟空不用争持，把这虎一棒打得稀烂，正是‘强中更有强中手’！”

行者拖将虎来道：“师父略坐一坐，等我脱下他的衣服来，穿了走路。”三藏道：“他那里有甚衣服？”行者道：“师父莫管我，我自有处置。”好猴王，把毫毛拔下一根，吹口仙气叫：“变！”变

① 踵谢：登门道谢。踵，走到。

作一把牛耳尖刀,从那虎腹上挑开皮,往下一剥,剥下个囫囵皮来;剁去了爪甲,割下头来,割个四四方方一块虎皮,提起来,量了一量道:"阔了些儿。一幅可作两幅。"拿过刀来,又裁为两幅。收起一幅,把一幅围在腰间,路旁揪了一条葛藤,紧紧束定,遮了下体道:"师父,且去!且去!到了人家,借些针线,再缝不迟。"他把条铁棒捻一捻,依旧像个针儿,收在耳里,背着行李,请师父上马。

两个前进,长老在马上问道:"悟空,你才打虎的铁棒,如何不见?"行者笑道:"师父,你不晓得。我这棍,本是东洋大海龙宫里得来的,唤做'天河镇底神珍铁',又唤做'如意金箍棒'。当年大反天宫,甚是亏他。随身变化,要大就大,要小就小。刚才变做一个绣花针儿模样,收在耳内矣。但用时,方可取出。"三藏闻言暗喜,又问道:"方才那只虎见了你,怎么就不动动,让自在①打他,何说?"悟空道:"不瞒师父说,莫道是只虎,就是一条龙,见了我也不敢无礼。我老孙颇有降龙伏虎的手段,翻江搅海的神通;见貌辨色,聆音察理;大之则量于宇宙,小之则摄于毫毛;变化无端,隐显莫测。剥这个虎皮,何为稀罕?见到那疑难处,看展本事么!"三藏闻得此言,愈加放怀无虑,策马前行。师徒两个走着路,说着话,不觉得太阳星坠。但见:

焰焰斜辉返照,天涯海角归云。千山鸟雀噪声频,觅宿投林成阵。　野兽双双对对,回窝族族群群。一钩新月破黄昏,万点明星光晕。

行者道:"师父走动些,天色晚了。那壁厢树木森森,想必是人家庄院,我们赶早投宿去来。"三藏果策马而行,径奔人家,到了

① 自在:任意、随意。

庄院前下马。行者撇了行李，走上前，叫声："开门！开门！"那里面有一老者扶筇[①]而出，嗯喇的开了门，看见行者这般恶相，腰系着一块虎皮，好似个雷公模样，唬得脚软身麻，口出谵语[②]道："鬼来了！鬼来了！"三藏近前搀住，叫道："老施主，休怕。他是我贫僧的徒弟，不是鬼怪。"老者抬头，见了三藏的面貌清奇，方然立定，问道："你是那寺里来的和尚，带这恶人上我门来？"三藏道："我贫僧是唐朝来的，往西天拜佛求经。适路过此间，天晚，特造檀府[③]借宿一宵，明早不犯天光[④]就行。万望方便一二。"老者道："你虽是个唐人，那个恶的，却非唐人。"悟空厉声高呼道："你这个老儿全没眼色！唐人是我师父，我是他徒弟！我也不是甚'糖人，蜜人'，我是齐天大圣。你们这里人家，也有认得我的。我也曾见你来。"那老者道："你在那里见我？"悟空道："你小时不曾在我面前扒柴？不曾在我脸上挑菜？"老者道："这厮胡说！你在那里住？我在那里住？我来你面前扒柴、挑菜！"悟空道："我儿子便胡说！你是认不得我了，我本是这两界山石匣中的大圣。你再认认看。"老者方才省悟道："你倒有些像他；但你是怎么得出来的？"悟空将菩萨劝善，"令我等待唐僧揭帖脱身"之事，对那老者细说了一遍。老者却才下拜，将唐僧请到里面，即唤老妻与儿女都来相见，具言前事，个个忻喜。又命看茶。茶罢，问悟空道："大圣啊，你也有年纪了？"悟空道："你今年几岁了？"老者道："我痴长一百三十岁了。"行者道："还是我重子重孙哩！我那生身的年纪，我不记得是几时；

① 扶筇(qióng)：拄着手杖。筇，竹名，可做手杖。
② 谵(zhān)语：神志不清时说的胡话。
③ 檀府：对别人住宅的尊称。
④ 不犯天光：不等天明。

但只在这山脚下,已五百馀年了。”老者道:“是有,是有。我曾记得祖公公说,此山乃从天降下,就压了一个神猴。只到如今,你才脱体。我那小时见你,是你头上有草,脸上有泥,还不怕你;如今脸上无了泥,头上无了草,却像瘦了些,腰间又苫①了一块大虎皮,与鬼怪能差多少?”

一家儿听得这般话说,都呵呵大笑。这老儿颇贤,即令安排斋饭。饭后,悟空道:“你家姓甚?”老者道:“舍下姓陈。”三藏闻言,即下来起手道:“老施主,与贫僧是华宗②。”行者道:“师父,你是唐姓,怎的和他是华宗?”三藏道:“我俗家也姓陈,乃是唐朝海州弘农郡聚贤庄人氏。我的法名叫做陈玄奘。只因我大唐太宗皇帝赐我做御弟三藏,指唐为姓,故名唐僧也。”那老者见说同姓,又十分欢喜。行者道:“老陈,左右打搅你家。我有五百多年不洗澡了。你可去烧些汤来,与我师徒们洗浴洗浴,一发临行谢你。”那老儿即令烧汤拿盆,掌上灯火。师徒浴罢,坐在灯前。行者道:“老陈,还有一事累你,有针线借我用用。”那老儿道:“有,有,有。”即教妈妈取针线来,递与行者。行者又有眼色:见师父洗浴,脱下一件白布短小直裰③未穿,他即扯过来披在身上,却将那虎皮脱下,联接一处,打一个马面样的折子,围在腰间,勒了藤条,走到师父面前道:“老孙今日这等打扮,比昨日如何?”三藏道:“好!好!好!这等样才像个行者。”三藏道:“徒弟,你不嫌残旧,那件直裰儿,你就穿了罢。”悟空唱个喏道:“承赐!承赐!”他又去寻些草料喂了马。此时各各事毕,师徒与那老儿亦各归寝。

---

① 苫(shàn):覆、盖的意思。

② 华宗:原指贵显之族,后来就称同姓的人为华宗。

③ 直裰(duō):僧人穿的一种长袍。

次早，悟空起来，请师父走路。三藏着衣，教行者收拾铺盖行李。正欲告辞，只见那老儿早具脸汤，又具斋饭。斋罢，方才起身。三藏上马，行者引路。不觉饥餐渴饮，夜宿晓行，又值初冬时候。但见那：

霜凋红叶千林瘦，岭上几株松柏秀。未开梅蕊散香幽，暖短昼，小春候，菊残荷尽山茶茂。寒桥古树争枝斗，曲涧涓涓泉水溜。淡云欲雪满天浮，朔风骤，牵衣袖，向晚寒威人怎受？

师徒们正走多时，忽见路旁唿哨一声，闯出六个人来，各执长枪短剑，利刃强弓，大咤一声道："那和尚！那里走！赶早留下马匹，放下行李，饶你性命过去！"唬得那三藏魂飞魄散，跌下马来，不能言语。行者用手扶起道："师父放心，没些儿事。这都是送衣服送盘缠与我们的。"三藏道："悟空，你想有些耳闭？他说教我们留马匹、行李，你倒问他要甚么衣服、盘缠？"行者道："你管守着衣服、行李、马匹，待老孙与他争持一场，看是何如。"三藏道："好手不跌双拳，双拳不如四手。他那里六条大汉，你这般小小的一个人儿，怎么敢与他争持？"

行者的胆量原大，那容分说，走上前来，叉手当胸，对那六个人施礼道："列位有甚么缘故，阻我贫僧的去路？"那人道："我等是剪径①的大王，行好心的山主。大名久播，你量不知。早早的留下东西，放你过去；若道半个'不'字，教你碎尸粉骨！"行者道："我也是祖传的大王，积年的山主，却不曾闻得列位有甚大名。"那人道："你是不知，我说与你听：一个唤作眼看喜，一个唤

① 剪径：指拦路抢劫。犹如说截路、短路。

作耳听怒,一个唤作鼻嗅爱,一个唤作舌尝思,一个唤作意见欲,一个唤作身本忧。”悟空笑道:“原来是六个毛贼!你却不认得我这出家人是你的主人公,你倒来挡路。把那打劫的珍宝拿出来,我与你作七分儿均分,饶了你罢!”那贼闻言,喜的喜,怒的怒,爱的爱,思的思,忧的忧,欲的欲,一齐上前乱嚷道:“这和尚无礼!你的东西全然没有,转来和我等要分东西!”他抡枪舞剑,一拥前来,照行者劈头乱砍,乒乓乒乓,砍有七八十下。悟空停立中间,只当不知。那贼道:“好和尚!真个的头硬!”行者笑道:“将就看得过罢了!你们也打得手困了,却该老孙取出个针儿来耍耍。”那贼道:“这和尚是一个行针灸的郎中变的。我们又无病症,说甚么动针的话!”

行者伸手去耳朵里拔出一根绣花针儿,迎风一幌,却是一条铁棒,足有碗来粗细,拿在手中道:“不要走!也让老孙打一棍儿试试手!”唬得这六个贼四散逃走,被他拽开步,团团赶上,一个个尽皆打死。剥了他的衣服,夺了他的盘缠,笑吟吟走将来道:“师父请行,那贼已被老孙剿了。”三藏道:“你十分撞祸!他虽是剪径的强徒,就是拿到官司,也不该死罪;你纵有手段,只可退他去便了,怎么就都打死?这却是无故伤人的性命,如何做得和尚?出家人‘扫地恐伤蝼蚁命,爱惜飞蛾纱罩灯’。你怎么不分皂白,一顿打死?全无一点慈悲好善之心!早还是山野中无人查考,若到城市,倘有人一时冲撞了你,你也行凶,执着棍子乱打伤人,我可做得白客①?怎能脱身?”悟空道:“师父,我若不打死他,他却要打死你哩。”三藏道:“我这出家人,宁死决不敢行凶。我就死,也只是一身,你却杀了他六人,如何理说?此事若

① 白客:清白无辜的人。

告到官，就是你老子做官，也说不过去。”行者道：“不瞒师父说，我老孙五百年前，据花果山称王为怪的时节，也不知打死多少人，假似你说这般到官，倒也得些状告是①。”三藏道：“只因你没收没管，暴横人间，欺天诳上，才受这五百年前之难。今既入了沙门，若是还像当时行凶，一味伤生，去不得西天，做不得和尚！忒恶！忒恶！”

原来这猴子一生受不得人气。他见三藏只管绪绪叨叨，按不住心头火发道：“你既是这等说我做不得和尚，上不得西天，不必恁般绪聒②恶我，我回去便了！”那三藏却不曾答应，他就使一个性子，将身一纵，说一声：“老孙去也！”三藏急抬头，早已不见，只闻得呼的一声，回东而去。撇得那长老孤孤零零，点头自叹，悲怨不已，道：“这厮！这等不受教诲！我但说他几句，他怎么就无形无影的，径回去了？——罢！罢！罢！也是我命里不该招徒弟，进人口！如今欲寻他无处寻，欲叫他叫不应，去来！去来！”正是舍身拼命归西去，莫倚旁人自主张。

那长老只得收拾行李，捎在马上，也不骑马，一只手拄着锡杖，一只手揪着缰绳，凄凄凉凉，往西前进。行不多时，只见山路前面，有一个年高的老母，捧一件绵衣，绵衣上有一顶花帽。三藏见他来得至近，慌忙牵马，立于右侧让行。那老母问道：“你是那里来的长老，孤孤恓恓独行于此？”三藏道：“弟子乃东土大唐奉圣旨往西天拜活佛求真经者。”老母道：“西方佛乃大雷音寺天竺国界，此去有十万八千里路。你这等单人独马，又无个伴

---

① 是：语尾缀词，无实意。如后文第三十一回“柳柳惊是”。

② 绪聒：也作絮咶。噜苏、唠叨、吵闹的意思。

侣,又无个徒弟,你如何去得!”三藏道:“弟子日前收得一个徒弟,他性泼凶顽,是我说了他几句,他不受教,遂渺然而去也。”老母道:“我有这一领绵布直裰,一顶嵌金花帽。原是我儿子用的。他只做了三日和尚,不幸命短身亡。我才去他寺里,哭了一场,辞了他师父,将这两件衣帽拿来,做个忆念。长老呵,你既有徒弟,我把这衣帽送了你罢。”三藏道:“承老母盛赐;但只是我徒弟已走了,不敢领受。”老母道:“他那厢去了?”三藏道:“我听得呼的一声,他回东去了。”老母道:“东边不远,就是我家,想必往我家去了。我那里还有一篇咒儿,唤做‘定心真言’,又名做‘紧箍儿咒’。你可暗暗的念熟,牢记心头,再莫泄漏一人知道。我去赶上他,教他还来跟你,你却将此衣帽与他穿戴。他若不服你使唤,你就默念此咒,他再不敢行凶,也再不敢去了。”

三藏闻言,低头拜谢。那老母化一道金光,回东而去。三藏情知是观音菩萨授此真言,急忙撮土焚香,望东恳恳礼拜。拜罢,收了衣帽,藏在包袱中间。却坐于路旁,诵习那《定心真言》。来回念了几遍,念得烂熟,牢记心胸不题。

却说那悟空别了师父,一筋斗云径转东洋大海。按住云头,分开水道,径至水晶宫前。早惊动龙王出来迎接。接至宫里坐下,礼毕,龙王道:“近闻得大圣难满,失贺!想必是重整仙山,复归古洞矣。”悟空道:“我也有此心性,只是又做了和尚了。”龙王道:“做甚和尚?”行者道:“我亏了南海菩萨劝善,教我正果,随东土唐僧,上西方拜佛,皈依沙门,又唤为‘行者’了。”龙王道:“这等真是可贺!可贺!这才叫做改邪归正,惩创善心。既如此,怎么不西去,复东回何也?”行者笑道:“那是唐僧不识人性。有几个毛贼剪径,是我将他打死,唐僧就绪绪叨叨,说了我若干的不是。你想老孙可是受得闷气的？是我撇了他，欲回本山，故此先来望你一望，求钟茶吃。”龙王道：“承降！承降！”当时龙子龙孙即捧香茶来献。

茶毕，行者回头一看，见后壁上挂著一幅“圯桥进履”的画儿。行者道：“这是甚么景致？”龙王道：“大圣在先，此事在后，故你不认得。这叫做‘圯桥三进履’。”行者道：“怎的是‘三进履’？”龙王道：“此仙乃是黄石公。此子乃是汉世张良。石公坐在圯桥上，忽然失履于桥下，遂唤张良取来。此子即忙取来，跪献于前。如此三度，张良略无一毫倨傲怠慢之心。石公遂爱他勤谨，夜授天书，着他扶汉。后果然运筹帷幄之中，决胜千里之外。太平后，弃职归山，从赤松子游，悟成仙道。大圣，你若不保唐僧，不尽勤劳，不受教诲，到底是个妖仙，休想得成正果。”悟空闻言，沉吟半晌不语。龙王道：“大圣自当裁处，不可图自在，误了前程。”悟空道：“莫多话，老孙还去保他便了。”龙王忻喜道：“既如此，不敢久留，请大圣早发慈悲，莫要疏久了你师父。”行者见他催促请行，急耸身，出离海藏，驾着云，别了龙王。

正走，却遇着南海菩萨。菩萨道：“孙悟空，你怎么不受教诲，不保唐僧，来此处何干？”慌得个行者在云端里施礼道：“向蒙菩萨善言，果有唐朝僧到，揭了压帖，救了我命，跟他做了徒弟。他却怪我凶顽，我才子闪他一闪，如今就去保他也。”菩萨道：“赶早去，莫错过了念头。”言毕，各回。

这行者，须臾间看见唐僧在路旁闷坐。他上前道：“师父！怎么不走路？还在此做甚？”三藏抬头道：“你往那里去来？教我行又不敢行，动又不敢动，只管在此等你。”行者道：“我往东洋大海老龙王家讨茶吃吃。”三藏道：“徒弟呵，出家人不要说谎。你离了我，多一个时辰，就说到龙王家吃茶？”行者笑道：

“不瞒师父说：我会驾筋斗云，一个筋斗，有十万八千里路，故此得即去即来。”三藏道：“我略略的言语重了些儿，你就怪我，使个性子丢了我去。像你这有本事的，讨得茶吃；像我这去不得的，只管在此忍饿。你也过意不去呀！”行者道：“师父，你若饿了，我便去与你化些斋吃。”三藏道：“不用化斋。我那包袱里，还有些干粮，是刘太保母亲送的。你去拿钵盂寻些水来，等我吃个儿走路罢。”

行者去解开包袱，在那包裹中间见有几个粗面烧饼，拿出来递与师父。又见那光艳艳的一领绵布直裰，一顶嵌金花帽，行者道：“这衣帽是东土带来的？”三藏就顺口儿答应道：“是我小时穿戴的。这帽子若戴了，不用教经，就会念经；这衣服若穿了，不用演礼，就会行礼。”行者道：“好师父，把与我穿戴了罢。”三藏道：“只怕长短不一。你若穿得，就穿了罢。”行者遂脱下旧白布直裰，将绵布直裰穿上，也就是比量着身体裁的一般。把帽儿戴上。

三藏见他戴上帽子，就不吃干粮，却默默的念那《紧箍咒》一遍。行者叫道：“头疼！头疼！”那师父不住的又念了几遍，把个行者疼得打滚，抓破了嵌金的花帽。三藏又恐怕扯断金箍，住了口不念。不念时，他就不疼了。伸手去头上摸摸，似一条金线儿模样，紧紧的勒在上面，取不下，揪不断，已此生了根了。他就耳里取出针儿来，插入箍里，往外乱捎。三藏又恐怕他捎断了，口中又念起来，他依旧生疼，疼得竖蜻蜓，翻筋斗，耳红面赤，眼胀身麻。那师父见他这等，又不忍不舍，复住了口，他的头又不疼了。行者道：“我这头，原来是师父咒我的。”三藏道：“我念得是《紧箍经》，何曾咒你？”行者道：“你再念念看。”三藏真个又念。行者真个又疼，只教：“莫念！莫念！念动我就疼了！这是怎么说？”三藏道：“你今番可听我教诲了？”行者道：“听教了！”“你再可无礼了？”行者道：“不敢了！”

他口里虽然答应，心上还怀不善，把那针儿幌一幌，碗来粗细，望唐僧就欲下手，慌得长老口中又念了两三遍，这猴子跌倒在地，丢了铁棒，不能举手，只叫：“师父！我晓得了！再莫念！再莫念！”三藏道：“你怎么欺心，就敢打我？”行者道：“我不曾敢打。我问师父，你这法儿是谁教你的？”三藏道：“是适间一个老母传授我的。”行者大怒道：“不消讲了！这个老母，坐定是那个观世音！他怎么那等害我！等我上南海打他去！”三藏道：“此法既是他授与我，他必然先晓得了。你若寻他，他念起来，你却不是死了？”行者见说得有理，真个不敢动身，只得回心，跪下哀告道：“师父！这是他奈何我的法儿，教我随你西去。我也不去惹他，你也莫当常言只管念诵。我愿保你，再无退悔之意了。”三藏道：“既如此，伏侍我上马去也。”那行者才死心塌地，抖擞精神，束一束绵布直裰，叩背马匹，收拾行李，奔西而进。毕竟这一去，后面又有甚话说，且听下回分解。

第十五回

蛇盘山诸神暗佑　鹰愁涧意马收缰

却说行者伏侍唐僧西进,行经数日,正是那腊月寒天,朔风凛凛,滑冻凌凌,去的是些悬崖峭壁崎岖路,叠岭层峦险峻山。三藏在马上,遥闻唿喇喇水声聒耳,回头叫:"悟空,是那里水响?"行者道:"我记得此处叫做蛇盘山鹰愁涧,想必是涧里水响。"说不了,马到涧边,三藏勒缰观看。但见:

涓涓寒脉穿云过,湛湛清波映日红。
声摇夜雨闻幽谷,彩发朝霞眩太空。
千仞浪飞喷碎玉,一泓水响吼清风。
流归万顷烟波去,鸥鹭相忘没钓逢。

师徒两个正然看处,只见那涧当中响一声,钻出一条龙来,推波掀浪,撺出崖山,就抢长老。慌得个行者丢了行李,把师父抱下马来,回头便走。那条龙就赶不上,把他的白马连鞍辔一口吞下肚去,依然伏水潜踪。行者把师父送在那高埠上坐了,却来牵马挑担,止存得一担行李,不见了马匹。他将行李担送到师父面前道:"师父,那业龙也不见踪影,只是惊走我的马了。"三藏道:"徒弟呵,却怎生寻得马着么?"行者道:"放心,放心,等我去看来。"

他打个唿哨,跳在空中。火眼金睛,用手搭凉篷,四下里观看,更不见马的踪迹。按落云头,报道:"师父,我们的马断乎是那龙吃了,四下里再看不见。”三藏道:“徒弟呀,那厮能有多大口,却将那匹大马连鞍辔都吃了?想是惊张溜缰,走在那山凹之中。你再仔细看看。”行者道:“你也不知我的本事。我这双眼,白日里常看一千里路的吉凶。像那千里之内,蜻蜓儿展翅,我也看见,何期那匹大马,我就不见!”三藏道:“既是他吃了,我如何前进!可怜呵!这万水千山,怎生走得!”说着话,泪如雨落。行者见他哭将起来,他那里忍得住暴燥,发声喊道:“师父莫要这等脓包形么!你坐着!坐着!等老孙去寻着那厮,教他还我马匹便了!”三藏却才扯住道:“徒弟呀,你那里去寻他?只怕他暗地里撺将出来,却不又连我都害了?那时节人马两亡,怎生是好!”行者闻得这话,越加嗔怒,就叫喊如雷道:“你忒不济!不济!又要马骑,又不放我去,似这般看着行李,坐到老罢!”

哏哏的吆喝,正难息怒,只听得空中有人言语,叫道:“孙大圣莫恼,唐御弟休哭。我等是观音菩萨差来的一路神祇,特来暗中保取经者。”那长老闻言,慌忙礼拜。行者道:“你等是那几个,可报名来,我好点卯。”众神道:“我等是六丁六甲、五方揭谛、四值功曹、一十八位护教伽蓝,各各轮流值日听候。”行者道:“今日先从谁起?”众揭谛道:“丁甲、功曹、伽蓝轮次。我五方揭谛,惟金头揭谛昼夜不离左右。”行者道:“既如此,不当值者且退,留下六丁神将与日值功曹和众揭谛保守着我师父。等老孙寻那涧中的业龙,教他还我马来。”众神遵令。三藏才放下心,坐在石崖之上,分付行者仔细。行者道:“只管宽心。”好猴王,束一束绵布直裰,撩起虎皮裙子,揝着金箍铁棒,抖擞精神,径临涧壑,半云半雾的,在那水面上高叫道:“泼泥鳅,还我马来!还我马来!”

却说那龙吃了三藏的白马,伏在那涧底中间,潜灵养性。只听得有人叫骂索马，他按不住心中火发，急纵身跃浪翻波，跳将上来道："是那个敢在那里海口①伤吾？"行者见了他，大咤一声："休走！还我马来！"抡着棍，劈头就打。那条龙张牙舞爪来抓。他两个在涧边前这一场赌斗，果是骁雄。但见那：

龙舒利爪，猴举金箍。那个须垂白玉线，这个眼幌赤金灯。那个须下明珠喷彩雾，这个手中铁棒舞狂风。那个是迷爷娘的业子，这个是欺天将的妖精。他两个都因有难遭磨折，今要成功各显能。

来来往往，战罢多时，盘旋良久，那条龙力软筋麻，不能抵敌，打一个转身，又撺于水内，深潜涧底，再不出头。被猴王骂詈②不绝，他也只推耳聋。

行者没及奈何，只得回见三藏道："师父，这个怪被老孙骂将出来，他与我赌斗多时，怯战而走，只躲在水中间，再不出来了。"三藏道："不知端的③可是他吃了我马？"行者道："你看你说的话！不是他吃了，他怎肯出来招声，与老孙犯对④？"三藏道："你前日打虎时，曾说有降龙伏虎的手段，今日如何便不能降他？"原来那猴子吃不得人急⑤他。见三藏抢白了他这一句，他就发起神威道："不要说！不要说！等我与他再见个上下！"

这猴王拽开步，跳到涧边，使出那翻江搅海的神通，把一条鹰愁陡涧彻底澄清的水，搅得似那九曲黄河泛涨的波。那孽龙在于深涧中，坐卧不宁，心中思想道："这才是福无双降，祸不单

① 海口：夸嘴。说话没有顾忌、随便乱说。
② 詈（lì）：骂。
③ 端的：真的、果然的意思。有时作究竟解释。
④ 犯对：犹作对。
⑤ 急：激的借音字。激将、刺激。

行。我才脱了天条死难不上一年,在此随缘度日,又撞着这般个泼魔,他来害我!"你看他越思越恼,受不得屈气,咬着牙,跳将出去,骂道:"你是那里来的泼魔,这等欺我!"行者道:"你莫管我那里不那里,你只还了马,我就饶你性命!"那龙道:"你的马是我吞下肚去,如何吐得出来! 不还你,便待怎的!"行者道:"不还马时,看棍! 只打杀你,偿了我马的性命便罢!"他两个又在那山崖下苦斗。斗不数合,小龙委实难搪①,将身一幌,变作一条水蛇儿,钻入草科②中去了。

猴王拿着棍,赶上前来,拨草寻蛇,那里得些影响。急得他三尸神③咋④,七窍烟生,念一声"唵"字咒语⑤,即唤出当坊土地、本处山神,一齐来跪下道:"山神、土地来见。"行者道:"伸过孤拐⑥来,各打五棍见面,与老孙散散心!"二神叩头哀告道:"望大圣方便,容小神诉告。"行者道:"你说甚么?"二神道:"大圣一向久困,小神不知几时出来,所以不曾接得,万望恕罪。"行者道:"既如此,我且不打你。我问你:鹰愁涧里,是那方来的怪龙? 他怎么抢了我师父的白马吃了?"二神道:"大圣自来不曾有师父,原来是个不伏天不伏地混元上真,如何得有甚么师父的马来?"行者道:"你等是也不知:我只为那诳上的勾当,整受了这五百年的苦难。今蒙观音菩萨劝善,着唐朝驾下真僧救出我

① 难搪:抵挡不住,犹难当。
② 草科:草窠。
③ 三尸神:道教认为人身上有三尸神,住在人的脑、明堂(参看后文第二十二回注)、腹胃中间。
④ 咋(zhà):同"炸"。指爆发、激怒。
⑤ "唵"字咒语:佛教术语。"唵"字包括有所谓摄伏的功用,据说行此法时,可以使一切诸天龙神听从指挥。本书中行者多次行此咒拘召山神、土地。
⑥ 孤拐:这里指脚孤拐,就是踝骨。

来，教我跟他做徒弟，往西天去拜佛求经。因路过此处，失了我师父的白马。”二神道：“原来是如此。这涧中自来无邪，只是深陡宽阔，水光彻底澄清，鸦鹊不敢飞过；因水清照见自己的形影，便认做同群之鸟，往往身掷于水内，故名‘鹰愁陡涧’。只是向年间，观音菩萨因为寻访取经人去，救了一条玉龙，送他在此，教他等候那取经人，不许为非作歹。他只是饥了时，上岸来扑些鸟鹊吃，或是捉些獐鹿食用。不知他怎么无知，今日冲撞了大圣？”行者道：“先一次，他还与老孙侮手①，盘旋了几合。后一次，是老孙叫骂，他再不出。因此使了一个翻江搅海的法儿，搅混了他涧水，他就撺将上来，还要争持。不知老孙的棍重，他遮架不住，就变做一条水蛇，钻在草里。我赶来寻他，却无踪迹。”土地道：“大圣不知。这条涧千万个孔窍相通，故此这波澜深远。想是此间也有一孔，他钻将下去。也不须大圣发怒在此找寻，要擒此物，只消请将观世音来，自然伏了。”

行者见说，唤山神、土地，同来见了三藏，具言前事。三藏道：“若要去请菩萨，几时才得回来？我贫僧饥寒怎忍！”说不了，只听得暗空中有金头揭谛叫道：“大圣，你不须动身，小神去请菩萨来也。”行者大喜，道声：“有累，有累！快行，快行！”那揭谛急纵云头，径上南海。行者分付山神、土地守护师父，日值功曹去寻斋供，他又去涧边巡绕不题。

却说金头揭谛一驾云，早到了南海。按祥光，直至落伽山紫竹林中，托那金甲诸天与木叉惠岸转达，得见菩萨。菩萨道：“汝来何干？”揭谛道：“唐僧在蛇盘山鹰愁陡涧失了马，急得孙

---

① 侮手：交手、过手、翻手的意思。

大圣进退两难。及问本处土神，说是菩萨送在那里的业龙吞了。那大圣着小神来，告请菩萨降这业龙，还他马匹。”菩萨闻言道：“这厮本是西海敖闰之子。他为纵火烧了殿上明珠，他父告他忤逆，天庭上犯了死罪。是我亲见玉帝，讨他下来，教他与唐僧做个脚力。他怎么反吃了唐僧的马？这等说，等我去来。”那菩萨降莲台，径离仙洞，与揭谛驾着祥光，过了南海而来。有诗为证。诗曰：

佛说蜜多①三藏经，菩萨扬善满长城。
摩诃②妙语通天地，般若③真言救鬼灵。
致死金蝉重脱壳，故令玄奘再修行。
只因路阻鹰愁涧，龙子归真化马形。

那菩萨与揭谛，不多时到了蛇盘山，却在那半空里留住祥云，低头观看，只见孙行者正在涧边叫骂。菩萨着揭谛唤他来。那揭谛按落云头，不经由三藏，直至涧边对行者道：“菩萨来也。”行者闻得，急纵云跳到空中，对他大叫道：“你这个七佛之师，慈悲的教主！你怎么生方法儿害我！”菩萨道：“我把你这个大胆的马流④，村愚的赤尻⑤！我倒再三尽意，度得个取经人来，叮咛教他救你性命，你怎么不来谢我活命之恩，反来与我嚷闹？”行者道：“你弄得我好哩！你既放我出来，让我逍遥自在耍子便了；你前日在海上逢着我，饬⑥了我几句，教我来尽心竭力，

① 蜜多：梵语译音。蜜多应作波罗蜜多或波罗蜜。达到彼岸的意思。原意为菩萨有广大的功行，可以从生、死之此岸达到所谓觉悟、不生不灭的彼岸。
② 摩诃：梵语译音。盛大、众多的意思。
③ 般若：梵语译音。就是智慧。
④ 马流：又作“马留”，猴的一种。此处泛指猴子。
⑤ 赤尻：红屁股。因猴属臀红，故多以代指猴。尻，臀部。
⑥ 饬：本作“伤”，当为“饬”之误。饬同“敕”，告诫，命令。

伏侍唐僧便罢了；你怎么送他一顶花帽，哄我戴在头上受苦？把这个箍子长在老孙头上，又教他念一卷甚么‘紧箍儿咒’，着那老和尚念了又念，教我这头上疼了又疼——这不是你害我也？”菩萨笑道：“你这猴子！你不遵教令，不受正果，若不如此拘系你，你又诳上欺天，知甚好歹！再似从前撞出祸来，有谁收管？——须是得这个魔头，你才肯入我瑜伽之门路哩！”行者道：“这桩事，作做[①]是我的魔头罢；你怎么又把那有罪的业龙，送在此处成精，教他吃了我师父的马匹？此又是纵放歹人为恶，太不善也！”菩萨道：“那条龙，是我亲奏玉帝，讨他在此，专为求经人做个脚力。你想那东土来的凡马，怎历得这万水千山？怎到得那灵山佛地？须是得这个龙马，方才去得。”行者道：“像他这般惧怕老孙，潜躲不出，如之奈何？”菩萨叫揭谛道：“你去涧边叫一声：‘敖闰龙王玉龙三太子，你出来，有南海菩萨在此。’他就出来了。”那揭谛果去涧边叫了两遍。

那小龙翻波跳浪，跳出水来，变作一个人相，踏了云头，到空中对菩萨礼拜道：“向蒙菩萨解脱活命之恩，在此久等，更不闻取经人的音信。”菩萨指着行者道：“这不是取经人的大徒弟？”小龙见了道：“菩萨，这是我的对头。我昨日腹中饥馁，果然吃了他的马匹。他倚着有些力量，将我斗得力怯而回，又骂得我闭门不敢出来。他更不曾提着一个‘取经’的字样。”行者道：“你又不曾问我姓甚名谁，我怎么就说？”小龙道：“我不曾问你是那里来的泼魔？你嚷道：‘管甚么那里不那里，只还我马来！’何曾说出半个‘唐’字！”菩萨道：“那猴头，专倚自强，那肯称赞别人？今番前去，还有归顺的哩。若问时，先提起‘取经’的字来，却也

---

① 作做：当作、认为、即使、就算的意思。

不用劳心,自然拱伏。"

行者欢喜领教。菩萨上前,把那小龙的项下明珠摘了,将杨柳枝蘸出甘露,往他身上拂了一拂,吹口仙气,喝声叫:"变!"那龙即变做他原来的马匹毛片。又将言语分付道:"你须用心了还业障,功成后超越凡龙,还你个金身正果。"那小龙口衔着横骨,心心领诺。菩萨教悟空:"领他去见三藏,我回海上去也。"行者扯住菩萨不放道:"我不去了!我不去了!西方路这等崎岖,保这个凡僧,几时得到?似这等多磨多折,老孙的性命也难全,如何成得甚么功果!我不去了!我不去了!"菩萨道:"你当年未成人道,且肯尽心修悟;你今日脱了天灾,怎么倒生懒惰?我门中以寂灭成真,须是要信心果正;假若到了那伤身苦磨之处,我许你叫天天应,叫地地灵。十分再到那难脱之际,我也亲来救你。你过来,我再赠你一般本事。"菩萨将杨柳叶儿摘下三个,放在行者的脑后,喝声:"变!"即变做三根救命的毫毛,教他:"若到那无济无生的时节,可以随机应变,救得你急苦之灾。"

行者闻了这许多好言,才谢了大慈大悲的菩萨。那菩萨香风绕绕,彩雾飘飘,径转普陀而去。

这行者才按落云头,揪着那龙马的顶鬃,来见三藏道:"师父,马有了也。"三藏一见大喜道:"徒弟,这马怎么比前反肥盛了些?在何处寻着的?"行者道:"师父,你还做梦哩!却才是金头揭谛请了菩萨来,把那涧里龙化作我们的白马。其毛片相同,只是少了鞍辔,着老孙揪将来也。"三藏大惊道:"菩萨何在?待我去拜谢他。"行者道:"菩萨此时已到南海,不耐烦矣。"三藏就撮土焚香,望南礼拜。拜罢起身,即与行者收拾前进。行者喝退了山神、土地,分付了揭谛、功曹,却请师父上马。三藏道:"那无鞍辔的马，怎生骑得？且待寻船渡过涧去，再作区处。”行者道：“这个师父好不知时务！这个旷野山中，船从何来？这匹马，他在此久住，必知水势，就骑着他做个船儿过去罢。”三藏无奈，只得依言跨了刬马①，行者挑着行囊，到了涧边。

只见那上溜头有一个渔翁，撑着一个枯木的筏子，顺流而下。行者见了，用手招呼道：“那老渔，你来，你来！我是东土取经去的。我师父到此难过，你来渡他一渡。”渔翁闻言，即忙撑拢。行者请师父下了马，扶持左右。三藏上了筏子，揪上马匹，安了行李。那老渔撑开筏子，如风似箭，不觉的过了鹰愁陡涧，上了西岸。三藏教行者解开包袱，取出大唐的几文钱钞，送与老渔。老渔把筏子一篙撑开道：“不要钱，不要钱。”向中流渺渺茫茫而去。三藏甚不过意，只管合掌称谢。行者道：“师父休致意了。你不认得他，他是此涧里的水神。不曾来接得我老孙，老孙还要打他哩。只如今免打就够了他的，怎敢要钱！”那师父也似信不信，只得又跨着刬马，随着行者，径投大路奔西而去。这正是：广大真如登彼岸，诚心了性上灵山。同师前进，不觉的红日沉西，天光渐晚。但见：

淡云撩乱，山月昏蒙。满天霜色生寒，四面风声透体。孤鸟去时苍渚阔，落霞明处远山低。疏林千树吼，空岭独猿啼。长途不见行人迹，万里归舟入夜时。

三藏在马上遥观，忽见路旁一座庄院。三藏道：“悟空，前面人家，可以借宿，明早再行。”行者抬头看见道：“师父，不是人家庄院。”三藏道：“如何不是？”行者道：“人家庄院，却没飞鱼稳兽②

① 刬(chǎn)马：没有鞍辔的马。刬，光着。

② 飞鱼稳兽：屋脊上鱼形和兽形的装饰物。明代除宫殿和寺院外，一般人家不允许有此类装饰。

之脊,这断是个庙宇庵院。”

师徒们说着话,早已到了门首。三藏下了马,只见那门上有三个大字,乃“里社祠”,遂入门里。那里边有一个老者,项挂着数珠儿,合掌来迎,叫声:“师父请坐。”三藏慌忙答礼,上殿去参拜了圣像。那老者即呼童子献茶。茶罢,三藏问老者道:“此庙何为‘里社’?”老者道:“敝处乃西番哈泌国界。这庙后有一庄人家,共发虔心,立此庙宇。里者,乃一乡里地;社者,乃一社土神。每遇春耕、夏耘、秋收、冬藏之日,各办三牲花果,来此祭社,以保四时清吉、五谷丰登、六畜茂盛故也。”三藏闻言,点头夸赞:“正是‘离家三里远,别是一乡风’。我那里人家,更无此善。”老者却问:“师父仙乡是何处?”三藏道:“贫僧是东土大唐国,奉旨意上西天拜佛求经的。路过宝坊,天色将晚,特投圣祠,告宿一宵,天光即行。”那老者十分欢喜,道了几声“失迎”,又叫童子办饭。三藏吃毕,谢了。

行者的眼乖,见他房檐下有一条搭衣的绳子,走将去一把扯断,将马脚系住。那老者笑道:“这马是那里偷来的?”行者怒道:“你那老头子,说话不知高低!我们是拜佛的圣僧,又会偷马!”老儿笑道:“不是偷的,如何没有鞍辔缰绳,却来扯断我晒衣的索子?”三藏陪礼道:“这个顽皮,只是性燥。你要拴马,好生问老人家讨条绳子,如何就扯断他的衣索?——老先①,休怪,休怪。我这马,实不瞒你说,不是偷的。昨日东来,至鹰愁陡涧,原有骑的一匹白马,鞍辔俱全。不期那涧里有条孽龙,在彼成精,他把我的马连鞍辔一口吞之。幸亏我徒弟有些本事,又感得观音菩萨来涧边擒住那龙,教他就变做我原骑的白马,毛片俱

① 老先:对年纪大的人的尊称,犹言老先生。

同，驮我上西天拜佛。今此过涧，未经一日，却到了老先的圣祠，还不曾置得鞍辔哩。”那老者道：“师父休怪，我老汉作笑耍子，谁知你高徒认真。我小时也有几个村钱，也好骑匹骏马；只因累岁迍邅①，遭丧失火，到此没了下梢②，故充为庙祝，侍奉香火。幸亏这后庄施主家募化度日。我那里倒还有一副鞍辔，是我平日心爱之物，就是这等贫穷，也不曾舍得卖了。才听老师父之言，菩萨尚且救护神龙，教他化马驮你，我老汉却不能少有周济。明日将那鞍辔取来，愿送老师父，叩背前去，乞为笑纳。”三藏闻言，称谢不尽。早又见童子拿出晚斋。斋罢，掌上灯，安了铺，各各寝歇。

至次早，行者起来道：“师父，那庙祝老儿，昨晚许我们鞍辔，问他要，不要饶他。”说未了，只见那老儿果擎着一副鞍辔，衬屉③缰笼之类，凡马上一切用的，无不全备，放在廊下道：“师父，鞍辔奉上。”三藏见了，欢然领受，教行者拿了背上马看，可相称否。行者走上前，一件件的取起看了，果然是些好物。有诗为证。诗曰：

雕鞍彩晃柬银星，宝凳光飞金线明。
衬屉几层绒苫叠，牵缰三股紫丝绳。
辔头皮札团花粲，云扇描金舞兽形。
环嚼叩成磨炼铁，两垂蘸水结毛缨。

行者心中暗喜，将鞍辔背在马上，就似量着做的一般。三藏拜谢那老，那老慌忙搀起道：“惶恐！惶恐！何劳致谢？”那老者也不再留，请三藏上马。那长老出得门来，攀鞍上马。行者担着行李。那老儿复袖中取出一条鞭儿来，却是皮丁儿寸扎的香藤柄

① 迍邅（zhān）：遭遇不利、处于困境。
② 下梢：结局。“没了下梢”，意思是没有好结局。
③ 衬屉（tì）：即鞍韂，马鞍下面的垫子。

子，虎筋丝穿结的梢儿，在路旁拱手奉上道："圣僧，我还有一条挽手儿①，一发送了你罢。"那三藏在马上接了道："多承布施！多承布施！"

正打问讯，却早不见了那老儿。及回看那里社祠，是一片光地。只听得半空中有人言语道："圣僧，多简慢你。我是落伽山山神、土地，蒙菩萨差送鞍辔与汝等的。汝等可努力西行，却莫一时怠慢。"慌得个三藏滚鞍下马，望空礼拜道："弟子肉眼凡胎，不识尊神尊面，望乞恕罪。烦转达菩萨，深蒙恩佑。"你看他只管朝天磕头，也不计其数。路旁边活活的笑倒个孙大圣，孜孜的喜坏个美猴王，上前来扯住唐僧道："师父，你起来罢。他已去得远了，听不见你祷祝，看不见你磕头。只管拜怎的？"长老道："徒弟呀，我这等磕头，你也就不拜他一拜，且立在旁边，只管哂笑，是何道理？"行者道："你那里知道！像他这个藏头露尾的，本该打他一顿；只为看菩萨面上，饶他打尽够了，他还敢受我老孙之拜？老孙自小儿做好汉，不晓得拜人，就是见了玉皇大帝、太上老君，我也只是唱个喏便罢了。"三藏道："不当人子！莫说这空头话！快起来，莫误了走路。"那师父才起来收拾投西而去。

此去行有两个月太平之路，相遇的都是些虏虏、回回，狼虫虎豹。光阴迅速，又值早春时候。但见山林锦翠色，草木发青芽；梅英落尽，柳眼初开。师徒们行玩春光，又见太阳西坠。三藏勒马遥观，山凹里有楼台影影，殿阁沉沉。三藏道："悟空，你看那里是甚么去处？"行者抬头看了道："不是殿宇，定是寺院。我们赶起些，那里借宿去。"三藏欣然从之，放开龙马，径奔前来。毕竟不知此去是甚么去处，且听下回分解。

① 挽手儿：马鞭。

第十六回

观音院僧谋宝贝　黑风山怪窃袈裟

却说他师徒两个，策马前来，直至山门首观看，果然是一座寺院。但见那：

层层殿阁，叠叠廊房。三山门①外，巍巍万道彩云遮；五福堂前，艳艳千条红雾绕。两路松篁，一林桧柏。两路松篁，无年无纪自清幽；一林桧柏，有色有颜随傲丽。又见那钟鼓楼高，浮屠②塔峻。安禅僧定性，啼树鸟音关。寂寞无尘真寂寞，清虚有道果清虚。

诗曰：

上刹祇园隐翠窝，招提胜景赛娑婆。
果然净土人间少，天下名山僧占多。

长老下了马，行者歇了担，正欲进门，只见那门里走出一众僧来。你看他怎生模样：

头戴左笄帽，身穿无垢衣。
铜环双坠耳，绢带束腰围。
草履行来稳，木鱼手内提。

---

① 三山门：又称“三门”，“山门”，佛教寺院的大门。因佛教观念中有三解脱门，即空门、无相门和无作门，故寺院大门一般开三个门以表象征意义。但也有寺院只开一门也称“三门”，表示同样的喻意。

② 浮屠：梵语译音。就是塔。也作浮图。

　　口中常作念，般若总皈依。

三藏见了，侍立门旁，道个问讯。那和尚连忙答礼，笑道："失瞻。"问是那里来的？请入方丈献茶。三藏道："我弟子乃东土钦差，上雷音寺拜佛求经。至此处天色将晚，欲借上刹一宵。"那和尚道："请进里坐，请进里坐。"三藏方唤行者牵马进来。那和尚忽见行者相貌，有些害怕，便问："那牵马的是个甚么东西？"三藏道："悄言！悄言！他的性愚，若听见你说是甚么东西，他就恼了。——他是我的徒弟。"那和尚打了个寒噤，咬着指头道："这般一个丑头怪脑的，好招他做徒弟！"三藏道："你看不出来哩，丑自丑，甚是有用。"

那和尚只得同三藏与行者进了山门。山门里，又见那正殿上书四个大字，是"观音禅院"。三藏又大喜道："弟子屡感菩萨圣恩，未及叩谢；今遇禅院，就如见菩萨一般，甚好拜谢。"那和尚闻言，即命道人开了殿门，请三藏朝拜。那行者拴了马，丢了行李，同三藏上殿。三藏展背舒身，铺胸纳地，望金像叩头。那和尚便去打鼓，行者就去撞钟。三藏俯伏台前，倾心祷祝。祝拜已毕，那和尚住了鼓，行者还只管撞钟不歇，或紧或慢，撞了许久。那道人道："拜已毕了，还撞怎么？"行者方丢了钟杵，笑道："你那里晓得！我这是'做一日和尚撞一日钟'的。"此时却惊动那寺里大小僧人、上下房长老，听得钟声乱响，一齐拥出道："那个野人在这里乱敲钟鼓？"行者跳将出来，咄的一声道："是你孙外公撞了耍子的！"那些和尚一见了，唬得跌跌滚滚，都爬在地下道："雷公爷爷！"行者道："雷公是我的重孙儿哩！起来，起来，不要怕！我们是东土大唐来的老爷。"众僧方才礼拜，见了三藏，都才放心不怕。内有本寺院主请道："老爷们到后方丈中奉茶。"遂而解缰牵马，抬了行李，转过正殿，径入后房，序了坐次。

那院主献了茶，又安排斋供。天光尚早。三藏称谢未毕，只见那后面有两个小童，搀着一个老僧出来。看他怎生打扮：

头上戴一顶毗卢方帽，猫睛石的宝顶光辉；身上穿一领锦绒褊衫，翡翠毛的金边晃亮。一对僧鞋攒八宝，一根拄杖嵌云星。满面皱痕，好似骊山老母①；一双昏眼，却如东海龙君。口不关风因齿落，腰驼背屈为筋挛。

众僧道："师祖来了。"三藏躬身施礼迎接，道："老院主，弟子拜揖。"那老僧还了礼，又各叙坐。老僧道："适间小的们说，东土唐朝来的老爷，我才出来奉见。"三藏道："轻造宝山，不知好歹，恕罪！恕罪！"老僧道："不敢！不敢！"因问："老爷，东土到此，有多少路程？"三藏道："出长安边界，有五千馀里；过两界山，收了一众小徒，一路来，行过西番哈泌国，经两个月，又有五六千里，才到了贵处。"老僧道："也有万里之遥了。我弟子虚度一生，山门也不曾出去，诚所谓'坐井观天'，樗朽②之辈。"三藏又问："老院主高寿几何？"老僧道："痴长二百七十岁了。"行者听见道："这还是我万代孙儿哩！"三藏瞅了他一眼道："谨言！莫要不识高低，冲撞人。"那和尚便问："老爷，你有多少年纪了？"行者道："不敢说。"那老僧也只当一句风话，便不介意，也再不问，只叫献茶。有一个小幸童③，拿出一个羊脂玉的盘儿，有三个法蓝镶金的茶钟；又一童，提一把白铜壶儿，斟了三杯香茶。真个是色欺榴蕊艳，味胜桂花香。三藏见了，夸爱不尽道："好物件！好物件！真是美食美器！"那老僧道："污眼！污眼！老

① 骊山老母：又作梨山老母。我国神话传说中的女仙之一。

② 樗(chū)朽：樗，臭椿树。樗朽，不成材的自谦词。

③ 幸童：贴身的僮仆。

爷乃天朝上国，广览奇珍，似这般器具，何足过奖？老爷自上邦来，可有甚么宝贝，借与弟子一观？”三藏道：“可怜！我那东土，无甚宝贝；就有时，路程遥远，也不能带得。”

行者在旁道：“师父，我前日在包袱里，曾见那领袈裟，不是件宝贝？拿与他看看何如？”众僧听说袈裟，一个个冷笑。行者道：“你笑怎的？”院主道：“老爷才说袈裟是件宝贝，言实可笑。若说袈裟，似我等辈者，不上二三十件；若论我师祖，在此处做了二百五六十年和尚，足有七八百件！”叫：“拿出来看看。”那老和尚，也是他一时卖弄，便叫道人开库房，头陀抬柜子，就抬出十二柜，放在天井中，开了锁，两边设下衣架，四围牵了绳子，将袈裟一件件抖开挂起，请三藏观看。果然是满堂绮绣，四壁绫罗！

行者一一观之，都是些穿花纳锦①，刺绣销金之物，笑道：“好，好，好！收起！收起！把我们的也取出来看看。”三藏把行者扯住，悄悄的道：“徒弟，莫要与人斗富。你我是单身在外，只恐有错。”行者道：“看看袈裟，有何差错？”三藏道：“你不曾理会得。古人有云：‘珍奇玩好之物，不可使见贪婪奸伪之人。’倘若一经人目，必动其心；既动其心，必生其计。汝是个畏祸的，索之而必应其求，可也；不然，则殒身灭命，皆起于此。事不小矣。”行者道：“放心！放心！都在老孙身上！”你看他不由分说，急急的走了去，把个包袱解开，早有霞光迸迸；尚有两层油纸裹定，去了纸，取出袈裟，抖开时，红光满室，彩气盈庭。众僧见了，无一个不心欢口赞。真个好袈裟！上头有：

千般巧妙明珠坠，万样稀奇佛宝攒。

上下龙须铺彩绮，兜罗四面锦沿边。

① 纳锦：一种用穿纱方法做的刺绣。

体挂魍魉从此灭，身披魑魅入黄泉。

托化天仙亲手制，不是真僧不敢穿。

那老和尚见了这般宝贝，果然动了奸心，走上前对三藏跪下，眼中垂泪道："我弟子真是没缘！"三藏搀起道："老院师有何话说？"他道："老爷这件宝贝，方才展开，天色晚了，奈何眼目昏花，不能看得明白，岂不是无缘！"三藏教："掌上灯来，让你再看。"那老僧道："爷爷的宝贝，已是光亮；再点了灯，一发幌眼，莫想看得仔细。"行者道："你要怎的看才好？"老僧道："老爷若是宽恩放心，教弟子拿到后房，细细的看一夜，明早送还老爷西去，不知尊意何如？"三藏听说，吃了一惊，埋怨行者道："都是你！都是你！"行者笑道："怕他怎的？等我包起来，等他拿了去看。但有疏虞①，尽是老孙管整②。"那三藏阻挡不住。他把袈裟递与老僧道："凭你看去。只是明早照旧还我，不得损污些须。"老僧喜喜欢欢，着幸童将袈裟拿进去，却分付众僧："将前面禅堂扫净，取两张藤床，安设铺盖，请二位老爷安歇。"一壁厢又教安排明早斋送行，遂而各散。师徒们关了禅堂，睡下不题。

却说那和尚把袈裟骗到手，拿在后房灯下，对袈裟号跳痛哭，慌得那本寺僧不敢先睡。小幸童也不知为何，却去报与众僧道："公公哭到二更时候，还不歇声。"有两个徒孙，是他心爱之人，上前问道："师公，你哭怎的？"老僧道："我哭无缘，看不得唐僧宝贝！"小和尚道："公公年纪高大，发过了。他的袈裟放在你面前，你只消解开看便罢了，何须痛哭？"老僧道："看的不长久。

① 疏虞：疏忽，疏漏，考虑不周到。

② 管整：包办、负责到底的意思。

我今年二百七十岁,空挣了几百件袈裟。怎么得有他这一件?怎么得做个唐僧?"小和尚道:"师公差了。唐僧乃是离乡避井的一个行脚僧。你这等年高,享用也够了,倒要像他做行脚僧,何也?"老僧道:"我虽是坐家自在,乐乎晚景,却不得他这袈裟穿穿。若教我穿得一日儿,就死也闭眼,也是我来阳世间为僧一场!"众僧道:"好没正经!你要穿他的,有何难处?我们明日留他住一日,你就穿他一日;留他住十日,你就穿他十日,便罢了。何苦这般痛哭?"老僧道:"总然留他住了年载,也只穿得年载,到底也不得气长。他要去时,只得与他去,怎生留得长远?"

正说话处,有一个小和尚名唤广智,出头道:"公公,要得长远也容易。"老僧闻言,就欢喜起来道:"我儿,你有甚么高见?"广智道:"那唐僧两个是走路的人,辛苦之甚,如今已睡着了。我们想几个有力量的,拿了枪刀,打开禅堂,将他杀了,把尸首埋在后园,只我一家知道,却又谋了他的白马、行囊,却把那袈裟留下,以为传家之宝,岂非子孙长久之计耶?"老和尚见说,满心欢喜,却才揩了眼泪道:"好!好!好!此计绝妙!"即便收拾枪刀。

内中又一个小和尚,名唤广谋,就是那广智的师弟,上前来道:"此计不妙。若要杀他,须要看看动静。那个白脸的似易,那个毛脸的似难。万一杀他不得,却不反招己祸?我有一个不动刀枪之法,不知你尊意如何?"老僧道:"我儿,你有何法?"广谋道:"依小孙之见,如今唤聚东山大小房头①,每人要干柴一束,舍了那三间禅堂,放起火来,教他欲走无门,连马一火焚之。就是山前山后人家看见,只说是他自不小心走了火,将我禅堂都

① 房头:僧人师徒相传而形成的支系,一个支系就称一个房头。

烧了。那两个和尚,却不都烧死?又好掩人耳目。袈裟岂不是我们传家之宝?"那些和尚闻言,无不欢喜,都道:"强!强!强!此计更妙!更妙!"遂教各房头搬柴来。咦!这一计,正是弄得个高寿老僧该尽命,观音禅院化为尘!原来他那寺里,有七八十个房头,大小有二百馀众。当夜一拥搬柴,把个禅堂前前后后,四面围绕不通,安排放火不题。

却说三藏师徒,安歇已定。那行者却是个灵猴,虽然睡下,只是存神炼气,朦胧着醒眼。忽听得外面不住的人走,喳喳的柴响风生。他心疑惑道:"此时夜静,如何有人行得脚步之声?莫敢是贼盗,谋害我们的?……"他就一骨鲁①跳起。欲要开门出看,又恐惊醒师父。你看他弄个精神,摇身一变,变做一个蜜蜂儿。真个是:

口甜尾毒,腰细身轻。穿花度柳飞如箭,粘絮寻香似落星。小小微躯能负重,嚣嚣薄翅会乘风。却自椽棱下,钻出看分明。

只见那众僧们搬柴运草,已围住禅堂放火哩。行者暗笑道:"果依我师父之言!他要害我们性命,谋我的袈裟,故起这等毒心。我待要拿棍打他呵,可怜又不禁打,一顿棍都打死了,师父又怪我行凶。——罢,罢,罢!与他个顺手牵羊,将计就计,教他住不成罢!"好行者,一筋斗跳上南天门里,唬得个庞、刘、苟、毕躬身,马、赵、温、关控背,俱道:"不好了!不好了!那闹天宫的主子又来了!"行者摇着手道:"列位免礼,休惊。我来寻广目天

① 一骨鲁:形容翻身一滚。后文第二十一回作一毂辘。毂辘,车轮。有时也作一砧碌。

王的。”

说不了，却遇天王早到，迎着行者道：“久阔，久阔。前闻得观音菩萨来见玉帝，借了四值功曹、六丁六甲并揭谛等，保护唐僧往西天取经去，说你与他做了徒弟，今日怎么得闲到此？”行者道：“且休叙阔。唐僧路遇歹人放火烧他，事在万分紧急，特来寻你借辟火罩儿，救他一救。快些拿来使使，即刻返上。”天王道：“你差了！既是歹人放火，只该借水救他，如何要辟火罩？”行者道：“你那里晓得就里[1]：借水救之，却烧不起来，倒相应[2]了他；只是借此罩，护住了唐僧无伤，其馀管他，尽他烧去。快些！快些！此时恐已无及。莫误了我下边干事！”那天王笑道：“这猴子还是这等起不善之心，只顾了自家，就不管别人。”行者道：“快着！快着！莫要调嘴，害了大事！”那天王不敢不借，遂将罩儿递与行者。

行者拿了，按着云头，径到禅堂房脊上，罩住了唐僧与白马、行李。他却去那后面老和尚住的方丈房上头坐着，意护那袈裟。看那些人放起火来，他转捻诀念咒，望巽地上吸一口气吹将去，一阵风起，把那火转刮得烘烘乱着。好火！好火！但见：

黑烟漠漠，红焰腾腾。黑烟漠漠，长空不见一天星；红焰腾腾，大地有光千里赤。起初时，灼灼金蛇；次后来，威威血马。南方三炁[3]逞英雄，回禄[4]大神施法力。燥干柴烧烈火性，说甚么燧人钻木；熟油门前飘彩焰，赛过了老祖开炉。正是那无情火发，怎禁这有意行凶；不去弭灾，返行助

---

① 就里：底细。
② 相应：便宜、合算、划得来。
③ 南方三炁（qì）：即道教的火神。
④ 回禄：上古传说中的火神。

虐。风随火势,焰飞有千丈馀高;火趁风威,灰迸上九霄云外。乒乒乓乓,好便似残年爆竹;泼泼喇喇,却就如军中炮声。烧得那当场佛像莫能逃,东院伽蓝无处躲。胜如赤壁夜鏖兵,赛过阿房宫内火!

这正是星星之火,能烧万顷之田。须臾间,风狂火盛,把一座观音院,处处通红。你看那众和尚,搬箱抬笼,抢桌端锅,满院里叫苦连天。孙行者护住了后边方丈,辟火罩罩住了前面禅堂,其馀前后火光大发,真个是照天红焰辉煌,透壁金光照耀!

不期火起之时,惊动了一山兽怪。这观音院正南二十里远近有座黑风山,山中有一个黑风洞,洞中有一个妖精,正在睡醒翻身。只见那窗门透亮,只道是天明。起来看时,却是正北下的火光晃亮,妖精大惊道:“呀!这必是观音院里失了火!这些和尚好不小心!我看时,与他救一救来。”好妖精,纵起云头,即至烟火之下,果然冲天之火,前面殿宇皆空,两廊烟火方灼。他大拽步撞将进去,正呼唤教取水来,只见那后房无火,房脊上有一人放风。他却情知如此,急入里面看时,见那方丈中间有些霞光彩气,台案上有一个青毡包袱。他解开一看,见是一领锦襕袈裟,乃佛门之异宝。正是财动人心,他也不救火,他也不叫水,拿着那袈裟,趁哄打劫,拽回云步,径转东山而去。

那场火只烧到五更天明,方才灭息。你看那众僧们,赤赤精精,啼啼哭哭,都去那灰内寻铜铁,拨腐炭,扑金银。有的在墙筐里,苫搭窝棚;有的赤壁根头,支锅造饭;叫冤叫屈,乱嚷乱闹不题。

却说行者取了辟火罩,一筋斗送上南天门,交与广目天王道:“谢借!谢借!”天王收了道:“大圣至诚了。我正愁你不还我的宝贝,无处寻讨,且喜就送来也。”行者道:“老孙可是那当面骗物之人？这叫做‘好借好还，再借不难’。”天王道：“许久不面，请到宫少坐一时，何如？”行者道：“老孙比在前不同，‘烂板凳，高谈阔论’了；如今保唐僧，不得身闲。容叙！容叙！”急辞别坠云，又见那太阳星上。径来到禅堂前，摇身一变，变做个蜜蜂儿，飞将进去，现了本像看时，那师父还沉睡哩。

行者叫道：“师父，天亮了，起来罢。”三藏才醒觉，翻身道：“正是。”穿了衣服，开门出来，忽抬头，只见些倒壁红墙，不见了楼台殿宇，大惊道：“呀！怎么这殿宇俱无？都是红墙，何也？”行者道：“你还做梦哩！今夜走了火的。”三藏道：“我怎不知？”行者道：“是老孙护了禅堂，见师父浓睡，不曾惊动。”三藏道：“你有本事护了禅堂，如何就不救别房之火？”行者笑道：“好教师父得知，果然依你昨日之言，他爱上我们的袈裟，算计要烧杀我们。若不是老孙知觉，到如今皆成灰骨矣！”三藏闻言，害怕道：“是他们放的火么？”行者道：“不是他是谁？”三藏道：“莫不是怠慢了你，你干的这个勾当？”行者道：“老孙是这等惫懒之人，干这等不良之事？实实是他家放的。老孙见他心毒，果是不曾与他救火，只是与他略略助些风的。”三藏道：“天那！天那！火起时，只该助水，怎转助风？”行者道：“你可知古人云：‘人没伤虎心，虎没伤人意。’他不弄火，我怎肯弄风？”三藏道：“袈裟何在？敢莫是烧坏了也？”行者道：“没事！没事！烧不坏！那放袈裟的方丈无火。”三藏恨道：“我不管你！但是有些儿伤损，我只把那话儿念动念动，你就是死了！”行者慌了道：“师父，莫念！莫念！管寻还你袈裟就是了。等我去拿来走路。”三藏才牵着马，行者挑了担，出了禅堂，径往后方丈去。

却说那些和尚，正悲切间，忽的看见他师徒牵马挑担而来，唬得一个个魂飞魄散，道：“冤魂索命来了！”行者喝道：“甚么冤魂索命？快还我袈裟来！”众僧一齐跪倒，叩头道：“爷爷呀！冤有冤家，债有债主。要索命不干我们事，都是广谋与老和尚定计害你的，莫问我们讨命。”行者咄的一声道：“我把你这些该死的畜生！那个问你讨甚么命！只拿袈裟来还我走路！”其间有两个胆量大的和尚道：“老爷，你们在禅堂里已烧死了，如今又来讨袈裟，端的还是人，是鬼？”行者笑道：“这伙业畜！那里有甚么火来？你去前面看看禅堂，再来说话！”众僧们爬起来往前观看，那禅堂外面的门窗槅扇，更不曾燎灼了半分。众人悚惧，才认得三藏是位神僧，行者是尊护法，一齐上前叩头道：“我等有眼无珠，不识真人下界！你的袈裟在后面方丈中老师祖处哩。”三藏行过了三五层败壁破墙，嗟叹不已。只见方丈果然无火。众僧抢入里面，叫道：“公公！唐僧乃是神人，未曾烧死，如今反害了自己家当！趁早拿出袈裟，还他去也。”

原来这老和尚寻不见袈裟，又烧了本寺的房屋，正在万分烦恼焦燥之处，一闻此言，怎敢答应？因寻思无计，进退无方，拽开步，躬着腰，往那墙上着实撞了一头，可怜只撞得脑破血流魂魄散，咽喉气断染红沙！有诗为证。诗曰：

堪叹老衲性愚蒙，枉作人间一寿翁。
欲得袈裟传远世，岂知佛宝不凡同！
但将容易为长久，定是萧条取败功。
广智广谋成甚用？损人利己一场空！

慌得个众僧哭道：“师公已撞杀了，又不见袈裟，怎生是好？”行者道：“想是汝等盗藏起也！都出来！开具花名手本，等老孙逐一查点！”那上下房的院主，将本寺和尚、头陀、幸童、道人尽行开具手本二张，大小人等，共计二百三十名。行者请师父高坐，他却一一从头唱名搜检，都要解放衣襟，分明点过，更无袈裟。

又将那各房头搬抢出去的箱笼物件,从头细细寻遍,那里得有踪迹。三藏心中烦恼,懊恨行者不尽,却坐在上面念动那咒。行者扑的跌倒在地,抱着头,十分难禁,只教:“莫念!莫念!管寻还了袈裟!”那众僧见了,一个个战兢兢的上前跪下劝解,三藏才合口不念。行者一骨鲁跳起来,耳朵里掣出铁棒,要打那些和尚,被三藏喝住道:“这猴头!你头痛还不怕,还要无礼?休动手!且莫伤人!再与我审问一问!”众僧们磕头礼拜,哀告三藏道:“老爷饶命!我等委实的不曾看见。这都是那老死鬼的不是。他昨晚看着你的袈裟,只哭到更深时候,看也不曾敢看,思量要图长久,做个传家之宝,设计定策,要烧杀老爷。自火起之候,狂风大作,各人只顾救火,搬抢物件,更不知袈裟去向。”

行者大怒,走进方丈屋里,把那老死鬼尸首抬出,选剥[①]了细看,浑身更无那件宝贝,就把个方丈掘地三尺,也无踪影。行者忖量半晌,问道:“你这里可有甚么妖怪成精么?”院主道:“老爷不问,莫想得知。我这里正东南有座黑风山。黑风洞内有一个黑大王。我这老死鬼常与他讲道。他便是个妖精。别无甚物。”行者道:“那山离此有多远近?”院主道:“只有二十里。那望见山头的就是。”行者笑道:“师父放心,不须讲了,一定是那黑怪偷去无疑。”三藏道:“他那厢离此有二十里,如何就断得是他?”行者道:“你不曾见夜间那火,光腾万里,亮透三天,且休说二十里,就是二百里也照见了!坐定是他见火光焜耀,趁着机会,暗暗的来到这里,看见我们袈裟是件宝贝,必然趁哄掳去也。等老孙去寻他一寻。”三藏道:“你去了时,我却何倚?”行者道:“这个放心,暗中自有神灵保护,明中等我叫那些和尚伏侍。”即

① 选剥:强行剥脱。

唤众和尚过来，道："汝等着几个去埋那老鬼，着几个伏侍我师父，看守我白马！"众僧领诺。行者又道："汝等莫顺口儿答应，等我去了，你就不来奉承。看师父的，要怡颜悦色；养白马的，要水草调匀；假有一毫儿差了，照依这个样棍，与你们看看！"他掣出棍子，照那火烧的砖墙扑的一下，把那墙打得粉碎，又震倒了有七八层墙。众僧见了，个个骨软身麻，跪着磕头滴泪道："爷爷宽心前去，我等竭力虔心，供奉老爷，决不敢一毫怠慢！"好行者，急纵筋斗云，径上黑风山，寻找这袈裟。正是那：

金禅求正出京畿，仗锡①投西涉翠微。

虎豹狼虫行处有，工商士客见时稀。

路逢异国愚僧妒，全仗齐天大圣威。

火发风生禅院废，黑熊夜盗锦襕衣。

毕竟此去不知袈裟有无，吉凶如何，且听下回分解。

① 仗锡：拄着锡杖。仗，通"杖"。

第十七回

孙行者大闹黑风山　观世音收伏熊罴怪

话说孙行者一筋斗跳将起去，唬得那观音院大小和尚并头陀、幸童、道人等一个个朝天礼拜道："爷爷呀！原来是腾云驾雾的神圣下界，怪道火不能伤！恨我那个不识人的老剥皮，使心用心，今日反害了自己！"三藏道："列位请起，不须恨了。这去寻着袈裟，万事皆休；但恐找寻不着，我那徒弟性子有些不好，汝等性命不知如何，恐一人不能脱也。"众僧闻得此言，一个个提心吊胆，告天许愿，只要寻得袈裟，各全性命不题。

却说孙大圣到空中，把腰儿扭了一扭，早来到黑风山上。住了云头，仔细看，果然是座好山。况正值春光时节，但见：

万壑争流，千崖竞秀。鸟啼人不见，花落树犹香。雨过天连青壁润，风来松卷翠屏张。山草发，野花开，悬崖峭嶂；薜萝生，佳木丽，峻岭平岗。不遇幽人，那寻樵子？涧边双鹤饮，石上野猿狂。矗矗堆螺排黛①色，巍巍拥翠弄岚光。

那行者正观山景，忽听得芳草坡前有人言语。他却轻步潜踪，闪在那石崖之下，偷睛观看。原来是三个妖魔，席地而坐：上首的是一条黑汉，左首下是一个道人，右首下是一个白衣秀士。都在

---

① 堆螺排黛：形容山色青翠。螺黛，一种青黑色的颜料，古代女子常用以画眉。

那里高谈阔论。讲的是立鼎安炉,抟砂炼汞,白雪黄芽①,傍门外道。正说中间,那黑汉笑道:"后日是我母难之日②,二公可光顾光顾?"白衣秀士道:"年年与大王上寿,今年岂有不来之理?"黑汉道:"我夜来得了一件宝贝,名唤锦襕佛衣,诚然是件玩好之物。我明日就以他为寿,大开筵宴,邀请各山道官,庆贺佛衣,就称为'佛衣会'如何?"道人笑道:"妙!妙!妙!我明日先来拜寿,后日再来赴宴。"行者闻得佛衣之言,定以为是他宝贝。他就忍不住怒气,跳出石崖,双手举起金箍棒,高叫道:"我把你这伙贼怪!你偷了我的袈裟,要做甚么'佛衣会'!趁早儿将来还我!"喝一声:"休走!"抡起棒,照头一下。慌得那黑汉化风而逃,道人驾云而走,只把个白衣秀士一棒打死。拖将过来看处,却是一条白花蛇怪。索性提起来,捽做五七断,径入后山,找寻那个黑汉。转过尖峰,抹过峻岭,又见那壁陡崖前,耸出一座洞府,但见那:

烟霞渺渺,松柏森森。烟霞渺渺采盈门,松柏森森青绕户。桥踏枯槎木,峰巅绕薜萝。鸟衔红蕊来云壑,鹿践芳丛上石台。那门前时催花发,风送花香。临堤绿柳转黄鹂,傍岸夭桃翻粉蝶。虽然旷野不堪夸,却赛蓬莱山下景。

行者到于门首,又见那两扇石门关得甚紧,门上有一横石板,明书六个大字,乃"黑风山黑风洞"。即便抡棒,叫声:"开门!"那里面有把门的小妖,开了门出来问道:"你是何人,敢来击吾仙洞?"行者骂道:"你个作死的业畜!甚么个去处,敢称仙

---

① 立鼎安炉、抟砂炼汞(gǒng)、白雪黄芽:道教的说法,按照一种"仙方",把朱砂、汞、铅,化合在一起烧炼成丹,人吃此丹,就可成仙。鼎、炉是炼丹用的锅灶,砂是朱砂,汞和白雪都指水银,黄芽指铅。

② 母难之日:指自己的生日。

洞！‘仙’字是你称的？快进去报与你那黑汉，教他快送老爷的袈裟出来，饶你一窝性命！”小妖急急跑到里面，报道：“大王！佛衣会做不成了！门外有一个毛脸雷公嘴的和尚，来讨袈裟哩！”那黑汉被行者在芳草坡前赶将来，却才关了门，坐还未稳，又听得那话，心中暗想道：“这厮不知是那里来的，这般无礼！他敢嚷上我的门来！”教：“取披挂！”随结束了，绰一杆黑缨枪，走出门来。这行者闪在门外，执着铁棒，睁睛观看，只见那怪果生得凶险：

碗子铁盔火漆光，乌金铠甲亮辉煌。

皂罗袍罩风兜袖，黑绿丝绦亸①穗长。

手执黑缨枪一杆，足踏乌皮靴一双。

眼幌金睛如掣电，正是山中黑风王。

行者暗笑道：“这厮真个如烧窑的一般，筑煤②的无二！想必是在此处刷炭③为生，怎么这等一身乌黑？”那怪厉声高叫道：“你是个甚么和尚，敢在我这里大胆？”行者执铁棒，撞至面前，大咤一声道：“不要闲讲！快还你老外公的袈裟来！”那怪道：“你是那寺里和尚？你的袈裟在那里失落了，敢来我这里索取？”行者道：“我的袈裟，在直北观音院后方丈里放着。只因那院里失了火，你这厮趁哄掳掠，盗了来要做佛衣会庆寿，怎敢抵赖？快快还我，饶你性命！若牙迸半个‘不’字，我推倒了黑风山，蹦平了黑风洞，把你这一洞妖邪，都碾为齑粉！”

---

① 亸(duǒ)：下垂。

② 筑煤：古代制墨的一道工序。古人制墨，烧松枝或桐油等积成烟灰，这烟灰就叫煤。把煤用杵捣碎，就叫“筑煤”或者“捣煤”。

③ 刷炭：古代制墨的一道工序，即把松枝或桐油燃烧后的烟灰从附着物上刷下来。

那怪闻言,呵呵冷笑道:“你这个泼物！昨夜那火就是你放的！你在那方丈屋上行凶招风,是我把一件袈裟拿来了,你待怎么！你是那里来的？姓甚名谁？有多大手段,敢那等海口浪言！”行者道:“是你也认不得你老外公哩！你老外公乃大唐上国驾前御弟三藏法师之徒弟,姓孙,名悟空行者。若问老孙的手段,说出来,教你魂飞魄散,死在眼前！”那怪道:“我不曾会你,有甚么手段,说来我听。”行者笑道:“我儿子,你站稳着,仔细听之！我:

自小神通手段高,随风变化逞英豪。
养性修真熬日月,跳出轮回把命逃。
一点诚心曾访道,灵台山上采药苗。
那山有个老仙长,寿年十万八千高。
老孙拜他为师父,指我长生路一条。
他说身内有丹药,外边采取枉徒劳。
得传大品天仙诀,若无根本实难熬。
回光内照宁心坐,身中日月坎离交。
万事不思全寡欲,六根清净体坚牢。
返老还童容易得,超凡入圣路非遥。
三年无漏成仙体,不同俗辈受煎熬。
十洲三岛还游戏,海角天涯转一遭。
活该三百多馀岁,不得飞升上九霄。
下海降龙真宝贝,才有金箍棒一条。
花果山前为帅首,水帘洞里聚群妖。
玉皇大帝传宣诏,封我齐天极品高。
几番大闹灵霄殿,数次曾偷王母桃。
天兵十万来降我,层层密密布枪刀。

战退天王归上界，哪吒负痛领兵逃。
显圣真君能变化，老孙硬赌跌平交。
道祖观音同玉帝，南天门上看降妖。
却被老君助一阵，二郎擒我到天曹。
将身绑在降妖柱，即命神兵把首枭。
刀砍锤敲不得坏，又教雷打火来烧。
老孙其实有手段，全然不怕半分毫。
送在老君炉里炼，六丁神火慢煎熬。
日满开炉我跳出，手持铁棒绕天跑。
纵横到处无遮挡，三十三天闹一遭。
我佛如来施法力，五行山压老孙腰。
整整压该五百载，幸逢三藏出唐朝。
吾今皈正西方去，转上雷音见玉毫[1]。
你去乾坤四海问一问，我是历代驰名第一妖！"

那怪闻言笑道："你原来是那闹天宫的弼马温么？"行者最恼的是人叫他弼马温，听见这一声，心中大怒，骂道："你这贼怪！偷了袈裟不还，倒伤老爷！不要走！看棍！"那黑汉侧身躲过，缠[2]长枪，劈手来迎。两家这场好杀：

如意棒，黑缨枪，二人洞口逞刚强。分心劈脸刺，着臂照头伤。这个横丢阴棍手，那个直捻急三枪。白虎爬山来探爪，黄龙卧道[3]转身忙。喷彩雾，吐毫光，两个妖仙不可量：一个是修正齐天圣，一个是成精黑大王。这场山里相争

---

① 玉毫：指佛眉间的白毫。此代指佛祖。

② 缠：古代枪术或刀术中的一个动作。

③ 黄龙卧道：这段韵语中的阴棍手、急三枪、白虎探爪、黄龙卧道等，都是使用枪、棍的不同手法。

处，只为袈裟各不良。

那怪与行者斗了十数回合，不分胜负。渐渐红日当午，那黑汉举枪架住铁棒道："孙行者，我两个且收兵，等我进了膳来，再与你赌斗。"行者道："你这个业畜，叫做汉子？好汉子半日儿就要吃饭？似老孙在山根下，整压了五百馀年，也未曾尝些汤水，那里便饿哩？莫推故！休走！还我袈裟来，方让你去吃饭！"那怪虚幌一枪，撤身入洞，关了石门，收回小怪，且安排筵宴，书写请帖，邀请各山魔王庆会不题。

却说行者攻门不开，也只得回观音院。那本寺僧人已葬埋了那老和尚，都在方丈里伏侍唐僧。早斋已毕，又摆上午斋，正那里添汤换水。只见行者从空降下，众僧礼拜，接入方丈，见了三藏。三藏道："悟空，你来了？袈裟何如？"行者道："已有了根由。早是不曾冤了这些和尚。原来是那黑风山妖怪偷了。老孙去暗暗的寻他，只见他与一个白衣秀士，一个老道人，坐在那芳草坡前讲话。也是个不打自招的怪物，他忽然说出道：后日是他母难之日，邀请诸邪来做生日；夜来得了一件锦襕佛衣，要以此为寿，作一大宴，唤做'庆赏佛衣会'。是老孙抢到面前，打了一棍，那黑汉化风而走，道人也不见了，只把个白衣秀士打死，乃是一条白花蛇成精。我又急急赶到他洞口，叫他出来与他赌斗。他已承认了，是他拿回。战够这半日，不分胜负。那怪回洞，却要吃饭，关了石门，惧战不出。老孙却来回看师父，先报此信。已是有了袈裟的下落，不怕他不还我。"

众僧闻言，合掌的合掌，磕头的磕头，都念声："南无阿弥陀佛！今日寻着下落，我等方有了性命矣！"行者道："你且休喜欢畅快，我还未曾到手，师父还未曾出门哩。只等有了袈裟，打发得我师父好好的出门，才是你们的安乐处；若稍有些须不虞，老孙可是好惹的主子！可曾有好茶饭与我师父吃？可曾有好草料喂马？”众僧俱满口答应道：“有！有！有！更不曾一毫怠慢了老爷。”三藏道：“自你去了这半日，我已吃过了三次茶汤，两餐斋供了。他俱不曾敢慢我。但只是你还尽心竭力，去寻取袈裟回来。”行者道：“莫忙！既有下落，管情拿住这厮，还你原物。放心，放心！”

正说处，那上房院主又整治素供，请孙老爷吃斋。行者却吃了些须，复驾祥云，又去找寻。正行间，只见一个小怪，左胁下夹着一个花梨木匣儿，从大路而来。行者度①他匣内必有甚么柬札，举起棒，劈头一下，可怜不禁打，就打得似个肉饼一般；却拖在路旁，揭开匣儿观看，果然是一封请帖。帖上写着：

“侍生熊罴顿首拜，启上大阐金池老上人丹房：屡承佳惠，感激渊深。夜观回禄之难，有失救护，谅仙机必无他害。生偶得佛衣一件，欲作雅会，谨具花酌②，奉扳③清赏。至期，千乞仙驾过临一叙。是荷。先二日具。”

行者见了，呵呵大笑道：“那个老剥皮，死得他一毫儿也不亏！他原来与妖精结党！怪道他也活了二百七十岁。想是那个妖精，传他些甚么服气的小法儿，故有此寿。老孙还记得他的模样，等我就变做那和尚，往他洞里走走，看我那袈裟放在何处。假若得手，即便拿回，却也省力。”

好大圣，念动咒语，迎着风一变，果然就像那老和尚一般，藏了铁棒，拽开步，径来洞口，叫声：“开门。”那小妖开了门，见是

① 度（duó）：估计，推测。

② 花酌：饮宴时赏花饮酒叫花酌。

③ 奉扳（pān）：敬辞，意为攀附对方。扳，同“攀”。

这般模样,急转身报道:“大王,金池长老来了。”那怪大惊道:“刚才差了小的去下简帖请他,这时候还未到那里哩,如何他就来得这等迅速?想是小的不曾撞他。他断是孙行者呼他来讨袈裟的。管事的,可把佛衣藏了,莫教他看见。”

行者进了前门,但见那天井中,松篁交翠,桃李争妍,丛丛花发,簇簇兰香,却也是个洞天之处。又见那二门上有一联对子,写着:“静隐深山无俗虑,幽居仙洞乐天真。”

行者暗道:“这厮也是个脱垢离尘,知命的怪物。”入门里,往前又进,到于三层门里,都是些画栋雕梁,明窗彩户。只见那黑汉子,穿的是黑绿纻丝袢袄,罩一领鸦青花绫披风,戴一顶乌角软巾,穿一双麂皮皂靴;见行者进来,整顿衣巾,降阶迎接道:“金池老友,连日欠亲。请坐,请坐。”行者以礼相见。见毕而坐,坐定而茶。茶罢,妖精欠身道:“适有小简奉启,后日一叙,何老友今日就下顾也?”行者道:“正来进拜,不期路遇华翰①,见有佛衣雅会,故此急急奔来,愿求见见。”那怪笑道:“老友差矣。这袈裟本是唐僧的,他在你处住札,你岂不曾看见,反来就我看看?”行者道:“贫僧借来,因夜晚还不曾展看,不期被大王取来。又被火烧了荒山,失落了家私。那唐僧的徒弟,又有些骁勇,乱忙中,四下里都寻觅不见。原来是大王的洪福收来,故特来一见。”

正讲处,只见有一个巡山的小妖来报道:“大王!祸事了!下请书的小校,被孙行者打死在大路旁边,他绰着经儿②,变化做金池长老,来骗佛衣也!”那怪闻言,暗道:“我说那长老怎么

① 华翰:对别人文章和书信的敬称。

② 绰着经儿:循着线索、顺着绺儿、乘着劲儿。

今日就来，又来得迅速，果然是他！”急纵身，拿过枪来，就刺行者。行者耳朵里急掣出棍子，现了本相，架住枪尖，就在他那中厅里跳出，自天井中，斗到前门外，唬得那洞里群魔都丧胆，家间老幼尽无魂。这场在山头好赌斗，比前番更是不同。好杀：

那猴王胆大充和尚，这黑汉心灵隐佛衣。语去言来机会巧，随机应变不差池。袈裟欲见无由见，宝贝玄微真妙微。小怪巡山言祸事，老妖发怒显神威。翻身打出黑风洞，枪棒争持辨是非。棒架长枪声响亮，枪迎铁棒放光辉。悟空变化人间少，妖怪神通世上稀。这个要把佛衣来庆寿，那个不得袈裟肯善归？这番苦战难分手，就是活佛临凡也解不得围。

他两个从洞口打上山头，自山头杀在云外，吐雾喷风，飞砂走石，只斗到红日沉西，不分胜败。那怪道：“姓孙的，你且住了手。今日天晚，不好相持。你去，你去！待明早来，与你定个死活。”行者叫道：“儿子莫走！要战便像个战的，不可以天晚相推。”看他没头没脸的，只情使棍子打来，这黑汉又化阵清风，转回本洞，紧闭石门不出。

行者却无计策奈何，只得也回观音院里。按落云头，道声：“师父。”那三藏眼儿巴巴的，正望他哩，忽见到了面前，甚喜；又见他手里没有袈裟，又惧；问道：“怎么这番还不曾有袈裟来？”行者袖中取出个简帖儿来，递与三藏道：“师父，那怪物与这死的老剥皮，原是朋友。他着一个小妖送此帖来，还请他去赴佛衣会。是老孙就把那小妖打死，变做那老和尚，进他洞去，骗了一钟茶吃。欲问他讨袈裟看看，他不肯拿出。正坐间，忽被一个甚么巡风的，走了风信，他就与我打将起来。只斗到这早晚，不分上下。他见天晚，闪回洞去，紧闭石门。老孙无奈，也暂回来。”

三藏道:“你手段比他何如?”行者道:“我也硬不多儿,只战个手平。”三藏才看了简帖,又递与那院主道:“你师父敢莫也是妖精么?”那院主慌忙跪下道:“老爷,我师父是人。只因那黑大王修成人道,常来寺里与我师父讲经,他传了我师父些养神服气之术,故以朋友相称。”行者道:“这伙和尚没甚妖精,他一个个头圆顶天,足方履地,但比老孙肥胖长大些儿,非妖精也。你看那帖儿上写着‘侍生熊罴’,此物必定是个黑熊成精。”三藏道:“我闻得古人云:‘熊与猩猩相类。’都是兽物,他却怎么成精?”行者笑道:“老孙是兽类,见做了齐天大圣,与他何异?大抵世间之物,凡有九窍者,皆可以修行成仙。”三藏又道:“你才说他本事与你手平,你却怎生得胜,取我袈裟回来?”行者道:“莫管,莫管,我有处治。”

正商议间,众僧摆上晚斋,请他师徒们吃了。三藏教掌灯,仍去前面禅堂安歇。众僧都挨墙倚壁,苫搭窝棚,各各睡下,只把个后方丈让与那上下院主安身。此时夜静,但见:

银河现影,玉宇无尘。满天星灿烂,一水浪收痕。万籁声宁,千山鸟绝。溪边渔火息,塔上佛灯昏。昨夜阇黎钟鼓响,今宵一遍哭声闻。

是夜在禅堂歇宿,那三藏想着袈裟,那里得稳睡?忽翻身见窗外透白,急起叫道:“悟空,天明了,快寻袈裟去。”行者一骨鲁跳将起来,早见众僧侍立,供奉汤水。行者道:“你等用心伏侍我师父,老孙去也。”三藏下床,扯住道:“你往哪里去?”行者道:“我想这桩事都是观音菩萨没理。他有这个禅院在此,受了这里人家香火,又容那妖精邻住。我去南海寻他,与他讲三讲,教他亲来问妖精讨袈裟还我。”三藏道:“你这去,几时回来?”行者道:“时少只在饭罢,时多只在晌午,就成功了。那些和尚,可好伏侍，老孙去也。"

说声去，早已无踪。须臾间，到了南海。停云观看，但见那：

汪洋海远，水势连天。祥光笼宇宙，瑞气照山川。千层雪浪吼青霄，万叠烟波滔白昼。水飞四野，浪滚周遭。水飞四野振轰雷，浪滚周遭鸣霹雳。休言水势，且看中间：五色朦胧宝叠山，红黄紫皂绿和蓝。才见观音真胜境，试看南海落伽山。好去处！山峰高耸，顶透虚空。中间有千样奇花，百般瑞草。风摇宝树，日映金莲。观音殿瓦盖琉璃，潮音洞门铺玳瑁。绿杨影里语鹦哥，紫竹林中啼孔雀。罗纹石上，护法威严；玛瑙滩前，木叉雄壮。

这行者观不尽那异景非常，径直按云头，到竹林之下。早有诸天迎接道："菩萨前者对众言大圣归善，甚是宣扬。今保唐僧，如何得暇到此？"行者道："因保唐僧，路逢一事，特见菩萨，烦为通报。"诸天遂来洞口报知。菩萨唤入。行者遵法而行，至宝莲台下拜了。菩萨问曰："你来何干？"行者道："我师父路遇你的禅院，你受了人间香火，容一个黑熊精在那里邻住，着他偷了我师父袈裟，屡次取讨不与，今特来问你要的。"菩萨道："这猴子说话，这等无状！既是熊精偷了你的袈裟，你怎来问我取讨？都是你这个业猴大胆，将宝贝卖弄，拿与小人看见，你却又行凶，唤风发火，烧了我的留云下院，反来我处放刁！"行者见菩萨说出这话，知他晓得过去未来之事，慌忙礼拜道："菩萨，乞恕弟子之罪，果是这般这等。但恨那怪物不肯与我袈裟，师父又要念那话儿咒语，老孙忍不得头疼，故此来拜烦菩萨。望菩萨慈悲之心，助我去拿那妖精，取衣西进也。"菩萨道："那怪物有许多神通，却也不亚于你。也罢，我看唐僧面上，和你去走一遭。"行者闻言,谢恩再拜。即请菩萨出门,遂同驾祥云,早到黑风山。坠落云头,依路找洞。

正行处,只见那山坡前,走出一个道人,手拿着一个玻璃盘儿,盘内安着两粒仙丹,往前正走;被行者撞个满怀,掣出棒,就照头一下,打得脑里浆流出,腔中血迸撺。菩萨大惊道:"你这个猴子,还是这等放泼!他又不曾偷你袈裟,又不与你相识,又无甚冤仇,你怎么就将他打死?"行者道:"菩萨,你认他不得。他是那黑熊精的朋友。他昨日和一个白衣秀士,都在芳草坡前坐讲:后日是黑精的生日,请他们来庆佛衣会。今日他先来拜寿,明日来庆佛衣会,所以我认得。定是今日替那妖去上寿。"菩萨说:"既是这等说来,也罢。"行者才去把那道人提起来看,却是一只苍狼。旁边那个盘儿底下却有字,刻道"凌虚子制"。

行者见了,笑道:"造化!造化!老孙也是便益,菩萨也是省力。这怪叫做不打自招,那怪教他今日了劣[①]。"菩萨说道:"悟空,这教怎么说?"行者道:"菩萨,我悟空有一句话儿,叫做将计就计,不知菩萨可肯依我?"菩萨道:"你说。"行者说道:"菩萨,你看这盘儿中是两粒仙丹,便是我们与那妖魔的贽见[②];这盘儿后面刻的四个字,说'凌虚子制',便是我们与那妖魔的勾头。菩萨若要依得我时,我好替你作个计较,也就不须动得干戈,也不须劳得征战,妖魔眼下遭瘟,佛衣眼下出现;菩萨要不依我时,菩萨往西,我悟空往东,佛衣只当相送,唐三藏只当落空。"菩萨笑道:"这猴熟嘴!"行者道:"不敢,倒是一个计较。"菩萨说:"你这计较怎说?"行者道:"这盘上刻那'凌虚子制',想这

① 了劣:犹了帐、了结。

② 贽见:初次拜见长辈所送的礼物,后泛指见面时的礼物。

道人就号做凌虚子。菩萨，你要依我时，可就变做这个道人，我把这丹吃了一粒，变上一粒，略大些儿。菩萨你就捧了这个盘儿，两粒仙丹，去与那妖上寿，把这丸大些的让与那妖。待那妖一口吞之，老孙便于中取事，他若不肯献出佛衣，老孙将他肚肠，就也织将一件出来。”

菩萨没法，只得也点点头儿。行者笑道：“如何？”尔时菩萨乃以广大慈悲，无边法力，亿万化身，以心会意，以意会身，恍惚之间，变作凌虚仙子：

鹤氅仙风飒，飘摇欲步虚。
苍颜松柏老，秀色古今无。
去去还无住，如如自有殊。
总来归一法，只是隔邪躯。

行者看道：“妙啊！妙啊！还是妖精菩萨，还是菩萨妖精？”菩萨笑道：“悟空，菩萨、妖精，总是一念；若论本来，皆属无有。”行者心下顿悟，转身却就变做一粒仙丹：

走盘无不定，圆明未有方。
三三勾漏合，六六少翁商。
瓦铄黄金焰，牟尼白昼光。
外边铅与汞，未许易论量。

行者变了那颗丹，终是略大些儿。菩萨认定，拿了那个玻璃盘儿，径到妖洞门口，看时，果然是：

崖深岫险，云生岭上；柏苍松翠，风飒林间。崖深岫险，果是妖邪出没人烟少；柏苍松翠，也可仙真修隐道情多。山有涧，涧有泉，潺潺流水咽鸣琴，便堪洗耳；崖有鹿，林有鹤，幽幽仙籁动闲岑，亦可赏心。这是妖仙有分降菩提，弘誓无边垂恻隐。

菩萨看了,心中暗喜道:“这业畜占了这座山洞,却是也有些道分。”因此心中已此有个慈悲。

走到洞口,只见守洞小妖,都有些认得道:“凌虚仙长来了。”一边传报,一边接引。那妖早已迎出二门道:“凌虚,有劳仙驾珍顾,蓬荜有辉。”菩萨道:“小道敬献一粒仙丹,敢称千寿。”他二人拜毕,方才坐定,又叙起他昨日之事。菩萨不答,连忙拿丹盘道:“大王,且见小道鄙意。”觑定一粒大的,推与那妖道:“愿大王千寿!”那妖亦推一粒,递与菩萨道:“愿与凌虚子同之。”让毕,那妖才待要咽,那药顺口儿一直滚下。行者在肚里现了本像,理起四平①。那妖滚倒在地,连声哀告,乞饶性命。菩萨亦现了本相,道:“业畜,若要性命,快将袈裟出来。”那妖便忙叫小妖取出。行者早已从鼻孔中出去,取了袈裟在手。菩萨又怕那妖无礼,却把一个箍儿丢在那妖头上。那妖起来,提枪要刺,行者、菩萨早已起在空中。菩萨将真言念起,那怪依旧头疼,丢了枪,满地乱滚。半空里笑倒个美猴王,平地下滚坏个黑熊怪。

菩萨道:“业畜!你如今可皈依么?”那怪满口道:“心愿皈依,只望饶命!”行者道:“耽搁了工夫。”意欲就打。菩萨急止住道:“休伤他命。我有用他处哩。”行者道:“这样怪物,不打死他,反留他?在何处用他?”菩萨道:“我那落伽山后,无人看管,我要带他去做个守山大神。”行者笑道:“诚然是个救苦慈尊,一灵不损。若是老孙有这样咒语,就念上他娘千遍!这回儿就有许多黑熊,都教他了帐!”

却说那怪苏醒多时,公道②难禁疼痛,只得跪在地下哀告

① 理起四平:又称“跌四平”,一种武术动作。

② 公道:确实,实在。

道:“但饶性命,愿皈正果!”菩萨方坠落祥光,又与他摩顶受戒,教他执了长枪,跟随左右。那黑熊才一片野心今日定,无穷顽性此时收。菩萨分付道:“悟空,你回去罢。好生伏侍唐僧是,休懈惰生事。”行者道:“深感菩萨远来,弟子还当回送回送。”菩萨道:“免送。”行者才捧着袈裟,叩头而别。菩萨亦带了熊罴,径回大海。有诗为证。诗曰:

祥光霭霭凝金像,万道缤纷实可夸。
普济世人垂悯恤,遍观法界现金莲。
今来多为传经意,此去原无落点瑕。
降怪成真归大海,空门复得锦袈裟。

毕竟行者得了袈裟,此去如何,且听下回分解。

第十八回

观音院唐僧脱难　高老庄行者降魔

行者辞了菩萨,按落云头,将袈裟挂在香楠树上,掣出棒来,打入黑风洞里。那洞里那得一个小妖?原来是他见菩萨出现,降得那老怪就地打滚,急急都散走了。行者一发行凶,将他那几层门上,都积了干柴,前前后后,一齐发火,把个黑风洞烧做个“红风洞”,却拿了袈裟,驾祥光,转回直北。

话说那三藏望行者急忙不来,心甚疑惑,不知是请菩萨不至,不知是行者托故而逃。正在那胡猜乱想之中,只见半空中彩雾灿灿,行者忽坠阶前,叫道:“师父,袈裟来了。”三藏大喜。众僧亦无不欢悦道:“好了!好了!我等性命,今日方才得全了。”三藏接了袈裟道:“悟空,你早间去时,原约到饭罢晌午,如何此时日西方回?”行者将那请菩萨施变化降妖的事情,备陈了一遍。三藏闻言,遂设香案,朝南礼拜罢,道:“徒弟呵,既然有了佛衣,可快收拾包裹去也。”行者道:“莫忙,莫忙。今日将晚,不是走路的时候,且待明日早行。”众僧们一齐跪下道:“孙老爷说得是:一则天晚,二来我等有些愿心儿,今幸平安,有了宝贝,待我还了愿,请老爷散了福①,明早再送西行。”行者道:“正是,正是。”你看那些和尚,都倾囊倒底,把那火里抢出的馀资,各出所

① 散福:祭祀后,把祭神的肉食散给大家叫散福。

有，整顿了些斋供，烧了些平安无事的纸，念了几卷消灾解厄的经。当晚事毕。

次早方刷扮了马匹，包裹了行囊出门。众僧远送方回。行者引路而去。正是那春融时节，但见那：

草衬玉骢蹄迹软，柳摇金线露华新。
桃杏满林争艳丽，薜萝绕径放精神。
沙堤日暖鸳鸯睡，山涧花香蛱蝶驯。
这般秋去冬残春过半，不知何年行满得真文。

师徒们行了五七日荒路，忽一日天色将晚，远远的望见一村人家。三藏道："悟空，你看那壁厢有座山庄相近，我们去告宿一宵，明日再行何如？"行者道："且等老孙去看看吉凶，再作区处。"那师父挽住丝缰，这行者定睛观看，真个是：

竹篱密密，茅屋重重。参天野树迎门，曲水溪桥映户。道旁杨柳绿依依，园内花开香馥馥。此时那夕照沉西，处处山林喧鸟雀；晚烟出爨①，条条道径转牛羊。又见那食饱鸡豚眠屋角，醉酣邻叟唱歌来。

行者看罢道："师父请行。定是一村好人家，正可借宿。"那长老催动白马，早到街衢之口。又见一个少年，头裹绵布，身穿蓝袄，持伞背包，敛裩扎裤②，脚踏着一双三耳草鞋，雄纠纠的，出街忙走。行者顺手一把扯住道："那里去？我问你一个信儿：此间是甚么地方？"那个人只管苦挣，口里嚷道："我庄上没人？只是我好问信？"行者陪着笑道："施主莫恼。'与人方便，自己方便'。你就与我说说地名何害？我也可解得你的烦恼。"那人挣不脱

① 爨（cuàn）：灶。
② 敛裩（kūn）扎裤：即打着绑腿，是出远门走长路的装束。敛，收紧。裩，有裆的裤子。

手,气得乱跳道:"蹭蹬!蹭蹬!家长的屈气受不了,又撞着这个光头,受他的清气!"行者道:"你有本事劈开我的手,你便就去了也罢。"那人左扭右扭,那里扭得动,却似一把铁钤拑住一般,气得他丢了包袱,撇了伞,两只手雨点似来抓行者。行者把一只手扶着行李,一只手抵住那人,凭他怎么支吾[①],只是不能抓着。行者愈加不放。那人急得爆燥如雷。三藏道:"悟空,那里不有人来了?你再问那人就是,只管扯住他怎的?放他去罢。"行者笑道:"师父不知。若是问了别人没趣,须是问他,才有买卖。"那人被行者扯住不过,只得说出道:"此处乃是乌斯藏国界之地,唤做高老庄。一庄人家有大半姓高,故此唤做高老庄。你放了我去罢。"行者又道:"你这样行装,不是个走近路的。你实与我说,你要往那里去,端的所干何事,我才放你。"

这人无奈,只得以实情告诉道:"我是高太公的家人,名叫高才。我那太公有个老[②]女儿,年方二十岁,更不曾配人,三年前被一个妖精占了。那妖整做了这三年女婿。我太公不悦,说道:'女儿招了妖精,不是长法:一则败坏家门,二则没个亲家来往。'一向要退这妖精。那妖精那里肯退,转把女儿关在他后宅,将有半年,再不放出与家内人相见。我太公与了我几两银子,教我寻访法师,拿那妖怪。我这些时不曾住脚,前前后后,请了有三四个人,都是不济的和尚,脓包的道士,降不得那妖精。刚才骂了我一场,说我不会干事,又与了我五钱银子做盘缠,教我再去请好法师降他。不期撞着你这个纥剌星[③]扯住,误了我

① 支吾:抵挡、抗拒的意思。

② 老:年纪大的人对最末一个儿子、女儿,叫做老儿子、老女儿,或老姑娘。

③ 纥剌星:犹魔星,指遭到意外的阻难。

走路,故此里外受气,我无奈,才与你叫喊。不想你又有些拿法①,我挣不过你,所以说此实情。你放我去罢。”行者道:“你的造化,我有营生。这才是凑四合六②的勾当。你也不须远行,莫要花费了银子。我们不是那不济的和尚,脓包的道士,其实有些手段,惯会拿妖。这正是‘一来照顾郎中,二来又医得眼好’。烦你回去上复你那家主,说我们是东土驾下差来的御弟圣僧,往西天拜佛求经者,善能降妖缚怪。”高才道:“你莫误了我。我是一肚子气的人,你若哄了我,没甚手段,拿不住那妖精,却不又带累我来受气?”行者道:“管教不误了你。你引我到你家门首去来。”那人也无计奈何,真个提着包袱,拿了伞,转步回身,领他师徒到于门首道:“二位长老,你且在马台上略坐坐,等我进去报主人知道。”行者才放了手,落担牵马,师徒们坐立门旁等候。

那高才入了大门,径往中堂上走,可可的撞见高太公。太公骂道:“你这个蛮皮③畜生,怎么不去寻人,又回来做甚?”高才放下包伞道:“上告主人公得知,小人才行出街口,忽撞见两个和尚,一个骑马,一个挑担。他扯住我不放,问我那里去。我再三不曾与他说及,他缠得没奈何,不得脱手,遂将主人公的事情,一一说与他知。他却十分欢喜,要与我们拿那妖怪哩。”高老道:“是那里来的?”高才道:“他说是东土驾下差来的御弟圣僧,前往西天拜佛求经的。”太公道:“既是远来的和尚,怕不真有些手段。他如今在那里?”高才道:“见在门外等候。”

那太公即忙换了衣服,与高才出去迎接,叫声“长老”。三

① 拿法:我国古代拳术中的一种擒人手法。

② 凑四合六:巧合的意思。四和六凑在一起正巧为十。

③ 蛮皮:顽劣,不听话。

藏听见，急转身，早已到了面前。那老者戴一顶乌绫巾，穿一领葱白蜀锦衣，踏一双糙米皮的犊子靴，系一条黑绿绦子，出来笑语相迎，便叫："二位长老，作揖了。"三藏还了礼，行者站着不动。那老者见他相貌凶丑，便就不敢与他作揖。行者道："怎么不唱老孙喏？"那老儿有几分害怕，叫高才道："你这小厮却不弄杀我也？家里现有一个丑头怪脑的女婿打发不开，怎么又引这个雷公来害我？"行者道："老高，你空长了许大年纪，还不省事！若专以相貌取人，干净①错了。我老孙丑自丑，却有些本事。替你家擒得妖精，捉得鬼魅，拿住你那女婿，还了你女儿，便是好事，何必谆谆以相貌为言！"太公见说，战兢兢的，只得强打精神，叫声"请进"。这行者见请，才牵了白马，教高才挑着行李，与三藏进去。他也不管好歹，就把马拴在敞厅柱上，扯过一张退光漆交椅，叫三藏坐下。他又扯过一张椅子，坐在旁边。那高老道："这个小长老，倒也家怀②。"行者道："你若肯留我住得半年，还家怀哩。"

坐定，高老问道："适间小价③说，二位长老是东土来的？"三藏道："便是。贫僧奉朝命往西天拜佛求经，因过宝庄，特借一宿，明日早行。"高老道："二位原是借宿的，怎么说会拿怪？"行者道："因是借宿，顺便拿几个妖怪儿耍耍的。动问府上有多少妖怪？"高老道："天那！还吃得有多少哩！只这一个怪女婿，也被他磨慌了！"行者道："你把那妖怪的始末，有多大手段，从头儿说说我听，我好替你拿他。"高老道："我们这庄上，自古至今，

① 干净：这里作完全、绝对解释。
② 家怀：不认生、不客套，像在自己家里一样。
③ 小价：即小介，谦称自己的仆人。

也不晓得有甚么鬼祟、魍魉、邪魔作耗①。只是老拙不幸，不曾有子，止生三个女儿：大的唤名香兰，第二的名玉兰，第三的名翠兰。那两个从小儿配与本庄人家，止有小的个，要招个女婿，指望他与我同家过活，做个养老女婿，撑门抵户，做活当差。不期三年前，有一个汉子，模样儿倒也精致，他说是福陵山上人家，姓猪，上无父母，下无兄弟，愿与人家做个女婿。我老拙见是这般一个无根无绊的人，就招了他。一进门时，倒也勤谨：耕田耙地，不用牛具；收割田禾，不用刀杖。昏去明来，其实也好。只是一件，有些会变嘴脸。"行者道："怎么变么？"高老道："初来时，是一条黑胖汉，后来就变做一个长嘴大耳朵的呆子，脑后又有一溜鬃毛，身体粗糙怕人，头脸就像个猪的模样。食肠却又甚大：一顿要吃三五斗米饭；早间点心，也得百十个烧饼才够。喜得还吃斋素，若再吃荤酒，便是老拙这些家业田产之类，不上半年，就吃个罄净！"三藏道："只因他做得，所以吃得。"高老道："吃还是件小事，他如今又会弄风，云来雾去，走石飞砂，唬得我一家并左邻右舍，俱不得安生。又把那翠兰小女关在后宅子里，一发半年也不曾见面，更不知死活如何。因此知他是个妖怪，要请个法师与他去退去退。"行者道："这个何难？老儿你管放心，今夜管情与你拿住，教他写个退亲文书，还你女儿如何？"高老大喜道："我为招了他不打紧，坏了我多少清名，疏了我多少亲眷！但得拿住他，要甚么文书？就烦与我除了根罢。"行者道："容易！容易！入夜之时，就见好歹。"

老儿十分欢喜，才教展抹桌椅，摆列斋供。斋罢，将晚，老儿问道："要甚兵器？要多少人随？趁早好备。"行者道："兵器我

① 作耗：作乱，作怪。

自有。”老儿道:“二位只是那根锡杖,锡杖怎么打得妖精?”行者随于耳内取出一个绣花针来,捻在手中,迎风幌了一幌,就是碗来粗细的一根金箍铁棒,对着高老道:“你看这条棍子,比你家兵器如何?可打得这怪否?”高老又道:“既有兵器,可要人跟?”行者道:“我不用人,只是要几个年高有德的老儿,陪我师父清坐闲叙,我好撇他而去。等我把那妖精拿来,对众取供,替你除了根罢。”那老儿即唤家僮,请了几个亲故朋友。一时都到。相见已毕,行者道:“师父,你放心稳坐,老孙去也。”

你看他揝着铁棒,扯着高老道:“你引我去后宅子里妖精的住处看看。”高老遂引他到后宅门首。行者道:“你去取钥匙来。”高老道:“你且看看。若是用得钥匙,却不请你了。”行者笑道:“你那老儿,年纪虽大,却不识耍。我把这话儿哄你一哄,你就当真。”走上前,摸了一摸,原来是铜汁灌的锁子。狠得他将金箍棒一捣,捣开门扇,里面却黑洞洞的。行者道:“老高,你去叫你女儿一声,看他可在里面。”那老儿硬着胆叫道:“三姐姐。”那女儿认得是他父亲的声音,才少气无力的应了一声道:“爹爹,我在这里哩。”行者闪金睛,向黑影里仔细看时,你道他怎生模样?但见那:

> 云鬓乱堆无掠,玉容未洗尘淄。一片兰心依旧,十分娇态倾颓。樱唇全无气血,腰肢屈屈偎偎①。愁蹙蹙,蛾眉淡;瘦怯怯,语声低。

他走来看见高老,一把扯住,抱头大哭。行者道:“且莫哭!且莫哭!我问你,妖怪往那里去了?”女子道:“不知往那里去。这些时,天明就去,入夜方来,云云雾雾,往回不知何所。因是晓得

① 屈屈偎(wēi)偎:形容腰肢软弱无力的样子。

父亲要祛退他，他也常常防备，故此昏来朝去。”行者道：“不消说了。老儿，你带令爱往前边宅里，慢慢的叙阔，让老孙在此等他。他若不来，你却莫怪；他若来了，定与你剪草除根。”那老高欢欢喜喜的，把女儿带将前去。

行者却弄神通，摇身一变，变得就如那女子一般，独自个坐在房里等那妖精。不多时，一阵风来，真个是走石飞砂。好风：

起初时微微荡荡，向后来渺渺茫茫。
微微荡荡乾坤大，渺渺茫茫无阻碍。
凋花折柳胜摁麻，倒树摧林如拔菜。
翻江搅海鬼神愁，裂石崩山天地怪。
衔花麋鹿失来踪，摘果猿猴迷在外。
七层铁塔侵佛头，八面幢幡伤宝盖。
金梁玉柱起根摇，房上瓦飞如燕块。
举棹稍公许愿心，开船忙把猪羊赛。
当坊土地弃祠堂，四海龙王朝上拜。
海边撞损夜叉船，长城刮倒半边塞。

那阵狂风过处，只见半空里来了一个妖精，果然生得丑陋：黑脸短毛，长喙大耳；穿一领青不青、蓝不蓝的梭布直裰，系一条花布手巾。行者暗笑道：“原来是这个买卖！”好行者，却不迎他，也不问他，且睡在床上推病，口里哼哼喷喷①的不绝。那怪不识真假，走进房，一把搂住，就要亲嘴。行者暗笑道：“真个要来弄老孙哩！”即使个拿法，托着那怪的长嘴，叫做个小跌。漫头一料②，扑的掼下床来。那怪爬起来，扶着床边道：“姐姐，你怎么

① 哼哼喷（lài）喷：病痛时的呻吟声。犹哼哼咧咧。
② 料：同“撂”，丢，摔。

今日有些怪我？想是我来得迟了？”行者道：“不怪！不怪！”那妖道：“既不怪我，怎么就丢我这一跌？”行者道：“你怎么就这等样小家子，就搂我亲嘴？我因今日有些不自在，若每常好时，便起来开门等你了。你可脱了衣服睡是。”那怪不解其意，真个就去脱衣。行者跳起来，坐在净桶上。那怪依旧复来床上摸一把，摸不着人，叫道：“姐姐，你往那里去了？请脱衣服睡罢。”行者道：“你先睡，等我出个恭来。”那怪果先解衣上床。行者忽然叹口气，道声：“造化低了！”那怪道：“你恼怎的？造化怎么得低的？我得到了你家，虽是吃了些茶饭，却也不曾白吃你的：我也曾替你家扫地通沟，搬砖运瓦，筑土打墙，耕田耙地，种麦插秧，创家立业。如今你身上穿的锦，戴的金，四时有花果享用，八节有蔬菜烹煎，你还有那些儿不趁心处，这般短叹长呼，说甚么造化低了！”行者道：“不是这等说。今日我的父母，隔着墙，丢砖料瓦的，甚是打我骂我哩。”那怪道：“他打骂你怎的？”行者道：“他说我和你做了夫妻，你是他门下一个女婿，全没些儿礼体。这样个丑嘴脸的人，又会不得姨夫，又见不得亲戚，又不知你云来雾去的，端的是那里人家，姓甚名谁，败坏他清德，玷辱他门风，故此这般打骂，所以烦恼。”那怪道：“我虽是有些儿丑陋，若要俊，却也不难。我一来时，曾与他讲过，他愿意方才招我。今日怎么又说起这话！我家住在福陵山云栈洞。我以相貌为姓，故姓猪，官名叫做猪刚鬣①。他若再来问你，你就以此话与他说便了。”

行者暗喜道：“那怪却也老实，不用动刑，就供得这等明白。既有了地方、姓名，不管怎的也拿住他。”行者道：“他要请法师

① 刚鬣(liè)：我国古代对猪的一种称呼。

来拿你哩。”那怪笑道:“睡着！睡着！莫睬他！我有天罡数的变化,九齿的钉钯,怕甚么法师、和尚、道士？就是你老子有虔心,请下九天荡魔祖师下界,我也曾与他做过相识,他也不敢怎的我。”行者道:“他说请一个五百年前大闹天宫姓孙的齐天大圣,要来拿你哩。”那怪闻得这个名头,就有三分害怕道:“既是这等说,我去了罢。两口子做不成了。”行者道:“你怎的就去?”那怪道:“你不知道:那闹天宫的弼马温,有些本事,只恐我弄他不过,低了名头,不像模样。”他套上衣服,开了门,往外就走;被行者一把扯住,将自己脸上抹了一抹,现出原身,喝道:“好妖怪,那里走！你抬头看看我是那个?”那怪转过眼来,看见行者咨牙俫嘴,火眼金睛,磕头①毛脸,就是个活雷公相似,慌得他手麻脚软,划刺的一声,挣破了衣服,化狂风脱身而去。行者急上前掣铁棒望风打了一下。那怪化万道火光,径转本山而去。行者驾云,随后赶来,叫声:“那里走！你若上天,我就赶到斗牛宫！你若入地,我就追至枉死狱!”咦！毕竟不知这一去赶至何方,有何胜败,且听下回分解。

① 磕头:即磕额,指额头突出。

第十九回

云栈洞悟空收八戒　浮屠山玄奘受心经

却说那怪的火光前走，这大圣的彩雾随跟。正行处，忽见一座高山，那怪把红光结聚，现了本相，撞入洞里，取出一柄九齿钉钯来战。行者喝一声道："泼怪！你是那里来的邪魔？怎么知道我老孙的名号？你有甚么本事，实实供来，饶你性命！"那怪道："是你也不知我的手段！上前来站稳着，我说与你听：我

自小生来心性拙，贪闲爱懒无休歇。
不曾养性与修真，混沌迷心熬日月。
忽朝闲里遇真仙，就把寒温坐下说。
劝我回心莫堕凡，伤生造下无边业。
有朝大限①命终时，八难三途悔不喋。
听言意转要修行，闻语心回求妙诀。
有缘立地拜为师，指示天关并地阙。
得传九转大还丹，工夫昼夜无时辍。
上至顶门泥丸宫，下至脚板涌泉穴。
周流肾水入华池②，丹田补得温温热。

---

① 大限：限，生死之间的界限。大限，临死之前。
② 华池：道教指人口中舌头下面的地方为华池。

婴儿姹女[1]配阴阳，铅汞相投分日月。
离龙坎虎用调和，灵龟吸尽金乌血[2]。
三花聚顶[3]得归根，五气朝元[4]通透彻。
功圆行满却飞升，天仙对对来迎接。
朗然足下彩云生，身轻体健朝金阙。
玉皇设宴会群仙，各分品级排班列。
敕封元帅管天河，总督水兵称宪节[5]。
只因王母会蟠桃，开宴瑶池邀众客。
那时酒醉意昏沉，东倒西歪乱撒泼。
逞雄撞入广寒宫，风流仙子来相接。
见他容貌挟人魂，旧日凡心难得灭。
全无上下失尊卑，扯住嫦娥要陪歇。
再三再四不依从，东躲西藏心不悦。
色胆如天叫似雷，险些震倒天关阙。
纠察灵官奏玉皇，那日吾当命运拙。
广寒围困不通风，进退无门难得脱。
却被诸神拿住我，酒在心头还不怯。

---

① 婴儿姹(chà)女：道教外丹派称铅为婴儿，汞为姹女；内丹派以元神为婴儿，以元气为姹女。道教认为婴儿姹女相交合而成金丹。这里主要是内丹派的观念。

② 灵龟吸尽金乌血：道教内丹派以灵龟喻元气，以金乌喻元神，元气逐渐吸收元神达到二者的交合而成金丹。

③ 三花聚顶：道教认为精、气、神的最高修炼，可化为三花聚于顶上，万劫不侵。

④ 五气朝元：道教认为“成道”之时，可以使五行化为“真气”会集于顶。元，六阳之首，就是头。

⑤ 宪节：廉访使、巡按等风宪官所持的符节。这里指廉访使或巡按御使一类的官职。

押赴灵霄见玉皇，依律问成该处决。
多亏太白李金星，出班俯囟亲言说。
改刑重责二千锤，肉绽皮开骨将折。
放生遭贬出天关，福陵山下图家业。
我因有罪错投胎，俗名唤做猪刚鬣。”

行者闻言道：“你这厮原来是天蓬水神下界，怪道知我老孙名号。”那怪道声：“哏！你这诳上的弼马温，当年撞那祸时，不知带累我等多少，今日又来此欺人！不要无礼！吃我一钯！”行者怎肯容情，举起棒，当头就打。他两个在那半山之中，黑夜里赌斗。好杀：

行者金睛似闪电，妖魔环眼似银花。这一个口喷彩雾，那一个气吐红霞。气吐红霞昏处亮，口喷彩雾夜光华。金箍棒，九齿钯，两个英雄实可夸：一个是大圣临凡世，一个是元帅降天涯。那个因失威仪成怪物，这个幸逃苦难拜僧家。钯去好似龙伸爪，棒迎浑若凤穿花。那个道：“你破人亲事如杀父！”这个道：“你强奸幼女正该拿！”闲言语，乱喧哗，往往来来棒架钯。看看战到天将晓，那妖精两膊觉酸麻。

他两个自二更时分，只斗到东方发白。那怪不能迎敌，败阵而逃，依然又化狂风，径回洞里，把门紧闭，再不出头。行者在这洞门外看有一座石碣，上书“云栈洞”三字；见那怪不出，天又大明，心却思量：“恐师父等候，且回去见他一见，再来捉此怪不迟。”随踏云点一点，早到高老庄。

却说三藏与那诸老谈今论古，一夜无眠。正想行者不来，只见天井里，忽然站下行者。行者收藏铁棒，整衣上厅，叫道：“师父，我来了。”慌得那诸老一齐下拜，谢道：“多劳！多劳！”三藏问道:“悟空,你去这一夜,拿得妖精在那里?”行者道:“师父,那妖不是凡间的邪祟,也不是山间的怪兽。他本是天蓬元帅临凡,只因错投了胎,嘴脸像一个野猪模样,其实灵性尚存。他说以相为姓,唤名猪刚鬣。是老孙从后宅里掣棒就打,他化一阵狂风走了。被老孙着风一棍,他就化道火光,径转他那本山洞里,取出一柄九齿钉钯,与老孙战了一夜。他适才天将明,怯战而走,把洞门紧闭不出。老孙还要打开那门,与他见个好歹,恐师父在此疑虑盼望,故先来回个信息。”

说罢,那老高上前跪下道:“长老,没及奈何,你虽赶得去了,他等你去后复来,却怎区处?索性累你与我拿住,除了根,才无后患。我老夫不敢怠慢,自有重谢:将这家财田地,凭众亲友写立文书,与长老平分。只是要剪草除根,莫教坏了我高门清德。”行者笑道:“你这老儿不知分限。那怪也曾对我说,他虽是食肠大,吃了你家些茶饭,他与你干了许多好事。这几年挣了许多家资,皆是他之力量。他不曾白吃了你东西,问你祛他怎的?据他说,他是一个天神下界,替你巴家①做活,又未曾害了你家女儿。想这等一个女婿,也门当户对,不怎么坏了家声,辱了行止。当真的留他也罢。”老高道:“长老,虽是不伤风化,但名声不甚好听。动不动着人就说:‘高家招了一个妖怪女婿!’这句话儿教人怎当?”三藏道:“悟空,你既是与他做了一场,一发与他做个竭绝②,才见始终。”行者道:“我才试他一试耍子。此去一定拿来与你们看。且莫忧愁。”叫:“老高,你还好生管待我师父,我去也。”

① 巴家:即把家,持家。“巴”同“把”。
② 竭绝:彻底了断。

说声去，就无形无影的，跳到他那山上，来到洞口，一顿铁棍，把两扇门打得粉碎，口里骂道："那馕①糠的夯货，快出来与老孙打么！"那怪正喘嘘嘘的睡在洞里，听见打得门响，又听见骂馕糠的夯货，他却恼怒难禁，只得拖着钯，抖擞精神，跑将出去，厉声骂道："你这个弼马温，着实惫懒！与你有甚相干，你把我大门打破？你且去看看律条，打进大门而入，该个杂犯死罪哩！"行者笑道："这个呆子！我就打了大门，还有个辨处。像你强占人家女子，又没个三媒六证，又无些茶红②酒礼，该问个真犯斩罪哩！"那怪道："且休闲讲，看老猪这钯！"行者使棍支住道："你这钯可是与高老家做园工筑地种菜的？有何好处怕你！"那怪道："你错认了！这钯岂是凡间之物？你且听我道来：

此是锻炼神冰铁，磨琢成工光皎洁。老君自己动钤锤，荧惑③亲身添炭屑。五方五帝用心机，六丁六甲费周折。造成九齿玉垂牙，铸就双环金坠叶。身妆六曜排五星，体按四时依八节。短长上下定乾坤，左右阴阳分日月。六爻神将按天条，八卦星辰依斗列。名为上宝逊金钯，进与玉皇镇丹阙。因我修成大罗仙，为吾养就长生客。敕封元帅号天蓬，钦赐钉钯为御节。举起烈焰并毫光，落下猛风飘瑞雪。天曹神将尽皆惊，地府阎罗心胆怯。人间那有这般兵，世上更无此等铁。随身变化可心怀，任意翻腾依口诀。相携数载未曾离，伴我几年无日别。日食三餐并不丢，夜眠一宿浑无撇。也曾佩去赴蟠桃，也曾带他朝帝阙。皆因仗酒却行凶，只为倚强便撒泼。上天贬我降凡尘，下世尽我作罪孽。

---

① 馕(nǎng)：死塞，拼命地吃。

② 茶红：封建社会订婚时送的礼品叫"下茶"，或"茶定"。

③ 荧惑：火星，小说中称为火德神君。

石洞心邪曾吃人，高庄情喜婚姻结。这钯下海掀翻龙住窝，
上山抓碎虎狼穴。诸般兵刃且休题，惟有吾当钯最切。相
持取胜有何难，赌斗求功不用说。何怕你铜头铁脑一身钢，
钯到魂消神气泄！”

行者闻言，收了铁棒道：“呆子不要说嘴！老孙把这头伸在那里，你且筑一下儿，看可能魂消气泄？”那怪真个举起钯，着气力筑将来。扑的一下，钻起钯的火光焰焰，更不曾筑动一些儿头皮。唬得他手麻脚软，道声：“好头！好头！”行者道：“你是也不知：老孙因为闹天宫，偷了仙丹，盗了蟠桃，窃了御酒，被小圣二郎擒住，押在斗牛宫前，众天神把老孙斧剁锤敲，刀砍剑刺，火烧雷打，也不曾损动分毫。又被那太上老君拿了我去，放在八卦炉中，将神火煅炼，炼做个火眼金睛，铜头铁臂。不信，你再筑几下，看看疼与不疼。”那怪道：“你这猴子，我记得你闹天宫时，家住在东胜神洲傲来国花果山水帘洞里，到如今久不闻名，你怎么来到这里，上门子欺我？莫敢是我丈人去那里请你来的？”行者道：“你丈人不曾去请我。因是老孙改邪归正，弃道从僧，保护一个东土大唐驾下御弟，叫做三藏法师，往西天拜佛求经。路过高庄借宿，那高老儿因话说起，就请我救他女儿，拿你这馕糠的夯货！”

那怪一闻此言，丢了钉钯，唱个大喏道：“那取经人在那里？累烦你引见引见。”行者道：“你要见他怎的？”那怪道：“我本是观世音菩萨劝善，受了他的戒行，这里持斋把素，教我跟随那取经人往西天拜佛求经，将功折罪，还得正果。教我等他，这几年不闻消息。今日既是你与他做了徒弟，何不早说取经之事，只倚凶强，上门打我？”行者道：“你莫诡诈欺心软①我，欲为脱身之

① 软：表面柔顺，心怀叵测的态度叫软。这里又含有诓骗、瞒哄的意思。

计。果然是要保护唐僧，略无虚假，你可朝天发誓，我才带你去见我师父。”那怪扑的跪下，望空似捣碓①的一般，只管磕头道：“阿弥陀佛，南无佛，我若不是真心实意，还叫我犯了天条，劈尸万段！”行者见他赌咒发愿，道：“既然如此，你点把火来烧了你这住处，我方带你去。”那怪真个搬些芦苇荆棘，点着一把火，将那云栈洞烧得像个破瓦窑，对行者道：“我今已无挂碍了，你却引我去罢。”行者道：“你把钉钯与我拿着。”那怪就把钯递与行者。行者又拔了一根毫毛，吹口仙气，叫：“变！”即变做一条三股麻绳，走过来，把手背绑剪了。那怪真个倒背着手，凭他怎么绑缚。却又揪着耳朵，拉着他，叫：“快走！快走！”那怪道：“轻着些儿！你的手重，揪得我耳根子疼。”行者道：“轻不成！顾你不得！常言道：‘善猪恶拿。’只等见了我师父，果有真心，方才放你。”他两个半云半雾的，径转高家庄来。有诗为证：

金性刚强能克木，心猿降得木龙归。
金从木顺皆为一，木恋金仁总发挥。
一主一宾无间隔，三交三合有玄微。
性情并喜贞元聚，同证西方话不违。

顷刻间，到了庄前。行者拑着他的钯，揪着他的耳道：“你看那厅堂上端坐的是谁？乃吾师也。”那高氏诸亲友与老高，忽见行者把那怪背绑揪耳而来，一个个忻然迎到天井中，道声：“长老！长老！他正是我家的女婿！”那怪走上前，双膝跪下，背着手，对三藏叩头，高叫道：“师父，弟子失迎。早知是师父住在我丈人家，我就来拜接，怎么又受到许多拨折②？”三藏道：“悟

① 捣碓(duì)：碓，舂米的器具。形容磕头如捣米似的。
② 拨折：波折、周折。

空，你怎么降得他来拜我？”行者才放了手，拿钉钯柄儿打着，喝道：“呆子！你说么！”那怪把菩萨劝善事情，细陈了一遍。

三藏大喜，便叫：“高太公，取个香案用用。”老高即忙抬出香案。三藏净了手焚香，望南礼拜道：“多蒙菩萨圣恩！”那几个老儿也一齐添香礼拜。拜罢，三藏上厅高坐，教：“悟空，放了他绳。”行者才把身抖了一抖，收上身来，其缚自解。那怪从新礼拜三藏，愿随西去。又与行者拜了，以先进者为兄，遂称行者为师兄。三藏道：“既从吾善果，要做徒弟，我与你起个法名，早晚好呼唤。”他道：“师父，我是菩萨已与我摩顶受戒，起了法名，叫做猪悟能也。”三藏笑道：“好！好！你师兄叫做悟空，你叫做悟能，其实是我法门中的宗派。”悟能道：“师父，我受了菩萨戒行，断了五荤三厌，在我丈人家持斋把素，更不曾动荤；今日见了师父，我开了斋罢。”三藏道：“不可！不可！你既是不吃五荤三厌，我再与你起个别名，唤为八戒。”那呆子欢欢喜喜道：“谨遵师命。”因此又叫做猪八戒。

高老见这等去邪归正，更十分喜悦，遂命家僮安排筵宴，酬谢唐僧。八戒上前扯住老高道：“爷，请我拙荆[1]出来拜见公公、伯伯，如何？”行者笑道：“贤弟，你既入了沙门，做了和尚，从今后，再莫题起那‘拙荆’的话说。世间只有个火居道士[2]，那里有个火居的和尚？我们且来叙了坐次，吃顿斋饭，赶早儿往西天走路。”高老儿摆了桌席，请三藏上坐，行者与八戒，坐于左右两旁。诸亲下坐，高老把素酒开樽，满斟一杯，奠了天地，然后奉与三藏。三藏道：“不瞒太公说，贫僧是胎里素，自幼儿不吃荤。”

① 拙荆：对自己妻子的谦称。荆，即荆钗裙布的意思，形容衣着简素。

② 火居道士：有家室、妻子的道士。

老高道:“因知老师清素,不曾敢动荤。此酒也是素的,请一杯不妨。”三藏道:“也不敢用酒。酒是我僧家第一戒者。”悟能慌了道:“师父,我自持斋,却不曾断酒。”悟空道:“老孙虽量窄,吃不上坛把,却也不曾断酒。”三藏道:“既如此,你兄弟们吃些素酒也罢,只是不许醉饮误事。”遂而他两个接了头钟。各人俱照旧坐下,摆下素斋。说不尽那杯盘之盛,品物之丰。

师徒们宴罢,老高将一红漆丹盘,拿出二百两散碎金银,奉三位长老为途中之费;又将三领绵布褊衫,为上盖①之衣。三藏道:“我们是行脚僧,遇庄化饭,逢处求斋,怎敢受金银财帛?”行者近前,抡开手抓了一把,叫:“高才,昨日累你引我师父,今日招了一个徒弟,无物谢你,把这些碎金碎银,权作带领钱,拿了去买草鞋穿。以后但有妖精,多作成我几个,还有谢你处哩。”高才接了,叩头谢赏。老高又道:“师父们既不受金银,望将这粗衣笑纳,聊表寸心。”三藏又道:“我出家人,若受了一丝之贿,千劫难修。只是把席上吃不了的饼果,带些去做干粮足矣。”八戒在旁边道:“师父、师兄,你们不要便罢,我与他家做了这几年女婿,就是挂脚粮也该三石哩。——丈人呵,我的直裰,昨晚被师兄扯破了,与我一件青锦袈裟;鞋子绽了,与我一双好新鞋子。”高老闻言,不敢不与,随买一双新鞋,将一领褊衫,换下旧时衣物。

那八戒摇摇摆摆,对高老唱个喏道:“上复丈母、大姨、二姨并姨夫、姑舅诸亲:我今日去做和尚了,不及面辞,休怪。丈人呵,你还好生看待我浑家②:只怕我们取不成经时,好来还俗,照

① 上盖:上身的外衣。

② 浑家:对老婆、妻子的一种称呼。

旧与你做女婿过活。”行者喝道：“夯货！却莫胡说！”八戒道：“哥呵，不是胡说，只恐一时间有些儿差池，却不是和尚误了做，老婆误了娶，两下里都耽搁了？”三藏道：“少题闲话，我们赶早儿去来。”遂此收拾了一担行李，八戒担着；背了白马，三藏骑着；行者肩担铁棒，前面引路。一行三众，辞别高老及众亲友，投西而去。有诗为证。诗曰：

满地烟霞树色高，唐朝佛子苦劳劳。
饥餐一钵千家饭，寒着千针一衲袍。
意马胸头休放荡，心猿乖劣莫教嚎。
情和性定诸缘合，月满金华①是伐毛②。

三众进西路途，有个月平稳。行过了乌斯藏界，猛抬头见一座高山。三藏停鞭勒马道：“悟空、悟能，前面山高，须索仔细，仔细。”八戒道：“没事。这山唤做浮屠山，山中有一个乌巢禅师，在此修行。老猪也曾会他。”三藏道：“他有些甚么勾当？”八戒道：“他倒也有些道行。他曾劝我跟他修行，我不曾去罢了。”师徒们说着话，不多时，到了山上。好山！但见那：

山南有青松碧桧，山北有绿柳红桃。闹聒聒，山禽对语；舞翩翩，仙鹤齐飞。香馥馥，诸花千样色；青冉冉，杂草万般奇。涧下有滔滔绿水，崖前有朵朵祥云。真个是景致非常幽雅处，寂然不见往来人。

那师父在马上遥观，见香桧树前，有一柴草窝。左边有麋鹿衔花，右边有山猴献果。树梢头，有青鸾彩凤齐鸣，玄鹤锦鸡咸集。八戒指道：“那不是乌巢禅师！”三藏纵马加鞭，直至树下。

① 金华：佛教术语。金波罗华的略称，就是金色莲花，形容功行圆满的境界。
② 伐毛：佛、道教术语。就是伐毛洗髓、脱胎换骨，意谓功行圆满。

却说那禅师见他三众前来,即便离了巢穴,跳下树来。三藏下马奉拜,那禅师用手搀道:“圣僧请起。失迎,失迎。”八戒道:“老禅师,作揖了。”禅师惊问道:“你是福陵山猪刚鬣,怎么有此大缘,得与圣僧同行?”八戒道:“前年蒙观音菩萨劝善,愿随他做个徒弟。”禅师大喜道:“好,好,好!”又指定行者,问道:“此位是谁?”行者笑道:“这老禅怎么认得他,倒不认得我?”禅师道:“因少识耳。”三藏道:“他是我的大徒弟孙悟空。”禅师陪笑道:“欠礼,欠礼。”

三藏再拜,请问西天大雷音寺还在那里。禅师道:“远哩!远哩!只是路多虎豹,难行。”三藏殷勤致意,再问:“路途果有多远?”禅师道:“路途虽远,终须有到之日,却只是魔瘴难消。我有《多心经》一卷,凡五十四句,共计二百七十字。若遇魔障之处,但念此经,自无伤害。”三藏拜伏于地恳求,那禅师遂口诵传之。经云:

“《摩诃般若波罗蜜多心经》。观自在菩萨,行深般若波罗蜜多时,照见五蕴皆空,度一切苦厄。舍利子,色不异空,空不异色;色即是空,空即是色。受想行识,亦复如是。舍利子,是诸法空相,不生不灭,不垢不净,不增不减。是故空中无色,无受想行识,无眼耳鼻舌身意,无色声香味触法,无眼界,乃至无意识界,无无明,亦无无明尽,乃至无老死,亦无老死尽。无苦集灭道,无智亦无得。以无所得故。菩提萨埵,依般若波罗蜜多故,心无挂碍;无挂碍故,无有恐怖;远离颠倒梦想,究竟涅槃。三世诸佛,依般若波罗蜜多故,得阿耨多罗三藐三菩提。故知般若波罗蜜多,是大神咒,是大明咒,是无上咒,是无等等咒,能除一切苦,真实不虚。故说般若波罗蜜多咒,即说咒曰:‘揭谛!揭谛!波罗揭谛！波罗僧揭谛！菩提萨婆诃！'"

此时唐朝法师本有根源，耳闻一遍《多心经》，即能记忆，至今传世。此乃修真之总经，作佛之会门也。

那禅师传了经文，踏云光，要上乌巢而去；被三藏又扯住奉告，定要问个西去的路程端的。那禅师笑云：

"道路不难行，试听我分付：千山千水深，多瘴多魔处。若遇接天崖，放心休恐怖。行来摩耳岩，侧着脚踪步。仔细黑松林，妖狐多截路。精灵满国城，魔主盈山住。老虎坐琴堂①，苍狼为主簿②。狮象尽称王，虎豹皆作御。野猪挑担子，水怪前头遇。多年老石猴，那里怀嗔怒。你问那相识，他知西去路。"

行者闻言，冷笑道："我们去，不必问他，问我便了。"三藏还不解其意。那禅师化作金光，径上乌巢而去。长老往上拜谢。行者心中大怒，举铁棒望上乱捣，只见莲花生万朵，祥雾护千层。行者纵有搅海翻江力，莫想挽着乌巢一缕藤。三藏见了，扯住行者道："悟空，这样一个菩萨，你捣他窝巢怎的？"行者道："他骂了我兄弟两个一场去了。"三藏道："他讲的西天路径，何尝骂你？"行者道："你那里晓得？他说'野猪挑担子'，是骂的八戒；'多年老石猴'，是骂的老孙。你怎么解得此意？"八戒道："师兄息怒。这禅师也晓得过去未来之事，但看他'水怪前头遇'这句话，不知验否。饶他去罢。"行者见莲花祥雾，近那巢边，只得请师父上马，下山往西而去。那一去：管教清福人间少，致使灾魔山里多。毕竟不知前程端的如何，且听下回分解。

---

① 琴堂：旧时称州、府、县办公的地方为琴堂，意为官员优秀，弹着琴即可处理好政事。

② 主簿：旧时主管文书、办理日常事务的官员。

第二十回

黄风岭唐僧有难　半山中八戒争先

偈曰：

法本从心生，还是从心灭。生灭尽由谁，请君自辨别。既然皆己心，何用别人说？只须下苦功，扭出铁中血。绒绳着鼻穿，挽定虚空结。拴在无为树，不使他颠劣。莫认贼为子，心法都忘绝。休教他瞒我，一拳先打彻。现心亦无心，现法法也辍。人牛不见时①，碧天光皎洁。秋月一般圆，彼此难分别。

这一篇偈子，乃是玄奘法师悟彻了《多心经》，打开了门户②。那长老常念常存，一点灵光自透。

且说他三众，在路餐风宿水，带月披星，早又至夏景炎天。但见那：

花尽蝶无情叙，树高蝉有声喧。

野蚕成茧火榴妍，沼内新荷出现。

那日正行时，忽然天晚，又见山路旁边有一村舍。三藏道："悟空，你看那日落西山藏火镜，月升东海现冰轮。幸而道旁有

---

① 人牛不见时：佛教用牛比喻修行进度，有所谓《十牛图》。第八种境界为人牛俱忘，即人牛不见时，认为这是大乘的"我法俱空"的成就。

② 打开门户：指懂得、领悟所谓修道的门径。

一人家，我们且借宿一宵，明日再走。”八戒道：“说得是。我老猪也有些饿了，且到人家化些斋吃，有力气，好挑行李。”行者道：“这个恋家鬼！你离了家几日，就生报怨！”八戒道：“哥呵，似不得你这喝风阿烟的人。我从跟了师父这几日，长忍半肚饥，你可晓得？”三藏闻之道：“悟能，你若是在家心重呵，不是个出家的了，你还回去罢。”那呆子慌得跪下道：“师父，你莫听师兄之言。他有些赃埋人①。我不曾报怨甚的，他就说我报怨。我是个直肠的痴汉，我说道肚里饥了，好寻个人家化斋，他就骂我是恋家鬼。师父呵，我受了菩萨的戒行，又承师父怜悯，情愿要伏侍师父往西天去，誓无退悔。这叫做‘恨苦修行’。怎的说不是出家的话！”三藏道：“既是如此，你且起来。”

那呆子纵身跳起，口里絮絮叨叨的，挑着担子，只得死心塌地，跟着前来。早到了路旁人家门首，三藏下马，行者接了缰绳，八戒歇了行李，都伫立绿荫之下。三藏拄着九环锡杖，按按藤缠篾织斗篷，先奔门前。只见一老者，斜倚竹床之上，口里嘤嘤的念佛。三藏不敢高言，慢慢的叫一声：“施主，问讯了。”那老者一骨鲁跳将起来，忙敛衣襟，出门还礼道：“长老，失迎。你自那方来的？到我寒门何故？”三藏道：“贫僧是东土大唐和尚，奉圣旨，上雷音寺拜佛求经。适至宝方天晚，意投檀府告借一宵，万祈方便方便。”那老儿摆手摇头道：“去不得，西天难取经。要取经，往东天去罢。”三藏口中不语，意下沉吟：“菩萨指道西去，怎么此老说往东行？东边那得有经？……”腼腆难言，半晌不答。

却说行者素性凶顽，忍不住，上前高叫道：“那老儿，你这们大年纪，全不晓事。我出家人远来借宿，就把这厌钝②的话虎唬

① 赃埋人：栽赃、诬蔑、栽人的意思。

② 厌钝：扫兴、不顺遂。

我。十分你家窄狭,没处睡时,我们在树底下,好道也坐一夜,不打搅你。”那老者扯住三藏道:“师父,你倒不言语,你那个徒弟,那般拐子脸、别颏腮[①]、雷公嘴、红眼睛的一个痨病魔鬼,怎么反冲撞我这年老之人!”行者笑道:“你这个老儿,忒也没眼色!似那俊刮[②]些儿的,叫做中看不中吃。想我老孙虽小,颇结实,皮裹一团筋哩。”

那老者道:“你想必有些手段。”行者道:“不敢夸言,也将就看得过。”老者道:“你家居何处?因甚事削发为僧?”行者道:“老孙祖贯东胜神洲海东傲来国花果山水帘洞居住。自小儿学做妖怪,称名悟空。凭本事,挣了一个齐天大圣。只因不受天禄,大反天宫,惹了一场灾愆。如今脱难消灾,转拜沙门,前求正果,保我这唐朝驾下的师父,上西天拜佛走遭,怕甚么山高路险,水阔波狂!我老孙也捉得怪,降得魔,伏虎擒龙,踢天弄井[③],都晓得些儿。倘若府上有甚么丢砖打瓦,锅叫门开,老孙便能安镇。”

那老儿听得这篇言语,哈哈笑道:“原来是个撞头[④]化缘的熟嘴儿和尚。”行者道:“你儿子便是熟嘴!我这些时,只因跟我师父走路辛苦,还懒说话哩。”那老儿道:“若是你不辛苦,不懒说话,好道活活的聒杀我!你既有这样手段,西方也还去得,去得。你一行几众?请至茅舍里安宿。”三藏道:“多蒙老施主不叱之恩。我一行三众。”老者道:“那一众在那里?”行者指着道:

---

① 别颏腮:别,“瘪”的同音字。别颏腮就是瘪嘴巴、瘪腮帮子。后文第二十三回“肚别腰松”、第二十七回“嘴唇往下别”的“别”与此同。

② 俊刮:漂亮、俊俏、刮净、利落。

③ 踢天弄井:上天入地的事都能做,形容本事大。

④ 撞头:胡乱撞。

“这老儿眼花，那绿荫下站的不是?”老儿果然眼花，忽抬头细看，一见八戒这般嘴脸，就唬得一步一跌，往屋里乱跑，只叫：“关门！关门！妖怪来了！”行者赶上扯住道：“老儿莫怕，他不是妖怪，是我师弟。”老者战兢兢的道：“好！好！好！一个丑似一个的和尚！”八戒上前道：“老官儿，你若以相貌取人，干净差了。我们丑自丑，却都有用。”

那老者正在门前与三个和尚相讲，只见那庄南边有两个少年人，带着一个老妈妈，三四个小男女，敛衣赤脚，插秧而回。他看见一匹白马，一担行李，都在他家门首喧哗，不知是甚来历，都一拥上前问道：“做甚么的?”八戒调过头来，把耳朵摆了几摆，长嘴伸了一伸，吓得那些人东倒西歪，乱跄①乱跌。慌得那三藏满口招呼道：“莫怕！莫怕！我们不是歹人，我们是取经的和尚。”那老儿才出了门，搀着妈妈道：“婆婆起来，少要惊恐。这师父，是唐朝来的，只是他徒弟脸嘴丑些，却也山恶人善。带男女们家去。”那妈妈才扯着老儿，二少年领着儿女进去。

三藏却坐在他门楼里竹床之上，埋怨道：“徒弟呀，你两个相貌既丑，言语又粗，把这一家儿吓得七损八伤，都替我身造罪哩！”八戒道：“不瞒师父说，老猪自从跟了你，这些时俊了许多哩。若像往常在高老庄走时，把嘴朝前一掬，把耳两头一摆，常吓杀二三十人哩。”行者笑道：“呆子不要乱说，把那丑也收拾起些。”三藏道：“你看悟空说的话。相貌是生成的，你教他怎么收拾?”行者道：“把那个耙子嘴，揣在怀里，莫拿出来；把那蒲扇耳，贴在后面，不要摇动，这就是收拾了。”那八戒真个把嘴揣

① 跄(qiāng)：这里是形容行路歪斜的样子。

了，把耳贴了，拱着头，立于左右。行者将行李拿入门里，将白马拴在桩上。

只见那老儿才引个少年，拿一个板盘儿，托三杯清茶来献。茶罢，又分付办斋。那少年又拿一张有窟窿无漆水的旧桌，端两条破头折脚的凳子，放在天井中，请三众凉处坐下。三藏方问道："老施主，高姓？"老者道："在下姓王。"——"有几位令嗣①？"——道："有两个小儿，三个小孙。"三藏道："恭喜，恭喜。"又问："年寿几何？"——道："痴长六十一岁。"行者道："好！好！好！花甲重逢矣。"三藏复问道："老施主，始初说西天经难取者，何也？"老者道："经非难取，只是道中艰涩难行。我们这向西去，只有三十里远近，有一座山，叫做八百里黄风岭。那山中多有妖怪。故言难取者，此也。若论此位小长老，说有许多手段，却也去得。"行者道："不妨！不妨！有了老孙与我这师弟，任他是甚么妖怪，不敢惹我。"

正说处，又见儿子拿将饭来，摆在桌上，道声："请斋。"三藏就合掌讽《启斋经》。八戒早已吞了一碗。长老的几句经还未了，那呆子又吃够三碗。行者道："这个馕糠！好道汤②着饿鬼了！"那老王倒也知趣，见他吃得快，道："这个长老，想着实饿了，快添饭来。"那呆子真个食肠大：看他不抬头，一连就吃有十数碗。三藏、行者俱各吃不上两碗。呆子不住，便还吃哩。老王道："仓卒无肴，不敢苦劝，请再进一筯。"三藏、行者俱道："够了。"八戒道："老儿滴答③甚么！谁和你发课④，说甚么

① 令嗣：对方儿子的尊称。

② 汤（táng）：搪、碰。后文第二十二回写作"荡"。

③ 滴答：啰嗦的意思。

④ 发课：即"起课"，一种占卜方法。

五爻六爻①，有饭只管添将来就是。”呆子一顿，把他一家子饭都吃得罄尽，还只说才得半饱。却才收了家火，在那门楼下，安排了竹床板铺睡下。

次日天晓，行者去背马②，八戒去整担，老王又教妈妈整治些点心汤水管待，三众方致谢告行。老者道：“此去倘路间有甚不虞，是必还来茅舍。”行者道：“老儿，莫说哈话③。我们出家人，不走回头路。”遂此策马挑担西行。

噫！这一去，果无好路朝西域，定有邪魔降大灾。三众前来，不上半日，果逢一座高山。说起来，十分险峻。三藏马到临崖，斜挑宝蹬观看，果然那：

高的是山，峻的是岭；陡的是崖，深的是壑；响的是泉，鲜的是花。那山高不高，顶上接青霄；这涧深不深，底中见地府。山前面，有骨都都④白云，屹嶝嶝怪石，说不尽千丈万丈挟魂崖。崖后有弯弯曲曲藏龙洞，洞中有叮叮当当滴水岩。又见些丫丫叉叉带角鹿，泥泥蚩蚩看人獐；盘盘曲曲红鳞蟒，耍耍顽顽白面猿。至晚巴山寻穴虎，带晓翻波出水龙，登的洞门唿喇喇响。草里飞禽，扑轳轳起；林中走兽，掬啡啡行。猛然一阵狼虫过，吓得人心跄蹬蹬惊。正是那当倒洞当当倒洞，洞当当倒洞当山；青岱染成千丈玉，碧纱笼罩万堆烟。

---

① 五爻六爻：爻是《易经》组成卦象的基本符号，包括阳爻“—”和阴爻“--”。卦象都由六个爻由下到上组成，最上边的两个分别是五爻和六爻。前边老人说的“无肴”是指没有菜肴，八戒故意说成“五爻六爻”来打趣。

② 背马：即鞴马，把鞍辔套在马身上。

③ 哈话：愚蠢的话、丢人话。

④ 骨都都：形容连续不断地向外冒。

那师父缓促银骢，孙大圣停云慢步，猪悟能磨担①徐行。正看那山，忽闻得一阵旋风大作。三藏在马上心惊，道："悟空，风起了！"行者道："风却怕他怎的！此乃天家四时之气，有何惧哉！"三藏道："此风甚恶，比那天风不同。"行者道："怎见得不比天风？"三藏道："你看这风：

巍巍荡荡飒飘飘，渺渺茫茫出碧霄。
过岭只闻千树吼，入林但见万竿摇。
岸边摆柳连根动，园内吹花带叶飘。
收网渔舟皆紧缆，落篷客艇尽抛锚。
途半征夫迷失路，山中樵子担难挑。
仙果林间猴子散，奇花丛内鹿儿逃。
崖前桧柏颗颗倒，涧下松篁叶叶凋。
播土扬尘沙迸迸，翻江搅海浪涛涛。"

八戒上前，一把扯住行者道："师兄，十分风大！我们且躲一躲儿干净。"行者笑道："兄弟不济！风大时就躲，倘或亲面撞见妖精，怎的是好？"八戒道："哥呵，你不曾闻得'避色如避仇，避风如避箭'哩！我们躲一躲，也不亏人。"行者道："且莫言语，等我把这风抓一把来闻一闻看。"八戒笑道："师兄又扯空头谎了，风又好抓得过来闻？就是抓得来，便也渍了去了。"行者道："兄弟，你不知道老孙有个'抓风'之法。"好大圣，让过风头，把那风尾抓过来闻了一闻，有些腥气，道："果然不是好风！这风的味道不是虎风，定是怪风。断乎有些蹊跷。"

说不了，只见那山坡下，剪尾跑蹄，跳出一只斑斓猛虎。慌得那三藏坐不稳雕鞍，翻跟头跌下白马，斜倚在路旁，真个是魂

① 磨担：挑东西时换肩的动作。

飞魄散。八戒丢了行李，掣铁钯，不让行者走上前，大喝一声道："业畜！那里走！"赶将去，劈头就筑。那只虎直挺挺站将起来，把那前左爪抡起，抠住自家的胸膛，往下一抓，滑剌的一声，把个皮剥将下来，站立道旁。你看他怎生恶相！咦，那模样：

血津津的赤剥身躯，红媸媸的弯环腿足。

火焰焰的两鬓蓬松，硬搠搠的双眉的竖①。

白森森的四个钢牙，光耀耀的一双金眼。

气昂昂的努力大哮，雄纠纠的厉声高喊。

喊道："慢来！慢来！吾当不是别人，乃是黄风大王部下的前路先锋。今奉大王严命，在山巡逻，要拿几个凡夫去做案酒②。你是那里来的和尚，敢擅动兵器伤我？"八戒骂道："我把你这个业畜！你是认不得我！我等不是那过路的凡夫，乃东土大唐御弟三藏之弟子，奉旨上西方拜佛求经者。你早早的远避他方，让开大路，休惊了我师父，饶你性命；若似前猖獗，钯举处，却不留情！"

那妖精那容分说，急近步，丢一个架子，望八戒劈脸来抓。这八戒忙闪过，抡钯就筑。那怪手内无兵器，下头就走，八戒随后赶来。那怪到了山坡下乱石丛中，取出两口赤铜刀，急抡起，转身来迎。两个在这坡前，一往一来，一冲一撞的赌斗。那里行者搀起唐僧道："师父，你莫害怕。且坐住，等老孙去助助八戒，打倒那怪好走。"三藏才坐将起来，战兢兢的，口里念着《多心经》不题。

那行者掣了铁棒，喝声教："拿了！"此时八戒抖擞精神，那

---

① 的竖：直竖。

② 案酒：下酒物。第四十一回亦作"按酒"。

怪败下阵去。行者道:“莫饶他! 务要赶上!”他两个抡钉钯,举铁棒,赶下山来。那怪慌了手脚,使个“金蝉脱壳计”,打个滚,现了原身,依然是一只猛虎。行者与八戒那里肯舍,赶着那虎,定要除根。那怪见他赶得至近,却又抠着胸膛,剥下皮来,苫盖在那卧虎石上,脱真身,化一阵狂风,径回路口。路口上那师父正念《多心经》,被他一把拿住,驾长风摄将去了。可怜那三藏呵! 江流注定多磨蜇,寂灭门中功行难。

那怪把唐僧擒来洞口,按住狂风,对把门的道:“你去报大王说,前路虎先锋拿了一个和尚,在门外听令。”那洞主传令,教:“拿进来。”那虎先锋腰撒①着两口赤铜刀,双手捧着唐僧,上前跪下道:“大王,小将不才,蒙钧令差山上巡逻,忽遇一个和尚。他是东土大唐驾下御弟三藏法师,上西方拜佛求经,被我擒来奉上,聊具一馔。”

那洞主闻得此言,吃了一惊道:“我闻得前者有人传说:三藏法师乃大唐奉旨意取经的神僧;他手下有一个徒弟,名唤孙行者,神通广大,智力高强。你怎么能够捉得他来?”先锋道:“他有两个徒弟:先来的,使一柄九齿钉钯,他生得嘴长耳大;又一个,使一根金箍铁棒,他生得火眼金睛。正赶着小将争持,被小将使一个‘金蝉脱壳’之计,撤身得空,把这和尚拿来,奉献大王,聊表一餐之敬。”洞主道:“且莫吃他着。”先锋道:“大王,见食不食,呼为劣蹶②。”洞主道:“你不晓得:吃了他不打紧,只恐怕他那两个徒弟上门吵闹,未为稳便。且把他绑在后园定风桩上,待三五日,他两个不来搅扰,那时节,一则图他身子干净,二

① 撒:方言词。把物品捆紧。

② 劣蹶:通常形容马不驯顺。因为马在犯性的时候,尥蹶子、咬群,给它好的草料也不吃。此处就是用这个意思做比喻。

来不动口舌，却不任我们心意？或煮或蒸，或煎或炒，慢慢的自在受用不迟。”先锋大喜道：“大王深谋远虑，说得有理。”教：“小的们，拿了去。”

旁边拥上七八个绑缚手，将唐僧拿去，好便似鹰拿燕雀，索绑绳缠。这的是苦命江流思行者，遇难神僧想悟能，道声：“徒弟呵！不知你在那山擒怪，何处降精，我却被魔头拿来，遭此毒害，几时再得相见！好苦啊！你们若早些儿来，还救得我命；若十分迟了，断然不能保矣！”一边嗟叹，一边泪落如雨。

却说那行者、八戒，赶那虎下山坡，只见那虎跑倒了，塌伏在崖前。行者举棒，尽力一打，转震得自己手疼。八戒复筑了一钯，亦将钯齿迸起。原来是一张虎皮，苫着一块卧虎石。行者大惊道：“不好了！不好了！中了他计也！”八戒道：“中他甚计？”行者道：“这个叫做‘金蝉脱壳计’：他将虎皮苫在此，他却走了。我们且回去看看师父，莫遭毒手。”两个急急转来，早已不见了三藏。行者大叫如雷道：“怎的好！师父已被他擒去了！”八戒即便牵着马，眼中滴泪道：“天那！天那！却往那里找寻！”行者抬着跳道：“莫哭！莫哭！一哭就挫了锐气。横竖想只在此山，我们寻寻去来。”

他两个果奔入山中，穿岗越岭，行够多时，只见那石崖之下，耸出一座洞府。两人定步观瞻，果然凶险。但见那：

叠嶂尖峰，回峦古道。青松翠竹依依，绿柳碧梧冉冉。崖前有怪石双双，林内有幽禽对对。涧水远流冲石壁，山泉细滴漫沙堤。野云片片，瑶草芊芊。妖狐狡兔乱撺梭，角鹿香獐齐斗勇。劈崖斜挂万年藤，深壑半悬千岁柏。奕奕巍巍欺华岳，落花啼鸟赛天台。

行者道："贤弟，你可将行李歇在藏风山凹之间，撒放马匹，不要出头。等老孙去他门首，与他赌斗。必须拿住妖精，方才救得师父。"八戒道："不消分付，请快去。"行者整一整直裰，束一束虎裙，掣了棒，撞至那门前，只见那门上有六个大字，乃"黄风岭黄风洞"，却便丁字脚站定，执着棒，高叫道："妖怪！趁早儿送我师父出来，省得掀翻了你窝巢，躧平了你住处！"

那小怪闻言，一个个害怕，战兢兢的，跑入里面报道："大王！祸事了！"那黄风怪正坐间，问："有何事？"小妖道："洞门外来了一个雷公嘴毛脸的和尚，手持着一根许大①粗的铁棒，要他师父哩！"那洞主惊张，即唤虎先锋道："我教你去巡山，只该拿些山牛、野彘、肥鹿、胡羊，怎么拿那唐僧来！却惹他那徒弟来此闹吵，怎生区处？"先锋道："大王放心稳便，高枕勿忧，小将不才，愿带领五十个小妖校出去，把那甚么孙行者拿来凑吃。"洞主道："我这里除了大小头目，还有五七百名小校，凭你选择领多少去。只要拿住那行者，我们才自自在在吃那和尚一块肉，情愿与你拜为兄弟；但恐拿他不得，反伤了你，那时休得埋怨我也。"

虎怪道："放心！放心！等我去来。"果然点起五十名精壮小妖，擂鼓摇旗，缠两口赤铜刀，腾出门来，厉声高叫道："你是那里来的个猴和尚？敢在此间大呼小叫的做甚？"行者骂道："你这个剥皮的畜生！你弄甚么脱壳法儿，把我师父摄了，倒转问我做甚！趁早好好送我师父出来，还饶你这个性命！"虎怪道："你师父是我拿了，要与我大王做顿下饭。你识起倒②，回去

① 许大：偌大、很大。
② 起倒：犹高低、抬举。

罢！不然，拿住你一齐凑吃，却不是'买一个又饶一个'？"行者闻言，心中大怒；圪迸迸，钢牙错啮；滴流流，火眼睁圆；掣铁棒喝道："你多大欺心，敢说这等大话！休走！看棍！"那先锋急持刀按住。这一场果然不善，他两个各显威能。好杀：

那怪是个真鹅卵，悟空是个鹅卵石。
赤铜刀架美猴王，浑如垒卵来击石。
乌鹊怎与凤凰争？鹁鸽敢和鹰鹞敌？
那怪喷风灰满山，悟空吐雾云迷日。
来往不禁三五回，先锋腰软全无力。
转身败了要逃生，却被悟空抵死逼。

那虎怪撑持不住，回头就走。他原来在那洞主面前说了嘴，不敢回洞，径往山坡上逃生。行者那里肯放，执着棒，只情赶来，呼呼吼吼，喊声不绝，却赶到那藏风山凹之间。正抬头，见八戒在那里放马。八戒忽听见呼呼声喊，回头观看，乃是行者赶败的虎怪，就丢了马，举起钯，刺斜着头一筑。可怜那先锋，脱身要跳黄丝网，岂知又遇罩鱼人。却被八戒一钯，筑得九个窟窿鲜血冒，一头脑髓尽流干。有诗为证。诗曰：

三二年前归正宗，持斋把素悟真空。
诚心要保唐三藏，初秉沙门立此功。

那呆子一脚踵住他的脊背，两手抡钯又筑。行者见了，大喜道："兄弟，正是这等！他领了几十个小妖，敢与老孙赌斗！被我打败了，他转不往洞跑，却跑来这里寻死。亏你接着，不然又走了。"八戒道："弄风摄师父去的可是他？"行者道："正是，正是。"八戒道："你可曾问他师父的下落么？"行者道："这怪把师父拿在洞里，要与他甚么鸟大王做下饭。是老孙恼了，就与他斗将这里来，却着你送了性命。兄弟呀，这个功劳算你的。你可还守着马与行李,等我把这死怪拖了去,再到那洞口索战。须是拿得那老妖,方才救得师父。”八戒道:“哥哥说得有理。你去,你去。若是打败了这老妖,还赶将这里来,等老猪截住杀他。”好行者,一只手提着铁棒,一只手拖着死虎,径至他洞口。正是:法师有难逢妖怪,情性相和伏乱魔。毕竟不知此去可降得妖怪,救得唐僧,且听下回分解。

第二十一回

护教设庄留大圣　须弥灵吉定风魔

却说那五十个败残的小妖，拿着些破旗、破鼓，撞入洞里，报道："大王，虎先锋战不过那毛脸和尚，被他赶下东山坡去了。"老妖闻说，十分烦恼。正低头不语，默思计策，又有把前门的小妖道："大王，虎先锋被那毛脸和尚打杀了，拖在门口骂战哩。"那老妖闻言，愈加烦恼道："这厮却也无知！我倒不曾吃他师父，他转打杀我家先锋，可恨！可恨！"叫："取披挂来。我也只闻得讲甚么孙行者，等我出去，看是个甚么九头八尾的和尚，拿他进来，与我虎先锋对命①。"众小妖急急抬出披挂。老妖结束齐整，绰一杆三股钢叉，帅群妖跳出本洞。那大圣停立门外，见那怪走将出来，着实骁勇。看他怎生打扮，但见：

金盔晃日，金甲凝光。盔上缨飘山雉尾，罗袍罩甲淡鹅黄。勒甲绦盘龙耀彩，护心镜绕眼辉煌。鹿皮靴，槐花染色；锦围裙，柳叶绒妆。手持三股钢叉利，不亚当年显圣郎。

那老妖出得门来，厉声高叫道："那个是孙行者？"这行者脚踊着虎怪的皮囊，手执的如意的铁棒，答道："你孙外公在此，送出我师父来！"那怪仔细观看，见行者身躯鄙猥，面容羸瘦，不满四尺，笑道："可怜！可怜！我只道是怎么样扳翻不倒的好汉，原来是这

---

① 对命：抵命、偿命。

般一个骷髅的病鬼!"行者笑道:"你这个儿子,忒没眼色!你外公虽是小小的,你若肯照头打一叉柄,就长三尺。"那怪道:"你硬着头,吃吾一柄。"大圣公然不惧。那怪果打一下来,他把腰躬一躬,足长了三尺,有一丈长短。慌得那妖把钢叉按住,喝道:"孙行者,你怎么把这护身的变化法儿,拿来我门前使唤!莫弄虚头!走上来,我与你见见手段!"行者笑道:"儿子呵!常言道:'留情不举手,举手不留情。'你外公手儿重重的,只怕你捱不起这一棒!"那怪那容分说,捻转钢叉,望行者当胸就刺。这大圣正是会家不忙,忙家不会,理开铁棒,使一个"乌龙掠地势",拨开钢叉,又照头便打。他二人在那黄风洞口,这一场好杀:

妖王发怒,大圣施威。妖王发怒,要拿行者抵先锋;大圣施威,欲捉精灵救长老。叉来棍架,棍去叉迎。一个是镇山都总帅,一个是护法美猴王。初时还在尘埃战,后来各起在中央。点钢叉,尖明镩利;如意棒,身黑箍黄。戳着的魂归冥府,打着的定见阎王。全凭着手疾眼快,必须要力壮身强。两家舍死忘生战,不知那个平安那个伤。

那老妖与大圣斗经三十回合,不分胜败。这行者要见功绩,使一个"身外身"的手段:把毫毛揪下一把,用口嚼得粉碎,望上一喷,叫声:"变!"变有百十个行者,都是一样打扮,各执一根铁棒,把那怪围在空中。那怪害怕,也使一般本事:急回头,望着巽地上,把口张了三张,呼的一口气吹将出去,忽然间,一阵黄风从空刮起。好风!真个利害:

冷冷飕飕天地变,无影无形黄沙旋。穿林折岭倒松梅,播土扬尘崩岭坫①。黄河浪泼彻底浑,湘江水涌翻波转。

① 坫(diàn):本指堂屋中放东西的土台,此指不太高的山岭。

碧天振动斗牛宫，争些[1]刮倒森罗殿。五百罗汉闹喧天，八大金刚齐嚷乱。文殊走了青毛狮，普贤白象难寻见。真武龟蛇失了群，梓橦[2]骡子飘其鞴。行商喊叫告苍天，稍公拜许诸般愿。烟波性命浪中流，名利残生随水办。仙山洞府黑攸攸，海岛蓬莱昏暗暗。老君难顾炼丹炉，寿星收了龙须扇。王母正去赴蟠桃，一风吹断裙腰钏。二郎迷失灌州城，哪吒难取匣中剑。天王不见手心塔，鲁班吊了金头钻。雷音宝阙倒三层，赵州石桥崩两断。一轮红日荡无光，满天星斗皆昏乱。南山鸟往北山飞，东湖水向西湖漫。雌雄拆对不相呼，子母分离难叫唤。龙王遍海找夜叉，雷公到处寻闪电。十代阎王觅判官，地府牛头追马面。这风吹倒普陀山，卷起观音经一卷。白莲花卸海边飞，吹倒菩萨十二院。盘古至今曾见风，不似这风来不善。嗯喇喇，乾坤险不咋崩开，万里江山都是颤！

那妖怪使出这阵狂风，就把孙大圣毫毛变的小行者刮得在那半空中，却似纺车儿一般乱转，莫想抡得棒，如何拢得身？慌得行者将毫毛一抖，收上身来，独自个举着铁棒，上前来打，又被那怪劈脸喷了一口黄风，把两只火眼金睛，刮得紧紧闭合，莫能睁开；因此难使铁棒，遂败下阵来。那妖收风回洞不题。

却说猪八戒见那黄风大作，天地无光，牵着马，守着担，伏在山凹之间，也不敢睁眼，不敢抬头，口里不住的念佛许愿；又不知行者胜负何如，师父死活何如。正在那疑思之时，却早风定天

① 争些：差一点儿、险些。

② 梓橦：指梓潼帝君，又称"文昌帝君"，是主管科举、利禄的神。

晴。忽抬头往那洞门前看处,却也不见兵戈,不闻锣鼓。呆子又不敢上他门,又没人看守马匹、行李,果是进退两难,仓惶不已。忧虑间,只听得孙大圣从西边吆喝而来,他才欠身迎着道:"哥哥,好大风呵!你从那里走来?"行者摆手道:"利害!利害!我老孙自为人,不曾见这大风。那老妖使一柄三股钢叉,来与老孙交战;战到有三十馀合,是老孙使一个身外身的本事,把他围打。他甚着急,故弄出这阵风来,果是凶恶,刮得我站立不住,收了本事,冒风而逃。——哏,好风!哏,好风!老孙也会呼风,也会唤雨,不曾似这个妖精的风恶!"八戒道:"师兄,那妖精的武艺如何?"行者道:"也看得过。叉法儿倒也齐整,与老孙也战个手平。却只是风恶了,难得赢他。"八戒道:"似这般怎生救得师父?"行者道:"救师父且等再处,不知这里可有眼科先生,且教他把我眼医治医治。"八戒道:"你眼怎的来?"行者道:"我被那怪一口风喷将来,吹得我眼珠酸痛,这会子冷泪常流。"八戒道:"哥呵,这半山中,天色又晚,且莫说要甚么眼科,连宿处也没有了!"行者道:"要宿处不难。我料着那妖精还不敢伤我师父,我们且找上大路,寻个人家住下,过此一宵,明日天光,再来降怪罢。"八戒道:"正是,正是。"

他却牵了马,挑了担,出山凹,行上路口。此时渐渐黄昏,只听得那路南山坡下,有犬吠之声。二人停身观看,乃是一家庄院,影影的有灯火光明。他两个也不管有路无路,漫草而行,直至那家门首。但见:

紫芝翳翳①,白石苍苍。紫芝翳翳多青草,白石苍苍半绿苔。数点小萤光灼灼,一林野树密排排。香兰馥郁,嫩竹

① 翳(yì)翳:草木茂盛成荫的样子。

新栽。清泉流曲涧，古柏倚深崖。地僻更无游客到，门前惟有野花开。

他两个不敢擅入，只得叫一声："开门，开门！"那里有一老者，带几个年幼的农夫，叉钯扫帚齐来，问道："甚么人？甚么人？"行者躬身道："我们是东土大唐圣僧的徒弟。因往西方拜佛求经，路过此山，被黄风大王拿了我师父去了，我们还未曾救得。天色已晚，特来府上告借一宵，万望方便方便。"那老者答礼道："失迎，失迎。此间乃是云多人少之处，却才闻得叫门，恐怕是妖狐、老虎，及山中强盗等类，故此小介愚顽，多有冲撞。不知是二位长老。请进，请进。"他兄弟们牵马挑担而入，径至里边，拴马歇担，与庄老拜见叙坐。又有苍头献茶。茶罢，捧出几碗胡麻饭。饭毕，命设铺就寝。行者道："不睡还可，敢问善人，贵地可有卖眼药的？"老者道："是那位长老害眼？"行者道："不瞒你老人家说：我们出家人，自来无病，从不晓得害眼。"老人道："既不害眼，如何讨药？"行者道："我们今日在黄风洞口救我师父，不期被那怪将一口风喷来，吹得我眼珠酸痛；今有些眼泪汪汪，故此要寻眼药。"那老者道："善哉！善哉！你这个长老，小小的年纪，怎么说谎？那黄风大圣风最利害。他那风，比不得甚么春秋风、松竹风与那东西南北风。……"八戒道："想必是夹脑风、羊耳风、大麻风、偏正头风？"长者道："不是，不是。他叫做'三昧神风'。"行者道："怎见得？"老者道："那风能吹天地怪，善刮鬼神愁。裂石崩崖恶，吹人命即休。你们若遇着他那风吹了呵，还想得活哩！只除是神仙，方可得无事。"行者道："果然！果然！我们虽不是神仙，神仙还是我的晚辈，这条命急切难休，却只是吹得我眼珠酸痛！"那老者道："既如此说，也是个有来头的人。我这敝处，却无卖眼药的。老汉也有些迎风冷泪，曾遇异人传了一方,名唤'三花九子膏',能治一切风眼。"行者闻言,低头唱喏道:"愿求些儿点试试。"那老者应承,即走进去,取出一个玛瑙石的小罐儿来,拔开塞口,用玉簪儿蘸出少许与行者点上,教他不得睁开,宁心睡觉,明早就好。点毕,收了石罐,径领小介们退于里面。八戒解包袱,展开铺盖,请行者安置。行者闭着眼乱摸。八戒笑道:"先生,你的明杖①儿呢?"行者道:"你这个馕糟的呆子!你照顾我做瞎子哩!"那呆子哑哑的暗笑而睡。行者坐在铺上,转运神功,直到有三更后,方才睡下。

不觉又是五更将晓,行者抹抹脸,睁开眼道:"果然好药!比常更有百分光明!"却转头后边望望,呀!那里得甚房舍窗门,但只见些老槐高柳,兄弟们都睡在那绿莎茵上。那八戒醒来道:"哥哥,你嚷怎的?"行者道:"你睁开眼看看。"呆子忽抬头,见没了人家,慌得一毂辘爬将起来道:"我的马哩?"行者道:"树上拴的不是?"——"行李呢?"行者道:"你头边放的不是?"八戒道:"这家子惫懒也。他搬了,怎么就不叫我们一声?通得老猪知道,也好与你送些茶果。想是躲门户②的,恐怕里长③晓得,却就连夜搬了。——噫!我们也忒睡得死!怎么他家拆房子,响也不听见响响?"行者吸吸的笑道:"呆子,不要乱嚷。你看那树上是个甚么纸帖儿。"八戒走上前,用手揭了,原来上面四句颂子云:

---

① 明杖:盲人用以探路的手杖。

② 躲门户:明代因兵役和苛捐杂税繁重,为了躲避而出现了逃亡户,即这里所说"躲门户"的。后来话本《王本立天涯寻父》,就是反映这种躲门户的生活。

③ 里长:又叫"里正"。古代乡村基层组织的主事者。明代以一百一十户为一里。

“庄居非是俗人居，护教伽蓝点化庐。

妙药与君医眼痛，尽心降怪莫踌躇。”

行者道：“这伙强神，自换了龙马，一向不曾点他，他倒又来弄虚头！”八戒道：“哥哥莫扯架子。他怎么伏你点札？”行者道：“兄弟，你还不知哩。这护教伽蓝、六丁六甲、五方揭谛、四值功曹，奉菩萨的法旨，暗保我师父者。自那日报了名，只为这一向有了你，再不曾用他们，故不曾点札罢了。”八戒道：“哥哥，他既奉法旨暗保师父，所以不能现身明显，故此点化仙庄。你莫怪他，昨日也亏他与你点眼，又亏他管了我们一顿斋饭，亦可谓尽心矣。你莫怪他，我们且去救师父来。”行者道：“兄弟说得是。此处到那黄风洞口不远，你且莫动身，只在林子里看马守担，等老孙去洞里打听打听，看师父下落何如，再与他争战。”八戒道：“正是这等，讨一个死活的实信。假若师父死了，各人好寻头干事；若是未死，我们好竭力尽心。”行者道：“莫乱谈，我去也！”

他将身一纵，径到他门首，门尚关着睡觉。行者不叫门，且不惊动妖怪，捻着诀，念个咒语，摇身一变，变做一个花脚蚊虫，真个小巧！有诗为证。诗曰①：

扰扰微形利喙，嘤嘤声细如雷。兰房纱帐善通随，正爱炎天暖气。　只怕熏烟扑扇，偏怜灯火光辉。轻轻小小忒钻疾，飞入妖精洞里。

只见那把门的小妖，正打鼾睡，行者往他脸上叮了一口。那小妖翻身醒了，道：“我爷呀！好大蚊子！一口就叮了一个大疙疸！”忽睁眼道：“天亮了。”又听得支的一声，二门开了。行者嘤嘤的飞将进去，只见那老妖分付各门上谨慎，一壁厢收拾兵器：“只

① 按所载为《西江月》词（个别字不合律）。

怕昨日那阵风不曾刮死孙行者，他今日必定还来。来时定教他一命休矣。”

行者听说，又飞过那厅堂，径来后面。但见一层门关得甚紧，行者漫①门缝儿钻将进去，原来是个大空园子，那壁厢定风桩上绳缠索绑着唐僧哩。那师父纷纷泪落，心心只念着悟空、悟能，不知都在何处。行者停翅，叮在他光头上，叫声："师父。"那长老认得他的声音，道："悟空啊，想杀我也！你在那里叫我哩？"行者道："师父，我在你头上哩。你莫要心焦，少得烦恼。我们务必拿住妖精，方才救得你的性命。"唐僧道："徒弟呵，几时才拿得妖精么？"行者道："拿你的那虎怪，已被八戒打死了。只是老妖的风势利害。料着只在今日，管取拿他。你放心莫哭，我去呀。"

说声去，嘤嘤的飞到前面。只见那老妖坐在上面，正点札各路头目；又见那洞前有一个小妖，把个令字旗磨②一磨，撞上厅来报道："大王，小的巡山，才出门，见一个长嘴大耳朵的和尚坐在林里；若不是我跑得快些，几乎被他捉住。却不见昨日那个毛脸和尚。"老妖道："孙行者不在，想必是风吹死也。再不便去那里求救兵去了！"众妖道："大王，若果吹杀了他，是我们的造化。只恐吹不死他，他去请些神兵来，却怎生是好？"老妖道："怕他怎的，怕那甚么神兵！若还定得我的风势，只除了灵吉菩萨来是，其馀何足惧也！"

行者在屋梁上，只听得他这一句言语，不胜欢喜，即抽身飞出，现本相来至林中，叫声："兄弟！"八戒道："哥，你往那里去

---

① 漫：从、沿、顺的意思。后文第二十四回写作"瞒"。

② 磨：挥动。

来？刚才一个打令字旗的妖精，被我赶了去也。"行者笑道："亏你！亏你！老孙变做蚊虫儿，进他洞去探看师父，原来师父被他绑在定风桩上哭哩。是老孙分付，教他莫哭。又飞在屋梁上听了一听。只见那拿令字旗的，喘嘘嘘的，走进去报道：只是被你赶他，却不见我。老妖乱猜乱说，说老孙是风吹杀了，又说是请神兵去了。他却自家供出一个人来，甚妙！甚妙！"八戒道："他供的是谁？"行者道："他说怕甚么神兵，那个能定他的风势，只除是灵吉菩萨来是。——但不知灵吉住在何处。"

正商议处，只见大路旁走出一个老公公来。你看他怎生模样：

> 身健不扶拐杖，冰髯雪鬓蓬蓬。金花耀眼意朦胧，瘦骨衰筋强硬。　　屈背低头缓步，庞眉①赤脸如童。看他容貌是人称，却似寿星出洞。

八戒望见大喜道："师兄，常言道：'要知山下路，须问去来人。'你上前问他一声，何如？"真个大圣藏了铁棒，放下衣襟，上前叫道："老公公，问讯了。"那老者半答不答的，还了个礼道："你是那里和尚？这旷野处，有何事干？"行者道："我们是取经的圣僧。昨日在此失了师父，特来动问公公一声，灵吉菩萨在那里住？"老者道："灵吉在直南上。从此处到那里，还有二千里路。有一山，呼名小须弥山。山中有个道场，乃是菩萨讲经禅院。汝等是取他的经去了？"行者道："不是取他的经，我有一事烦他，不知从那条路去。"老者用手向南指道："这条羊肠路就是了。"哄得那孙大圣回头看路，那公公化作清风，寂然不见。只是路旁边下一张简帖，上有四句颂子云：

① 庞眉：黑白相间的眉毛。

“上复齐天大圣听:老人乃是李长庚。

须弥山有飞龙杖,灵吉当年受佛兵。”

行者执了帖儿,转身下路。八戒道:“哥啊,我们连日造化低了。这两日忏日里见鬼!那个化风去的老儿是谁?”行者把帖儿递与八戒。——念了一遍道:“李长庚是那个?”行者道:“是西方太白金星的名号。”八戒慌得望空下拜道:“恩人!恩人!老猪若不亏金星奏准玉帝呵,性命也不知化作甚的了!”行者道:“兄弟,你却也知感恩。但莫要出头,只藏在这树林深处,仔细看守行李、马匹,等老孙寻须弥山,请菩萨去耶。”八戒道:“晓得!晓得!你只管快快前去!老猪学得个乌龟法,得缩头时且缩头。”

孙大圣跳在空中,纵筋斗云,径往直南上去,果然速快。他点头径过三千里,挎腰八百有馀程。须臾,见一座高山,半中间有祥云出现,瑞霭纷纷,山凹里果有一座禅院,只听得钟磬悠扬,又见那香烟缥缈。大圣直至门前,见一道人,项挂数珠,口中念佛。行者道:“道人作揖。”那道人躬身答礼道:“那里来的老爷?”行者道:“这可是灵吉菩萨的讲经处么?”道人道:“此间正是,有何话说?”行者道:“累烦你老人家与我传答传答:我是东土大唐驾下御弟三藏法师的徒弟,齐天大圣孙悟空行者。今有一事,要见菩萨。”道人笑道:“老爷字多话多,我不能全记。”行者道:“你只说是唐僧徒弟孙悟空来了。”道人依言,上讲堂传报。那菩萨即穿袈裟,添香迎接。

这大圣才举步入门,往里观看,只见那:

满堂锦绣,一屋威严。众门人齐诵《法华经》,老班首轻敲金铸磬。佛前供养,尽是仙果仙花;案上安排,皆是素肴素品。辉煌宝烛,条条金焰射虹霓;馥郁真香,道道玉烟飞彩雾。正是那讲罢心闲方入定,白云片片绕松梢。静收慧剑魔头绝，般若波罗善会高。

那菩萨整衣出迓①，行者登堂，坐了客位。随命看茶。行者道："茶不劳赐，但我师父在黄风山有难，特请菩萨施大法力降怪救师。"菩萨道："我受了如来法令，在此镇押黄风怪。如来赐了我一颗'定风丹'，一柄'飞龙宝杖'。当时被我拿住，饶了他的性命，放他去隐性归山，不许伤生造孽。不知他今日欲害令师，有违教令，我之罪也。"那菩萨欲留行者，治斋相叙，行者恳辞，随取了飞龙杖，与大圣一齐驾云。

不多时，至黄风山上。菩萨道："大圣，这妖怪有些怕我，我只在云端里住定，你下去与他索战，诱他出来，我好施法力。"行者依言，按落云头，不容分说，掣铁棒把他洞门打破，叫道："妖怪！还我师父来也！"慌得那把门小妖急忙传报。那怪道："这泼猴着实无礼！再不伏善，反打破我门！这一出去，使阵神风，定要吹死！"仍前披挂，手绰钢叉，又走出门来；见了行者，更不打话，捻叉当胸就刺。大圣侧身躲过，举棒对面相还。战不数合，那怪吊回头，望巽地上，才待要张口呼风，只见那半空里，灵吉菩萨将飞龙宝杖丢将下来，不知念了些甚么咒语，却是一条八爪金龙，拨喇的抡开两爪，一把抓住妖精，提着头，两三捽，捽在山石崖边，现了本相，却是一个黄毛貂鼠。

行者赶上，举棒就打，被菩萨拦住道："大圣，莫伤他命。我还要带他去见如来。"对行者道："他本是灵山脚下的得道老鼠；因为偷了琉璃盏内的清油，灯火昏暗，恐怕金刚拿他，故此走了，却在此处成精作怪。如来照见了他，不该死罪，故着我辖押，但他伤生造孽，拿上灵山；今又冲撞大圣，陷害唐僧，我拿他去见如

① 出迓：出迎。迓，迎。

来，明正其罪，才算这场功绩哩。”行者闻言，却谢了菩萨。菩萨西归不题。

却说猪八戒在那林里，正思量行者，只听得山坂下叫声：“悟能兄弟，牵马挑担来耶。”那呆子认得是行者声音，急收拾跑出林外，见了行者道：“哥哥，怎的干事来？”行者道：“请灵吉菩萨，使一条飞龙杖，拿住妖精，原是个黄毛貂鼠成精，被他带去灵山见如来去了。我和你洞里去救师父。”那呆子才欢欢喜喜。

二人撞入里面，把那一窝狡兔、妖狐、香獐、角鹿，一顿钉钯铁棒，尽情打死，却往后园拜救师父。师父出得门来，问道：“你两人怎生捉得妖精？如何方救得我？”行者将那请灵吉降妖的事情，陈了一遍。师父谢之不尽。他兄弟们把洞中素物，安排些茶饭吃了，方才出门，找大路向西而去。毕竟不知向后如何，且听下回分解。

第二十二回

八戒大战流沙河　木叉奉法收悟净

话说唐僧师徒三众，脱难前来，不一日，行过了八百里黄风岭，进西却是一脉平阳之地。光阴迅速，历夏经秋，见了些寒蝉鸣败柳，大火①向西流。正行处，只见一道大水狂澜，浑波涌浪。三藏在马上忙呼道："徒弟，你看那前边水势宽阔，怎不见船只行走，我们从那里过去？"八戒见了道："果是狂澜，无舟可渡。"那行者跳在空中，用手搭凉篷而看。他也心惊道："师父呵，真个是难，真个是难！这条河若论老孙去呵，只消把腰儿扭一扭，就过去了；若师父，诚千分难渡，万载难行。"三藏道："我这里一望无边，端的有多少宽？"行者道："径过有八百里远近。"八戒道："哥哥怎的定得个远近之数？"行者道："不瞒贤弟说：老孙这双眼，白日里常看得千里路上的吉凶。却才在空中看出：此河上下不知多远，但只见这径过足有八百里。"长老忧嗟烦恼，兜回马，忽见岸上有一通石碑。三众齐来看时，见上有三个篆字，乃"流沙河"，腹上有小小的四行真字②云：

"八百流沙界，三千弱水深。

鹅毛飘不起，芦花定底沉。"

---

① 大火：星名。二十八宿之一的心宿，又叫大火。这个星的西落，是说明到了秋天的季候。

② 真字：即正体字，也叫楷书。

师徒们正看碑文，只听得那浪涌如山，波翻若岭，河当中滑辣[①]的钻出一个妖精，十分凶丑：

一头红焰发蓬松，两只圆睛亮似灯。
不黑不青蓝靛[②]脸，如雷如鼓老龙声。
身披一领鹅黄氅，腰束双攒露白藤。
项下骷髅悬九个，手持宝杖甚峥嵘。

那怪一个旋风，奔上岸来，径抢唐僧。慌得行者把师父抱住，急登高岸，回身走脱。那八戒放下担子，掣出铁钯，望妖精便筑。那怪使宝杖架住。他两个在流沙河岸，各逞英雄。这一场好斗：

九齿钯，降妖杖，二人相敌河崖上。这个是总督大天蓬，那个是谪下卷帘将。昔年曾会在灵霄，今日争持赌猛壮。这一个钯去探爪龙，那一个杖架磨牙象。伸开大四平，钻入迎风戗。这个没头没脸抓，那个无乱无空放。一个是久占流沙界吃人精，一个是秉教迦持修行将。

他两个来来往往，战经二十回合，不分胜负。

那大圣护了唐僧，牵着马，守定行李，见八戒与那怪交战，就恨得咬牙切齿，擦掌磨拳，忍不住要去打他，掣出棒来道："师父，你坐着，莫怕。等老孙和他耍耍儿来。"那师父苦留不住。他打个唿哨，跳到边前。原来那怪与八戒正战到好处，难解难分。被行者抡起铁棒，望那怪着头一下。那怪急转身慌忙躲过，径钻入流沙河里。气得个八戒乱跳道："哥呵！谁着你来的！那怪渐渐手慢，难架我钯。再不上三五合，我就擒住他了！他见你凶险，败阵而逃，怎生是好！"行者笑道："兄弟，实不瞒你说：

---

① 滑辣：形容水响的声音。与哗喇同。
② 蓝靛（diàn）：深蓝色。

自从降了黄风怪，下山来，这个把月不曾耍棍。我见你和他战的甜美，我就忍不住脚痒，故就跳将来耍耍的。那知那怪不识耍，就走了。”

他两个搀着手，说说笑笑，转回见了唐僧。唐僧道：“可曾捉得妖怪？”行者道：“那妖怪不奈战，败回钻入水去也。”三藏道：“徒弟，这怪久住于此，他知道浅深。似这般无边的弱水，又没了舟楫，须是得个知水性的，引领引领才好哩。”行者道：“正是这等说。常言道：‘近朱者赤，近墨者黑。’那怪在此，断知水性。我们如今拿住他，且不要打杀，只教他送师父过河，再做理会。”八戒道：“哥哥不必迟疑，让你先去拿他，等老猪看守师父。”行者笑道：“贤弟呀，这桩儿我不敢说嘴。水里勾当，老孙不大十分熟。若是空走，还要捻诀，又念念‘避水咒’，方才走得；不然，就要变化做甚么鱼虾蟹鳖之类，我才去得。若论赌手段，凭你在高山云里，干甚么蹊跷异样事儿，老孙都会；只是水里的买卖，有些儿榔杭。”八戒道：“老猪当年总督天河，掌管了八万水兵大众，倒学得知些水性，——却只怕那水里有甚么眷族老小、七窝八代的都来，我就弄他不过。一时不被他捞而去耶？”行者道：“你若到他水中与他交战，却不要恋战，许败不许胜，把他引将出来，等老孙下手助你。”八戒道：“言得是，我去耶。”说声去，就剥了青锦直裰，脱了鞋，双手舞钯，分开水路，使出那当年的旧手段，跃浪翻波，撞将进去，径至水底之下，往前正走。

却说那妖败了阵回，方才喘定，又听得有人推得水响，忽起身观看，原来是八戒执了钯推水。那怪举杖当面高呼道：“那和尚！那里走！仔细看打！”八戒使钯架住道：“你是个甚么妖精，敢在此间挡路？”那妖道：“你是也不认得我。我不是那妖魔鬼怪，也不是少姓无名。”八戒道：“你既不是邪妖鬼怪，却怎生在

此伤生？你端的甚么姓名，实实说来，我饶你性命。”那怪道：“我

自小生来神气壮，乾坤万里曾游荡。
英雄天下显威名，豪杰人家做模样。
万国九州任我行，五湖四海从吾撞。
皆因学道荡天涯，只为寻师游地旷。
常年衣钵谨随身，每日心神不可放。
沿地云游数十遭，到处闲行百馀趟。
因此才得遇真人，引开大道金光亮。
先将婴儿姹女收，后把木母①金公②放。
明堂③肾水入华池，重楼④肝火投心脏。
三千功满拜天颜，志心朝礼明华⑤向。
玉皇大帝便加升，亲口封为卷帘将。
南天门里我为尊，灵霄殿前吾称上。
腰间悬挂虎头牌，手中执定降妖杖。
头顶金盔晃日光，身披铠甲明霞亮。
往来护驾我当先，出入随朝予在上。
只因王母降蟠桃，设宴瑶池邀众将。
失手打破玉玻璃，天神个个魂飞丧。
玉皇即便怒生嗔，却令掌朝左辅相：

---

① 木母：道教称汞为木母。认为“真汞生亥”，亥属猪，所以后文的木母有时又指猪八戒。

② 金公：道教称铅为金公。认为“真铅生庚”，庚辛为金，地支申酉亦为金，申属猴，所以后文的金公有时又指悟空。

③ 明堂：道教称两眉之间做天门，入内一寸为明堂。

④ 重楼：道教称气管叫重楼，认为气管有十二节，所以又叫十二重楼。

⑤ 明华：仙宫名。此处泛指天宫。

卸冠脱甲摘官衔，将身推在杀场上。
多亏赤脚大天仙，越班启奏将吾放。
饶死回生不典刑①，遭贬流沙东岸上。
饱时困卧此山中，饿去翻波寻食饷。
樵子逢吾命不存，渔翁见我身皆丧。
来来往往吃人多，翻翻复复伤生瘴。
你敢行凶到我门，今日肚皮有所望。
莫言粗糙不堪尝，拿住消停②剁鲊酱！"

八戒闻言大怒，骂道："你这泼物，全没一些儿眼色！我老猪还掐出水沫儿来哩，你怎敢说我粗糙，要剁鲊酱！看起来，你把我认做个老走硝③哩。休得无礼！吃你祖宗这一钯！"那怪见钯来，使一个"凤点头"躲过。两个在水中打出水面，各人踏浪登波。这一场赌斗，比前不同。你看那：

卷帘将，天蓬帅，各显神通真可爱。那个降妖宝杖着头抡，这个九齿钉钯随手快。跃浪振山川，推波昏世界。凶如太岁撞幢幡，恶似丧门掀宝盖。这一个赤心凛凛保唐僧，那一个犯罪滔滔为水怪。钯抓一下九条痕，杖打之时魂魄败。努力喜相持，用心要赌赛。算来只为取经人，怒气冲天不忍耐。搅得那鲌鲌鲤鳜退鲜鳞，龟鳖鼋鼍伤嫩盖；红虾紫蟹命皆亡，水府诸神朝上拜。只听得波翻浪滚似雷轰，日月无光天地怪。

二人整斗有两个时辰，不分胜败。这才是铜盆逢铁帚，玉磬对金钟。

① 典刑：受刑。
② 消停：从容，不匆忙。
③ 老走硝：腌猪肉，加朴硝，皮软肉嫩。走硝，是硝性散失，皮肉又复韧硬。

却说那大圣保着唐僧，立于左右，眼巴巴的望着两个在水上争持，只是他不好动手。只见那八戒虚幌一钯，佯输诈败，转回头往东岸上走，那怪随后赶来。将近到了岸边，这行者忍耐不住，撇了师父，掣铁棒，跳到河边，望妖精劈头就打。那妖物不敢相迎，嗖的又钻入河内。八戒嚷道："你这弼马温，彻是个急猴子！你再缓缓些儿，等我哄他到了高处，你却阻住河边，叫他不能回首呵，却不拿住他也？他这进去，几时又肯出来？"行者笑道："呆子，莫嚷！莫嚷！我们且回去见师父去来。"

八戒却同行者到高岸上，见了三藏。三藏欠身道："徒弟辛苦呀。"八戒道："且不说辛苦，只是降了妖精，送得你过河，方是万全之策。"三藏道："你才与妖精交战何如？"八戒道："那妖的手段，与老猪是个对手。正战处，使一个诈败，他才赶到岸上。见师兄举着棍子，他就跑了。"三藏道："如此怎生奈何？"行者道："师父放心，且莫焦恼。如今天色又晚，且坐在这崖次①之下，待老孙去化些斋饭来，你吃了睡去，待明日再处。"八戒道："说得是，你快去快来。"

行者急纵云跳起去，正到直北下人家化了一钵素斋，回献师父。师父见他来得甚快，便叫："悟空，我们去化斋的人家，求问他一个过河之策，不强似与这怪争持？"行者笑道："这家子远得狠哩！相去有五七千里之路。他那里得知水性？问他何益？"八戒道："哥哥又来扯谎了。五七千里路，你怎么这等去来之快？"行者道："你那里晓得！老孙的筋斗云，一纵有十万八千里。像这五七千路，只消把头点上两点，把腰躬上一躬，就是个往回，有何难哉！"八戒道："哥呵，既是这般容易，你把师父背

① 崖次：山崖。

着，只消点点头，躬躬腰，跳过去罢了，何必苦苦的与他厮战？”行者道：“你不会驾云？你把师父驮过去不是？”八戒道：“师父的骨肉凡胎，重似泰山，我这驾云的，怎称得起？须是你的筋斗方可。”行者道：“我的筋斗，好道也是驾云，只是去的有远近些儿。你是驮不动，我却如何驮得动？自古道：‘遣泰山轻如芥子，携凡夫难脱红尘。’像这泼魔毒怪，使摄法，弄风头，却是扯扯拉拉，就地而行，不能带得空中而去；像那样法儿，老孙也会使会弄。还有那隐身法、缩地法，老孙件件皆知。但只是师父要穷历异邦，不能够超脱苦海，所以寸步难行也。我和你只做得个拥护，保得他身在命在，替不得这些苦恼，也取不得经来；就是有能先去见了佛，那佛也不肯把经善与你我：正叫做‘若将容易得，便作等闲看’。”那呆子闻言，喏喏听受。遂吃了些无菜的素食，师徒们歇在流沙河东崖次之下。

次早，三藏道：“悟空，今日怎生区处？”行者道：“没甚区处，还须八戒下水。”八戒道：“哥哥，你要图干净，只作成我下水。”行者道：“贤弟，这番我再不急性了。只让你引他上来，我拦住河沿，不让他回去，务要将他擒了。”

好八戒，抹抹脸，抖擞精神，双手拿钯，到河沿，分开水路，依然又下至窝巢。那怪方才睡醒，忽听推得水响，急回头睁睛看看。见八戒执钯下至，他跳出来，当头阻住，喝道：“慢来！慢来！看杖！”八戒举钯架住道：“你是个甚么‘哭丧杖’，断叫你祖宗看杖！”那怪道：“你这厮甚不晓得哩！我这

宝杖原来名誉大，本是月里梭罗派①。
吴刚伐下一枝来，鲁班制造工夫盖。

① 梭罗派：梭罗树的一枝。民间称月中桂树为梭罗树。派，分枝。

里边一条金趁心①,外边万道珠丝玠②。
名称宝杖善降妖,永镇灵霄能伏怪。
只因官拜大将军,玉皇赐我随身带。
或长或短任吾心,要细要粗凭意态。
也曾护驾宴蟠桃,也曾随朝居上界。
值殿曾经众圣参,卷帘曾见诸仙拜。
养成灵性一神兵,不是人间凡器械。
自从遭贬下天门,任意纵横游海外。
不当大胆自称夸,天下枪刀难比赛。
看你那个锈钉钯,只好锄田与筑菜!”

八戒笑道:“我把你少打的泼物!且莫管甚么筑菜,只怕汤了一下儿,教你没处贴膏药,九个眼子一齐流血!总然不死,也是个到老的破伤风!”那怪丢开架手,在那水底下,与八戒依然打出水面。这一番斗,比前果更不同。你看他:

宝杖抡,钉钯筑,言语不通非眷属。只因木母克刀圭③,致令两下相战触。没输赢,无反覆,翻波淘浪不和睦。这个怒气怎含容?那个伤心难忍辱。钯来杖架逞英雄,水滚流沙能恶毒。气昂昂,劳碌碌,多因三藏朝西域。钉钯老大凶,宝杖十分熟。这个揪住要往岸上拖,那个抓来就将水里沃④。声如霹雳动鱼龙,云暗天昏神鬼伏。

---

① 趁心:即“衬心”,指内芯。

② 玠(jiè):大的圭。这里泛指用玉作装饰。

③ 木母克刀圭:指八戒和沙僧的争斗。木母,猪为亥,亥属木,故称八戒为木母。刀圭,本为中医量药用的小匙。因“圭”字由二“土”组成,道教用来代表脾土,用以调和心火与肾水。因沙僧在取经队伍中起到调和作用,故用刀圭代指沙僧。五行观念中,木克土,故此处说木母克刀圭。

④ 沃:同“颁”。吴方言,指把头按在水中。

这一场,来来往往,斗经三十回合,不见强弱。八戒又使个佯输计,拖了钯走。那怪随后又赶来,拥波捉浪,赶至崖边。八戒骂道:"我把你这个泼怪!你上来!这高处,脚踏实地好打!"那妖骂道:"你这厮哄我上去,又教那帮手来哩。你下来,还在水里相斗。"原来那妖乖了,再不肯上岸,只在河沿与八戒闹吵。

却说行者见他不肯上岸,急得他心焦性爆,恨不得一把捉来。行者道:"师父!你自坐下,等我与他个'饿鹰叼食'。"就纵筋斗跳在半空,刷的落下来,要抓那妖。那妖正与八戒嚷闹,忽听得风响,急回头,见是行者落下云来,却又收了那杖,一头淬下水,隐迹潜踪,渺然不见。行者伫立岸上,对八戒言:"兄弟呀,这妖也弄得滑了。他再不肯上岸,如之奈何?"八戒道:"难!难!难!战不胜他!就把吃奶的气力也使尽了,只绷得个手平。"行者道:"且见师父去。"

二人又到高岸,见了唐僧,备言难捉。那长老满眼下泪道:"似此艰难,怎生得渡!"行者道:"师父莫要烦恼。这怪深潜水底,其实难行。八戒,你只在此保守师父,再莫与他厮斗,等老孙往南海走走去来。"八戒道:"哥呵,你去南海何干?"行者道:"这取经的勾当,原是观音菩萨;及脱解我等,也是观音菩萨;今日路阻流沙河,不能前进,不得他,怎生处治?等我去请他,还强如和这妖精相斗。"八戒道:"也是,也是。师兄,你去时,千万与我上复一声:向日多承指教。"三藏道:"悟空,若是去请菩萨,却也不必迟疑,快去快来。"

行者即纵筋斗云,径上南海。咦!那消半个时辰,早望见普陀山境。须臾间,坠下筋斗,到紫竹林外,又只见那二十四路诸天,上前迎着道:"大圣何来?"行者道:"我师有难,特来谒见菩萨。"诸天道:"请坐,容报。"那轮日的诸天,径至潮音洞口报道:

"孙悟空有事朝见。"菩萨正与捧珠龙女在宝莲池畔扶栏看花，闻报，即转云岩，开门唤入。大圣端肃皈依参拜。

菩萨问曰："你怎么不保唐僧？为甚事又来见我？"行者启上道："菩萨，我师父前在高老庄，又收了一个徒弟，唤名猪八戒，多蒙菩萨又赐法讳悟能。才行过黄风岭，今至八百里流沙河，乃是弱水三千，师父已是难渡；河中又有个妖怪，武艺高强，甚亏了悟能与他水面上大战三次，只是不能取胜，被他拦阻，不能渡河。因此特告菩萨，望垂怜悯，济渡他一济渡。"菩萨道："你这猴子，又逞自满，不肯说出保唐僧的话来么？"行者道："我们只是要拿住他，教他送我师父渡河。水里事，我又弄不得精细，只是悟能寻着他窝巢，与他打话。想是不曾说出取经的勾当。"菩萨道："那流沙河的妖怪，乃是卷帘大将临凡，也是我劝化的善信，教他保护取经之辈。你若肯说出是东土取经人呵，他决不与你争持，断然归顺矣。"行者道："那怪如今怯战，不肯上崖，只在水里潜踪，如何得他归顺？我师如何得渡弱水？"

菩萨即唤惠岸，袖中取出一个红葫芦儿，分付道："你可将此葫芦，同孙悟空到流沙河水面上，只叫'悟净'，他就出来了。先要引他归依了唐僧；然后把他那九个骷髅穿在一处，按九宫布列，却把这葫芦安在当中，就是法船一只，能渡唐僧过流沙河界。"惠岸闻言，谨遵师命，当时与大圣捧葫芦出了潮音洞，奉法旨辞了紫竹林。有诗为证。诗曰：

五行匹配合天真，认得从前旧主人。
炼己立基为妙用，辨明邪正见原因。
金来归性还同类，木去求情共复伦。
二土全功成寂寞，调和水火没纤尘。

他两个不多时按落云头，早来到流沙河岸。猪八戒认得是木叉行者,引师父上前迎接。那木叉与三藏礼毕,又与八戒相见。八戒道:"向蒙尊者指示,得见菩萨。我老猪果遵法教,今喜拜了沙门。这一向在途中奔碌,未及致谢,恕罪,恕罪。"行者道:"且莫叙阔。我们叫唤那厮去来。"三藏道:"叫谁?"行者道:"老孙见菩萨,备陈前事。菩萨说:这流沙河的妖怪,乃是卷帘大将临凡;因为在天有罪,堕落此河,忘形作怪。他曾被菩萨劝化,愿归师父往西天去的。但是我们不曾说出取经的事情,故此苦苦争斗。菩萨今差木叉,将此葫芦,要与这厮结作法船,渡你过去哩。"三藏闻言,顶礼不尽,对木叉作礼道:"万望尊者作速一行。"那木叉捧定葫芦,半云半雾,径到了流沙河水面上,厉声高叫道:"悟净!悟净!取经人在此久矣,你怎么还不归顺!"

却说那怪惧怕猴王,回于水底,正在窝中歇息。只听得叫他法名,情知是观音菩萨;又闻得说"取经人在此",他也不惧钺斧,急翻波伸出头来,又认得是木叉行者。你看他笑盈盈,上前作礼道:"尊者失迎。菩萨今在何处?"木叉道:"我师未来,先差我来分付你早跟唐僧做个徒弟。叫把你项下挂的骷髅与这个葫芦,按九宫结做一只法船,渡他过此弱水。"悟净道:"取经人却在那里?"木叉用手指道:"那东岸上坐的不是?"悟净看见了八戒道:"他不知是那里来的个泼物,与我整斗了这两日,何曾言着一个取经的字儿?"又看见行者,道:"这个主子,是他的帮手,好不利害!我不去了。"木叉道:"那是猪八戒,这是孙行者。俱是唐僧的徒弟,俱是菩萨劝化的,怕他怎的?我且和你见唐僧去。"那悟净才收了宝杖,整一整黄锦直裰,跳上岸来,对唐僧双膝跪下道:"师父,弟子有眼无珠,不认得师父的尊容,多有冲撞,万望恕罪。"八戒道:"你这脓包,怎的早不皈依,只管要与我打?是何说话!"行者笑道:"兄弟,你莫怪他,还是我们不曾说出取经的字样与姓名耳。”长老道:“你果肯诚心皈依吾教么?”悟净道:“弟子向蒙菩萨教化,指河为姓,与我起个法名,唤做沙悟净,岂有不从师父之理!”三藏道:“既如此——”叫:“悟空,取戒刀来,与他落了发。”大圣依言,即将戒刀与他剃了头。又来拜了三藏,拜了行者与八戒,分了大小。三藏见他行礼,真像个和尚家风,故又叫他做沙和尚。木叉道:“既秉了迦持,不必叙烦,早与作法船去来。”

那悟净不敢怠慢,即将颈项下挂的骷髅取下,用索子结作九宫,把菩萨的葫芦安在当中,请师父下岸。那长老遂登法船,坐于上面,果然稳似轻舟。左有八戒扶持,右有悟净捧托;孙行者在后面牵了龙马,半云半雾相跟;头直上①又有木叉拥护;那师父才飘然稳渡流沙河界,浪静风平过弱河。真个也如飞似箭,不多时,身登彼岸,得脱洪波;又不拖泥带水,幸喜脚干手燥,清净无为。师徒们脚踏实地。那木叉按祥云,收了葫芦。又只见那骷髅一时解化作九股阴风,寂然不见。三藏拜谢了木叉,顶礼了菩萨。正是:木叉径回东洋海,三藏上马却投西。毕竟不知几时才得正果求经,且听下回分解。

---

① 头直上:就是头顶上。

第二十三回

三藏不忘本　四圣试禅心

诗曰：

奉法西来道路赊①，秋风淅淅落霜花。

乖猿牢锁绳休解，劣马勤兜鞭莫加。

木母金公原自合，黄婆②赤子本无差。

咬开铁弹③真消息，般若波罗到彼家。

这回书，盖言取经之道，不离了一身务本之道也。却说他师徒四众，了悟真如，顿开尘锁，自跳出性海流沙，浑无挂碍，竟投大路西来。历遍了青山绿水，看不尽野草闲花。真个也光阴迅速，又值九秋。但见了些：

枫叶满山红，黄花耐晚风。

老蝉吟渐懒，愁蟋思无穷。

荷破青纨扇，橙香金弹丛。

可怜数行雁，点点远排空。

正走处，不觉天晚。三藏道："徒弟，如今天色又晚，却往那里安歇？"行者道："师父说话差了。出家人餐风宿水，卧月眠

---

① 赊：长，远。

② 黄婆：道教炼丹的术语，认为脾内涎能养其他脏，所以叫黄婆。

③ 咬开铁弹：铁弹，应作铁橛子。佛教用铁橛子比喻没下嘴处。如果竖咬横咬，咬咬不止，忽然咬破，"始知此中有无尽法味"。

霜，随处是家。又问那里安歇，何也？”猪八戒道：“哥呵，你只知道你走路轻省，那里管别人累坠？自过了流沙河，这一向爬山过岭，身挑着重担，老大难挨也！须是寻个人家，一则化些茶饭，二来养养精神，才是个道理。”行者道：“呆子，你这般言语，似有报怨之心。还像在高老庄，倚赖不求福的自在，恐不能也。既是秉正沙门，须是要吃辛受苦，才做得徒弟哩。”八戒道：“哥哥，你看这担行李多重？”行者道：“兄弟，自从有了你与沙僧我又不曾挑着，那知多重？”八戒道：“哥呵，你看数儿么：

四片黄藤篾[1]，长短八条绳。又要防阴雨，毡包三四层。匾担还愁滑，两头钉上钉。铜镶铁打九环杖，篾丝藤缠大斗篷。

似这般许多行李，难为老猪一个逐日家担着走。偏你跟师父做徒弟，拿我做长工！”行者笑道：“呆子，你和谁说哩？”八戒道：“哥哥，与你说哩。”行者道：“错和我说了。老孙只管师父好歹，你与沙僧，专管行李、马匹。但若怠慢了些儿，孤拐上先是一顿粗棍！”八戒道：“哥呵，不要说打，打就是以力欺人。我晓得你的尊性高傲，你是定不肯挑；但师父骑的马，那般高大肥盛，只驮着老和尚一个，教他带几件儿，也是弟兄之情。”

行者道：“你说他是马哩！他不是凡马，本是西海龙王敖闰之子，唤名玉龙三太子。只因纵火烧了殿上明珠，被他父亲告了忤逆，身犯天条，多亏观音菩萨救了他的性命。他在那鹰愁陡涧，久等师父，又幸得菩萨亲临，却将他退鳞去角，摘了项下珠，才变做这匹马，愿驮师父往西天拜佛。这都是各人的功果，你莫攀他。”那沙僧闻言道：“哥哥，真个是龙么？”行者道：“是龙。”八

[1] 篾（liè）：竹编的席子。

戒道："哥呵，我闻得古人云：'龙能喷云嗳雾，播土扬沙，有巴山捎岭[1]的手段，有翻江搅海的神通。'怎么他今日这等慢慢而走？"行者道："你要他快走，我教他快走个儿你看。"好大圣，把金箍棒揝一揝，万道彩云生。那马看见拿棒，恐怕打来，慌得四只蹄疾如飞电，嗖的跑将去了。那师父手软采[2]不住，尽他劣性，奔上山崖，才大达辿步[3]走。师父喘息始定，抬头远见一簇松阴，内有几间房舍，着实轩昂。但见：

门垂翠柏，宅近青山。几株松冉冉，数茎竹斑斑。篱边野菊凝霜艳，桥畔幽兰映水丹。粉泥墙壁，砖砌围圜[4]。高堂多壮丽，大厦甚清安。牛羊不见无鸡犬，想是秋收农事闲。

那师父正按辔徐观，又见悟空兄弟方到。悟净道："师父不曾跌下马来么？"长老骂道："悟空这泼猴，他把马儿惊了，早是我还骑得住哩！"行者赔笑道："师父莫骂我。都是猪八戒说马行迟，故此着他快些。"那呆子因赶马，走急了些儿，喘气嘘嘘，口里唧唧哝哝的闹道："罢了！罢了！见自肚别[5]腰松，担子沉重，挑不上来，又弄我奔奔波波的赶马！"长老道："徒弟呵，你且看那壁厢，有一座庄院，我们却好借宿去也。"行者闻言，急抬头举目而看，果见那半空中庆云笼罩，瑞霭遮盈。情知定是佛仙点化，他却不敢泄漏天机，只道："好！好！好！我们借宿去来。"

---

① 巴山捎(xiè)岭：爬山过岭。捎，意同"蹀"，履，走过。

② 采：拉，扯。

③ 达辿(shàn)步：轻松缓慢的步伐。辿，跳动。

④ 围圜：围墙。

⑤ 肚别：肚子空。别，同"瘪"。

长老连忙下马。见一座门楼,乃是垂莲象鼻,画栋雕梁。沙僧歇了担子。八戒牵了马匹道:"这个人家,是过当的①富实之家。"行者就要进去。三藏道:"不可。你我出家人,各自避些嫌疑,切莫擅入。且自等他有人出来,以礼求宿方可。"八戒拴了马,斜倚墙根之下。三藏坐在石鼓上。行者、沙僧坐在台基边。久无人出,行者性急,跳起身入门里看处:原来有向南的三间大厅,帘栊高控。屏门上,挂一轴寿山福海的横披画;两边金漆柱上,贴着一幅大红纸的春联,上写着:

丝飘弱柳平桥晚,雪点香梅小院春。

正中间,设一张退光黑漆的香几,几上放一个古铜兽炉。上有六张交椅。两山头②挂着四季吊屏。

行者正然偷看处,忽听得后门内有脚步之声,走出一个半老不老的妇人来,娇声问道:"是甚么人,擅入我寡妇之门?"慌得个大圣喏喏连声道:"小僧是东土大唐来的,奉旨向西方拜佛求经。一行四众,路过宝方,天色已晚。特奔老菩萨檀府,告借一宵。"那妇人笑语相迎道:"长老,那三位在那里?请来。"行者高声叫道:"师父,请进来耶。"三藏才与八戒、沙僧牵马挑担而入。只见那妇人出厅迎接。八戒饧眼③偷看,你道他怎生打扮:

穿一件织金官绿纻丝袄,上罩着浅红比甲;系一条结彩鹅黄锦绣裙,下映着高底花鞋。时样䯼髻④皂纱漫,相衬着二色盘龙发;宫样牙梳朱翠晃,斜簪着两股赤金钗。云鬓半

① 过当的:就是殷实的、有家当的、过得去的意思。

② 两山头:屋脊下两面上尖下宽的墙叫做山墙,也叫做山头。这里指房屋的东西墙壁。

③ 饧(xíng)眼:目光凝滞,因着迷而发呆。指见色后失神的样子。

④ 䯼(dí)髻:就是发髻。

苍飞凤翅，耳环双坠宝珠排；脂粉不施犹自美，风流还似少年才。

那妇人见了他三众，更加欣喜，以礼邀入厅房。一一相见礼毕，请各叙坐看茶。那屏风后，忽有一个丫髻垂丝的女童，托着黄金盘、白玉盏，香茶喷暖气，异果散幽香。那人绰彩袖，春笋纤长；擎玉盏，传茶上奉；对他们一一拜了。茶毕，又分付办斋。三藏启手道："老菩萨，高姓？贵地是甚地名？"妇人道："此间乃西牛贺洲之地。小妇人娘家姓贾，夫家姓莫。幼年不幸，公姑早亡，与丈夫守承祖业。有家资万贯，良田千顷。夫妻们命里无子，止生了三个女孩儿。前年大不幸，又丧了丈夫。小妇居孀，今岁服满。空遗下田产家业，再无个眷族亲人，只是我娘女们承领。欲嫁他人，又难舍家业。适承长老下降，想是师徒四众。小妇娘女四人，意欲坐山招夫，四位恰好。不知尊意肯否如何。"三藏闻言，推聋妆哑，瞑目宁心，寂然不答。

那妇人道："舍下有水田三百馀顷，旱田三百馀顷，山场果木三百馀顷；黄水牛有一千馀只，骡马成群，猪羊无数；东南西北，庄堡草场，共有六七十处；家下有八九年用不着的米谷，十来年穿不着的绫罗；一生有使不着的金银：胜强似那锦帐藏春，说甚么金钗两路。你师徒们若肯回心转意，招赘在寒家，自自在在，享用荣华，却不强如往西劳碌？"那三藏也只是如痴如蠢，默默无言。

那妇人道："我是丁亥年三月初三日酉时生。故夫比我年大三岁，我今年四十五岁。大女儿名真真，今年二十岁；次女名爱爱，今年十八岁；三小女名怜怜，今年十六岁；俱不曾许配人家。虽是小妇人丑陋，却幸小女俱有几分颜色，女工针指，无所不会。因是先夫无子，即把他们当儿子看养。小时也曾教他读些儒书，也都晓得些吟诗作对。虽然居住山庄，也不是那十分粗俗之类，料想也陪得过列位长老，若肯放开怀抱，长发留头，与舍下做个家长，穿绫着锦，胜强如那瓦钵缁衣，雪鞋云笠！”

三藏坐在上面，好便似雷惊的孩子，雨淋的虾蟆，只是呆呆挣挣①，翻白眼儿打仰②。那八戒闻得这般富贵，这般美色，他却心痒难挠，坐在那椅子上，一似针戳屁股，左扭右扭的，忍耐不住；走上前，扯了师父一把道：“师父！这娘子告诵你话，你怎么佯佯不睬？好道也做个理会是。”那师父猛抬头，咄的一声，喝退了八戒道：“你这个业畜！我们是个出家人，岂以富贵动心，美色留意，成得个甚么道理！”

那妇人笑道：“可怜！可怜！出家人有何好处？”三藏道：“女菩萨，你在家人，却有何好处？”那妇人道：“长老请坐，等我把在家人的好处说与你听。怎见得？有诗为证。诗曰：

春裁方胜③着新罗，夏换轻纱赏绿荷；
秋有新篘④香糯酒，冬来暖阁醉颜酡。
四时受用般般有，八节珍羞件件多；
衬锦铺绫花烛夜，强如行脚礼弥陀。”

三藏道：“女菩萨，你在家人享荣华，受富贵，有可穿，有可吃，儿女团圆，果然是好；但不知我出家的人，也有一段好处。怎见得？有诗为证。诗曰：

出家立志本非常，推倒从前恩爱堂。
外物不生闲口舌，身中自有好阴阳。

---

① 呆呆挣挣：形容发愣的样子。挣挣犹睁睁，就是怔住的意思。

② 打仰：身子朝后仰。

③ 方胜：两斜方形互相联合、彩结或叠作菱形书柬都叫方胜。

④ 篘(chōu)：用竹编成的滤酒工具。酒熟后需经过滤方能饮用。

功完行满朝金阙，见性明心返故乡。

胜似在家贪血食，老来坠落臭皮囊。”

那妇人闻言，大怒道：“这泼和尚无礼！我若不看你东土远来，就该叱出。我倒是个真心实意，要把家缘[1]招赘汝等，你倒反将言语伤我。你就是受了戒，发了愿，永不还俗，好道你手下人，我家也招得一个。你怎么这般执法？”三藏见他发怒，只得者者谦谦[2]，叫道：“悟空，你在这里罢。”行者道：“我从小儿不晓得干那般事。教八戒在这里罢。”八戒道：“哥呵，不要栽人[3]么。——大家从长计较。”三藏道：“你两个不肯，便教悟净在这里罢。”沙僧道：“你看师父说的话。弟子蒙菩萨劝化，受了戒行，等候师父；自蒙师父收了我，又承教诲；跟着师父还不上两月，更不曾进得半分功果，怎敢图此富贵！宁死也要往西天去，决不干此欺心之事。”那妇人见他们推辞不肯，急抽身转进屏风，扑的把腰门关上。师徒们撇在外面，茶饭全无，再没人出。八戒心中焦燥，埋怨唐僧道：“师父忒不会干事，把话通说杀[4]了。你好道还活着些脚儿[5]，只含糊答应，哄他些斋饭吃了，今晚落得一宵快活；明日肯与不肯，在乎你我了。似这般关门不出，我们这清灰冷灶，一夜怎过！”

悟净道：“二哥，你在他家做个女婿罢。”八戒道：“兄弟，不要栽人。——从长计较。”行者道：“计较甚的？你要肯，便就教师父与那妇人做个亲家，你就做个倒踏门的女婿。他家这等有

① 家缘：家私、家产。
② 者者谦谦：唯唯诺诺、和和气气的意思。
③ 栽人：捉弄人。
④ 杀：绝、没有挽回馀地的意思。
⑤ 活着些脚儿：留些地步、留个退步（路）。

财有宝，一定倒陪妆奁，整治个会亲的筵席，我们也落些受用。你在此间还俗，却不是两全其美？”八戒道：“话便也是这等说，却只是我脱俗又还俗，停妻再娶妻了。”

沙僧道：“二哥原来是有嫂子的？”行者道：“你还不知他哩，他本是乌斯藏高老儿庄高太公的女婿。因被老孙降了，他也曾受菩萨戒行，没及奈何，被我捉他来做个和尚，所以弃了前妻，投师父往西拜佛。他想是离别的久了，又想起那个勾当。却才听见这个勾当，断然又有此心。呆子，你与这家子做了女婿罢。只是多拜老孙几拜，我不检举你就罢了。”那呆子道：“胡说！胡说！大家都有此心，独拿老猪出丑。常言道：‘和尚是色中饿鬼。’那个不要如此？都这们扭扭捏捏的拿班儿①，把好事都弄得裂了，致如今茶水不得见面，灯火也无人管。虽熬了这一夜，但那匹马明日又要驮人，又要走路，再若饿上这一夜，只好剥皮罢了。你们坐着，等老猪去放放马来。”那呆子虎急急的，解了缰绳，拉出马去。行者道：“沙僧，你且陪师父坐这里，等老孙跟他去，看他往那里放马。”三藏道：“悟空，你看便去看他，但只不可只管嘲他了。”行者道：“我晓得。”这大圣走出厅房，摇身一变，变作个红蜻蜓儿，飞出前门，赶上八戒。

那呆子拉着马，有草处且不教吃草，嗒嗒嗤嗤②的赶着马，转到后门首去。只见那妇人带了三个女子，在后门外闲立着，看菊花儿耍子。他娘女们看见八戒来时，三个女儿闪将进去。那妇人伫立门首道：“小长老那里去？”这呆子丢了缰绳，上前唱个喏，道声：“娘！我来放马的。”那妇人道：“你师父忒弄精细。在

① 拿班儿：装腔作势，犹如现在说拿乔、拿架子。

② 嗒嗒嗤嗤：吆喝马的声音。后文第五十六回作嗒笞笞。

我家招了女婿，却不强似做挂搭僧①，往西跄路②？”八戒笑道：“他们是奉了唐王的旨意，不敢有违君命，不肯干这件事。刚才都在前厅上栽我，我又有些奈上祝下③的，只恐娘嫌我嘴长耳大。”那妇人道：“我也不嫌，只是家下无个家长，招一个倒也罢了；但恐小女儿有些儿嫌丑。”八戒道：“娘，你上复令爱，不要这等拣汉。想我那唐僧，人才虽俊，其实不中用。我丑自丑，有几句口号儿。”妇人道：“你怎的说么？”八戒道：“我

虽然人物丑，勤紧有些功。若言千顷地，不用使牛耕。只消一顿钯，布种及时生。没雨能求雨，无风会唤风。房舍若嫌矮，起上二三层。地下不扫扫一扫，阴沟不通通一通。家长里短诸般事，踢天弄井我皆能。”

那妇人道：“既然干得家事，你再去与你师父商量商量看，不尴尬④，便招你罢。”八戒道：“不用商量。他又不是我的生身父母，干与不干，都在于我。”妇人道：“也罢，也罢，等我与小女说。”看他闪进去，扑的掩上后门。八戒也不放马，将马拉向前来。怎知孙大圣已一一尽知。他转翅飞来，现了本相，先见唐僧道：“师父，悟能牵马来了。”长老道：“马若不牵，恐怕撒欢⑤走了。”行者笑将起来，把那妇人与八戒说的勾当，从头说了一遍。三藏也似信不信的。

少时间，见呆子拉将马来拴下。长老道：“你马放了？”八戒

① 挂搭僧：在寺院里暂时寄住的游方和尚。挂搭，即“挂单”。

② 跄（qiàng）路：赶路。跄，急走。

③ 奈上祝下：犹碍上阻下、妨手妨脚、左右为难的意思。

④ 尴（gān）尬（gà）：对人而言，是指的鬼祟、不正派、麻烦；对事而言，是指的有问题、有麻烦、叫人困窘。有时也写作不尴尬、不尴不尬。

⑤ 撒欢：马因快活而兴奋地纵跳奔驰、转圈打滚、昂首长嘶叫做撒欢。

道："无甚好草，没处放马。"行者道："没处放马，可有处牵马[①]么？"呆子闻得此言，情知走了消息，也就垂头扭颈，努嘴皱眉，半晌不言。又听得呀的一声，腰门开了，有两对红灯，一副提壶，香云霭霭，环珮叮叮，那妇人带着三个女儿，走将出来，叫真真、爱爱、怜怜，拜见那取经的人物。那女子排立厅中，朝上礼拜。果然也生得标致。但见他：

一个个蛾眉横翠，粉面生春。妖娆倾国色，窈窕动人心。花钿显现多娇态，绣带飘摇迥绝尘。半含笑处樱桃绽，缓步行时兰麝喷。满头珠翠，颤巍巍无数宝钗簪；遍体幽香，娇滴滴有花金缕钿。说甚么楚娃美貌，西子娇容？真个是九天仙女从天降，月里嫦娥出广寒！

那三藏合掌低头，孙大圣佯佯不睬，少沙僧转背回身。你看那猪八戒，眼不转睛，淫心紊乱，色胆纵横，扭捏出悄语，低声道："有劳仙子下降。娘，请姐姐们去耶。"那三个女子转入屏风，将一对纱灯留下。妇人道："四位长老，可肯留心，着那个配我小女么？"悟净道："我们已商议了，着那个姓猪的招赘门下。"八戒道："兄弟，不要栽我，还从众计较。"行者道："还计较甚么？你已是在后门首说合的停停当当，'娘'都叫了，又有甚么计较？师父做个男亲家，这婆儿做个女亲家，等老孙做个保亲，沙僧做个媒人。也不必看通书[②]，今朝是个天恩上吉日，你来拜了师父，进去做了女婿罢。"八戒道："弄不成！弄不成！那里好干这个勾当！"

行者道："呆子，不要者嚣[③]。你那口里'娘'也不知叫了多

① 牵马：双关语，这里指说媒、做牵头。

② 通书：旧时对历书的别称。上面记有某月某日是否宜于婚嫁、营建、出行等等。

③ 者嚣：掩饰、隐瞒、支吾的意思。

少,又是甚么弄不成?快快的应承,带携我们吃些喜酒,也是好处。"他一只手揪着八戒,一只手扯住妇人,道:"亲家母,带你女婿进去。"那呆子脚儿趄趄[①]的,要往那里走。那妇人即唤童子:"展抹桌椅,铺排晚斋,管待三位亲家。我领姑夫房里去也。"一壁厢又分付庖丁排筵设宴,明晨会亲。那几个童子又领命讫。他三众吃了斋,急急铺铺,都在客座里安歇不题。

却说那八戒跟着丈母,行入里面,一层层也不知多少房舍,磕磕撞撞,尽都是门槛绊脚。呆子道:"娘,慢些儿走。我这里边路生,你带我带儿。"那妇人道:"这都是仓房、库房、碾房各房,还不曾到那厨房边哩。"八戒道:"好大人家!"磕磕撞撞,转弯抹角,又走了半会,才是内堂房屋。那妇人道:"女婿,你师兄说今朝是天恩上吉日,就教你招进来了;却只是仓卒间,不曾请得个阴阳,拜堂撒帐[②],你可朝上拜八拜儿罢。"八戒道:"娘,娘说得是。你请上坐,等我也拜几拜,就当拜堂,就当谢亲,两当一儿,却不省事?"他丈母笑道:"也罢,也罢,果然是个省事干家的女婿。我坐着,你拜么。"

咦!满堂中银烛辉煌,这呆子朝上礼拜,拜毕道:"娘,你把那个姐姐配我哩?"他丈母道:"正是这些儿疑难:我要把大女儿配你,恐二女怪;要把二女配你,恐三女怪;欲将三女配你,又恐大女怪。所以终疑未定。"八戒道:"娘,既怕相争,都与我罢。省得闹闹吵吵,乱了家法。"他丈母道:"岂有此理!你一人就占我三个女儿不成!"八戒道:"你看娘说的话。那个没有三宫六

① 趄(jū)趄:欲进又退的样子。

② 撒帐:旧时婚礼中,新郎新娘交拜后坐在床上,参加婚礼的妇女以彩线喜果向新郎新娘掷下,叫做撒帐。

院？就再多几个，你女婿也笑纳了。我幼年间，也曾学得个熬战之法，管情一个个伏侍得他欢喜。”那妇人道：“不好！不好！我这里有一方手帕，你顶在头上，遮了脸，撞个天婚[1]。教我女儿从你跟前走过，你伸开手扯倒那个，就把那个配了你罢。”呆子依言，接了手帕，顶在头上。有诗为证。诗曰：

痴愚不识本原由，色剑伤身暗自休。

从来信有周公礼，今日新郎顶盖头[2]。

那呆子顶裹停当，道：“娘，请姐姐们出来么。”他丈母叫：“真真、爱爱、怜怜，都来撞天婚，配与你女婿。”只听得珮环响亮，兰麝馨香，似有仙子来往，那呆子真个伸手去捞人。两边乱扑，左也撞不着，右也撞不着。来来往往，不知有多少女子行动，只是莫想捞着一个。东扑抱着柱科[3]，西扑摸着板壁。两头跑晕了，立站不稳，只是打跌。前来蹬着门扇，后去汤着砖墙，磕磕撞撞，跌得嘴肿头青。坐在地下，喘气呼呼的道：“娘啊，你女儿这等乖滑得紧，捞不着一个，奈何！奈何！”

那妇人与他揭了盖头道：“女婿，不是我女儿乖滑。他们大家谦让，不肯招你。”八戒道：“娘啊，既是他们不肯招我呵，你招了我罢。”那妇人道：“好女婿呀！这等没大没小的，连丈母也都要了！我这三个女儿，心性最巧。他一人结了一个珍珠篏锦的汗衫儿。你若穿得那个的，就教那个招你罢。”八戒道：“好！好！好！把三件儿都拿来我穿了看；若都穿得，就教都招了罢。”那妇人转进房里，止取出一件来，递与八戒。那呆子脱下青锦布直裰，理过衫儿，就穿在身上；还未曾系上带子，扑的一

① 撞天婚：一种宿命的求婚方式，如抛彩球之类。

② 盖头：结婚时蒙在新娘头上的盖巾叫做盖头。这里是对猪八戒的讽刺。

③ 柱科：就是房柱。

交，跌倒在地。原来是几条绳紧绷绷住，那呆子疼痛难禁。这些人早已不见了。

却说三藏、行者、沙僧一觉睡醒，不觉的东方发白。忽睁睛抬头观看，那里得那大厦高堂，也不是雕梁画栋，一个个都睡在松柏林中。慌得那长老忙呼行者。沙僧道："哥哥，罢了！罢了！我们遇着鬼了！"孙大圣心中明白，微微的笑道："怎么说？"长老道："你看我们睡在那里耶！"行者道："这松林下落得快活，但不知那呆子在那里受罪哩。"长老道："那个受罪？"行者笑道："昨日这家子娘女们，不知是那里菩萨，在此显化我等，想是半夜里去了，只苦了猪八戒受罪。"三藏闻言，合掌顶礼。又只见那后边古柏树上，飘飘荡荡的，挂着一张简帖儿。沙僧急去取来与师父看时，却是八句颂子云：

"黎山老母不思凡，南海菩萨请下山。
普贤文殊皆是客，化成美女在林间。
圣僧有德还无俗，八戒无禅更有凡。
从此静心须改过，若生怠慢路途难！"

那长老、行者、沙僧正然唱念此颂，只听得林深处高声叫道："师父呵，绷杀我了！救我一救！下次再不敢了！"三藏道："悟空，那叫唤的可是悟能么？"沙僧道："正是。"行者道："兄弟，莫睬他，我们去罢。"三藏道："那呆子虽是心性愚顽，却只是一味懞直①，倒也有些膂力②，挑得行李；还看当日菩萨之念，救他随我们去罢。料他以后再不敢了。"那沙和尚却卷起铺盖，收拾了

① 懞直：老实、浑厚、憨直。
② 膂(lǚ)力：体力。

担子;孙大圣解缰牵马,引唐僧入林寻看。咦!这正是:从正修持须谨慎,扫除爱欲自归真。毕竟不知那呆子凶吉如何,且听下回分解。

第二十四回

万寿山大仙留故友　五庄观行者窃人参

却说那三人穿林入里，只见那呆子绷在树上，声声叫喊，痛苦难禁。行者上前笑道："好女婿呀！这早晚还不起来谢亲，又不到师父处报喜，还在这里卖解儿①耍子哩！——咄！你娘呢？你老婆呢？好个绷巴②吊拷的女婿呀！"那呆子见他来抢白，着羞咬着牙、忍着疼，不敢叫喊。沙僧见了，老大③不忍，放下行李，上前解了绳索救下。呆子对他们只是磕头礼拜，其实羞耻难当。有《西江月》为证：

色乃伤身之剑，贪之必定遭殃。佳人二八好容妆，更比夜叉凶壮。　只有一个原本，再无微利添囊。好将资本谨收藏，坚守休教放荡。

那八戒撮土焚香，望空礼拜。行者道："你可认得那些菩萨么？"八戒道："我已此晕倒昏迷，眼花撩乱，那认得是谁？"行者把那简帖儿递与八戒。八戒见了是颂子，更加惭愧。沙僧笑道："二哥有这般好处哩，感得四位菩萨来与你做亲！"八戒道："兄弟再莫题起。不当人子了！从今后，再也不敢妄为。——就是累折骨头，也只是磨肩压担，随师父西域去也。"三藏道："既如此说

---

① 卖解儿：古时称杂技演员做杂戏为"卖解"，如跑马卖解之类。

② 绷巴：捆绑方法之一。

③ 老大：实在。

才是。”

行者遂领师父上了大路。在路餐风宿水,行罢多时,忽见有高山挡路。三藏勒马停鞭道:“徒弟,前面一山,必须仔细,恐有妖魔作耗,侵害吾党。”行者道:“马前但有我等三人,怕甚妖魔?”因此,长老安心前进。只见那座山,真是好山:

高山峻极,大势峥嵘。根接昆仑脉,顶摩霄汉中。白鹤每来栖桧柏,玄猿时复挂藤萝。日映晴林,叠叠千条红雾绕;风生阴壑,飘飘万道彩云飞。幽鸟乱啼青竹里,锦鸡齐斗野花间。只见那千年峰、五福峰、芙蓉峰,巍巍凛凛放毫光;万岁石、虎牙石、三天石,突突磷磷生瑞气。崖前草秀,岭上梅香。荆棘密森森,芝兰清淡淡。深林鹰凤聚千禽,古洞麒麟辖万兽。涧水有情,曲曲湾湾多绕顾;峰峦不断,重重叠叠自周回。又见那绿的槐,斑的竹,青的松,依依千载斗秾华;白的李,红的桃,翠的柳,灼灼三春争艳丽。龙吟虎啸,鹤舞猿啼。麋鹿从花出,青鸾对日鸣。乃是仙山真福地,蓬莱阆苑只如然。又见些花开花谢山头景,云去云来岭上峰。

三藏在马上欢喜道:“徒弟,我一向西来,经历许多山水,都是那嵯峨险峻之处,更不似此山好景,果然的幽趣非常。若是相近雷音不远路,我们好整肃端严见世尊。”行者笑道:“早哩!早哩!正好不得到哩!”沙僧道:“师兄,我们到雷音有多少远?”行者道:“十万八千里。十停中还不曾走了一停哩。”八戒道:“哥呵,要走几年才得到?”行者道:“这些路,若论二位贤弟,便十来日也可到;若论我走,一日也好走五十遭,还见日色;若论师父走,莫想!莫想!”唐僧道:“悟空,你说得几时方可到?”行者道:“你自小时走到老,老了再小,老小千番也还难;只要你见性志诚,念念回首处，即是灵山。”沙僧道：“师兄，此间虽不是雷音，观此景致，必有个好人居止。”行者道：“此言却当。这里决无邪祟，一定是个圣僧仙辈之乡。我们游玩慢行。”不题。

却说这座山名唤万寿山；山中有一座观，名唤五庄观；观里有一尊仙，道号镇元子，混名与世同君。那观里出一般异宝，乃是混沌初分，鸿濛始判，天地未开之际，产成这颗灵根。盖天下四大部洲，惟西牛贺洲五庄观出此，唤名“草还丹”，又名“人参果”。三千年一开花，三千年一结果，再三千年才得熟，短头一万年方得吃。似这万年，只结得三十个果子。果子的模样，就如三朝未满的小孩相似，手足俱全，五官咸备。人若有缘，得那果子闻了一闻，就活三百六十岁；吃一个，就活四万七千年。

当日镇元大仙得元始天尊的简帖，邀他到上清天上弥罗宫中听讲“混元道果”。大仙门下出的散仙，也不计其数，见如今还有四十八个徒弟，都是得道的全真①。当日带领四十六个上界去听讲，留下两个绝小的看家：一个唤做清风，一个唤做明月。清风只有一千三百二十岁，明月才交一千二百岁。镇元子分付二童道：“不可违了大天尊的简帖，要往弥罗宫听讲，你两个在家仔细。不日有一个故人从此经过，却莫怠慢了他。可将我人参果打两个与他吃，权表旧日之情。”二童道：“师父的故人是谁？望说与弟子，好接待。”大仙道：“他是东土大唐驾下的圣僧，道号三藏，今往西天拜佛求经的和尚。”二童笑道：“孔子云：‘道不同，不相为谋。’我等是太乙玄门，怎么与那和尚做甚相识！”大仙道：“你那里得知。那和尚乃金蝉子转生，西方圣老如来佛第二个徒弟。五百年前，我与他在‘兰盆会’上相识，他曾

① 全真：道教的一个派别，这里即指道士。

亲手传茶。佛子敬我,故此是为故人也。”

二仙童闻言,谨遵师命。那大仙临行,又叮咛嘱咐道:“我那果子有数,只许与他两个,不得多费。”清风道:“开园时,大众共吃了两个,还有二十八个在树,不敢多费。”大仙道:“唐三藏虽是故人,须要防备他手下人罗唣,不可惊动他知。”二童领命讫,那大仙承众徒弟飞升,竟朝天界。

却说唐僧四众,在山游玩,忽抬头,见那松篁一簇,楼阁数层。唐僧道:“悟空,你看那里是甚么去处?”行者看了道:“那所在,不是观宇,定是寺院。我们走动些,到那厢方知端的。”不一时,来于门首观看,见那:

松坡冷淡,竹径清幽。往来白鹤送浮云,上下猿猴时献果。那门前池宽树影长,石裂苔花破。宫殿森罗紫极高,楼台缥缈丹霞堕。真个是福地灵区,蓬莱云洞。清虚人事少,寂静道心生。青鸟每传王母信,紫鸾常寄老君经。看不尽那巍巍道德之风,果然漠漠神仙之宅。

三藏离鞍下马,又见那山门左边有一通碑,碑上有十个大字,乃是“万寿山福地,五庄观洞天”。长老道:“徒弟,真个是一座观宇。”沙僧道:“师父,观此景鲜明,观里必有好人居住。我们进去看看,若行满东回,此间也是一景。”行者道:“说得好。”遂都一齐进去。又见那二门上有一对春联:

长生不老神仙府,与天同寿道人家。

行者笑道:“这道士说大话唬人。我老孙五百年前大闹天宫时,在那太上老君门首,也不曾见有此话说。”八戒道:“且莫管他,进去!进去!或者这道士有些德行,未可知也。”

及至二层门里,只见那里面,急急忙忙走出两个小童儿来。

看他怎生打扮：

骨清神爽容颜丽，顶结丫髻短发鬅①。

道服自然襟绕雾，羽衣偏是袖飘风。

环绦紧束龙头结，芒履轻缠蚕口绒。

丰采异常非俗辈，正是那清风明月二仙童。

那童子控背躬身，出来迎接道："老师父，失迎，请坐。"长老欢喜，遂与二童子上了正殿观看。原来是向南的五间大殿，都是上明下暗的雕花格子。那仙童推开格子，请唐僧入殿，只见那壁中间挂着五彩妆成的"天地"二大字，设一张朱红雕漆的香几，几上有一副黄金炉瓶，炉边有方便整香。

唐僧上前，以左手捻香注炉，三匝礼拜。拜毕，回头道："仙童，你五庄观真是西方仙界，何不供养三清、四帝、罗天诸宰，只将'天地'二字侍奉香火？"童子笑道："不瞒老师说。这两个字，上头的礼上还当，下边的还受不得我们的香火。是家师父谄佞②出来的。"三藏道："何为谄佞？"童子道："三清是家师的朋友，四帝是家师的故人；九曜是家师的晚辈，元辰是家师的下宾。"

那行者闻言，就笑得打跌。八戒道："哥啊，你笑怎的？"行者道："只讲老孙会捣鬼，原来这道童会捆风③！"三藏道："令师何在？"童子道："家师元始天尊降简请上清天弥罗宫听讲'混元道果'去了，不在家。"

行者闻言，忍不住喝了一声道："这个臊道童！人也不认得，你在那个面前捣鬼，扯甚么空心架子！那弥罗宫有谁是太乙

① 鬅（péng）：同"蓬"。形容头发散乱。

② 谄佞：阿谀逢迎。这里指无原则的谦敬。

③ 捆风：指扯谎、说瞎话。

天仙？请你这泼牛蹄子去讲甚么！”三藏见他发怒，恐怕那童子回言，斗起祸来，便道：“悟空，且休争竞。我们既进来就出去，显得没了方情①。常言道：‘鹭鸶不吃鹭鸶肉②。’他师父既是不在，搅扰他做甚？你去山门前放马。沙僧看守行李。教八戒解包袱取些米粮，借他锅灶做顿饭吃，待临行送他几文柴钱便罢了。各依执事，让我在此歇息歇息，饭毕就行。”他三人果各依执事而去。

那明月、清风，暗自夸称不尽道：“好和尚！真个是西方爱圣临凡，真元不昧。师父命我们接待唐僧，将人参果与他吃，以表故旧之情；又教防着他手下人罗唣。果然那三个嘴脸凶顽，性情粗糙。幸得就把他们调开了；若在边前，却不与他人参果见面。”清风道：“兄弟，还不知那和尚可是师父的故人。问他一问看，莫要错了。”二童子又上前道：“启问老师可是大唐往西天取经的唐三藏？”长老回礼道：“贫僧就是。仙童为何知我贱名？”童子道：“我师临行，曾分付教弟子远接。不期车驾来促，有失迎迓。老师请坐，待弟子办茶来奉。”三藏道：“不敢。”那明月急转本房，取一杯香茶，献与长老。茶毕，清风道：“兄弟，不可违了师命，我和你去取果子来。”

二童别了三藏，同到房中，一个拿了金击子，一个拿了丹盘，又多将绿帕垫着盘底，径到人参园内。那清风爬上树去，使金击子敲果；明月在树下，以丹盘等接。须臾，敲下两个果来，接在盘中，径至前殿奉献道：“唐师父，我五庄观土僻山荒，无物可奉，土宜素果二枚，权为解渴。”那长老见了，战战兢兢，远离三尺

① 方情：佛教徒称跟十方人（指各界人士）的交情。

② 鹭鸶不吃鹭鸶肉：意为同类不相伤害。

道:“善哉！善哉！今岁倒也年丰时稔,怎么这观里作荒吃人?这个是三朝未满的孩童,如何与我解渴?”清风暗道:“这和尚在那口舌场中,是非海里,弄得眼肉胎凡,不识我仙家异宝。”明月上前道:“老师,此物叫做‘人参果’,吃一个儿不妨。”三藏道:“胡说！胡说！他那父母怀胎,不知受了多少苦楚。方生下未及三日,怎么就把他拿来当果子?”清风道:“实是树上结的。”长老道:“乱谈！乱谈！树上又会结出人来?拿过去,不当人子!”

那两个童儿,见千推万阻不吃,只得拿着盘子,拿转本房。那果子却也跷蹊,久放不得;若放多时,即僵了,不中吃。二人到于房中,一家一个,坐在床边上,只情吃起。

噫！原来有这般事哩！他那道房,与那厨房紧紧的间壁。这边悄悄的言语,那边即便听见。八戒正在厨房里做饭,先前听见说取金击子,拿丹盘,他已在心;又听见他说,唐僧不认得是人参果,即拿在房里自吃,口里忍不住流涎道:“怎得一个儿尝新!”自家身子又狼犺,不能够得动,只等行者来,与他计较。他在那锅门前,更无心烧火,不时的伸头探脑,出来观看。不多时,行者牵将马来,拴在槐树上,径往后走。那呆子用手乱招道:“这里来！这里来!”行者转身,到于厨房门首,道:“呆子,你嚷甚的?想是饭不够吃。且让老和尚吃饱,我们前边大人家,再化吃去罢。”八戒道:“你进来,不是饭少。这观里有一件宝贝,你可晓得?”行者道:“甚么宝贝?”八戒笑道:“说与你,你不曾见;拿与你,你不认得。”行者道:“这呆子笑话我老孙。老孙五百年前,因访仙道时,也曾云游在海角天涯,那般儿不曾见?”八戒道:“哥啊,人参果你曾见么?”行者惊道:“这个真不曾见。但只常闻得人说,人参果乃是草还丹,人吃了极能延寿。如今那里有得?”八戒道:“他这里有。那童子拿两个与师父吃,那老和尚不认得,道是三朝未满的孩儿,不曾敢吃。那童子老大惫懒——师父既不吃,便该让我们,他就瞒着我们,才自在这隔壁房里,一家一个,咽啅咽啅的吃了出去,就急得我口里水泱①。怎么得一个儿尝新?我想你有些溜撒②,去他那园子里偷几个来尝尝,如何?"行者道:"这个容易。老孙去,手到擒来。"急抽身,往前就走。八戒一把扯住:"哥呵,我听得他在这房里说,要拿甚么金击子去打哩。须是干得停当③,不可走露风声。"行者道:"我晓得,我晓得。"

那大圣使一个隐身法,闪进道房看时,原来那两个道童吃了果子,上殿与唐僧说话,不在房里。行者四下里观看,看有甚么金击子,但只见窗棂上挂着一条赤金:有二尺长短,有指头粗细;底下是一个蒜疙疸的头子;上边有眼,系着一根绿绒绳儿。他道:"想必就是此物叫做击子。"他却取下来,出了道房,径入后边去,推开两扇门,抬头观看,——呀!却是一座花园!但见:

朱栏宝槛,曲砌峰山。奇花与丽日争妍,翠竹共青天斗碧。流杯亭外,一湾绿柳似拖烟;赏月台前,数簇乔松如泼靛。红拂拂,锦巢榴;绿依依,绣墩草。青茸茸,碧砂兰;攸荡荡,临溪水。丹桂映金井梧桐,锦槐傍朱栏玉砌。有或红或白千叶桃,有或香或黄九秋菊。荼蘼架,映着牡丹亭;木槿台,相连芍药圃。看不尽傲霜君子竹,欺雪大夫松。更有那鹤庄鹿宅,方沼圆池;泉流碎玉,地萼堆金。朔风触绽梅花白,春来点破海棠红。——诚所谓人间第一仙景,西方魁首花丛。

---

① 泱:流,淌。
② 溜撒:灵活、麻利。
③ 停当:妥贴,妥当。

那行者观看不尽，又见一层门，推开看处，却是一座菜园：

布种四时蔬菜，菠芹莙荙姜苔。

笋簩瓜瓠茭白，葱蒜芫荽韭薤。

窝蕖童蒿苦藚，葫芦茄子须栽。

蔓菁萝卜羊头埋，红苋青菘紫芥。

行者笑道："他也是个自种自吃的道士。"走过菜园，又见一层门。推开看处，呀！只见那正中间有根大树，真个是青枝馥郁，绿叶阴森，那叶儿却似芭蕉模样，直上去有千尺馀高，根下有七八丈围圆。那行者倚在树下，往上一看，只见向南的枝上，露出一个人参果，真个像孩儿一般。原来尾间上是个扢蒂，看他丁在枝头，手脚乱动，点头幌脑，风过处似乎有声。行者欢喜不尽，暗自夸称道："好东西呀！果然罕见！果然罕见！"他倚着树，嗖的一声，撺将上去。

那猴子原来第一会爬树偷果子。他把金击子敲了一下，那果子扑的落将下来。他也随跳下来跟寻，寂然不见；四下里草中找寻，更无踪影。行者道："跷蹊！跷蹊！想是有脚的会走，就是也跳不出墙去。我知道了，想是花园中土地不许老孙偷他果子，他收了去也。"他就捻着诀，念一口"唵"字咒，拘得那花园土地前来，对行者施礼道："大圣，呼唤小神，有何分付？"行者道："你不知老孙是盖天下有名的贼头。我当年偷蟠桃、盗御酒、窃灵丹，也不曾有人敢与我分用；怎么今日偷他一果子，你就抽了我的头分①去了！这果子是树上结的，空中过鸟也该有分，老孙就吃他一个，有何大害？怎么刚打下来，你就捞了去？"土地道：

① 头分：指赌场主人按一定比例从赢家的钱中抽取的服务费。这种行为叫"抽头分"或"抽头"。

"大圣,错怪了小神也。这宝贝乃是地仙之物,小神是个鬼仙,怎么敢拿去?只是闻也无福闻闻。"行者道:"你既不曾拿去,如何打下来就不见了?"土地道:"大圣只知这宝贝延寿,更不知他的出处哩。"

行者道:"有甚出处?"土地道:"这宝贝,三千年一开花,三千年一结果,再三千年方得成熟。短头一万年,只结得三十个。有缘的,闻一闻,就活三百六十岁;吃一个,就活四万七千年。却是只与五行相畏。"行者道:"怎么与五行相畏?"土地道:"这果子遇金而落,遇木而枯,遇水而化,遇火而焦,遇土而入。敲时必用金器,方得下来。打下来,却将盘儿用丝帕衬垫方可;若受些木器,就枯了,就吃也不得延寿。吃他须用磁器,清水化开食用,遇火即焦而无用。遇土而入者,大圣方才打落地上,他即钻下土去了。这个土有四万七千年,就是钢钻钻他也钻不动些须,比生铁也还硬三四分。人若吃了,所以长生。大圣不信时,可把这地下打打儿看。"行者即掣金箍棒,筑了一下,响一声,迸起棒来,土上更无痕迹。行者道:"果然!果然!我这棍,打石头如粉碎,撞生铁也有痕。怎么这一下打不伤些儿?这等说,我却错怪了你了,你回去罢。"那土地即回本庙去讫。

大圣却有算计:爬上树,一只手使击子,一只手将锦布直裰的襟儿扯起来,做个兜子等住。他却串枝分叶,敲了三个果,兜在襟中。跳下树,一直前来,径到厨房里去。那八戒笑道:"哥哥,可有么?"行者道:"这不是?老孙的手到擒来。这个果子,也莫背了沙僧,可叫他一声。"八戒招手叫道:"悟净,你来。"那沙僧撇下行李,跑进厨房道:"哥哥,叫我怎的?"行者放开衣兜道:"兄弟,你看这个是甚的东西?"沙僧见了道:"是人参果。"行者道:"好呵!你倒认得。你曾在那里吃过的?"沙僧道:"小弟虽不曾吃，但旧时做卷帘大将，扶侍鸾舆①赴蟠桃宴，尝见海外诸仙将此果与王母上寿。见便曾见，却未曾吃。哥哥，可与我些儿尝尝？"行者道："不消讲，兄弟们一家一个。"

他三人将三个果各各受用。那八戒食肠大，口又大，一则是听见童子吃时，便觉馋虫拱动，却才见了果子，拿过来，张开口，毂辘的吞咽下肚，却白着眼胡赖，向行者、沙僧道："你两个吃的是甚么？"沙僧道："人参果。"八戒道："甚么味道？"行者道："悟净，不要睬他！你倒先吃了，又来问谁？"八戒道："哥哥，吃的忙了些，不像你们细嚼细咽，尝出些滋味。我也不知有核无核，就吞下去了。哥啊，为人为彻，你已经调动我这馋虫，再去弄个儿来，老猪细细的吃吃。"行者道："兄弟，你好不知止足！这个东西，比不得那米食面食，撞着尽饱。像这一万年只结得三十个，我们吃他这一个，也是大有缘法，不等小可。罢罢罢！够了！"他欠起身来，把一个金击子，瞒②窗眼儿丢进他道房里，竟不睬他。

那呆子只管絮絮叨叨的唧哝，不期那两个道童复进房来取茶去献，只听得八戒还嚷甚么："人参果吃得不快活，再得一个儿吃吃才好。"清风听见，心疑道："明月，你听那长嘴和尚讲'人参果还要个吃吃'。师父别时叮咛，教防他手下人罗唣，莫敢是他偷了我们宝贝么？"明月回头道："哥耶，不好了！不好了！金击子如何落在地下！我们去园里看看来！"他两个急急忙忙的走去，只见花园开了。清风道："这门是我关的，如何开了？"又急转过花园，只见菜园门也开了。忙入人参园里，倚在树下，望

① 鸾舆：帝王乘座的车，也用来指帝王本人。

② 瞒：同"漫"。顺着，沿着。

上查数;颠倒来往,只得二十二个。明月道:“你可会算帐?”清风道:“我会,你说将来。”明月道:“果子原是三十个。师父开园,分吃了两个,还有二十八个;适才打两个与唐僧吃,还有二十六个;如今止剩得二十二个,却不少了四个?不消讲,不消讲,是那伙恶人偷了,我们只骂唐僧去来。”

两个出了园门,径来殿上,指着唐僧,秃前秃后,秽语污言,不绝口的乱骂;贼头鼠脑,臭短臊长,没好气的胡嚷。唐僧听不过,道:“仙童啊,你闹的是甚么?消停些儿,有话慢说不妨,不要胡说散道的。”清风说:“你的耳聋?我是蛮话,你不省得?你偷吃了人参果,怎么不容我说?”唐僧道:“人参果怎么模样?”明月道:“才拿来与你吃,你说像孩童的不是?”唐僧道:“阿弥陀佛!那东西我见我就心惊胆战,还敢偷他吃哩!就是害了馋痞,也不敢干这贼事。不要错怪了人。”清风道:“你虽不曾吃,还有手下人要偷吃的哩。”三藏道:“这等也说得是。你且莫嚷,等我问他们看。果若是偷了,教他赔你。”明月道:“赔呀!就有钱那里去买!”三藏道:“纵有钱没处买呵,常言道:‘仁义值千金。’教他陪你个礼,便罢了。——也还不知是他不是他哩。”明月道:“怎的不是他?他那里分不均,还在那里嚷哩。”三藏叫声:“徒弟,且都来。”沙僧听见道:“不好了!决撒①了!老师父叫我们,小道童胡厮骂,不是旧话儿‘走了风’,却是甚的!”行者道:“活羞杀人!这个不过是饮食之类!若说出来,就是我们偷嘴了,只是莫认。”八戒道:“正是,正是,昧了罢。”他三人只得出了厨房,走上殿去。毕竟不知怎么与他抵赖,且听下回分解。

---

① 决撒:这里作败露、揭穿、坏事解释。

第二十五回

镇元仙赶捉取经僧　孙行者大闹五庄观

却说他兄弟三众到了殿上，对师父道："饭将熟了，叫我们怎的？"三藏道："徒弟，不是问饭。他这观里，有甚么人参果，似孩子一般的东西，你们是那一个偷他的吃了？"八戒道："我老实。不晓得，不曾见。"清风道："笑的就是他！笑的就是他！"行者喝道："我老孙生的是这个笑容儿，莫成为你不见了甚么果子，就不容我笑？"三藏道："徒弟息怒。我们是出家人，休打诳语，莫吃昧心食。果然吃了他的，陪他个礼罢。何苦这般抵赖？"

行者见师父说得有理，他就实说道："师父，不干我事。是八戒隔壁听见那两个道童吃甚么人参果，他想一个儿尝新，着老孙去打了三个，我兄弟人各吃了一个。如今吃也吃了，待要怎么？"明月道："偷了我四个，这和尚还说不是贼哩！"八戒道："阿弥陀佛！既是偷了四个，怎么只拿出三个来分，预先就打起一个偏手①？"那呆子倒转胡嚷。

二仙童问得是实，越加骂毁。就恨得个大圣钢牙咬响，火眼睁圆，把条金箍棒揝了又揝，忍了又忍，道："这童子只说当面打人。也罢，受他些气儿，送他个绝后计，教他大家都吃不成！"好

① 打偏手：藏私、做手脚。

行者，把脑后的毫毛拔了一根，吹口仙气，叫："变！"变做个假行者，跟定唐僧，陪着悟能、悟净，忍受着道童嚷骂；他的真身出一个神，纵云头，跳将起去，径到人参园里，掣金箍棒往树上乒乓一下，又使个推山移岭的神力，把树一推推倒。可怜叶落桠开根出土，道人断绝草还丹！那大圣推倒树，却在枝儿上寻果子，那里得有半个？原来这宝贝遇金而落，他的棒两头却是金裹之物，况铁又是五金之类，所以敲着就振下来；既下来，又遇土而入，因此上边再没一个果子。他道："好！好！好！大家散火！"他收了铁棒，径往前来，把毫毛一抖，收上身来。那些人肉眼凡胎，看不明白。

却说那仙童骂够多时，清风道："明月，这些和尚也受得气哩。我们就像骂鸡一般，骂了这半会，他通没个招声。想必他不曾偷吃。倘或树高叶密，数得不明，不要诳骂了他。我和你再去查查。"明月道："也说得是。"他两个果又到园中，只见那树倒桠开，果无叶落。唬得清风脚软跌跟头，明月腰酥打骸垢①。那两个魂飞魄散。有诗为证。诗曰：

　　三藏西临万寿山，悟空断送草还丹。
　　桠开叶落仙根露，明月清风心胆寒。

他两个倒在尘埃，语言颠倒，只叫："怎的好！怎的好！害了我五庄观里的丹头②，断绝我仙家的苗裔！师父来家，我两个怎的回话？"明月道："师兄莫嚷。我们且整了衣冠，莫要惊张了这几个和尚。这个没有别人，定是那个毛脸雷公嘴的那厮，他来出神

① 打骸垢：战栗、打哆嗦。
② 丹头：修炼金丹时引导成丹的丹饵。这里指人参果。

弄法,坏了我们的宝贝。若是与他分说,那厮毕竟抵赖;定要与他相争,争起来,就要交手相打。你想我们两个,怎么敌得过他四个?且不如去哄他一哄,只说果子不少,我们错数了,转与陪个不是。他们的饭已熟了,等他吃饭时,再贴他些儿小菜。他一家拿着一个碗,你却站在门左,我却站在门右,扑的把门关倒,把锁锁住,将这几层门都锁了,不要放他。待师父来家,凭他怎的处置。他又是师父的故人,饶了他,也是师父的人情;不饶他,我们也拿住个贼在,庶几[1]可以免我等之罪。"清风闻言道:"有理!有理!"

他两个强打精神,勉生欢喜,从后园中径来殿上,对唐僧控背躬身道:"师父,适间言语粗俗,多有冲撞,莫怪,莫怪。"三藏问道:"怎么说?"清风道:"果子不少,只因树高叶密,不曾看得明白;才然又去查查,还是原数。"那八戒就趁脚儿跷[2]道:"你这个童儿,年幼不知事体,就来乱骂,白口咀咒,枉赖了我们也!不当人子!"行者心上明白,口里不言,心中暗想道:"是谎!是谎!果子已了了帐,怎的说这般话?……想必有起死回生之法?……"三藏道:"既如此,盛将饭来,我们吃了去罢。"

那八戒便去盛饭,沙僧安放桌椅。二童忙取小菜,却是些酱瓜、酱茄、糟萝卜、醋豆角、腌窝蕖、绰芥菜,共排了七八碟儿,与师徒们吃饭;又提一壶好茶,两个茶钟,伺候左右。那师徒四众却才拿起碗来,这童儿一边一个,扑的把门关上,插上一把两镮铜锁。八戒笑道:"这童子差了。你这里风俗不好,却怎的关了门里吃饭?"明月道:"正是,正是,好歹吃了饭儿开门。"清风骂

① 庶几:差不多,大概。

② 趁脚儿跷:顺着别人的言语、附和人言。这里作得理不让人解释。

道:“我把你这个害馋劳、偷嘴的秃贼! 你偷吃了我的仙果,已该一个擅食田园瓜果之罪,却又把我的仙树推倒,坏了我五庄观里仙根,你还要说嘴哩! 若能够到得西方参佛面,只除是转背摇车①再托生!”三藏闻言,丢下饭碗,把个石头放在心上。那童子将那前山门、二山门,通都上了锁。却又来正殿门首,恶语恶言,贼前贼后,只骂到天色将晚,才去吃饭。饭毕,归房去了。

唐僧埋怨行者道:“你这个猴头,番番撞祸! 你偷吃了他的果子,就受他些气儿,让他骂几句便也罢了,怎么又推倒他的树! 若论这般情由,告起状来,就是你老子做官,也说不通。”行者道:“师父莫闹。那童儿都睡去了,只待他睡着了,我们连夜起身。”沙僧道:“哥呵,几层门都上了锁,闭得甚紧,如何走么!”行者笑道:“莫管! 莫管! 老孙自有法儿。”八戒道:“愁你没有法儿哩! 你一变个甚么虫蛭儿,瞒格子眼里就飞将出去,只是我们不会变的,便在此顶缸②受罪哩!”唐僧道:“他若干出这个勾当,不同你我出去呵,我就念起旧话经儿,他却怎生消受!”八戒闻言,又愁又笑道:“师父,你说的那里话? 我只听得佛教中有卷《楞严经》、《法华经》、《孔雀经》、《观音经》、《金刚经》,不曾听见个甚那‘旧话儿经’呵。”行者道:“兄弟,你不知道。我顶上戴的这个箍儿,是观音菩萨赐与我师父的;师父哄我戴了,就如生根的一般,莫想拿得下来——叫做《紧箍儿咒》,又叫做《紧箍儿经》。他说‘旧话儿经’,即此是也。但若念动,我就头疼,故有这个法儿难我。师父,你莫念,我决不负你,管情大家一齐出去。”

---

① 转背摇车:重新回到摇篮里,指转世投胎。转背,回身到。摇车,摇篮。

② 顶缸:代人受过。

说话后，都已天昏，不觉东方月上。行者道："此时万籁无声，冰轮明显，正好走了去罢。"八戒道："哥呵，不要捣鬼。门俱锁闭，往那里走？"行者道："你看手段！"好行者，把金箍棒捻在手中，使一个"解锁法"，往门上一指，只听得突蹡的一声响，几层门双锁俱落，唿喇的开了门扇。八戒笑道："好本事！就是叫小炉儿匠使掭子①，便也不像这等爽利！"行者道："这个门儿，有甚稀罕！就是南天门，指一指也开了。"却请师父出了门，上了马，八戒挑着担，沙僧拢着马，径投西路而去。行者道："你们且慢行。等老孙去照顾那两个童儿睡一个月。"三藏道："徒弟，不可伤他性命；不然，又一个得财伤人的罪了。"行者道："我晓得。"行者复进去，来到那童儿睡的房门外。他腰里有带的瞌睡虫儿，原是在东天门与增长天王猜枚耍子赢的。他摸出两个来，瞒窗眼儿弹将进去，径奔到那童子脸上，鼾鼾沉睡，再莫想得醒。他才拽开云步，赶上唐僧，顺大路一直西奔。

这一夜马不停蹄，只行到天晓。三藏道："这个猴头弄杀我也！你因为嘴，带累我一夜无眠！"行者道："不要只管埋怨。天色明了，你且在这路旁边树林中将就歇歇，养养精神再走。"那长老只得下马，倚松根权作禅床坐下。沙僧歇了担子打盹。八戒枕着石睡觉。孙大圣偏有心肠，你看他跳树扳枝顽耍。四众歇息不题。

却说那大仙自元始宫散会，领众小仙出离兜率，径下瑶天，坠祥云，早来到万寿山五庄观门首。看时，只见观门大开，地上干净。大仙道："清风、明月却也中用。常时节，日高三丈，腰也

① 掭(tiàn)子：小炉匠们所用的一种工具，形状如同细扁的小铁棍。

不伸；今日我们不在，他倒肯起早，开门扫地。”众小仙俱悦。行至殿上，香火全无，人踪俱寂，那里有明月、清风！众仙道：“他两个想是因我们不在，拐了东西走了。”大仙道：“岂有此理！修仙的人，敢有这般坏心的事！想是昨晚忘却关门，就去睡了，今早还未醒哩。”众仙到他房门首看处，真个关着房门，鼾鼾沉睡；这外边打门乱叫，那里叫得醒来。众仙撬开门板，着手扯下床来，也只是不醒。大仙笑道：“好仙童啊！成仙的人，神满再不思睡，却怎么这般困倦？莫不是有人做弄了他也？快取水来。”一童急取水半盏递与大仙。大仙念动咒语，噀①一口水，喷在脸上，随即解了睡魔。

二人方醒，忽睁睛，抹抹脸，抬头观看，认得是与世同君和仙兄等众，慌得那清风顿首，明月叩头道：“师父啊！你的故人，原是东来的和尚，——一伙强盗，十分凶狠！”

大仙笑道：“莫惊恐，慢慢的说来。”清风道：“师父啊，当日别后不久，果有个东土唐僧，一行有四个和尚，连马五口。弟子不敢违了师命，问及来因，将人参果取了两个奉上。那长老俗眼愚心，不识我们仙家的宝贝。他说是三朝未满的孩童，再三不吃，是弟子各吃了一个。不期他那手下有三个徒弟，有一个姓孙的，名悟空行者，先偷四个果子吃了。是弟子们向伊理说，实实的言语了几句，他却不容，暗自里弄了个出神的手段，——苦啊！……”二童子说到此处，止不住腮边泪落。众仙道：“那和尚打你来？”明月道：“不曾打，只是把我们人参树打倒了。”大仙闻言，更不恼怒，道：“莫哭！莫哭！你不知那姓孙的，也是个太乙散仙，也曾大闹天宫，神通广大。既然打倒了宝树，你可认得

① 噀（xùn）：含在口中喷出。

那些和尚?”清风道:“都认得。”大仙道:“既认得,都跟我来。众徒弟们,都收拾下刑具,等我回来打他。”众仙领命。

大仙与明月、清风纵起祥光,来赶三藏,顷刻间就有千里之遥。大仙在云端里平西观看,不见唐僧;及转头向东看时,道:“多赶了九百馀里。”原来那长老一夜马不停蹄,只行了一百二十里路;大仙的云头一纵,赶过了九百馀里。仙童道:“师父,那路旁树下坐的是唐僧。”大仙道:“我已见了。你两个回去安排下绳索,等我自家拿他。”清风先回不题。

那大仙按落云头,摇身一变,变作个行脚全真。你道他怎生模样:

> 穿一领百衲袍,系一条吕公绦。手摇麈尾,渔鼓轻敲。三耳草鞋蹬脚下,九阳巾子把头包。飘飘风满袖,口唱《月儿高》①。

径直来到树下,对唐僧高叫道:“长老,贫道起手了。”那长老忙忙答礼道:“失瞻!失瞻!”大仙问:“长老是那方来的?为何在途中打坐?”三藏道:“贫僧乃东土大唐差往西天取经者。路过此间,权为一歇。”大仙惊讶道:“长老东来,可曾在荒山经过?”长老道:“不知仙官是何宝山?”大仙道:“万寿山五庄观,便是贫道栖止处。”

行者闻言,他心中有物的人,忙答道:“不曾!不曾!我们是打上路来的。”那大仙指定笑道:“我把你这个泼猴!你瞒谁哩?你倒在我观里,把我人参果树打倒,你连夜走在此间,还不招认,遮饰甚么!不要走!趁早去还我树来!”那行者闻言,心中恼怒,掣铁棒不容分说,望大仙劈头就打。大仙倒身躲过,踏

① 《月儿高》:元明时民间流行的歌曲。

祥光,径到空中。行者也腾云,急赶上去。大仙在半空现了本相,你看他怎生打扮:

头戴紫金冠,无忧鹤氅穿。履鞋登足下,丝带束腰间。体如童子貌,面似美人颜。三须飘颔下,鸦翎叠鬓边。相迎行者无兵器,止将玉麈手中捻。

那行者没高没低的,棍子乱打。大仙把玉麈左遮右挡,奈①了他两三回合,使一个"袖裡乾坤"的手段,在云端里,把袍袖迎风轻轻的一展,刷地前来,把四僧连马一袖子笼住。八戒道:"不好了!我们都装在褡裢②里了!"行者道:"呆子,不是褡裢,我们被他笼在衣袖中哩。"八戒道:"这个不打紧。等我一顿钉钯,筑他个窟窿,脱将下去,只说他不小心,笼不牢,吊的了罢!"那呆子使钯乱筑,那里筑得动:手捻着虽然是个软的,筑起来就比铁还硬。

那大仙转祥云,径落五庄观坐下,叫徒弟拿绳来。众小仙一一伺候。你看他从袖子里,却像撮傀儡一般,把唐僧拿出,缚在正殿檐柱上;又拿出他三个,每一根柱上绑了一个;将马也拿出拴在庭下,与他些草料;行李抛在廊下。又道:"徒弟,这和尚是出家人,不可用刀枪,不可加铁钺,且与我取出皮鞭来,打他一顿,与我人参果出气!"众仙即忙取出一条鞭,——不是甚么牛皮、羊皮、麂皮、犊皮的,原来是龙皮做的七星鞭,着水浸在那里。令一个有力量的小仙,把鞭执定道:"师父,先打那个?"大仙道:"唐三藏做大不尊,先打他。"

行者闻言,心中暗道:"我那老和尚不禁打;假若一顿鞭打

① 奈:对付。

② 褡裢:也作搭联、搭连。一种两头有口袋的兜囊,搭在肩上前后有袋,所以叫搭联。小的随肩背带,大的用以装被褥。

坏了阿，却不是我造的业？"他忍不住开言道："先生差了。偷果子是我，吃果子是我，推倒树也是我，怎么不先打我，打他做甚？"大仙笑道："这泼猴倒言语膂烈①。这等便先打他。"小仙问："打多少？"大仙道："照依果数，打三十鞭。"那小仙抡鞭就打。行者恐仙家法大，睁圆眼瞅定，看他打那里。原来打腿。行者就把腰扭一扭，叫声："变！"变作两条熟铁腿，看他怎么打。那小仙一下一下的，打了三十，天早向午了。大仙又分付道："还该打三藏训教不严，纵放顽徒撒泼。"那仙又抡鞭来打。行者道："先生又差了。偷果子时，我师父不知，他在殿上与你二童讲话，是我兄弟们做的勾当。纵是有教训不严之罪，我为弟子的，也当替打。再打我罢。"大仙笑道："这泼猴，虽是狡猾奸顽，却倒也有些孝意。既这等，还打他罢。"小仙又打了三十。行者低头看看，两只腿似明镜一般，通打亮了，更不知些疼痒。此时天色将晚。大仙道："且把鞭浸在水里，待明朝再拷打他。"小仙且收鞭去浸，各各归房。晚斋已毕，尽皆安寝不题。

那长老泪眼双垂，怨他三个徒弟道："你等闯出祸来，却带累我在此受罪，这是怎的起？"行者道："且休报怨，打便先打我。你又不曾吃打，倒转嗟呀怎的？"唐僧道："虽然不曾打，却也绑得身上疼哩。"沙僧道："师父，还有陪绑的在这里哩。"行者道："都莫要嚷，再停会儿走路。"八戒道："哥哥又弄虚头了。这里麻绳喷水，紧紧的绑着，还比关在殿上，被你使解锁法搠开门走哩！"行者道："不是夸口说，那怕他三股的麻绳喷上水，——就是碗粗的棕缆，也只好当秋风！"正话处，早已万籁无声，正是天街人静。好行者，把身子小一小，脱下索来道："师父去呀！"沙

① 膂（lǚ）烈：劣烈、刚强的意思。

僧慌了道:"哥哥,也救我们一救!"行者道:"悄言! 悄言!"他却解了三藏,放下八戒、沙僧,整束了偏衫,扣背了马匹,廊下拿了行李,一齐出了观门。又教八戒:"你去把那崖边柳树伐四棵来。"八戒道:"要他怎的?"行者道:"有用处。快快取来!"

那呆子有些夯力,走了去,一嘴一棵,就拱了四棵,一抱抱来。行者将枝梢折了,教兄弟二人复进去,将原绳照旧绑在柱上。那大圣念动咒语,咬破舌尖,将血喷在树上,叫:"变!"一根变作长老,一根变作自身,那两根变作沙僧、八戒;都变得容貌一般,相貌皆同,问他也就说话,叫名也就答应。他两个却才放开步,赶上师父。这一夜依旧马不停蹄,躲离了五庄观。

只走到天明,那长老在马上摇桩①打盹。行者见了,叫道:"师父不济! 出家人怎的这般辛苦? 我老孙千夜不眠,也不晓得困倦。且下马来,莫教走路的人看见笑你。权在山坡下藏风聚气处,歇歇再走。"

不说他师徒在路暂住。且说那大仙天明起来,吃了早斋,出在殿上,教拿鞭来:"今日却该打唐三藏了。"那小仙抡着鞭,望唐僧道:"打你哩。"那柳树也应道:"打么。"乒乓打了三十。抡过鞭来,对八戒道:"打你哩。"那柳树也应道:"打么。"及打沙僧,也应道:"教打。"及打到行者,那行者在路,偶然打个寒噤道:"不好了!"三藏问道:"怎么说?"行者道:"我将四棵柳树变作我师徒四众,我只说他昨日打了我两顿,今日想不打了,却又打我的化身,所以我真身打噤。收了法罢。"那行者慌忙念咒收法。

① 摇桩:形容犯困时身体摇晃不稳,像根桩子一样。

你看那些道童害怕，丢了皮鞭，报道："师父呵，为头打的是大唐和尚，这一会打的都是柳树之根！"大仙闻言，呵呵冷笑，夸不尽道："孙行者，真是一个好猴王！曾闻他大闹天宫，布地网天罗，拿他不住，果有此理。——你走了便也罢，却怎么绑些柳树在此冒名顶替？决莫饶他！赶去来！"那大仙说声赶，纵起云头，往西一望，只见那和尚挑包策马，正然走路。大仙低下云头，叫声："孙行者！往那里走！还我人参树来！"八戒听见道："罢了！对头又来了！"行者道："师父，且把善字儿包起，让我们使些儿凶恶，一发结果了他，脱身去罢。"唐僧闻言，战战兢兢，未曾答应，沙僧掣宝杖，八戒举钉钯，大圣使铁棒，一齐上前，把大仙围住在空中，乱打乱筑。这场恶斗，有诗为证。诗曰：

悟空不识镇元仙，与世同君妙更玄。
三件神兵施猛烈，一根麈尾自飘然。
左遮右挡随来往，后架前迎任转旋。
夜去朝来难脱体，淹留何日到西天！

他兄弟三众各举神兵，那大仙只把蝇帚儿演架。那里有半个时辰，他将袍袖一展，依然将四僧一马并行李，一袖笼去。返云头又到观里，众仙接着，仙师坐于殿上，却又在袖儿里一个个搬出。将唐僧绑在阶下矮槐树上，八戒、沙僧各绑在两边树上，将行者捆倒。行者道："想是调问哩。"不一时，捆绑停当，教把长头布取十四来。行者笑道："八戒，这先生好意思，拿出布来与我们做中袖哩！——减省些儿，做个一口中①罢了。"那小仙将家机布搬将出来。大仙道："把唐三藏、猪八戒、沙和尚都使

① 一口中：即一口钟，指僧衣。形状如钟，上窄下宽，所以叫一口钟。"中"与"钟"同音。

布裹了!”众仙一齐上前裹了。行者笑道:“好!好!好!夹活儿就大殓了!”须臾,缠裹已毕。又教拿出漆来。众仙即忙取了些自收自晒的生熟漆,把他三个布裹漆漆了,浑身俱裹漆,上留着头脸在外。八戒道:“先生,上头倒不打紧,只是下面还留孔儿,我们好出恭。”那大仙又教把大锅抬出来。行者笑道:“八戒,造化!抬出锅来,想是煮饭我们吃哩。”八戒道:“也罢了;让我们吃些饭儿,做个饱死的鬼也好看。”众仙果抬出一口大锅支在阶下。大仙叫架起干柴,发起烈火,教:“把清油拗①上一锅,烧得滚了,将孙行者下油锅扎②他一扎,与我人参树报仇!”

行者闻言,暗喜道:“正可老孙之意。这一向不曾洗澡,有些儿皮肤燥痒,好歹荡荡,足感盛情。”顷刻间,那油锅将滚。大圣却又留心:恐他仙法难参,油锅里难做手脚。急回头四顾,只见那台下东边是一座日规③台,西边是一个石狮子。行者将身一纵,滚到西边,咬破舌尖,把石狮子喷了一口,叫声:“变!”变作他本身模样,也这般捆作一团,他却出了元神,起在云端里,低头看着道士。

只见那小仙报道:“师父,油锅滚透了。”大仙教:“把孙行者抬下去!”四个仙童抬不动;八个来,也抬不动;又加四个,也抬不动。众仙道:“这猴子恋土难移,小自小,倒也结实。”却教二十个小仙,扛将起来,往锅里一掼,烹的响了一声,溅起些滚油点子,把那小道士们脸上烫了几个燎浆大泡!只听得烧火的小童喊道:“锅漏了!锅漏了!”说不了,油漏得罄尽,锅底打破。原来是一个石狮子放在里面。

① 拗(ǎo):“熬”的借字。

② 扎:“炸”的借字。

③ 日规:同“日晷”,以日影计时的一种仪器。

大仙大怒道："这个泼猴，着然无礼！教他当面做了手脚！你走了便罢，怎么又捣了我的灶？这泼猴枉自也拿他不住，就拿住他，也似抟砂弄汞，捉影捕风。——罢！罢！罢！饶他去罢。且将唐三藏解下，另换新锅，把他扎一扎，与人参树报报仇罢。"那小仙真个动手，拆解布漆。

行者在半空里听得明白。他想着："师父不济：他若到了油锅里，一滚就死，二滚就焦，到三五滚，他就弄做个稀烂的和尚了！我还去救他一救。"好大圣，按落云头，上前叉手道："莫要拆坏了布漆，我来下油锅了。"那大仙惊骂道："你这猢狲！怎么弄手段捣了我的灶？"行者笑道："你遇着我就该倒灶①，管我甚事？我才自也要领你些油汤油水之爱，但只是大小便急了，若在锅里开风②，恐怕污了你的熟油，不好调菜吃；如今大小便通干净了，才好下锅。不要扎我师父，还来扎我。"那大仙闻言，呵呵冷笑，走出殿来，一把扯住。毕竟不知有何话说，端的怎么脱身，且听下回分解。

① 倒灶：倒霉。这里是双关语。

② 开风：就是大小便。

第二十六回

孙悟空三岛求方　观世音甘泉活树

诗曰：

处世须存心上刃①，修身切记寸边而②。
常将刃字为生意，但要三思戒怒欺。
上士无争传亘古，圣人怀德继当时。
刚强更有刚强辈，究竟终成空与非。

却说那镇元大仙用手搀着行者道："我也知道你的本事，我也闻得你的英名，只是你今番越礼欺心，纵有腾那③，脱不得我手。我就和你讲到西天，见了你那佛祖，也少不得还我人参果树。你莫弄神通。"行者笑道："你这先生，好小家子样！若要树活，有甚疑难！早说这话，可不省了一场争竞？"大仙道："不争竞，我肯善自饶你！"行者道："你解了我师父，我还你一棵活树如何？"大仙道："你若有此神通，医得树活，我与你八拜为交，结为兄弟。"行者道："不打紧。放了他们，老孙管教还你活树。"

大仙谅他走不脱，即命解放了三藏、八戒、沙僧。沙僧道："师父呵，不知师兄捣得是甚么鬼哩。"八戒道："甚么鬼！这叫

---

① 心上刃：忍字的拆写。
② 寸边而：耐字的拆写。
③ 腾那：即腾挪，为武术中的躲闪动作。这里指变化的本领和应对的机智。

做'当面人情鬼'！树死了，又可医得活？他弄个光皮散儿[①]好看，者着[②]求医治树，单单了脱身走路，还顾得你和我哩！"三藏道："他决不敢撒了我们。我们问他那里求医去。"遂叫道："悟空，你怎么哄了仙长，解放我等？"行者道："老孙是真言实语，怎么哄他？"三藏道："你往何处去求方？"行者道："古人云：'方从海上求。'我今要上东洋大海，遍游三岛十洲，访问仙翁圣老，求一个起死回生之法，管教医得他树活。"三藏道："此去几时可回？"行者道："只消三日。"三藏道："既如此，就依你说，与你三日之限。三日里来便罢；若三日之外不来，我就念那话儿经了。"行者道："遵命，遵命。"

你看他急整虎皮裙，出门来对大仙道："先生放心，我就去就来。你却要好生伏侍我师父，逐日家三茶六饭，不可欠缺。若少了些儿，老孙回来和你算帐，先捣塌你的锅底。衣服禳[③]了，与他浆洗浆洗。脸儿黄了些儿，我不要；若瘦了些儿，不出门。"那大仙道："你去，你去，定不教他忍饿。"

好猴王，急纵筋斗云，别了五庄观，径上东洋大海。在半空中，快如掣电，疾如流星，早到蓬莱仙境。按云头，仔细观看，真个好去处！有诗为证。诗曰：

大地仙乡列圣曹，蓬莱分合镇波涛。
瑶台影蘸天心冷，巨阙光浮海面高。
五色烟霞含玉籁，九霄星月射金鳌。
西池王母常来此，奉祝三仙几次桃。

---

① 光皮散儿：表面，外表。

② 者着：支着、借着、托着、指着的意思。

③ 禳（ráng）：秽、脏。

那行者看不尽仙景，径入蓬莱。正然走处，见白云洞外，松阴之下，有三个老儿围棋：观局者是寿星，对局者是福星、禄星。行者上前叫道："老弟们，作揖了。"那三星见了，拂退棋枰，回礼道："大圣何来？"行者道："特来寻你们耍子。"寿星道："我闻大圣弃道从释，脱性命保护唐僧往西天取经，逐日奔波山路，那些儿得闲，却来耍子？"行者道："实不瞒列位说，老孙因往西方，行在半路，有些儿阻滞，特来小事欲干，不知肯否？"福星道："是甚地方？是何阻滞？乞为明示，吾好裁处。"行者道："因路过万寿山五庄观有阻。"三老惊讶道："五庄观是镇元大仙的仙宫。你莫不是把他人参果偷吃了？"行者笑道："偷吃了能值甚么？"三老道："你这猴子，不知好歹。那果子闻一闻，活三百六十岁；吃一个，活四万七千年；叫做'万寿草还丹'。我们的道，不及他多矣！他得之甚易，就可与天齐寿；我们还要养精、炼气、存神，调和龙虎，捉坎填离，不知费多少工夫。你怎么说他的能值甚紧？天下只有此种灵根！"行者道："灵根！灵根！我已弄了他个断根哩！"三老惊道："怎的断根？"行者道："我们前日在他观里，那大仙不在家，只有两个小童，接待了我师父，却将两个人参果奉与我师。我师不认得，只说是三朝未满的孩童，再三不吃。那童子就拿去吃了，不曾让得我们。是老孙就去偷了他三个，我三兄弟吃了。那童子不知高低，贼前贼后的骂个不住。是老孙恼了，把他树打了一棍，推倒在地，树上果子全无，芽开叶落，根出枝伤，已枯死了。不想那童子关住我们，又被老孙扭开锁走了。次日清辰，那先生回家赶来，问答间语言不和，遂与他赌斗，被他闪一闪，把袍袖展开，一袖子都笼去了。绳缠索绑，拷问鞭敲，就打了一日。是夜又逃了，他又赶上，依旧笼去。他身无寸铁，只是把个麈尾遮架。我兄弟这等三般兵器，莫想打得着他。这一番仍旧摆布,将布裹漆了我师父与两师弟,却将我下油锅。我又做了个脱身本事走了,把他锅都打破。他见拿我不住,尽有几分醋[1]我。是我又与他好讲,教他放了我师父、师弟,我与他医树管活,两家才得安宁。我想着'方从海上来',故此特游仙境,访三位老弟。有甚医树的方儿,传我一个,急救唐僧脱苦。"

三星闻言,心中也闷,道:"你这猴儿,全不识人。那镇元子乃地仙之祖。我等乃神仙之宗。你虽得了天仙,还是太乙散数,未入真流,你怎么脱得他手?若是大圣打杀了走兽飞禽,蜾虫鳞长,只用我黍米之丹,可以救活,那人参果乃仙木之根,如何医治?没方,没方。"那行者见说无方,却就眉峰双锁,额蹙千痕。福星道:"大圣,此处无方,他处或有,怎么就生烦恼?"行者道:"无方别访,果然容易。就是游遍海角天涯,转透三十六天,亦是小可。只是我那唐长老法严量窄,止与了我三日期限。三日以外不到,他就要念那《紧箍儿咒》哩。"三星笑道:"好!好!好!若不是这个法儿拘束你,你又钻天了。"寿星道:"大圣放心,不须烦恼。那大仙虽称上辈,却也与我等有识。一则久别,不曾拜望,二来是大圣的人情。如今我三人同去望他一望,就与你道达此情,教那唐和尚莫念《紧箍儿咒》,休说三日五日,只等你求得方来,我们才别。"行者道:"感激!感激!就请三位老弟行行,我去也。"大圣辞别三星不题。

却说这三星驾起祥光,即往五庄观而来。那观中合众人等,忽听得长天鹤唳,原来是三老光临。但见那:

盈空霭霭祥光簇,霄汉纷纷香馥郁。

① 醋:"怵"的同音字。惧怯、怯阵。

彩雾千条护羽衣,轻云一朵擎仙足。
青鸾飞,丹凤翻①,袖引香风满地扑。
拄杖悬龙喜笑生,皓髯垂玉胸前拂。
童颜欢悦更无忧,壮体雄威多有福。
执星筹,添海屋②,腰挂葫芦并宝箓。
万纪千旬福寿长,十洲三岛随缘宿。
常来世上送千祥,每向人间增百福。
概乾坤,荣福禄,福寿无疆今喜得。
三老乘祥谒大仙,福堂和气皆无极。

那仙童看见,即忙报道:"师父,海上三星来了。"镇元子正与唐僧师弟闲叙,闻报,即降阶奉迎。那八戒见了寿星,近前扯住,笑道:"你这肉头老儿,许久不见,还是这般脱洒,帽儿也不带个来。"遂把自家一个僧帽,扑的套在他头上,扑着手呵呵大笑道:"好!好!好!真是'加冠进禄'也!"那寿星将帽子掼了,骂道:"你这个夯货,老大不知高低!"八戒道:"我不是夯货,你等真是奴才!"福星道:"你倒是个夯货,反敢骂人是奴才!"八戒又笑道:"既不是人家奴才,好道叫做'添寿'、'添福'、'添禄'?"

那三藏喝退了八戒,急整衣拜了三星。那三星以晚辈之礼见了大仙,方才叙坐。坐定,禄星道:"我们一向久阔尊颜,有失恭敬。今因孙大圣搅扰仙山,特来相见。"大仙道:"孙行者到蓬莱去的?"寿星道:"是。因为伤了大仙的丹树,他来我处求方医

① 翻(sù):鸟振羽声。

② 执星筹,添海屋:宋人苏轼《东坡志林·三老语》载:有三个老人相遇,其中一个说,每次遇到沧海桑田变化,他就会在屋中放一根算筹,长期积累下来,竟然堆满了十间屋子。后人因此用"星筹"和"海屋"来指代高寿。筹,用来计数的小竹棍。

治。我辈无方,他又到别处求访,但恐违了圣僧三日之限,要念《紧箍儿咒》。我辈一来奉拜,二来讨个宽限。”三藏闻言,连声应道:“不敢念,不敢念。”

正说处,八戒又跑进来,扯住福星,要讨果子吃,他去袖里乱摸,腰里乱吞①,不住的揭他衣服搜检。三藏笑道:“那八戒是甚么规矩!”八戒道:“不是没规矩,此叫做‘番番是福②’。”三藏又叱令出去。那呆子踮③出门,瞅着福星,眼不转睛的发狠。福星道:“夯货!我那里恼了你来,你这等恨我?”八戒道:“不是恨你,这叫做‘回头望福’。”那呆子出得门来,只见一个小童,拿了四把茶匙,方去寻钟取果看茶。被他一把夺过,跑上殿,拿着个小磬儿,用手乱敲乱打,两头顽耍。大仙道:“这个和尚,越发不尊重了!”八戒笑道:“不是不尊重,这叫做‘四时吉庆’。”

且不说八戒打诨乱缠。却表行者纵祥云离了蓬莱,又早到方丈仙山。这山真好去处。有诗为证。诗曰:

方丈巍峨别是天,太元宫府会神仙。
紫台光照三清路,花木香浮五色烟。
金凤自多槃蕊阙,玉膏谁逼灌芝田?
碧桃紫李新成熟,又换仙人信万年。

那行者按落云头,无心玩景。正走处,只闻得香风馥馥,玄鹤声鸣,那壁厢有个神仙。但见:

盈空万道霞光现,彩雾飘摇光不断。
丹凤衔花也更鲜,青鸾飞舞声娇艳。

① 吞:把手伸进去掏摸。第三十四回“吞袖子”意同。
② 番番是福:成语。意思是说每一件事都吉利。番是翻的借字。
③ 踮(wǎ):慢步,犹挪蹭。形容被迫离开,脚步沉重,不愿走的样子。

福如东海寿如山，貌似小童身体健。
壶隐洞天不老丹，腰悬与日长生篆。
人间数次降祯祥，世上几番消厄愿。
武帝曾宣加寿龄，瑶池每赴蟠桃宴。
教化众生脱俗缘，指开大道明如电。
也曾跨海祝千秋，常去灵山参佛面。
圣号东华大帝君，烟霞第一神仙眷。

孙行者觌面[①]相迎，叫声："帝君，起手了。"那帝君慌忙回礼道："大圣，失迎。请荒居奉茶。"遂与行者搀手而入。果然是贝阙珠宫，看不尽瑶池琼阁。方坐待茶，只见翠屏后转出一个童儿。他怎生打扮：

身穿道服飘霞烁，腰束丝绦光错落。
头戴纶巾布斗星，足蹬芒履游仙岳。
炼元真，脱本壳，功行成时遂意乐。
识破原流精气神，主人认得无虚错。
逃名今喜寿无疆，甲子周天管不着。
转回廊，登宝阁，天上蟠桃三度摸。
缥缈香云出翠屏，小仙乃是东方朔。

行者见了，笑道："这个小贼在这里哩！帝君处没有桃子你偷吃！"东方朔朝上进礼，答道："老贼，你来这里怎的？我师父没有仙丹你偷吃。"

帝君叫道："曼倩休乱言，看茶来也。"曼倩原是东方朔的道名。他急入里取茶二杯。饮讫，行者道："老孙此来，有一事奉干，未知允否？"帝君道："何事？自当领教。"行者道："近因保唐

① 觌（dí）面：当面。觌，相见，此指面对面。

僧西行，路过万寿山五庄观，因他那小童无状，是我一时发怒，将他人参果树推倒，因此阻滞唐僧，不得脱身，特来尊处求赐一方医治，万望慨然。”帝君道：“你这猴子，不管一二，到处里闯祸。那五庄观镇元子，圣号与世同君，乃地仙之祖。你怎么就冲撞出他？他那人参果树，乃草还丹。你偷吃了，尚说有罪；却又连树推倒，他肯干休？”行者道：“正是呢。我们走脱了，被他赶上，把我们就当汗巾儿一般，一袖子都笼了去，所以阁气①。没奈何，许他求方医治，故此拜求。”帝君道：“我有一粒‘九转太乙还丹’，但能治世间生灵，却不能医树。树乃水土之灵，天滋地润。若是凡间的果木，医治还可；这万寿山乃先天福地，五庄观乃贺洲洞天，人参果又是天开地辟之灵根，如何可治！无方！无方！”

行者道：“既然无方，老孙告别。”帝君仍欲留奉玉液一杯，行者道：“急救事紧，不敢久滞。”遂驾云复至瀛洲海岛。也好去处。有诗为证。诗曰：

　　珠树玲珑照紫烟，瀛洲宫阙接诸天。
　　青山绿水琪花艳，玉液锟铻②铁石坚。
　　五色碧鸡啼海日，千年丹凤吸朱烟。
　　世人罔究壶中景，象外春光亿万年。

那大圣至瀛洲，只见那丹崖珠树之下，有几个皓发皤髯之辈，童颜鹤鬓之仙，在那里着棋饮酒，谈笑讴歌。真个是：

　　祥云光满，瑞霭香浮。彩鸾鸣洞口，玄鹤舞山头。碧藕冰桃为按酒，交梨火枣寿千秋。一个个丹诏无闻，仙符有

---

① 阁气：犹斗气、惹气、怄气、憋气。

② 锟铻：同“昆吾”，既是山名，又是宝剑和美石之名。此处当指美石。

籍；逍遥随浪荡，散淡任清幽。周天甲子难拘管，大地乾坤只自由。献果玄猿，对对参随多美爱；衔花白鹿，双双拱伏甚绸缪。

那些老儿正然洒乐，这行者厉声高叫道："带我要要儿便怎的！"众仙见了，急忙趋步相迎。有诗为证。诗曰：

人参果树灵根折，大圣访仙求妙诀。

缭绕丹霞出宝林，瀛洲九老来相接。

行者笑道："老兄弟们自在哩！"九老道："大圣当年若存正，不闹天宫，比我们还自在哩。如今好了，闻你归真向西拜佛，如何得暇至此？"行者将那医树求方之事，具陈了一遍。九老也大惊道："你也忒惹祸！惹祸！我等实是无方。"行者道："既是无方，我且奉别。"

九老又留他饮琼浆，食碧藕。行者定不肯坐，止立饮了他一杯浆，吃了一块藕，急急离了瀛洲，径转东洋大海。早望见落伽山不远，遂落下云头，直到普陀岩上。见观音菩萨在紫竹林中与诸天大神、木叉、龙女，讲经说法。有诗为证。诗曰：

海主城高瑞气浓，更观奇异事无穷。

须知隐约千般外，尽出希微一品中。

四圣①授时成正果，六凡听后脱樊笼。

少林别有真滋味，花果馨香满树红。

那菩萨早已看见行者来到，即命守山大神去迎。那大神出林来，叫声："孙悟空，那里去？"行者抬头喝道："你这个熊罴！我是你叫的悟空！当初不是老孙饶了你，你已此做了黑风山的

① 四圣、六凡：佛教把已成佛道的和凡人分为十界，声闻、缘觉、菩萨、佛为四圣，地狱、饿鬼、畜生、阿修罗、人间、天上为六凡。

尸鬼矣。今日跟了菩萨，受了善果，居此仙山，常听法教，你叫不得我一声‘老爷’？”那黑熊真个得了正果，在菩萨处镇守普陀，称为大神，是也亏了行者。他只得陪笑道：“大圣，古人云：‘君子不念旧恶。’只管题他怎的！菩萨着我来迎你哩。”这行者就端肃尊诚，与大神到了紫竹林里，参拜菩萨。

菩萨道：“悟空，唐僧行到何处也？”行者道：“行到西牛贺洲万寿山了。”菩萨道：“那万寿山有座五庄观。镇元大仙，你曾会他么？”行者顿首道：“因是在五庄观，弟子不识镇元大仙，毁伤了他的人参果树，冲撞了他，他困滞了我师父，不得前进。”那菩萨情知，怪道：“你这泼猴，不知好歹！他那人参果树，乃天开地辟的灵根。镇元子乃地仙之祖，我也让他三分，你怎么就打伤他树！”行者再拜道：“弟子实是不知。那一日他不在家，只有两个仙童候待我等。是猪悟能晓得他有果子，要一个尝新，弟子委偷了他三个，兄弟们分吃了。那童子知觉，骂我等无已，是弟子发怒，遂将他树推倒。他次日回来赶上，将我等一袖子笼去，绳绑鞭抽，拷打了一日。我等当夜走脱，又被他赶上，依然笼了。三番两次，其实难逃，已允了与他医树。却才自海上求方，遍游三岛，众神仙都没有本事。弟子因此志心朝礼，特拜告菩萨。伏望慈悯，俯赐一方，以救唐僧早早西去。”菩萨道：“你怎么不早来见我，却往岛上去寻找？”

行者闻此言，心中暗喜道：“造化了！造化了！菩萨一定有方也！”行者又上前恳求。菩萨道：“我这净瓶底的甘露水，善治得仙树灵苗。”行者道：“可曾经验①过么？”菩萨道：“经验过的。”行者问：“有何经验？”菩萨道：“当年太上老君曾与我赌胜：

① 经验：验证。

他把我的杨柳枝拔了去，放在炼丹炉里，炙得焦干，送来还我。是我拿了插在瓶中，一昼夜，复得青枝绿叶，与旧相同。”行者笑道：“真造化了！真造化了！烘焦了的尚能医活，况此推倒的，有何难哉！”菩萨分付大众：“看守林中，我去去来。”遂手托净瓶，白鹦歌前边巧啭，孙大圣随后相从。有诗为证。诗曰：

玉毫金像世难论，正是慈悲救苦尊。
过去劫逢无垢佛，至今成得有为身。
几生欲海澄清浪，一片心田绝点尘。
甘露久经真妙法，管教宝树永长春。

却说那观里大仙与三老正然清话，忽见孙大圣按落云头，叫道：“菩萨来了。快接！快接！”慌得那福寿星与镇元子共三藏师徒，一齐迎出宝殿。菩萨才住了祥云，先与镇元子陪了话，后与三星作礼。礼毕上坐。那阶前，行者引唐僧、八戒、沙僧都拜了。那观中诸仙，也来拜见。行者道：“大仙不必迟疑，趁早儿陈设香案，请菩萨替你治那甚么果树去。”大仙躬身谢菩萨道：“小可的勾当，怎么敢劳菩萨下降？”菩萨道：“唐僧乃我之弟子，孙悟空冲撞了先生，理当赔偿宝树。”三老道：“既如此，不须谦讲了。请菩萨都到园中去看看。”

那大仙即命设具香案，打扫后园，请菩萨先行，三老随后。三藏师徒与本观众仙，都到园内观看时，那棵树倒在地下，土开根现，叶落枝枯。菩萨叫：“悟空，伸手来。”那行者将左手伸开。菩萨将杨柳枝，蘸出瓶中甘露，把行者手心里画了一道起死回生的符字，教他放在树根之下，但看水出为度。那行者捏着拳头，往那树根底下揣着，须臾有清泉一汪。菩萨道：“那个水不许犯五行之器，须用玉瓢舀出，扶起树来，从头浇下，自然根皮相合，叶长芽生，枝青果出。”行者道：“小道士们，快取玉瓢来。”镇元子道：“贫道荒山，没有玉瓢，只有玉茶盏、玉酒杯，可用得么？”菩萨道：“但是玉器，可舀得水的便罢，取将来看。”大仙即命小童子取出有二三十个茶盏，四五十酒盏，却将那根下清泉舀出。行者、八戒、沙僧，扛起树来，扶得周正，拥上土，将玉器内甘泉，一瓯瓯捧与菩萨。菩萨将杨柳枝细细洒上，口中又念着经咒。不多时，洒净那舀出之水，只见那树果然依旧青绿叶阴森，上有二十三个人参果。清风、明月二童子道：“前日不见了果子时，颠倒只数得二十二个，今日回生，怎么又多了一个？”行者道：“‘日久见人心。’前日老孙只偷了三个，那一个落下地来，土地说这宝遇土而入，八戒只嚷我打了偏手，故走了风信①，只缠到如今，才见明白。”

菩萨道：“我方才不用五行之器者，知道此物与五行相畏故耳。”那大仙十分欢喜，急令取金击子来，把果子敲下十个，请菩萨与三老复回宝殿，一则谢劳，二来做个“人参果会”。众小仙遂调开桌椅，铺设丹盘，请菩萨坐了上面正席，三老左席，唐僧右席，镇元子前席相陪，各食了一个。有诗为证。诗曰：

万寿山中古洞天，人参一熟九千年。
灵根现出芽枝损，甘露滋生果叶全。
三老喜逢皆旧契，四僧幸遇是前缘。
自今会服人参果，尽是长生不老仙。

此时菩萨与三老各吃了一个，唐僧始知是仙家宝贝，也吃了一个。悟空三人亦各吃一个，镇元子陪了一个。本观仙众分吃了一个。行者才谢了菩萨回上普陀岩，送三星径转蓬莱岛。镇元

① 走了风信：泄漏了秘密。

子却又安排蔬酒,与行者结为兄弟。这才是不打不成相识,两家合了一家。师徒四众,喜喜欢欢,天晚歇了。那长老才是:有缘吃得草还丹,长寿苦捱妖怪难。毕竟到明日如何作别,且听下回分解。

第二十七回

尸魔三戏唐三藏　圣僧恨逐美猴王

却说三藏师徒，次日天明，收拾前进。那镇元子与行者结为兄弟，两人情投意合，决不肯放，又安排管待，一连住了五六日。那长老自服了草还丹，真似脱胎换骨，神爽体健。他取经心重，那里肯淹留①？无已，遂行。

师徒别了上路，早见一座高山。三藏道："徒弟，前面有山险峻，恐马不能前，大家须仔细仔细。"行者道："师父放心，我等自然理会。"好猴王，他在那马前横担着棒，剖开山路，上了高崖，看不尽：

> 峰岩重叠，涧壑湾环。虎狼成阵走，麂鹿作群行。无数獐犯钻簇簇，满山狐兔聚丛丛。千尺大蟒，万丈长蛇。大蟒喷愁雾，长蛇吐怪风。道旁荆棘牵漫，岭上松楠秀丽。薜萝满目，芳草连天。影落沧溟北，云开斗柄南。万古寻含元气老，千峰巍列日光寒。

那长老马上心惊。孙大圣布施手段，舞着铁棒，哮吼一声，唬得那狼虫颠窜，虎豹奔逃。师徒们入此山，正行到嵯峨之处，三藏道："悟空，我这一日，肚中饥了，你去那里化些斋吃。"行者陪笑道："师父好不聪明。这等半山之中，前不巴村，后不着店，有钱

---

① 淹留：长久滞留。

也没买处,教往那里寻斋?”三藏心中不快,口里骂道:“你这猴子!想你在两界山,被如来压在石匣之内,口能言,足不能行,也亏我救你性命,摩顶受戒,做了我的徒弟。怎么不肯努力,常怀懒惰之心!”行者道:“弟子亦颇殷勤,何尝懒惰?”三藏道:“你既殷勤,何不化斋我吃?我肚饥怎行?况此地山岚瘴气,怎么得上雷音?”行者道:“师父休怪,少要言语。我知你尊性高傲,十分违慢了你,便要念那话儿咒。你下马稳坐,等我寻那里有人家处化斋去。”

行者将身一纵,跳上云端里,手搭凉篷,睁眼观看。可怜西方路甚是寂寞,更无庄堡人家,正是多逢树木,少见人烟去处。看多时,只见正南上有一座高山,那山向阳处,有一片鲜红的点子。行者按下云头道:“师父,有吃的了。”那长老问甚东西,行者道:“这里没人家化饭,那南山有一片红的,想必是熟透了的山桃,我去摘几个来你充饥。”三藏喜道:“出家人若有桃子吃,就为上分了!快去。”行者取了钵盂,纵起祥光,你看他筋斗幌幌,冷气嗖嗖,须臾间,奔南山摘桃不题。

却说常言有云:“山高必有怪,岭峻却生精。”果然这山上有一个妖精,孙大圣去时,惊动那怪。他在云端里,踏着阴风,看见长老坐在地下,他就不胜欢喜道:“造化!造化!几年家人都讲东土的唐和尚取‘大乘’,他本是金蝉子化身,十世修行的原体。有人吃他一块肉,长寿长生。真个今日到了。”那妖精上前就要拿他,只见长老左右手下有两员大将护持,不敢拢身。他说两员大将是谁?说是八戒、沙僧。八戒、沙僧虽没甚么大本事,然八戒是天蓬元帅,沙僧是卷帘大将。他的威气尚不曾泄,故不敢拢身。妖精说:“等我且戏他戏,看怎么说。”

好妖精，停下阴风，在那山凹里摇身一变，变做个月貌花容的女儿，说不尽那眉清目秀，齿白唇红，左手提着一个青砂罐儿，右手提着一个绿磁瓶儿，从西向东，径奔唐僧：

圣僧歇马在山岩，忽见裙钗女近前。
翠袖轻摇笼玉笋，湘裙斜拽显金莲。
汗流粉面花含露，尘拂蛾眉柳带烟。
仔细定睛观看处，看看行至到身边。

三藏见了，叫："八戒，沙僧，悟空才说这里旷野无人，你看那里不走出一个人来了？"八戒道："师父，你与沙僧坐着，等老猪去看看来。"那呆子放下钉钯，整整直裰，摆摆摇摇，充作个斯文气象，一直的觍面相迎。真个是远看未实，近看分明。那女子生得：

冰肌藏玉骨，衫领露酥胸。柳眉积翠黛，杏眼闪银星。月样容仪俏，天然性格清。体似燕藏柳，声如莺啭林。半放海棠笼晓日，才开芍药弄春晴。

那八戒见他生得俊俏，呆子就动了凡心，忍不住胡乱言语，叫道："女菩萨，往那里去？手里提着是甚么东西？"——分明是个妖怪，他却不能认得。——那女子连声答应道："长老，我这青罐里是香米饭，绿瓶里是炒面筋。特来此处无他故，因还誓愿要斋僧。"八戒闻言，满心欢喜，急抽身就跑了个猪颠风，报与三藏道："师父！'吉人自有天报'！师父饿了，教师兄去化斋，那猴子不知那里摘桃儿耍子去了。桃子吃多了，也有些嘈①人，又有些下坠。你看那不是个斋僧的来了？"唐僧不信道："你这个夯货胡缠！我们走了这向，好人也不曾遇着一个，斋僧的从何而来！"八戒道："师父，这不到了？"

---

①　嘈：肠胃不适应，口冒酸水。

三藏一见,连忙跳起身来,合掌当胸道:“女菩萨,你府上在何处住?是甚人家?有甚愿心,来此斋僧?”——分明是个妖精,那长老也不认得。——那妖精见唐僧问他来历,他立地就起个虚情,花言巧语,来赚哄道:“师父,此山叫做蛇回兽怕的白虎岭,正西下面是我家。我父母在堂,看经好善,广斋方上远近僧人;只因无子,求神作福,生了奴奴;欲扳门第,配嫁他人,又恐老来无倚,只得将奴招了一个女婿,养老送终。”三藏闻言道:“女菩萨,你语言差了。圣经云:‘父母在,不远游,游必有方。’你既有父母在堂,又与你招了女婿,——有愿心,教你男子还便也罢,怎么自家在山行走?又没个侍儿随从,这个是不遵妇道了。”那女子笑吟吟,忙陪俏语道:“师父,我丈夫在山北凹里,带几个客子①锄田。这是奴奴煮的午饭,送与那些人吃的。只为五黄六月,无人使唤,父母又年老,所以亲身来送。忽遇三位远来,却思父母好善,故将此饭斋僧。如不弃嫌,愿表芹献②。”三藏道:“善哉!善哉!我有徒弟摘果子去了,就来,我不敢吃。假如我和尚吃了你饭,你丈夫晓得骂你,却不罪坐贫僧也?”那女子见唐僧不肯吃,却又满面春生道:“师父呵,我父母斋僧,还是小可,我丈夫更是个善人,一生好的是修桥补路,爱老怜贫。但听见说这饭送与师父吃了,他与我夫妻情上,比寻常更是不同。”三藏也只是不吃。旁边子恼坏了八戒,那呆子努着嘴,口里埋怨道:“天下和尚也无数,不曾像我这个老和尚罢软③!现成的饭,三分儿倒不吃,只等那猴子来,做四分才吃!”他不容分说,一嘴把个罐子拱倒,就要动口。

---

① 客子:佣工、客作。

② 芹献:馈赠、送人礼物。

③ 罢(pí)软:没有主见、做事颠倒叫罢软。

只见那行者自南山顶上，摘了几个桃子，托着钵盂，一筋斗点将回来，睁火眼金睛观看，认得那女子是个妖精，放下钵盂，掣铁棒当头就打。唬得个长老用手扯住道："悟空！你走将来打谁？"行者道："师父，你面前这个女子，莫当做个好人。他是个妖精，要来骗你哩。"三藏道："你这猴头，当时倒也有些眼力，今日如何乱道！这女菩萨有此善心，将这饭要斋我等，你怎么说他是个妖精？"行者笑道："师父，你那里认得！老孙在水帘洞里做妖魔时，若想人肉吃，便是这等：或变金银，或变庄台，或变醉人，或变女色。有那等痴心的爱上我，我就迷他到洞里，尽意随心，或蒸或煮受用。吃不了，还要晒干了防天阴哩！师父，我若来迟，你定入他套子，遭他毒手！"那唐僧那里肯信，只说是个好人。行者道："师父，我知道你了。你见他那等容貌，必然动了凡心。若果有此意，叫八戒伐几棵树来，沙僧寻些草来，我做木匠，就在这里搭个窝铺，你与他圆房成事，我们大家散了，却不是件事业？何必又跋涉，取甚经去！"那长老原是个软善的人，那里吃得他这句言语，羞得个光头彻耳通红。

三藏正在此羞惭，行者又发起性来，掣铁棒，望妖精劈脸一下。那怪物有些手段，使个"解尸法"，见行者棍子来时，他却抖擞精神，预先走了，把一个假尸首打死在地下。唬得个长老战战兢兢，口中作念道："这猴着然无礼！屡劝不从，无故伤人性命！"行者道："师父莫怪，你且来看看这罐子里是甚东西。"沙僧搀着长老，近前看时，那里是甚香米饭，却是一罐子拖尾巴的长蛆。也不是面筋，却是几个青蛙、癞虾蟆，满地乱跳。长老才有三分儿信了。怎禁猪八戒气不忿，在旁漏八分儿唆嘴①道："师

① 漏八分儿唆嘴：漏八分儿，说话时故意留半句，但又能让人体会出意思。多用作挑拨离间等贬义。唆嘴，搬弄口舌。

父，说起这个女子，他是此间农妇，因为送饭下田，路遇我等，却怎么栽他是个妖怪？哥哥的棍重，走将来试手打他一下，不期就打杀了，怕你念甚么《紧箍儿咒》，故意的使个障眼法儿，变做这等样东西，演幌你眼，使不念咒哩。”

三藏自此一言，就是晦气到了，果然信那呆子撺唆①，手中捻诀，口里念咒。行者就叫：“头疼！头疼！莫念！莫念！有话便说。”唐僧道：“有甚话说！出家人时时常要方便，念念不离善心，扫地恐伤蝼蚁命，爱惜飞蛾纱罩灯。你怎么步步行凶！打死这个无故平人，取将经来何用？你回去罢！”行者道：“师父，你教我回那里去？”唐僧道：“我不要你做徒弟。”行者道：“你不要我做徒弟，只怕你西天路去不成。”唐僧道：“我命在天，该那个妖精蒸了吃，就是煮了，也算不过。终不然，你救得我的大限？你快回去！”行者道：“师父，我回去便也罢了，只是不曾报得你的恩哩。”唐僧道：“我与你有甚恩？”那大圣闻言，连忙跪下叩头道：“老孙因大闹天宫，致下了伤身之难，被我佛压在两界山。幸观音菩萨与我受了戒行，幸师父救脱吾身，若不与你同上西天，显得我‘知恩不报非君子，万古千秋作骂名’。”原来这唐僧是个慈悯的圣僧，他见行者哀告，却也回心转意道：“既如此说，且饶你这一次。再休无礼。如若仍前作恶，这咒语颠倒就念二十遍！”行者道：“三十遍也由你，只是我不打人了。”却才伏侍唐僧上马，又将摘来桃子奉上，唐僧在马上也吃了几个，权且充饥。

却说那妖精脱命升空。原来行者那一棒不曾打杀妖精，妖精出神去了。他在那云端里咬牙切齿，暗恨行者道：“几年只闻

---

① 撺唆：怂恿、调唆。

得讲他手段，今日果然话不虚传。那唐僧已此不认得我，将要吃饭。若低头闻一闻儿，我就一把捞住，却不是我的人了？不期被他走来，弄破我这勾当，又几乎被他打了一棒。若饶了这个和尚，诚然是劳而无功也。我还下去戏他一戏。”

好妖精，按落阴云，在那前山坡下，摇身一变，变作个老妇人，年满八旬，手拄着一根弯头竹杖，一步一声的哭着走来。八戒见了，大惊道：“师父！不好了！那妈妈儿来寻人了！”唐僧道：“寻甚人？”八戒道：“师兄打杀的，定是他女儿。这个定是他娘寻将来了。”行者道：“兄弟莫要胡说！那女子十八岁，这老妇有八十岁，怎么六十多岁还生产？断乎是个假的！等老孙去看来。”好行者，拽开步，走近前观看，那怪物：

假变一婆婆，两鬓如冰雪。走路慢腾腾，行步虚怯怯。弱体瘦伶仃，脸如枯菜叶。颧骨望上翘，嘴唇往下别。老年不比少年时，满脸都是荷包折。

行者认得他是妖精，更不理论，举棒照头便打。那怪见棍子起时，依然抖擞，又出化了元神，脱真儿去了，把个假尸首又打死在山路之下。唐僧一见，惊下马来，睡在路旁，更无二话，只是把《紧箍儿咒》颠倒足足念了二十遍。可怜把个行者，头勒得似个亚腰儿①葫芦，十分疼痛难忍，滚将来哀告道：“师父莫念了！有甚话说了罢！”唐僧道：“有甚话说！出家人耳听善言，不堕地狱。我这般劝化你，你怎么只是行凶，把平人打死一个，又打死一个，此是何说？”行者道：“他是妖精。”唐僧道：“这个猴子胡说！就有这许多妖怪？你是个无心向善之辈，有意作恶之人。你去罢！”行者道：“师父又教我去？回去便也回去了，只是一件

① 亚腰儿：形容中间细两头粗的样子。

不相应①。"唐僧道:"你有甚么不相应处?"八戒道:"师父,他要和你分行李哩。跟着你做了这几年和尚,不成空着手回去?你把那包袱里的甚么旧褊衫,破帽子,分两件与他罢。"

行者闻言,气得暴跳道:"我把你这个孽嘴的夯货!老孙一向秉教沙门,更无一毫嫉妒之意,贪恋之心,怎么要分甚么行李?"唐僧道:"你既不嫉妒贪恋,如何不去?"行者道:"实不瞒师父说,老孙五百年前,居花果山水帘洞大展英雄之际,收降七十二洞邪魔,手下有四万七千群怪,头戴的是紫金冠,身穿的是赭黄袍,腰系的是蓝田带,足踏的是步云履,手执的是如意金箍棒,着实也曾为人。自从涅槃罪度②,削发秉正沙门,与你做了徒弟,把这个金箍儿勒在我头上,若回去,却也难见故乡人。师父果若不要我,把那个《松箍儿咒》念一念,退下这个箍子,交付与你,套在别人头上,我就快活相应了。也是跟你一场,莫不成这些人意儿③也没有了?"唐僧大惊道:"悟空,我当时只是菩萨暗受一卷儿《紧箍儿咒》,却没有甚么《松箍儿咒》。"行者道:"若无《松箍儿咒》,你还带我去走走罢。"长老又没奈何,道:"你且起来。我再饶你这一次,却不可再行凶了。"行者道:"再不敢了。再不敢了。"又伏侍师父上马,剖路前行。

却说那妖精,原来行者第二棍也不曾打杀他。那怪物在半空中,夸奖不尽道:"好个猴王,着然有眼!我那般变了去,他也还认得我。这些和尚,他去得快,若过此山,西下四十里,就不伏

① 不相应:不合适。

② 罪度:佛教用语,把有罪的人救度出来。

③ 人意儿:人情,情意。

我所管了。若是被别处妖魔捞了去，好道就笑破他人口，使碎自家心。我还下去戏他一戏。”好妖怪，按耸阴风，在山坡下摇身一变，变做一个老公公，真个是：

白发如彭祖，苍髯赛寿星。

耳中鸣玉磬①，眼里幌金星。

手拄龙头拐，身穿鹤氅轻。

数珠掐在手，口诵南无经。

唐僧在马上见了，心中欢喜道：“阿弥陀佛！西方真是福地！那公公路也走不上来，逼法②的还念经哩。”八戒道：“师父，你且莫要夸奖，那个是祸的根哩。”唐僧道：“怎么是祸根？”八戒道：“行者打杀他的女儿，又打杀他的婆子，这个正是他的老儿寻将来了。我们若撞在他的怀里呵，师父，你便偿命，该个死罪；把老猪为从，问个充军；沙僧喝令，问个摆站③；那行者使个遁法走了，却不苦了我们三个顶缸？”

行者听见道：“这个呆根，这等胡说，可不唬了师父？等老孙再去看看。”他把棍藏在身边，走上前迎着怪物，叫声：“老官儿，往那里去？怎么又走路又念经？”那妖精错认了定盘星，把孙大圣也当做个等闲的，遂答道：“长老啊，我老汉祖居此地，一生好善斋僧，看经念佛。命里无儿，止生得一个小女，招了个女婿。今早送饭下田，想是遭逢虎口。老妻先来找寻，也不见回去，全然不知下落。老汉特来寻看。果然是伤残他命，也没奈何，将他骸骨收拾回去，安葬茔中。”行者笑道：“我是个做𡨚虎的祖宗，你怎么袖子里笼了个鬼儿来哄我？你瞒了诸人，瞒不过

① 鸣玉磬：形容人年老耳鸣的样子。

② 逼法：自在无忧的样子。又见第三十回、第三十八回。

③ 摆站：充配到指定的地方去服劳役。

我！我认得你是个妖精！”那妖精唬得顿口无言。行者掣出棒来，自忖道：“若要不打他，显得他倒弄个风儿；若要打他，又怕师父念那话儿咒语。”又思量道：“不打杀他，他一时间抄空儿把师父捞去，却不又费心劳力去救他？……还打的是！就一棍子打杀他，师父念起那咒，常言道：‘虎毒不吃儿。’凭着我巧言花语，嘴伶舌便，哄他一哄，好道也罢了。”好大圣，念动咒语，叫当坊土地、本处山神道：“这妖精三番来戏弄我师父，这一番却要打杀他。你与我在半空中作证，不许走了。”众神听令，谁敢不从，都在云端里照应。那大圣棍起处，打倒妖魔，才断绝了灵光。

那唐僧在马上，又唬得战战兢兢，口不能言。八戒在旁边又笑道：“好行者！风发了！只行了半日路，倒打死三个人！”唐僧正要念咒，行者急到马前，叫道：“师父，莫念！莫念！你且来看看他的模样。”却是一堆粉骷髅在那里。唐僧大惊道：“悟空，这个人才死了，怎么就化作一堆骷髅？”行者道：“他是个潜灵作怪的僵尸，在此迷人败本；被我打杀，他就现了本相。他那脊梁上有一行字，叫做‘白骨夫人’。”唐僧闻说，倒也信了。怎禁那八戒旁边唆嘴道：“师父，他的手重棍凶，把人打死，只怕你念那话儿，故意变化这个模样，掩你的眼目哩！”唐僧果然耳软，又信了他，随复念起。行者禁不得疼痛，跪于路旁，只叫：“莫念！莫念！有话快说了罢！”唐僧道：“猴头！还有甚说话！出家人行善，如春园之草，不见其长，日有所增；行恶之人，如磨刀之石，不见其损，日有所亏。你在这荒郊野外，一连打死三人，还是无人检举，没有对头。倘到城市之中，人烟凑集之处，你拿了那哭丧棒，一时不知好歹，乱打起人来，撞出大祸，教我怎的脱身？你回去罢！”行者道：“师父错怪了我也。这厮分明是个妖魔，他实有心害你。我倒打死他，替你除了害，你却不认得，反信了那呆子谗言冷语，屡次逐我。常言道：'事不过三。'我若不去，真是个下流无耻之徒。我去！我去！——去便去了，只是你手下无人。"唐僧发怒道："这泼猴越发无礼！看起来，只你是人，那悟能、悟净就不是人？"

那大圣一闻得说他两个是人，止不住伤情凄惨，对唐僧道声："苦啊！你那时节出了长安，有刘伯钦送你上路；到两界山，救我出来，投拜你为师，我曾穿古洞，入深林，擒魔捉怪，收八戒，得沙僧，吃尽千辛万苦；今日昧着惺惺使糊涂①，只教我回去，这才是'鸟尽弓藏，狗烹兔死'！——罢！罢！罢！但只是多了那《紧箍儿咒》。"唐僧道："我再不念了。"行者道："这个难说。若到那毒魔苦难处不得脱身，八戒、沙僧救不得你，那时节想起我来，忍不住又念诵起来，就是十万里路，我的头也是疼的，假如再来见你，不如不作此意。"

唐僧见他言言语语，越添恼怒，滚鞍下马来，叫沙僧包袱内取出纸笔，即于涧下取水，石上磨墨，写了一纸贬书，递于行者道："猴头！执此为照！再不要你做徒弟了！如再与你相见，我就堕了阿鼻地狱！"行者连忙接了贬书道："师父，不消发誓，老孙去罢。"他将书折了，留在袖中，却又软款②唐僧道："师父，我也是跟你一场，又蒙菩萨指教，今日半途而废，不曾成得功果。你请坐，受我一拜，我也去得放心。"唐僧转回身不睬，口里唧唧哝哝的道："我是个好和尚，不受你歹人的礼！"大圣见他不睬，又使个身外法，把脑后毫毛拔了三根，吹口仙气，叫："变！"即变了三个行者，连本身四个，四面围住师父下拜。那长老左右躲不

① 昧着惺惺使糊涂：指内心清醒明白，表面却装糊涂。
② 软款：犹宛转、温柔。

脱，好道也受了一拜。

大圣跳起来，把身一抖，收上毫毛，却又分付沙僧道："贤弟，你是个好人，却只要留心防着八戒诂言诂语[①]，途中更要仔细。倘一时有妖精拿住师父，你就说老孙是他大徒弟。西方毛怪，闻我的手段，不敢伤我师父。"唐僧道："我是个好和尚，不题你这歹人的名字。你回去罢。"那大圣见长老三番两复，不肯转意回心，没奈何才去。你看他：

噙泪叩头辞长老，含悲留意嘱沙僧。

一头拭迸坡前草，两脚蹬翻地上藤。

上天下地如轮转，跨海飞山第一能。

顷刻之间不见影，霎时疾返旧途程。

你看他忍气别了师父，纵筋斗云，径回花果山水帘洞去了。独自个凄凄惨惨，忽闻得水声聒耳，大圣在那半空里看时，原来是东洋大海潮发的声响。一见了，又想起唐僧，止不住腮边泪坠，停云住步，良久方去。毕竟不知此去反复何如，且听下回分解。

① 诂（diān）言诂语：花言巧语、胡说八道。

第二十八回

花果山群妖聚义　黑松林三藏逢魔

却说那大圣虽被唐僧逐赶，然犹思念，感叹不已，早望见东洋大海，道："我不走此路者，已五百年矣！"只见那海水：

烟波荡荡，巨浪悠悠。烟波荡荡接天河，巨浪悠悠通地脉。潮来汹涌，水浸湾环。潮来汹涌，犹如霹雳吼三春；水浸湾环，却似狂风吹九夏。乘龙福老，往来必定皱眉行；跨鹤仙童，反复果然忧虑过。近岸无村社，傍水少渔舟。浪卷千年雪，风生六月秋。野禽凭出没，沙鸟任沉浮。眼前无钓客，耳畔只闻鸥。海底游鱼乐，天边过雁愁。

那行者将身一纵，跳过了东洋大海，早至花果山。按落云头，睁睛观看，那山上花草俱无，烟霞尽绝，峰岩倒塌，林树焦枯。你道怎么这等？只因他闹了天宫，拿上界去，此山被显圣二郎神，率领那梅山七弟兄，放火烧坏了。这大圣倍加凄惨。有一篇败山颓景的古风为证。古风云：

回顾仙山两泪垂，对山凄惨更伤悲。
当时只道山无损，今日方知地有亏。
可恨二郎将我灭，堪嗔小圣把人欺。
行凶掘你先灵墓，无干破尔祖坟基。
满天霞雾皆消荡，遍地风云尽散稀。
东岭不闻斑虎啸，西山那见白猿啼？

北溪狐兔无踪迹，南谷獐犯没影遗。
青石烧成千块土，碧沙化作一堆泥。
洞外乔松皆倚倒，崖前翠柏尽稀少。
椿杉槐桧栗檀焦，桃杏李梅梨枣了。
柘绝桑无怎养蚕？柳稀竹少难栖鸟。
峰头巧石化为尘，涧底泉干都是草。
崖前土黑没芝兰，路畔泥红藤薜攀。
往日飞禽飞那处？当时走兽走何山？
豹嫌蟒恶倾颓所，鹤避蛇回败坏间。
想是日前行恶念，致令时下受艰难。

那大圣正当悲切，只听得那芳草坡前，曼荆凹里，响一声，跳出七八个小猴，一拥上前，围住叩头，高叫道："大圣爷爷！今日来家了？"美猴王道："你们因何不耍不顽，一个个都潜踪隐迹？我来多时了，不见你们形影，何也？"群猴听说，一个个垂泪告道："自大圣擒拿上界，我们被猎人之苦，着实难捱！怎禁他硬弩强弓，黄鹰劣犬，网扣枪钩，故此各惜性命，不敢出头顽耍，只是深潜洞府，远避窝巢。饥去坡前偷草食，渴来涧下吸清泉。却才听得大圣爷爷声音，特来接见，伏望扶持。"那大圣闻得此言，愈加凄惨，便问："你们还有多少在此山上？"群猴道："老者，小者，只有千把。"大圣道："我当时共有四万七千群妖，如今都往那里去了？"群猴道："自从爷爷去后，这山被二郎菩萨点上火，烧杀了大半。我们蹲在井里，钻在涧里，藏于铁板桥下，得了性命。及至火灭烟消出来时，又没花果养赡，难以存活，别处又去了一半。我们这一半，捱苦的住在山中。这两年，又被些打猎的抢了一半去也。"行者道："他抢你去何干？"群猴道："说起这猎户，可恨！他把我们中箭着枪的，中毒打死的，拿了去剥皮剔骨，酱煮醋蒸，油煎盐炒，当做下饭食用。或有那遭网的，遇扣的，夹活儿拿去了，教他跳圈做戏，翻筋斗，竖蜻蜓，当街上筛锣擂鼓，无所不为的顽耍。”

大圣闻此言，更十分恼怒道：“洞中有甚么人执事？”群妖道：“还有马、流二元帅，崩、芭二将军管着哩。”大圣道：“你们去报他知道，说我来了。”那些小妖撞入门里报道：“大圣爷爷来家了。”那马、流、崩、芭闻报，忙出门叩头，迎接进洞。大圣坐在中间，群怪罗拜于前，启道：“大圣爷爷，近闻得你得了性命，保唐僧往西天取经，如何不走西方，却回本山？”大圣道：“小的们，你不知道。那唐三藏不识贤愚，我为他一路上捉怪擒魔，使尽了平生的手段，几番家打杀妖精。他说我行凶作恶，不要我做徒弟，把我逐赶回来，写立贬书为照，永不听用了。”

众猴鼓掌大笑道：“造化！造化！做甚么和尚，且家来带携我们耍子几年罢！”叫：“快安排椰子酒来，与爷爷接风。”大圣道：“且莫饮酒。我问你，那打猎的人，几时来我山上一度？”马、流道：“大圣，不论甚么时度，他逐日家在这里缠扰。”大圣道：“他怎么今日不来？”马、流道：“看待来耶。”大圣分付：“小的们，都出去，把那山上烧酥了的碎石头，与我搬将起来堆着。——或二三十个一堆，或五六十个一堆，堆着，我有用处。”那些小猴都是一窝风，一个个跳天搠地，乱搬了许多堆集。大圣看了，教：“小的们，都往洞里藏躲，让老孙作法。”

那大圣上了山巅看处，只见那南半边冬冬鼓响，哨哨锣鸣，闪上有千馀人马，都架着鹰犬，持着刀枪。猴王仔细看那些人，来得凶险。好男子，真个骁勇！但见：

狐皮苫肩顶，锦绮裹腰胸。

袋插狼牙箭，胯挂宝雕弓。

人似搜山虎，马如跳涧龙。

成群引着犬，满膀架其鹰。

荆筐抬火炮，带定海东青①。

粘竿百十担，兔叉有千根。

牛头拦路网，阎王扣子绳。

一齐乱吆喝，散撒满天星。

大圣见那些人布上他的山来，心中大怒，手里捻诀，口内念念有词，往那巽地上吸了一口气，呼的吹将去，便是一阵狂风。好风！但见：

扬尘播土，倒树摧林。海浪如山耸，浑波万叠侵。乾坤昏荡荡，日月暗沉沉。一阵摇松如虎啸，忽然入竹似龙吟。万窍怒号天噫气，飞砂走石乱伤人。

大圣作起这大风，将那碎石，乘风乱飞乱舞，可怜把那些千馀人马，一个个：

石打乌头粉碎，沙飞海马俱伤。人参官桂岭前忙，血染朱砂地上。　附子难归故里，槟榔怎得还乡？尸骸轻粉卧山场，红娘子家中盼望。②

诗曰：

人亡马死怎归家？野鬼孤魂乱似麻。

可怜抖擞英雄辈，不辨贤愚血染沙。

大圣按落云头，鼓掌大笑道："造化！造化！自从归顺唐僧，做了和尚，他每每劝我话道：'千日行善，善犹不足；一日行恶，恶自有馀。'真有此话！我跟着他，打杀几个妖精，他就怪

① 海东青：一种产自辽东的青雕。

② 红娘子家中盼望：这是集合各种药名写的词。乌头、海马、人参、官桂、朱砂、附子、槟榔、轻粉、红娘子等，都是药名。

我行凶,今日来家,却结果了这许多猎户。”叫:“小的们,出来!”那群猴,狂风过去,听得大圣呼唤,一个个跳将出来。大圣道:“你们去南山下,把那打死的猎户衣服,剥得来家,洗净血迹,穿了遮寒;把死人的尸首,都推在那万丈深潭里;把死倒的马拖将来,剥了皮,做靴穿,将肉腌着,慢慢的食用;把那些弓箭枪刀,与你们操演武艺;将那杂色旗号,收来我用。”群猴一个个领诺。

那大圣把旗拆洗,总斗做一面杂彩花旗,上写着“重修花果山,复整水帘洞,齐天大圣”十四字。竖起杆子,将旗挂于洞外,逐日招魔聚兽,积草屯粮,不题“和尚”二字。他的人情又大,手段又高,便去四海龙王借些甘霖仙水,把山洗青了。前栽榆柳,后种松楠,桃李枣梅,无所不备,逍遥自在,乐业安居不题。

却说唐僧听信狡性,纵放心猿,攀鞍上马,八戒前边开路,沙僧挑着行李西行。过了白虎岭,忽见一带林丘,真个是藤攀葛绕,柏翠松青。三藏叫道:“徒弟呀,山路崎岖,甚是难走,却又松林丛簇,树木森罗,切须仔细!恐有妖邪妖兽。”你看那呆子,抖擞精神,叫沙僧带着马,他使钉钯开路,领唐僧径入松林之内。正行处,那长老兜住马道:“八戒,我这一日其实饥了,那里寻些斋饭我吃?”八戒道:“师父请下马,在此等老猪去寻。”长老下了马,沙僧歇了担,取出钵盂,递与八戒。八戒道:“我去也。”长老问:“那里去?”八戒道:“莫管。我这一去,钻冰取火寻斋至,压雪求油化饭来。”

你看他出了松林,往西行经十馀里,更不曾撞着一个人家,真是有狼虎无人烟的去处。那呆子走得辛苦,心内沉吟道:“当年行者在日，老和尚要的就有。今日轮到我的身上，诚所谓‘当家才知柴米价，养子方晓父娘恩’。公道没去化处。”他又走得瞌睡上来，思道：“我若就回去，对老和尚说没处化斋，他也不信我走了这许多路。须是再多幌个时辰，才好去回话。……也罢，也罢，且往这草科里睡睡。”呆子就把头拱在草里睡下。当时也只说朦胧朦胧就起来，岂知走路辛苦的人，丢倒头，只管齁齁睡起。

且不言八戒在此睡觉。却说长老在那林间，耳热眼跳，身心不安，急回叫沙僧道：“悟能去化斋，怎么这早晚还不回？”沙僧道：“师父，你还不晓得哩。他见这西方上人家斋僧的多，他肚子又大，他管你？只等他吃饱了才来哩。”三藏道：“正是呀！倘或他在那里贪着吃斋，我们那里会他？天色晚了，此间不是个住场，须要寻个下处方好哩。”沙僧道：“不打紧。师父，你且坐在这里，等我去寻他来。”三藏道：“正是，正是。有斋没斋罢了，只是寻下处要紧。”沙僧绰了宝杖，径出松林来找八戒。

长老却独坐林中，十分闷倦，只得强打精神，跳将起来，把行李攒在一处，将马拴在树上，摘下戴的斗笠，插定了锡杖，整一整缁衣①，徐步幽林，权为散闷。那长老看遍了野草山花，听不得归巢鸟噪。原来那林子里却是些草深路小的去处，只因他情思紊乱，却走错了。他一来也是要散散闷，二来也是要寻八戒、沙僧，不期他两个走的是直西路，长老转了一会，却走向南边去了。出得松林，忽抬头，见那壁厢金光闪烁，彩气腾腾，仔细看处，原来是一座宝塔，金顶放光。这是那西落的日色，映着那金顶放亮。他道：“我弟子却没缘法哩！自离东土，发愿逢庙烧香，见

① 缁衣：黑色衣服，僧尼穿的一种服装。

佛拜佛，遇塔扫塔。那放光的不是一座黄金宝塔？怎么就不曾走那条路？塔下必有寺院，院内必有僧家，且等我走走。这行李、白马，料此处无人行走，却也无事。那里若有方便处，待徒弟们来，一同借歇。"

噫！长老一时晦气到了。你看他拽开步，径至塔边。但见那：

石崖高万丈，山大接青霄。根连地厚，峰插天高。两边杂树数千棵，前后藤缠百馀里。花映草梢风有影，水流云窦月无根。倒木横担深涧，枯藤结挂光峰。石桥下，流滚滚清泉；台座上，长明明白粉。远观一似三岛天堂，近看有如蓬莱胜境。香松紫竹绕山溪，鸦鹊猿猴穿峻岭。洞门外，有一来一往的走兽成行；树林里，有或出或入的飞禽作队。青青香草秀，艳艳野花开。这所在分明是恶境，那长老晦气撞将来。

那长老举步进前，才来到塔门之下，只见一个斑竹帘儿，挂在里面。他破步入门，揭起来，往里就进，猛抬头，见那石床上，侧睡着一个妖魔。你道他怎生模样：

青靛脸，白獠牙，一张大口呀呀。两边乱蓬蓬的鬓毛，却都是些胭脂染色；三四紫巍巍的髭髯，恍疑是那荔枝排芽。鹦嘴般的鼻儿拱拱，曙星样的眼儿巴巴。两个拳头，和尚钵盂模样；二只蓝脚，悬崖榾柮①杈楂。斜披着淡黄袍帐，赛过那织锦袈裟。拿的一口刀，精光耀映；眠的一块石，细润无瑕。他也曾小妖排蚁阵，他也曾老怪坐蜂衙。你看

① 榾(gǔ)柮(duò)：树根。一般作烧火取暖之用的。后文第四十八回写作"骨柮"。

他威风凛凛，大家吆喝，叫一声爷。他也曾月作三人壶酌酒①，他也曾风生两腋盏倾茶②。你看他神通浩浩，霎着下眼，游遍天涯。荒林喧鸟雀，深莽宿龙蛇。仙子种田生白玉③，道人伏火④养丹砂。小小洞门，虽到不得那阿毘地狱；楞楞妖怪，却就是一个牛头夜叉。

那长老看见他这般模样，唬得打了一个倒退，遍体酥麻，两腿酸软，即忙的抽身便走。刚刚转了一个身，那妖魔，他的灵性着实是大，强撑开着一双金睛鬼眼，叫声："小的们，你看门外是甚么人！"一个小妖就伸头望门外打一看，看见是个光头的长老，连忙跑将进去，报道："大王，外面是个和尚哩。团头大面，两耳垂肩，嫩刮刮的一身肉，细娇娇的一张皮，且是好个和尚！"那妖闻言，呵声笑道："这叫做个'蛇头上苍蝇，自来的衣食'。你众小的们！疾忙赶上也，与我拿将来！我这里重重有赏。"那些小妖，就是一窝蜂，齐齐拥上。三藏见了，虽则是一心忙似箭，两脚走如飞，终是心惊胆颤，腿软脚麻。况且是山路崎岖，林深日暮，步儿那里移得动？被那些小妖，平抬将去。正是：

龙游浅水遭虾戏，虎落平阳被犬欺。

纵然好事多磨障，谁像唐僧西向时？

你看那众小妖，抬得长老，放在那竹帘儿外，欢欢喜喜，报声道："大王，拿得和尚进来了。"那老妖，他也偷眼瞧一瞧。只见

---

① 月作三人壶酌酒：这里是用唐李白"举杯邀明月，对影成三人"的诗意。

② 风生两腋盏倾茶：这里是用唐卢仝《谢孟谏议寄新茶》"惟觉两腋习习清风生"的诗意。

③ 种田生白玉：据《搜神记》记载，杨伯雍因在路边免费供应行人茶水，得到客人赠送的一斗石子。杨按照客人嘱咐，将石子种在田里，田中生出了白玉。

④ 伏火：调低炉火的温度。

三藏头直上，貌堂堂，果然好一个和尚。他便心中想道："这等好和尚，必是上方人物，不当小可的，若不做个威风，他怎肯服降哩？"陡然间，就狐假虎威，红须倒竖，血发朝天，眼睛迸裂，大喝一声道："带那和尚进来！"众妖们，大家响响的答应了一声："是！"就把三藏望里面只是一推。这是"既在矮檐下，怎敢不低头"！三藏只得双手合着，与他见个礼。那妖道："你是那里和尚？从那里来？到那里去？快快说明！"三藏道："我本是唐朝僧人，奉大唐皇帝敕命，前往西方访求经偈。经过贵山，特来塔下谒圣，不期惊动威严，望乞恕罪。待往西方取得经回东土，永注高名也。"那妖闻言，呵呵大笑道："我说是上邦人物，果然是你。正要吃你哩，却来的甚好！甚好！不然，却不错放过了？你该是我口里的食，自然要撞将来，就放也放不去，就走也走不脱！"叫小妖："把那和尚拿去绑了！"果然那些小妖，一拥上前，把个长老绳缠索绑，缚在那定魂桩上。

老妖持刀又问道："和尚，你一行有几人？终不然一人敢上西天？"三藏见他持刀，又老实说道："大王，我有两个徒弟，叫做猪八戒、沙和尚，都出松林化斋去了。还有一担行李，一匹白马，都在松林里放着哩。"老妖道："又造化了！两个徒弟，连你三个，连马四个，够吃一顿了！"小妖道："我们去捉他来。"老妖道："不要出去，把前门关了。他两个化斋来，一定寻师父吃；寻不着，一定寻着我门上。常言道：'上门的买卖好做。'且等慢慢的捉他。"众小妖把前门闭了。

且不言三藏逢灾。却说那沙僧出林找八戒，直有十馀里远近，不曾见个庄村。他却站在高埠上正然观看，只听得草中有人言语，急使杖拨开深草看时，原来是呆子在里面说梦话哩。被沙僧揪着耳朵，方叫醒了，道："好呆子呵！师父教你化斋，许你在此睡觉的?”那呆子冒冒失失的醒来,道:“兄弟,有甚时候了?”沙僧道:“快起来!师父说有斋没斋也罢,教你我那里寻下住处哩。”

呆子懵懵懂懂的,托着钵盂,拑着钉钯,与沙僧径直回来。到林中看时,不见了师父。沙僧埋怨道:“都是你这呆子化斋不来,必有妖精拿师父也。”八戒笑道:“兄弟,莫要胡说。那林子里是个清雅的去处,决然没有妖精。想是老和尚坐不住,往那里观风①去了。我们寻他去来。”二人只得牵马挑担,收拾了斗篷、锡杖,出松林寻找师父。

这一回,也是唐僧不该死。他两个前后寻一会不见,忽见南下有金光闪灼。八戒道:“兄弟呵,有福的只是有福,你看师父往他家去了。那放光的是座宝塔,谁敢怠慢?一定要安排斋饭,留他在那里受用。我们还不走动些,也赶上去吃些斋儿。”沙僧道:“哥呵,定不得吉凶哩。我们且去看来。”

二人雄纠纠的到了门前。呀!闭着门哩。只见那门上横安了一块白玉石板,上镌着六个大字“碗子山波月洞”。沙僧道:“哥呵,这不是甚么寺院,是一座妖精洞府也。我师父在这里,也见不得哩。”八戒道:“兄弟莫怕。你且拴下马匹,守着行李,待我问他的信看。”那呆子举着钯,上前高叫:“开门!开门!”那洞里有把门的小妖开了门,忽见他两个的模样,急抽身跑入里面报道:“大王!买卖来了!”老妖道:“那里买卖?”小妖道:“洞门外有一个长嘴大耳的和尚,与一个晦气色的和尚,来叫门了!”老妖大喜道:“是猪八戒与沙僧寻将来也!噫,他也会寻哩!怎么就寻到我这门上?既然嘴脸凶顽,却莫要怠慢了他。”叫:“取

① 观风:指游览、欣赏、参观。后文第七十二回作“关关风”。

披挂来!”小妖抬来,就结束了,绰刀在手,径出门来。

却说那八戒、沙僧在门前正等,只见妖魔来得凶险。你道他怎生打扮:

青脸红须赤发飘,黄金铠甲亮光饶。
裹肚衬腰榘石带①,攀胸勒甲步云绦。
闲立山前风吼吼,闷游海外浪滔滔。
一双蓝靛焦筋手,执定追魂取命刀。
要知此物名和姓,声扬二字唤黄袍。

那黄袍老怪出得门来,便问:“你是那方和尚,在我门首吆喝?”八戒道:“我儿子,你不认得?我是你老爷!我是大唐差往西天去的!我师父是那御弟三藏。若在你家里,趁早送出来,省了我钉钯筑进去!”那怪笑道:“是,是,是有一个唐僧在我家。我也不曾怠慢他,安排些人肉包儿与他吃哩。你们也进去吃一个儿,何如?”

这呆子认真就要进去,沙僧一把扯住道:“哥呵,他哄你哩。你几时又吃人肉哩?”呆子却才省悟,掣钉钯望妖怪劈脸就筑。那怪物侧身躲过,使钢刀急架相迎。两个都显神通,纵云头,跳在空中厮杀。沙僧撇了行李、白马,举宝杖急急帮攻。此时两个狠和尚,一个泼妖魔,在云端里,这一场好杀,正是那:

杖起刀迎,钯来刀架。一员魔将施威,两个神僧显化。九齿钯真个英雄,降妖杖诚然凶咤。没前后左右齐来,那黄袍公然不怕。你看他蘸钢刀晃亮如银,其实的那神通也为广大。只杀得满空中,雾绕云迷;半山里,崖崩岭咋。一个

① 榘(qú)石带:榘石就是砗(chē)磲,文蛤类的最大者。用这种蛤壳做带上的装饰,所以叫榘石带。后文第九十二回又写作“砗琚”。

为声名，怎肯干休？一个为师父，断然不怕。

他三个在半空中，往往来来，战经数十回合，不分胜负。各因性命要紧，其实难解难分。毕竟不知怎救出唐僧，且听下回分解。

第二十九回

脱难江流来国土　承恩八戒转山林

诗曰①：

妄想不复强灭，真如何必希求？本原自性佛前修，迷悟岂居前后？　悟即刹那成正，迷而万劫沉流。若能一念合真修，灭尽恒沙罪垢。

却说那八戒、沙僧与怪斗经个三十回合，不分胜负。你道怎么不分胜负？若论赌手段，莫说两个和尚，就是二十个，也敌不过那妖精。只为唐僧命不该死，暗中有那护法神祇②保着他，空中又有那六丁六甲、五方揭谛、四值功曹、一十八位护教伽蓝，助着八戒、沙僧。

且不言他三人战斗。却说那长老在洞里悲啼，思量他那徒弟，眼中流泪道："悟能呵，不知你在那个村中逢了善友，贪着斋供；悟净呵，你又不知在那里寻他，可能得会？岂知我遇妖魔，在此受难！几时得会你们，脱了大难，早赴灵山！"正当悲啼烦恼，忽见那洞里走出一个妇人来，扶着定魂桩，叫道："那长老，你从何来？为何被他缚在此处？"长老闻言，泪眼偷看，那妇人约有三十年纪，遂道："女菩萨，不消问了。我已是该死的，走进你家

① 按所载为《西江月》词。

② 神祇(qí)：泛指神灵。其中"神"指天神，"祇"指地神。

门来也，要吃就吃了罢，又问怎的？”那妇人道：“我不是吃人的。我家离此西下，有三百馀里，那里有座城，叫做宝象国。我是那国王的第三个公主，乳名叫做百花羞。只因十三年前，八月十五日夜玩月中间，被这妖魔一阵狂风摄将来，与他做了十三年夫妻。在此生儿育女，杳无音信回朝。思量我那父母，不能相见。你从何来，被他拿住？”唐僧道：“贫僧乃是差往西天取经者，不期闲步，误撞在此。如今要拿住我两个徒弟，一齐蒸吃哩。”那公主陪笑道：“长老宽心。你既是取经的，我救得你。那宝象国是你西方去的大路，你与我捎一封书儿去，拜上我那父母，我就教他饶了你罢。”三藏点头道：“女菩萨，若还救得贫僧命，愿做捎书寄信人。”

那公主急转后面，即修了一纸家书，封固停当，到桩前解放了唐僧，将书付与。唐僧得解脱，捧书在手道：“女菩萨，多谢你活命之恩。贫僧这一去，过贵处，定送国王处。只恐日久年深，你父母不肯相认，奈何？切莫怪我贫僧打了诳语。”公主道：“不妨。我父王无子，止生我三个姊妹，若见此书，必有相看之意。”三藏紧紧袖了家书，谢了公主，就往外走，被公主扯住道：“前门里你出不去！那些大小妖精，都在门外摇旗呐喊，擂鼓筛锣，助着大王，与你徒弟厮杀哩。你往后门里去罢。若是大王拿住，还审问审问；只恐小妖儿捉了，不分好歹，挟生儿伤了你的性命。等我去他面前，说个方便。若是大王放了你呵，待你徒弟讨个示下，寻着你一同好走。”三藏闻言，磕了头，谨依分付，辞别公主，躲离后门之外，不敢自行，将身藏在荆棘丛中。

却说公主娘娘心生巧计，急往前来，出门外，分开了大小群妖，只听得叮叮当当，兵刃乱响。原来是八戒、沙僧与那怪在半空里厮杀哩。这公主厉声高叫道:“黄袍郎!”那妖王听得公主叫唤,即丢了八戒、沙僧,按落云头,撇了钢刀,搀着公主道:“浑家,有甚话说?”公主道:“郎君呵,我才时睡在罗帏之内,梦魂中忽见个金甲神人。”妖魔道:“那个金甲神?上我门怎的?”公主道:“是我幼时,在宫里对神暗许下一桩心愿:若得招个贤郎驸马,上名山,拜仙府,斋僧布施。自从配了你,夫妻们欢会,到今不曾题起。那金甲神人来讨誓愿,喝我醒来,却是南柯一梦。因此,急整容来郎君处诉知,不期那桩上绑着一个僧人。万望郎君慈悯,看我薄意,饶了那个和尚罢,只当与我斋僧还愿。不知郎君肯否?”那怪道:“浑家,你却多心呐!甚么打紧之事!我要吃人,那里不捞几个吃吃?这个把和尚,到得那里,放他去罢。”公主道:“郎君,放他从后门里去罢。”妖魔道:“奈烦哩。放他去便罢,又管他甚么后门前门哩。”他遂绰了钢刀,高叫道:“那猪八戒,你过来。我不是怕你,不与你战,看着我浑家的分上,饶了你师父也。趁早去后门首,寻着他,往西方去罢。若再来犯我境界,断乎不饶!”

那八戒与沙僧闻得此言,就如鬼门关上放回来的一般,即忙牵马挑担,鼠窜而行。转过那波月洞,后门之外,叫声:“师父!”那长老认得声音,就在那荆棘中答应。沙僧就剖开草径,搀着师父,慌忙的上马。这里:

狠毒险遭青面鬼,殷勤幸有百花羞。
鳌鱼脱却金钩钓,摆尾摇头逐浪游。

八戒当头领路,沙僧后随,出了那松林,上了大路。你看他两个咭咭嘈嘈,埋埋怨怨,三藏只是解和。遇晚先投宿,鸡鸣早看天。一程一程,长亭短亭,不觉的就走了二百九十九里。猛抬头,只见一座好城,就是宝象国。真好个处所也:

云渺渺，路迢迢；地虽千里外，景物一般饶。瑞霭祥烟笼罩，清风明月招摇。嵂嵂崒崒①的远山，大开图画；潺潺湲湲的流水，碎溅琼瑶。可耕的连阡带陌，足食的密蕙新苗。渔钓的几家三涧曲，樵采的一担两峰椒。廓的廓，城的城，金汤巩固；家的家，户的户，只斗逍遥②。九重的高阁如殿宇，万丈的层台似锦标。也有那太极殿、华盖殿、烧香殿、观文殿、宣政殿、延英殿：一殿殿的玉陛金阶，摆列着文冠武弁；也有那大明宫、昭阳宫、长乐宫、华清宫、建章宫、未央宫：一宫宫的钟鼓管籥，撒抹了闺怨春愁。也有禁苑的，露花匀嫩脸；也有御沟的，风柳舞纤腰。通衢上，也有个顶冠束带的，盛仪容，乘五马；幽僻中，也有个持弓挟矢的，拨云雾，贯双雕。花柳的巷，管弦的楼，春风不让洛阳桥。取经的长老，回首大唐肝胆裂；伴师的徒弟，息肩小驿梦魂消。

看不尽宝象国的景致。师徒三众收拾行李、马匹，安歇馆驿中。

唐僧步行至朝门外，对阁门大使③道："有唐朝僧人，特来面驾，倒换文牒，乞为转奏转奏。"那黄门奏事官，连忙走至白玉阶前奏道："万岁，唐朝有个高僧，欲求见驾，倒换文牒。"那国王闻知是唐朝大国，且又说是个方上圣僧，心中甚喜，即时准奏，叫："宣他进来。"把三藏宣至金阶，舞蹈山呼礼毕。两边文武多官，无不叹道："上邦人物，礼乐雍容如此！"那国王道："长老，你到我国中何事？"三藏道："小僧是唐朝释子。承我天子敕旨，前往西方取经，原领有文牒，到陛下上国，理合倒换。故此不识进退，惊动龙颜。"国王道："既有唐天子文牒，取上来看着。"三藏双手

① 嵂（lǜ）嵂崒（zú）崒：形容山的高峻。
② 只斗逍遥：满足于一只鸡、一斗酒的逍遥生活。
③ 阁门大使：即"阁门使"，古代职官，执掌礼仪。

捧上去，展开放在御案上。牒云：

　　“南赡部洲大唐国奉天承运唐天子牒行：切惟朕以凉德①，嗣续丕基②，事神治民，临深履薄，朝夕是惴。前者，失救泾河老龙，获谴于我皇皇后帝，三魂七魄，倏忽阴司，已作无常之客。因有阳寿未绝，感冥君放送回生，广陈善会，修建度亡道场。感蒙救苦观世音菩萨金身出现，指示西方有佛有经，可度幽亡，超脱孤魂。特着法师玄奘，远历千山，询求经偈。倘到西邦诸国，不灭善缘，照牒放行。须至牒者。大唐贞观一十三年，秋吉日，御前文牒。”

上有宝印九颗。国王见了，取本国玉宝，用了花押，递与三藏。

三藏谢了恩，收了文牒，又奏道：“贫僧一来倒换文牒，二来与陛下寄有家书。”国王大喜道：“有甚书？”三藏道：“陛下第三位公主娘娘，被碗子山波月洞黄袍妖摄将去，贫僧偶尔相遇，故寄书来也。”国王闻言，满眼垂泪道：“自十三年前，不见了公主，两班文武官，也不知贬退了多少；宫里宫外，大小婢子、太监，也不知打死了多少；只说是走出皇宫，迷失路径，无处找寻；满城中百姓人家，也盘诘了无数，更无下落。怎知道是妖怪摄了去！今日乍听得这句话，故此伤情流泪。”三藏袖中取出书来献上。国王接了，见有“平安”二字，一发手软，拆不开书。传旨宣翰林院大学士上殿读书。学士随即上殿。殿前有文武多官，殿后有后妃宫女，俱侧耳听书。学士拆开朗诵。上写着：

　　“不孝女百花羞顿首百拜大德父王万岁龙凤殿前，暨三宫母后昭阳宫下，及举朝文武贤卿台次：拙女幸托坤宫，

① 凉德：薄德，德行不够。常用作皇帝的自谦。

② 嗣续丕基：谓子孙继承了先人伟大的基业。嗣，子孙。丕，大。

感激劬劳①万种,不能竭力怡颜,尽心奉孝。乃于十三年前,八月十五日良夜佳辰,蒙父王恩旨,着各宫排宴,赏玩月华,共乐清霄盛会。正欢娱之间,不觉一阵香风,闪出个金睛蓝面青发魔王,将女擒住;驾祥光,只带至半野山中无人处。难分难辨,被妖倚强霸占为妻。是以无奈捱了一十三年,产下两个妖儿,尽是妖魔之种。论此真是败坏人伦,有伤风化,不当传书玷辱;但恐女死之后,不显分明。正含怨思忆父母,不期唐朝圣僧,亦被魔王擒住。是女滴泪修书,大胆放脱,特托寄此片楮②,以表寸心。伏望父王垂悯,遣上将早至碗子山波月洞,捉获黄袍怪,救女回朝,深为恩念。草草欠恭,面听不一。

逆女百花羞再顿首顿首。”

那学士读罢家书,国王大哭,三宫滴泪,文武伤情,前前后后,无不哀念。

国王哭之许久,便问两班文武:“那个敢兴兵领将,与寡人捉获妖魔,救我百花公主?”连问数声,更无一人敢答,真是木雕成的武将,泥塑就的文官。那国王心生烦恼,泪若涌泉。只见那多官齐俯伏奏道:“陛下且休烦恼。公主已失,至今一十三载无音,偶遇唐朝圣僧,寄书来此,未知的否。况臣等俱是凡人凡马,习学兵书武略,止可布阵安营,保国家无侵陵之患。那妖精乃云来雾去之辈,不得与他睹面相见,何以征救?想东土取经者,乃上邦圣僧,这和尚‘道高龙虎伏,德重鬼神钦’,必有降妖之术。自古道:‘来说是非者,就是是非人。’可就请这长老降妖邪,救

① 劬(qú)劳:指父母抚养儿女的劳苦。

② 片楮(chǔ):片纸,此处指短信。楮树皮可造纸,故用楮代称纸。

公主,庶为万全之策。"

那国王闻言,急回头,便请三藏道:"长老若有手段,放法力,捉了妖魔,救我孩儿回朝,也不须上西方拜佛,长发留头,朕与你结为兄弟,同坐龙床,共享富贵如何?"三藏慌忙启上道:"贫僧粗知念佛,其实不会降妖。"国王道:"你既不会降妖,怎么敢上西天拜佛?"那长老瞒不过,说出两个徒弟来了,奏道:"陛下,贫僧一人,实难到此。贫僧有两个徒弟,善能逢山开路,遇水叠桥,保贫僧到此。"国王怪道:"你这和尚大没理。既有徒弟,怎么不与他一同进来见朕?若到朝中,虽无中意赏赐,必有随分斋供。"三藏道:"贫僧那徒弟丑陋,不敢擅自入朝,但恐惊伤了陛下的龙体。"国王笑道:"你看你这和尚说话,终不然朕当怕他?"三藏道:"不敢说。我那大徒弟姓猪,法名悟能八戒,他生得长嘴獠牙,刚鬃扇耳,身粗肚大,行路生风。第二个徒弟姓沙,法名悟净和尚,他生得身长丈二,臂阔三停,脸如蓝靛,口似血盆,眼光闪灼,牙齿排钉。他都是这等个模样,所以不敢擅领入朝。"国王道:"你既这等样说了一遍,寡人怕他怎的?宣进来。"随即着金牌至馆驿相请。

那呆子听见来请,对沙僧道:"兄弟,你还不教下书哩。这才见了下书的好处。想是师父下了书,国王道:捎书人不可怠慢,一定整治筵宴待他。他的食肠不济,有你我之心,举出名来,故此着金牌来请。大家吃一顿,明日好行。"沙僧道:"哥啊,知道是甚缘故,我们且去来。"遂将行李、马匹俱交付驿丞,各带随身兵器,随金牌入朝。早行到白玉阶前,左右立下,朝上唱个喏,再也不动。那文武多官,无人不怕,都说道:"这两个和尚,貌丑也罢,只是粗俗太甚!怎么见我王更不下拜,喏毕平身,挺然而立!可怪!可怪!"八戒听见道:"列位,莫要议论。我们是这般乍看果有些丑，只是看下些时来，却也耐看。”

那国王见他丑陋，已是心惊，及听得那呆子说出话来，越发胆颤，就坐不稳，跌下龙床，幸有近侍官员扶起。慌得个唐僧跪在殿前，不住的叩头道：“陛下，贫僧该万死！万死！我说徒弟丑陋，不敢朝见，恐伤龙体，果然惊了驾也。”那国王战兢兢走近前，搀起道：“长老，还亏你先说过了，若未说，猛然见他，寡人一定唬杀了也！”国王定性多时，便问：“猪长老、沙长老，是那一位善于降妖？”那呆子不知好歹，答道：“老猪会降。”国王道：“怎么家降？”八戒道：“我乃是天蓬元帅，只因罪犯天条，堕落下世，幸今皈正为僧。自从东土来此，第一会降的是我。”国王道：“既是天将临凡，必然善能变化。”八戒道：“不敢，不敢，也将就晓得几个变化儿。”国王道：“你试变一个我看看。”八戒道：“请出题目，照依样子好变。”国王道：“变一个大的罢。”

八戒他也有三十六般变化，就在阶前卖弄手段，却便捻诀念咒，喝一声叫：“长！”把腰一躬，就长了有八九丈长，却似个开路神一般。吓得那两班文武，战战兢兢，一国君臣，呆呆挣挣。时有镇殿将军问道：“长老，似这等变得身高，必定长到甚么去处，才有止极？”那呆子又说出呆话来道：“看风。东风犹可，西风也将就；若是南风起，把青天也拱个大窟窿！”那国王大惊道：“收了神通罢。晓得是这般变化了。”八戒把身一矬，依然现了本相，侍立阶前。

国王又问道：“长老此去，有何兵器与他交战？”八戒腰里掣出钯来道：“老猪使的是钉钯。”国王笑道：“可败坏门面！我这里有的是鞭、简、瓜、锤，刀、枪、钺、斧，剑、戟、矛、镰。随你选称手的拿一件去。那钯算做甚么兵器？”八戒道：“陛下不知，我这钯虽然粗夯，实是自幼随身之器。曾在天河水府为帅，辖押八万水兵，全仗此钯之力。今临凡世，保护吾师，逢山筑破虎狼窝，遇水掀翻龙蜃穴，皆是此钯。”国王闻得此言，十分欢喜心信，即命九嫔妃子：“将朕亲用的御酒，整瓶取来，权与长老送行。”遂满斟一爵，奉与八戒道：“长老，这杯酒，聊引奉劳之意。待捉得妖魔，救回小女，自有大宴相酬，千金重谢。”那呆子接杯在手，人物虽是粗鲁，行事倒有斯文，对三藏唱个大喏道：“师父，这酒本该从你饮起，但君王赐我，不敢违背，让老猪先吃了，助助兴头，好捉妖怪。”那呆子一饮而干，才斟一爵，递与师父。三藏道：“我不饮酒，你兄弟们吃罢。”沙僧近前接了，八戒就足下生云，直上空里。国王见了道：“猪长老又会腾云！”

呆子去了，沙僧将酒亦一饮而干，道：“师父！那黄袍怪拿住你时，我两个与他交战，只战个手平。今二哥独去，恐战不过他。”三藏道：“正是。徒弟呵，你可去与他帮帮功。”沙僧闻言，也纵云跳将起去。那国王慌了，扯住唐僧道：“长老，你且陪寡人坐坐，也莫腾云去了。”唐僧道：“可怜！可怜！我半步儿也去不得！”此时二人在殿上叙话不题。

却说那沙僧赶上八戒道：“哥哥，我来了。”八戒道：“兄弟，你来怎的？”沙僧道：“师父叫我来帮帮功的。”八戒大喜道：“说得是，来得好！我两个努力齐心，去捉那怪物，虽不怎的，也在此国扬扬姓名。”你看他：

叆叇①祥光辞国界，氤氲瑞气出京城。

领王旨意来山洞，努力齐心捉怪灵。

他两个不多时，到了洞口，按落云头。八戒掣钯，往那波月洞的

① 叆(ài)叇(dài)：形容云霭缤纷。

门上,尽力气一筑,把他那石门筑了斗来大小的个窟窿。吓得那把门的小妖开门,看见是他两个,急跑进去报道:“大王,不好了!那长嘴大耳与那晦气脸的和尚,又来把门都打破了!”那怪惊道:“这个还是猪八戒、沙和尚二人。我饶了他师父,怎么又敢复来打我的门!”小妖道:“想是忘了甚么物件,来取的。”老怪咄的一声道:“胡缠!忘了物件,就敢打上门来?必有缘故!”急整束了披挂,绰了钢刀,走出来问道:“那和尚,我既饶了你师父,你怎么又敢来打上我门?”八戒道:“你这泼怪干得好事儿!”老魔道:“甚么事?”八戒道:“你把宝象国三公主骗来洞里,以强霸占为妻,住了一十三载,也该还他了。我奉国王旨意,特来擒你。你快快进去,自家把绳子绑缚出来,还免得老猪动手!”那老怪闻言,十分发怒。你看他屹迸迸,咬响钢牙;滴溜溜,睁圆环眼;雄纠纠,举起刀来;赤淋淋,拦头便砍。八戒侧身躲过,使钉钯劈面迎来,随后又有沙僧举宝杖赶上前齐打。这一场在山头上赌斗,比前不同。真个是:

言差语错招人恼,意毒情伤怒气生。这魔王大钢刀,着头便砍;那八戒九齿钯,对面迎来。沙悟净丢开宝杖,那魔王抵架神兵。一猛怪,二神僧,来来往往甚消停。这个说:“你骗国理该死罪!”那个说:“你罗闲事报不平!”这个说:“你强婚公主伤国体!”那个说:“不干你事莫闲争!”算来只为捎书故,致使僧魔两不宁。

他们在那山坡前,战经八九个回合,八戒渐渐不济将来,钉钯难举,气力不加。你道如何这等战他不过?当时初相战斗,有那护法诸神,为唐僧在洞,暗助八戒、沙僧,故仅得个手停①,此

① 手停:即平手。停,均等。

时诸神都在宝象国护定唐僧,所以二人难敌。

那呆子道:“沙僧,你且上前来与他斗着,让老猪出恭来。”他就顾不得沙僧,一溜往那蒿草薜萝、荆棘葛藤里,不分好歹,一顿钻进,那管刮破头皮,搠伤嘴脸,一毂辘睡倒,再也不敢出来。但留半边耳朵,听着梆声。

那怪见八戒走了,就奔沙僧。沙僧措手不及,被怪一把抓住,捉进洞去,小妖将沙僧四马攒蹄捆住。毕竟不知端的性命如何,且听下回分解。

第三十回

邪魔侵正法　意马忆心猿

却说那怪把沙僧捆住，也不来杀他，也不曾打他，骂也不曾骂他一句，绰起钢刀，心中暗想道："唐僧乃上邦人物，必知礼义，终不然我饶了他性命，又着他徒弟拿我不成？——噫！这多是我浑家有甚么书信到他那国里，走了风汛！等我去问他一问。"那怪陡起凶性，要杀公主。

却说那公主不知，梳妆方毕，移步前来。只见那怪怒目攒眉，咬牙切齿，那公主还陪笑脸迎道："郎君有何事这等烦恼？"那怪咄的一声骂道："你这狗心贱妇，全没人伦！我当初带你到此，更无半点儿说话。你穿的锦，戴的金，缺少东西我去寻。四时受用，每日情深。你怎么只想你父母，更无一点夫妇心？"那公主闻说，吓得跪倒在地，道："郎君呵，你怎么今日说起这分离的话？"那怪道："不知是我分离，是你分离哩！我把那唐僧拿来，算计要他受用，你怎么不先告过我，就放了他？原来是你暗地里修了书信，教他替你传寄，不然怎么这两个和尚又来打上我门，教还你回去？这不是你干的事？"公主道："郎君，你差怪我了。我有甚书去？"老怪道："你还强嘴哩！现拿住一个对头在此，却不是证见？"公主道："是谁？"老妖道："是唐僧第二个徒弟沙和尚。"原来人到了死处，谁肯认死，只得与他放赖。公主道：

“郎君且息怒，我和你去问他一声。果然有书，就打死了，我也甘心，假若无书，却不枉杀了奴奴也？”那怪闻言，不容分说，抡开一只簸箕大小的蓝靛手，抓住那金枝玉叶的发万根，把公主揪上前，捽在地下，执着钢刀，却来审沙僧，咄的一声道：“沙和尚！你两个辄敢擅打上我们门来，可是这女子有书到他那国，国王教你们来的？”

沙僧已捆在那里，见妖精凶恶之甚，把公主掼倒在地，持刀要杀，他心中暗想道：“分明是他有书去。——救了我师父，此是莫大之恩。我若一口说出，他就把公主杀了，此却不是恩将仇报？罢！罢！罢！想老沙跟我师父一场，也没寸功报效，今日已此被缚，就将此性命与师父报了恩罢。”遂喝道：“那妖怪不要无礼！他有甚么书来，你这等枉他，要害他性命！我们来此问你要公主，有个缘故。只因你把我师父捉在洞中，我师父曾看见公主的模样动静。及至宝象国倒换关文，那皇帝将公主画影图形，前后访问。因将公主的形影，问我师父沿途可曾看见，我师父遂将公主说起。他故知是他儿女，赐了我等御酒，教我们来拿你，要他公主还宫。此情是实，何尝有甚书信？你要杀就杀了我老沙，不可枉害平人，大亏天理！”

那妖见沙僧说得雄壮，遂丢了刀，双手抱起公主道：“是我一时粗卤，多有冲撞，莫怪，莫怪。”遂与他挽了青丝，扶上宝髻，软款温柔，怡颜悦色，撮哄着他进去了，又请上坐陪礼。那公主是妇人家水性，见他错敬，遂回心转意道：“郎君呵，你若念夫妇的恩爱，可把那沙僧的绳子略放松些儿。”老妖闻言，即命小的们把沙僧解了绳子，锁在那里。沙僧见解缚锁住，立起来，心中暗喜道：“古人云：‘与人方便，自己方便。’我若不方便了他，他怎肯教把我松放松放？”

那老妖又教安排酒席，与公主陪礼压惊。吃酒到半酣，老妖忽的又换了一件鲜明的衣服，取了一口宝刀，佩在腰里，转过手，摸着公主道："浑家，你且在家吃酒，看着两个孩儿，不要放了沙和尚。趁那唐僧在那国里，我也赶早儿去认认亲也。"公主道："你认甚亲？"老妖道："认你父王。我是他驸马，他是我丈人，怎么不去认认？"公主道："你去不得。"老妖道："怎么去不得？"公主道："我父王不是马挣力战的江山，他本是祖宗遗留的社稷。自幼儿是太子登基，城门也不曾远出，没有见你这等凶汉。你这嘴脸相貌，生得丑陋，若见了他，恐怕吓了他，反为不美，却不如不去认的还好。"老妖道："既如此说，我变个俊的儿去便罢。"公主道："你试变来我看看。"

好怪物，他在那酒席间摇身一变，就变做一个俊俏之人。真个生得：

形容典雅，体段峥嵘。言语多官样，行藏①正妙龄。才如子建成诗易，貌似潘安掷果轻。头上戴一顶鹊尾冠，乌云敛伏；身上穿一件玉罗褶，广袖飘迎。足下乌靴花褶，腰间鸾带光明。丰神真是奇男子，耸壑轩昂美俊英。

公主见了，十分欢喜。那妖笑道："浑家，可是变得好么？"公主道："变得好！变得好！你这一进朝呵，我父王是亲不灭，一定着文武多官留你饮宴。倘吃酒中间，千千仔细，万万个小心，却莫要现出原嘴脸来。露出马脚，走了风汛，就不斯文了。"老怪道："不消分付，自有道理。"

你看他纵云头，早到了宝象国，按落云光，行至朝门之外。对阁门大使道："三驸马特来见驾，乞为转奏转奏。"那黄门奏事

① 行藏：人的行迹、底细、来历。

官来至白玉阶前,奏道:“万岁,有三驸马来见驾,现在朝门外听宣。”那国王正与唐僧叙话,忽听得三驸马,便问多官道:“寡人只有两个驸马,怎么又有个三驸马?”多官道:“三驸马,必定是妖怪来了。”国王道:“可好宣他进来?”那长老心惊道:“陛下,妖精啊,不精者不灵。他能知过去未来,他能腾云驾雾,宣他也进来,不宣他也进来,倒不如宣他进来,还省些口面①。”

国王准奏,叫宣,把怪宣至金阶。他一般的也舞蹈山呼的行礼。多官见他生得俊丽,也不敢认他是妖精。——他都是些肉眼凡胎,却当做好人。那国王见他耸壑昂霄,以为济世之梁栋,便问他:“驸马,你家在那里居住?是何方人氏?几时得我公主配合?怎么今日才来认亲?”那老妖叩头道:“主公,臣是城东碗子山波月庄人家。”国王道:“你那山离此处多远?”老妖道:“不远,只有三百里。”国王道:“三百里路,我公主如何得到那里,与你匹配?”那妖精巧语花言,虚情假意的答道:“主公,微臣自幼儿好习弓马,采猎为生。那十三年前,带领家童数十,放鹰逐犬,忽见一只斑斓猛虎,身驮着一个女子,往山坡下走。是微臣兜弓一箭,射倒猛虎,将女子带上本庄,把温水温汤灌醒,救了他性命。因问他是那里人家,他更不曾题‘公主’二字。早说是万岁的三公主,怎敢欺心,擅自配合?当得进上金殿,大小讨一个官职荣身。只因他说是民之女,才被微臣留在庄所。女貌郎才,两相情愿,故配合至此多年。当时配合之后,欲将那虎宰了,邀请诸亲,却是公主娘娘教且莫杀。其不杀之故,有几句言词道得甚好。说道:

托天托地成夫妇,无媒无证配婚姻。

① 口面:口舌、口角、纠纷。

　　前世赤绳曾系足，今将老虎做媒人。

臣因此言，故将虎解了索子，饶了他性命。那虎带着箭伤，跑蹄剪尾而去。不知他得了性命，在那山中修了这几年，炼体成精，专一迷人害人。臣闻得昔年也有几次取经的，都说是大唐来的唐僧，想是这虎害了唐僧，得了他文引①，变作那取经的模样，今在朝中哄骗主公。主公呵，那绣墩上坐的，正是那十三年前驮公主的猛虎，不是真正取经之人！”

你看那水性的君王，愚迷肉眼，不识妖精，转把他一片虚词，当了真实，道：“贤驸马，你怎的认得这和尚是驮公主的老虎？”那妖道：“主公，臣在山中，吃的是老虎，穿的也是老虎，与他同眠同起，怎么不认得？”国王道：“你既认得，可教他现出本相来看。”怪物道：“借半盏净水，臣就教他现了本相。”国王命官取水，递与驸马。那怪接水在手，纵起身来，走上前，使个“黑眼定身法”，念了咒语，将一口水望唐僧喷去，叫声：“变！”那长老的真身，隐在殿上，真个变作一只斑斓猛虎。此时君臣同眼观看，那只虎生得：

　　白额圆头，花身电目。四只蹄，挺直峥嵘；二十爪，钩弯锋利。锯牙包口，尖耳连眉。狞狰壮若大猫形，猛烈雄如黄犊样。刚须直直插银条，刺舌骍骍②喷恶气。果然是只猛斑斓，阵阵威风吹宝殿。

国王一见，魄散魂飞，唬得那多官尽皆躲避。有几个大胆的武将，领着将军、校尉一拥上前，使各项兵器乱砍。这一番，不是唐僧该有命不死，就是二十个僧人，也打为肉酱。此时幸有丁甲、

① 文引：准予通行的文书。
② 骍(xīng)骍：形容舌头的吞吐、翻转灵活的样子。

揭谛、功曹、护教诸神，暗在半空中护佑，所以那些人兵器皆不能打伤。众臣嚷到天晚，才把那虎活活的捉了，用铁绳锁了，放在铁笼里，收于朝房之内。

那国王却传旨，教光禄寺大排筵宴，谢驸马救拔之恩。不然，险被那和尚害了。当晚众臣朝散，那妖魔进了银安殿。又选十八个宫娥彩女，吹弹歌舞，劝妖魔饮酒作乐。那怪物独坐上席，左右排列的，都是那艳质娇姿。你看他受用。饮酒至二更时分，醉将上来，忍不住胡为，跳起身，大笑一声，现了本相，陡发凶心，伸开簸箕大手，把一个弹琵琶的女子抓将过来，扢咋的把头咬了一口。吓得那十七个宫娥，没命的前后乱跑乱藏。你看那：

宫娥悚惧，彩女忙惊。宫娥悚惧，一似雨打芙蓉笼夜雨；彩女忙惊，就如风吹芍药舞春风。捽碎琵琶顾命，跌伤琴瑟逃生。出门那分南北，离殿不管西东。磕损玉面，撞破娇容。人人逃命走，各各奔残生。

那些人出去，又不敢吆喝；夜深了，又不敢惊驾；都躲在那短墙檐下，战战兢兢不题。

却说那怪物坐在上面，自家斟酒。喝一盏，扳过人来，血淋淋的啃上两口。他在里面受用，外面人尽传道："唐僧是个虎精！"乱传乱嚷，嚷到金亭馆驿。此时驿里无人，止有白马在槽上吃草吃料。他本是西海小龙王，因犯天条，锯角退鳞，变白马，驮唐僧往西方取经。忽闻人讲唐僧是个虎精，他也心中暗想道："我师父分明是个好人，必然被怪把他变做虎精，害了师父。怎的好！怎的好！大师兄去得久了，八戒、沙僧又无音信！"他只捱到二更时分，万籁无声，却才跳将起来道："我今若不救唐僧，这功果休矣！休矣！"他忍不住，顿绝缰绳，抖松鞍辔，急纵身，

忙显化,依然化作龙,驾起乌云,直上九霄空里观看。有诗为证。诗曰:

三藏西来拜世尊,途中偏有恶妖氛。

今宵化虎灾难脱,白马垂缰①救主人。

小龙王在半空里,只见银安殿内灯烛辉煌。原来那八个满堂红②上,点着八根蜡烛。低下云头,仔细看处,那妖魔独自个在上面,逼法的饮酒吃人肉哩。小龙笑道:“这厮不济!走了马脚,识破风汛,踢匾秤铊了。吃人可是个长进的!却不知我的师父下落何如,倒遇着这个泼怪。且等我去戏他一戏。若得手,拿住妖精再救师父不迟。”

好龙王,他就摇身一变,也变做个宫娥,真个的身体轻盈,仪容娇媚。忙移步走入里面,对妖魔道声万福:“驸马呵,你莫伤我性命,我来替你把盏。”那妖道:“斟酒来。”小龙接过壶来,将酒斟在他盏中,酒比钟高出三五分来,更不漫出。这是小龙使的“逼水法”。那怪见了不识,心中喜道:“你有这般手段?”小龙道:“还斟得有几分高哩。”那怪道:“再斟上!再斟上!”他举着壶,只情斟,那酒只情高,就如十三层宝塔一般,尖尖满满,更不漫出些须。那怪物伸过嘴来,吃了一钟,扳着死人,吃了一口,道:“会唱么?”小龙道:“也略晓得些儿。”依腔韵唱了一个小曲,又奉了一钟。那怪道:“你会舞么?”小龙道:“也略晓得些儿,但只是素手③,舞得不好看。”那怪揭起衣服,解下腰间所佩宝刀,掣出鞘来,递与小龙。小龙接了刀,就留心,在那酒席前,上三下

---

① 垂缰:相传前秦皇帝符坚大战中掉入山涧,其坐骑跪在涧边,垂下缰绳救出了主人。后世多用垂缰表达报恩的意思。

② 满堂红:铁制朱漆的蜡烛架。

③ 素手:空手。

四，左五右六，丢开了花刀法。

那怪看得眼咤①，小龙丢了花字，望妖精劈一刀来。好怪物，侧身躲过，慌了手脚，举起一根满堂红，架住宝刀。那满堂红原是熟铁打造的，连柄有八九十斤。两个出了银安殿，小龙现了本相，却驾起云头，与那妖魔在那半空中相杀。这一场，黑地里好杀！怎见得：

那一个是碗子山生成的怪物，这个是西洋海罚下的真龙。一个放毫光，如喷白电；一个生锐气，如迸红云。一个好似白牙老象走人间，一个就如金爪狸猫飞下界。一个是擎天玉柱，一个是架海金梁。银龙飞舞，黄鬼翻腾。左右宝刀无怠慢，往来不歇满堂红。

他两个在云端里，战够八九回合，小龙的手软筋麻，老魔的身强力壮。小龙抵敌不住，飞起刀去，砍那妖怪，妖怪有接刀之法，一只手接了宝刀，一只手抛下满堂红便打，小龙措手不及，被他把后腿上着了一下。急慌慌按落云头，多亏了御水河救了性命，小龙一头钻下水去。那妖魔赶来寻他不见，执了宝刀，拿了满堂红，回上银安殿，照旧吃酒睡觉不题。

却说那小龙潜于水底，半个时辰听不见声息，方才咬着牙，忍着腿疼跳将起去，踏着乌云，径转馆驿，还变作依旧马匹，伏于槽下。可怜浑身是水，腿有伤痕。那时节：

意马心猿都失散，金公木母尽凋零。

黄婆伤损通分别，道义消疏怎得成！

---

① 眼咤：眼花缭乱。

且不言三藏逢灾，小龙败战。却说那猪八戒从离了沙僧，一头藏在草科里，拱了一个猪浑塘。这一觉，只睡到半夜时候才醒。醒来时，又不知是甚么去处，摸摸眼，定了神思，侧耳才听，噫！正是那山深无犬吠，野旷少鸡鸣。他见那星移斗转，约莫有三更时分，心中想道："我要回救沙僧，诚然是'单丝不线，孤掌难鸣'。……罢！罢！罢！我且进城去见了师父，奏准当今，再选些骁勇人马，助着老猪明日来救沙僧罢。"

那呆子急纵云头，径回城里，半霎时，到了馆驿。此时人静月明，两廊下寻不见师父，只见白马睡在那厢，浑身水湿，后腿有盘子大小一点青痕。八戒失惊道："双晦气了！这亡人又不曾走路，怎么身上有汗，腿有青痕？想是歹人打劫师父，把马打坏了。"那白马认得是八戒，忽然口吐人言，叫声："师兄！"这呆子吓了一跌，扒起来，往外要走，被那马探探身，一口咬住皂衣，道："哥呵，你莫怕我。"八戒战兢兢的道："兄弟，你怎么今日说起话来了？你但说话，必有大不祥之事。"小龙道："你知师父有难么？"八戒道："我不知。"小龙道："你是不知！你与沙僧在皇帝面前弄了本事，思量拿倒妖魔，请功求赏，不想妖魔本领大，你们手段不济，禁他不过。好道着一个回来，说个信息是，却更不闻音。那妖精变做一个俊俏文人，撞入朝中，与皇帝认了亲眷。把我师父变作一个斑斓猛虎，见被众臣捉住，锁在朝房铁笼里面。我听得这般苦恼，心如刀割。你两日又不在不知，恐一时伤了性命，只得化龙身去救，不期到朝里，又寻不见师父。及到银安殿外，遇见妖精，我又变做个宫娥模样，哄那怪物。那怪叫我舞刀他看，遂尔留心，砍他两刀，早被他闪过，双手举个满堂红，把我战败。我又飞刀砍去，他又把刀接了，摔下满堂红，把我后腿上着了一下，故此钻在御水河，逃得性命。腿上青是他满堂红打的。”

八戒闻言道：“真个有这样事？”小龙道：“莫成我哄你了！”八戒道：“怎的好！怎的好！你可挣得动么？”小龙道：“我挣得动便怎的？”八戒道：“你挣得动，便挣下海去罢。把行李等老猪挑去高老庄上，回炉做女婿去呀。”小龙闻说，一口咬住他直裰子，那里肯放，止不住眼中滴泪道：“师兄呵！你千万休生懒惰！”八戒道：“不懒惰便怎么？沙兄弟已被他拿住，我是战不过他，不趁此散火，还等甚么？”

小龙沉吟半晌，又滴泪道：“师兄呵，莫说散火的话。若要救得师父，你只去请个人来。”八戒道：“教我请谁么？”小龙道：“你趁早儿驾云回上花果山，请大师兄孙行者来。他还有降妖的大法力，管教救了师父，也与你我报得这败阵之仇。”八戒道：“兄弟，另请一个儿便罢了，那猴子与我有些不睦。前者在白虎岭上，打杀了那白骨夫人，他怪我撺掇师父念《紧箍儿咒》。我也只当耍子，不想那老和尚当真的念起来，就把他赶逐回去。他不知怎么样的恼我，他也决不肯来。倘或言语上略不相对，他那哭丧棒又重，假若不知高低，捞上几下，我怎的活得成么？”小龙道：“他决不打你，他是个有仁有义的猴王。你见了他，且莫说师父有难，只说：‘师父想你哩。’把他哄将来。到此处，见这样个情节，他必然不忿，断乎要与那妖精比并，管情拿得那妖精，救得我师父。”八戒道：“也罢，也罢。你倒这等尽心，我若不去，显得我不尽心了。我这一去，果然行者肯来，我就与他一路来了；他若不来，你却也不要望我，我也不来了。”小龙道：“你去，你去！管情他来也。”

真个呆子收拾了钉钯，整束了直裰，跳将起去，踏着云，径往东来。这一回,也是唐僧有命,那呆子正遇顺风,撑起两个耳朵,好便似风篷一般,早过了东洋大海,按落云头,不觉的太阳星上,他却入山寻路。

正行之际,忽闻得有人言语。八戒仔细看时,原来是行者在山凹里,聚集群妖。他坐在一块石头崖上,面前有一千二百多猴子,分序排班,口称:"万岁!大圣爷爷!"八戒道:"且是好受用!且是好受用!怪道他不肯做和尚,只要来家哩!原来有这些好处,许大的家业,又有这多的小猴伏侍!若是老猪有这一座山场,也不做甚么和尚了。如今既到这里,却怎么好?必定要见他一见是。"那呆子有些怕他,又不敢明明的见他,却往草崖边,溜阿溜的,溜在那一千二三百猴子当中挤着,也跟那些猴子磕头。

不知孙大圣坐得高,眼又乖滑,看得他明白,便问:"那班部中乱拜的是个夷人①。是那里来的?拿上来!"说不了,那些小猴一窝风,把个八戒推将上来,按倒在地。行者道:"你是那里来的夷人?"八戒低着头道:"不敢,承问了。不是夷人,是熟人,熟人。"行者道:"我这大圣部下的群猴,都是一般模样。你这嘴脸生得各样②,相貌有些雷堆③,定是别处来的妖魔。既是别处来的,若要投我部下,先来递个脚色手本④,报了名字,我好留你在这随班点扎。若不留你,你敢在这里乱拜!"八戒低着头,拱着嘴道:"不羞!就拿出这副嘴脸来了!我和你兄弟也做了几年,又推认不得,说是甚么夷人!"行者笑道:"抬起头来我看。"

---

① 夷人:这里指外族人,生人。
② 各样:别样、特别、古怪。
③ 雷堆:笨重、累赘。这里指不清爽。
④ 脚色手本:又称"履历手本",旧时拜见尊者时奉上的载有自己履历的名帖。

那呆子把嘴往上一伸道："你看么！你认不得我，好得认得嘴耶！"行者忍不住笑道："猪八戒。"他听见一声叫，就一毂辘跳将起来道："正是！正是！我是猪八戒！"他又思量道："认得就好说话了。"

行者道："你不跟唐僧取经去，却来这里怎的？想是你冲撞了师父，师父也贬你回来了？有甚贬书，拿来我看。"八戒道："不曾冲撞他。他也没甚么贬书，也不曾赶我。"行者道："既无贬书，又不曾赶你，你来我这里怎的？"八戒道："师父想你，着我来请你的。"行者道："他也不请我，他也不想我。他那日对天发誓，亲笔写了贬书，怎么又肯想我，又肯着你远来请我？我断然也是不好去的。"八戒就地扯个谎，忙道："委是想你！委是想你！"行者道："他怎的想我来？"八戒道："师父在马上正行，叫声'徒弟'，我不曾听见，沙僧又推耳聋，师父就想起你来，说我们不济，说你还是个聪明伶利之人，常时声叫声应，问一答十。因这般想你，专专教我来请你的。万望你去走走，一则不孤①他仰望之心，二来也不负我远来之意。"行者闻言，跳下崖来，用手搀住八戒道："贤弟，累你远来，且和我要要儿去。"八戒道："哥呵，这个所在路远，恐师父盼望去迟，我不要子了。"行者道："你也是到此一场，看看我的山景何如。"那呆子不敢苦辞，只得随他走走。

二人携手相搀，概众小妖随后，上那花果山极巅之处。好山！自是那大圣回家，这几日，收拾得复旧如新。但见那：

青如削翠，高似摩云。周围有虎踞龙蟠，四面多猿啼鹤唳。朝出云封山顶，暮观日挂林间。流水潺潺鸣玉珮，涧泉

① 孤：意同"辜"，辜负。

滴滴奏瑶琴。山前有崖峰峭壁，山后有花木秾华。上连玉女洗头盆，下接天河分派水。乾坤结秀赛蓬莱，清浊育成真洞府。丹青妙笔画时难，仙子天机描不就。玲珑怪石石玲珑，玲珑结彩岭头峰。日影动千条紫艳，瑞气摇万道红霞。洞天福地人间有，遍山新树与新花。

八戒观之不尽，满心欢喜道："哥啊，好去处！果然是天下第一名山！"行者道："贤弟，可过得日子么？"八戒笑道："你看师兄说的话。宝山乃洞天福地之处，怎么说度日之言也？"二人谈笑多时，下了山。只见路旁有几个小猴，捧着紫巍巍的葡萄，香喷喷的梨枣，黄森森的枇杷，红艳艳的杨梅，跪在路旁，叫道："大圣爷爷，请进早膳。"行者笑道："我猪弟食肠大，却不是以果子作膳的。——也罢，也罢，莫嫌菲薄，将就吃个儿当点心罢。"八戒道："我虽食肠大，却也随乡入乡是。拿来，拿来，我也吃几个儿尝新。"

二人吃了果子，渐渐日高。那呆子恐怕误了救唐僧，只管催促道："哥哥，师父在那里盼望我和你哩。望你和我早早儿去罢。"行者道："贤弟，请你往水帘洞里去耍耍。"八戒坚辞道："多感老兄盛意。奈何师父久等，不劳进洞罢。"行者道："既如此，不敢久留，请就此处奉别。"八戒道："哥哥，你不去了？"行者道："我往那里去？我这里，天不收，地不管，自由自在，不耍子儿，做甚么和尚？我是不去，你自去罢。但上复唐僧：既赶退了，再莫想我。"呆子闻言，不敢苦逼，只恐逼发他性子，一时打上两棍。无奈，只得喏喏告辞，找路而去。

行者见他去了，即差两个溜撒的小猴，跟着八戒，听他说些甚么。真个那呆子下了山，不上三四里路，回头指着行者，口里骂道："这个猴子，不做和尚，倒做妖怪！这个猢狲！我好意来请他，他却不去！——你不去便罢！”走几步，又骂几声。那两个小猴急跑回来报道：“大圣爷爷，那猪八戒不大老实。他走走儿，骂几声。”行者大怒，叫：“拿将来！”那众猴满地飞来赶上，把个八戒扛翻倒了，抓鬃扯耳，拉尾揪毛，捉将回去。毕竟不知怎么处治，性命死活若何，且听下回分解。

第三十一回

猪八戒义识猴王　孙行者智降妖怪

义结孔怀①,法归本性。金顺木驯成正果,心猿木母合丹元。共登极乐世界,同来不二法门。经乃修行之总径,佛配自己之元神。兄和弟会成三契,妖与魔色应五行。剪除六门趣,即赴大雷音。

却说那呆子被一窝猴子捉住了,扛抬扯拉,把一件直裰子揪破。口里劳劳叨叨的,自家念诵道:"罢了!罢了!这一去有个打杀的情了!"不一时到洞口,那大圣坐在石崖之上,骂道:"你这馕糠的夯货!你去便罢了,怎么骂我?"八戒跪在地下道:"哥呵,我不曾骂你,若骂你,就嚼了舌头根。我只说哥哥不去,我自去报师父便了。怎敢骂你?"行者道:"你怎么瞒得过我?我这左耳往上一扯,晓得三十三天人说话;我这右耳往下一扯,晓得十代阎王与判官算帐。你今走路把我骂,我岂不听见?"八戒道:"哥呵,我晓得。你贼头鼠脑的,一定又变作个甚么东西儿,跟着我听的。"行者叫:"小的们,选大棍来!先打二十个见面孤拐,再打二十个背花②,然后等我使铁棒与他送行!"八戒慌得磕头道:"哥呵,千万看师父面上,饶了我罢!"行者道:"我想那师

① 孔怀:兄弟的代称。《诗经》有"兄弟孔怀"的诗句。孔,非常。怀,思念。

② 背花:旧时的杖刑。

父好仁义儿哩!”八戒又道:“哥哥,不看师父呵,请看海上菩萨之面,饶了我罢!”

行者见说起菩萨,却有三分儿转意道:“兄弟,既这等说,我且不打你。你却老实说,不要瞒我,那唐僧在那里有难,你却来此哄我?”八戒道:“哥呵,没甚难处,实是想你。”行者骂道:“这个好打的夯货!你怎么还要者嚣?我老孙身回水帘洞,心逐取经僧。那师父步步有难,处处该灾。你趁早儿告诵我,免打!”八戒闻得此言,叩头上告道:“哥呵,分明要瞒着你,请你去的,不期你这等样灵。饶我打,放我起来说罢。”行者道:“也罢,起来说。”众猴撒开手,那呆子跳得起来,两边乱张。行者道:“你张甚么?”八戒道:“看看那条路儿空阔,好跑。”行者道:“你跑到那里?我就让你先走三日,老孙自有本事赶转你来!快早说来!这一恼发我的性子,断不饶你!”

八戒道:“实不瞒哥哥说,自你回后,我与沙僧保师父前行,只见一座黑松林,师父下马,教我化斋。我因许远无一个人家,辛苦了,略在草里睡睡。不想沙僧别了师父,又来寻我。你晓得师父没有坐性,他独步林间玩景,出得林,见一座黄金宝塔放光,他只当寺院,不期塔下有个妖精,名唤黄袍,被他拿住。后边我与沙僧回寻,止见白马、行囊,不见师父,随寻至洞口,与那怪厮杀。师父在洞,幸亏了一个救星。原是宝象国王第三个公主,被那怪摄来者。他修了一封家书,托师父寄去,遂说方便,解放了师父。到了国中,递了书子,那国王就请师父降妖,取回公主。哥呵,你晓得,那老和尚可会降妖?我二人复去与战。不知那怪神通广大,将沙僧又捉了。我败阵而走,伏在草中。那怪变做个俊俏文人入朝,与国王认亲,把师父变作老虎。又亏了白龙马夜现龙身,去寻师父。师父倒不曾寻见,却遇着那怪在银安殿饮酒。他变一宫娥，与他巡酒、舞刀，欲乘机而砍，反被他用满堂红打伤马腿。就是他教我来请师兄的，说道：'师兄是个有仁有义的君子。君子不念旧恶，一定肯来救师父一难。'万望哥哥念'一日为师，终身为父'之情，千万救他一救！"

行者道："你这个呆子！我临别之时，曾叮咛又叮咛，说道：'若有妖魔捉住师父，你就说老孙是他大徒弟。'怎么却不说我？"八戒又思量道："请将不如激将，等我激他一激。"道："哥呵，不说你还好哩，只为说你，他一发无状！"行者道："怎么说？"八戒道："我说：'妖精，你不要无礼，莫害我师父！我还有个大师兄，叫做孙行者。他神通广大，善能降妖。他来时教你死无葬身之地！'那怪闻言，越加忿怒，骂道：'是个甚么孙行者，我可怕他？他若来，我剥了他皮，抽了他筋，啃了他骨，吃了他心！——饶他猴子瘦，我也把他剁鲊着油烹！'"行者闻言，就气得抓耳挠腮，暴躁乱跳道："是那个敢这等骂我！"八戒道："哥哥息怒，是那黄袍怪这等骂来，我故学与你听也。"行者道："贤弟，你起来。不是我去不成，既是妖精敢骂我，我就不能降他？我和你去！老孙五百年前大闹天宫，普天的神将看见我，一个个控背躬身，口口称呼大圣。这妖怪无礼，他敢背前面后骂我！我这去，把他拿住，碎尸万段，以报骂我之仇！报毕，我即回来。"八戒道："哥哥，正是。你只去拿了妖精，报了你仇，那时来与不来，任从尊命。"

那猴才跳下崖，撞入洞里，脱了妖衣，整一整锦直裰，束一束虎皮裙，执了铁棒，径出门来。慌得那群猴拦住道："大圣爷爷，你往那里去？带挈[1]我们耍子几年也好。"行者道："小的们，你

① 带挈：引带，提携。

说那里话！我保唐僧的这桩事，天上地下，都晓得孙悟空是唐僧的徒弟。他倒不是赶我回来，倒是教我来家看看，送我来家自在耍子。如今只因这件事，——你们却都要仔细看守家业，依时插柳栽松，毋得废坠。——待我还去保唐僧，取经回东土。功成之后，仍回来与你们共乐天真。"众猴各各领命。

那大圣才和八戒携手驾云，离了洞，过了东洋大海；至西岸，住云光，叫道："兄弟，你且在此慢行，等我下海去净净身子。"八戒道："忙忙的走路，且净甚么身子？"行者道："你那里知道，我自从回来，这几日弄得身上有些妖精气了。师父是个爱干净的，恐怕嫌我。"八戒于此始识得行者是片真心，更无他意。

须臾洗毕，复驾云西进，只见那金塔放光。八戒指道："那不是黄袍怪家？沙僧还在他家里。"行者道："你在空中，等我下去看看那门前如何，好与妖精见阵。"八戒道："不要去，妖精不在家。"行者道："我晓得。"好猴王，按落祥光，径至洞门外观看。只见有两个小孩子，在那里使弯头棍，打毛球，抢窝①耍子哩，一个有十来岁，一个有八九岁了。正戏处，被行者赶上前，也不管他是张家李家的，一把抓着顶搭子②，提将过来。那孩子吃了唬，口里夹骂带哭的乱嚷，惊动那波月洞的小妖，急报与公主道："奶奶，不知甚人把二位公子抢去也！"原来那两个孩子是公主与那怪生的。

公主闻言，忙忙走出洞门来，只见行者提着两个孩子，站在那高崖之上，意欲往下掼。慌得那公主厉声高叫道："那汉子，我与你没甚相干，怎么把我儿子拿去？他老子利害，有些差错，

① 抢窝：儿童游戏的一种。
② 顶搭子：婴儿剃发时，留在顶上的一撮头发叫顶搭子。

决不与你干休!”行者道:“你不认得我?我是那唐僧的大徒弟孙悟空行者,我有个师弟沙和尚在你洞里,你去放他出来,我把这两个孩儿还你。似这般两个换一个,还是你便宜。”那公主闻言,急往里面,喝退那几个把门的小妖,亲动手,把沙僧解了。沙僧道:“公主,你莫解我,恐你那怪来家,问你要人,带累你受气。”公主道:“长老呵,你是我的恩人。你替我折辩了家书,救了我一命,我也留心放你,不期洞门之外,你有个大师兄孙悟空来了,叫我放你哩。”

噫!那沙僧一闻“孙悟空”的三个字,好便似醍醐灌顶[①],甘露滋心,一面天生喜,满腔都是春,也不似闻得个人来,就如拾着一方金玉一般。你看他捽手拂衣,走出门来,对行者施礼道:“哥哥,你真是从天而降也!万乞救我一救!”行者笑道:“你这个沙尼[②]!师父念《紧箍儿咒》,可肯替我方便一声?都弄嘴施展!要保师父,如何不走西方路,却在这里‘蹲’甚么?”沙僧道:“哥哥,不必说了,君子人既往不咎。我等是个败军之将,不可语勇。救我救儿罢!”行者道:“你上来。”沙僧才纵身跳上石崖。

却说那八戒停立空中,看见沙僧出洞,即按下云头,叫声:“沙兄弟,心忍[③]!心忍!”沙僧见身道:“二哥,你从那里来?”八戒道:“我昨日败阵,夜间进城,会了白马,知师父有难,被黄袍

① 醍(tí)醐(hú)灌顶:佛教比喻通过灌输智慧,使人彻底觉悟。这里是形容精神振奋,有豁然开朗之意。醍醐,用牛奶制作酥酪时,最上面凝聚的一层油脂,是牛奶中的精华。

② 沙尼:全称“沙弥尼”,出家尚未受戒的佛教徒,男性叫沙弥,女性叫沙弥尼。此处故意用沙弥尼称沙僧,有嘲戏的意思。

③ 心忍:不忍心的意思。

使法,变做个老虎。那白马与我商议,请师兄来的。”行者道:“呆子,且休叙阔,把这两个孩子,你抱着一个,先进那宝象城去激那怪来,等我在这里打他。”沙僧道:“哥啊,怎么样激他?”行者道:“你两个驾起云,站在那金銮殿上,莫分好歹,把那孩子往那白玉阶前一掼。有人问你是甚人,你便说是黄袍妖精的儿子,被我两个拿将来也。那怪听见,管情回来,我却不须进城与他斗了。若在城上厮杀,必要喷云暧雾,播土扬尘,惊扰那朝廷与多官黎庶,俱不安也。”八戒笑道:“哥哥,你但干事,就左①我们。”行者道:“如何为左你?”八戒道:“这两个孩子,被你抓来,已此唬破胆了,这一会声都哭哑,再一会必死无疑。我们拿他往下一掼,掼做个肉陀子,那怪赶上肯放?定要我两个偿命。你却还不是个干净人?——连见证也没你,你却不是左我们?”行者道:“他若扯你,你两个就与他扛将这里来。这里有战场宽阔,我在此等候打他。”沙僧道:“正是,正是。大哥说得有理,我们去来。”他两个才倚仗威风,将孩子拿去。

行者即跳下石崖,到他塔门之下。那公主道:“你这和尚,全无信义。你说放了你师弟,就与我孩儿,怎么你师弟放去,把我孩儿又留,反来我门首做甚?”行者陪笑道:“公主休怪。你来的日子已久,带你令郎去认他外公去哩。”公主道:“和尚莫无礼,我那黄袍郎比众不同。你若唬了我的孩儿,与他柳柳惊②是。”

行者笑道:“公主啊,为人生在天地之间,怎么便是得罪?”公主道:“我晓得。”行者道:“你女流家,晓得甚么?”公主道:“我

① 左:这里作骗人、欺人、给人上当解释。

② 柳柳惊:就是压压惊。柳柳,犹喽喽,抚摸的意思。方言谓:“摸摸头,吓不着”,就是柳柳惊。

自幼在宫,曾受父母教训。记得古书云:'五刑之属三千,而罪莫大于不孝。'"行者道:"你正是个不孝之人。盖'父兮生我,母兮鞠我。哀哀父母,生我劬劳'。故孝者,百行之原,万善之本,却怎么将身陪伴妖精,更不思念父母?非得不孝之罪,如何?"公主闻此正言,半晌家耳红面赤,惭愧无地,忽失口道:"长老之言最善。我岂不思念父母?只因这妖精将我摄骗在此,他的法令又谨,我的步履又难,路远山遥,无人可传音信。欲要自尽,又恐父母疑我逃走,事终不明。故没奈何,苟延残喘,诚为天地间一大罪人也!"说罢,泪如泉涌。行者道:"公主不必伤悲。猪八戒曾告诵我,说你有一封书,曾救了我师父一命,你书上也有思念父母之意。老孙来,管与你拿了妖精,带你回朝见驾,别寻个佳偶,侍奉双亲到老。你意如何?"公主道:"和尚啊,你莫要寻死。昨者你两个师弟那样好汉,也不曾打得过我黄袍郎。你这般一个筋多骨少的瘦鬼,一似个螃蟹模样,骨头都长在外面,有甚本事,你敢说拿妖魔之话?"行者笑道:"你原来没眼色,认不得人。俗语云:'尿泡虽大无斤两,秤铊虽小压千斤。'他们相貌空大无用,走路抗风,穿衣费布,种火心空[①],顶门腰软,吃食无功。咱老孙小自小,筋节[②]。"那公主道:"你真个有手段么?"行者道:"我的手段,你是也不曾看见。绝会降妖,极能伏怪。"公主道:"你却莫误了我耶。"行者道:"决然误你不得。"公主道:"你既会降妖伏怪,如今却怎样拿他?"行者说:"你且回避回避,莫在我这眼前,倘他来时,不好动手脚——只恐你与他情浓了,舍不得他。"公主道:"我怎的舍不得他?其稽留于此者,不得已

① 种火心空:想用作拨火棍却是空心的,没法用。种火,烧火时用棍子拨动柴草,使之充分燃烧,叫种火。

② 筋节:结实。

耳!”行者道:“你与他做了十三年夫妻,岂无情意?我若见了他,不与他儿戏,一棍便是一棍,一拳便是一拳,须要打倒他,才得你回朝见驾。”

那公主果然依行者之言,往僻静处躲避。也是他姻缘该尽,故遇着大圣来临。那猴王把公主藏了,他却摇身一变,就变做公主一般模样,回转洞中,专候那怪。

却说八戒、沙僧,把两个孩子拿到宝象国中,往那白玉阶前捽下,可怜都掼做个肉饼相似,鲜血迸流,骨骸粉碎。慌得那满朝多官报道:“不好了!不好了!天上掼下两个人来了!”八戒厉声高叫道:“那孩子是黄袍妖精的儿子,被老猪与沙弟拿将来也!”

那怪还在银安殿宿酒未醒,正睡梦间,听得有人叫他名字,他就翻身,抬头观看,只见那云端里是猪八戒、沙和尚二人吆喝。妖怪心中暗想道:“猪八戒便也罢了,沙和尚是我绑在家里,他怎么得出来?我的浑家,怎么肯放他?我的孩儿,怎么得到他手?这怕是猪八戒不得我出去与他交战,故将此计来羁①我。我若认了这个泛头②,就与他打呵,——噫!我却还害酒哩!假若被他筑上一钯,却不灭了这个威风,识破了那个关窍,——且等我回家看看,是我的儿子不是我的儿子,再与他说话不迟。”

好妖怪,他也不辞王驾,转山林,径去洞中查信息。此时朝中已知他是个妖怪了。原来他夜里吃了一个宫娥,还有十七个脱命去的,五更时,奏了国王,说他如此如此。又因他不辞而去,

① 羁:本为束缚,拘束的意思,这里意同“激”。

② 泛头:同“犯头”,指冒犯的由头。

越发知他是怪，那国王即着多官看守着假老虎不题。

却说那怪径回洞口。行者见他来时，设法哄他，把眼挤了一挤，扑簌簌泪如雨落，儿天儿地的，跌脚捶胸，于此洞里嚎咷痛哭。那怪一时间那里认得，上前搂住道："浑家，你有何事，这般烦恼？"那大圣编成的鬼话，捏出的虚词，泪汪汪的告道："郎君呵！常言道：'男子无妻财没主，妇女无夫身落空！'你昨日进朝认亲，怎不回来？今早被猪八戒劫了沙和尚，又把我两个孩儿抢去，教我苦告，更不肯饶。他说拿去朝中认认外公，这半日不见孩儿，又不知存亡如何，你又不见来家，教我怎生割舍？故此止不住伤心痛哭。"那怪闻言，心中大怒道："真个是我的儿子？"行者道："正是，被猪八戒抢去了。"

那妖魔气得乱跳道："罢了！罢了！我儿被他掼杀了！已是不可活也！只好拿那和尚来与我儿子偿命报仇罢！浑家，你且莫哭。你如今心里觉道怎么？且医治一医治。"行者道："我不怎的，只是舍不得孩儿，哭得我有些心疼。"妖魔道："不打紧，你请起来。我这里有件宝贝，只在你那疼上摸一摸儿，就不疼了。却要仔细，休使大指儿弹着，若使大指头弹着呵，就看出我本相来了。"行者闻言，心中暗笑道："这泼怪，倒也老实，不动刑法，就自家供了。等他拿出宝贝来，我试弹他一弹，看他是个甚么妖怪。"那怪携着行者，一直行到洞里深远密闭之处，却从口中吐出一件宝贝，有鸡子大小，是一颗舍利子玲珑内丹。行者心中暗喜道："好东西耶！这件物不知打了多少坐工，炼了几年魔难，配了几转雌雄，炼成这颗内丹舍利。今日大有缘法，遇着老孙。"那猴子拿将过来，那里有甚么疼处，特故意摸了一摸，一指头弹将去。那妖慌了，劈手来抢。你思量，那猴子好不溜撒，把那宝贝一口吸在肚里。那妖魔揝着拳头就打，被行者一手隔住，把脸抹了一抹,现出本相,道声:"妖怪!不要无礼!你且认认看我是谁?"

那妖怪见了,大惊道:"呀!浑家,你怎么拿出这一副嘴脸来耶?"行者骂道:"我把你这个泼怪!谁是你浑家?连你祖宗也还不认得哩!"那怪忽然省悟道:"我像有些认得你哩。"行者道:"我且不打你,你再认认看。"那怪道:"我虽见你眼熟,一时间却想不起姓名。你果是谁?从那里来的?你把我浑家估倒①在何处,却来我家诈诱我的宝贝?着实无礼!可恶!"行者道:"你是也不认得我。我是唐僧的大徒弟,叫做孙悟空行者。我是你五百年前的旧祖宗哩!"那怪道:"没有这话!没有这话!我拿住唐僧时,止知他有两个徒弟,叫做猪八戒、沙和尚,何曾见有人说个姓孙的。你不知是那里来的个怪物,到此骗我!"行者道:"我不曾同他二人来,——是我师父因老孙惯打妖怪,杀伤甚多,他是个慈悲好善之人,将我逐回,故不曾同他一路行走。你是不知你祖宗名姓。"那怪道:"你好不丈夫呵!既受了师父赶逐,却有甚么嘴脸,又来见人!"行者道:"你这个泼怪,岂知'一日为师,终身为父','父子无隔宿之仇'!你伤害我师父,我怎么不来救他?你害他便也罢,却又背前面后骂我,是怎的说?"妖怪道:"我何尝骂你?"行者道:"是猪八戒说的。"那怪道:"你不要信他。那个猪八戒尖着嘴,有些会说老婆舌头,你怎听他?"行者道:"且不必讲此闲话。只说老孙今日到你家里,你好怠慢了远客。虽无酒馔款待,头却是有的。快快将头伸过来,等老孙打一棍儿,当茶!"那怪闻得说打,呵呵大笑道:"孙行者,你差了计较了!你既说要打,不该跟我进来。我这里大小群妖,还

① 估倒:犹北京话的鼓捣。搬运、挪移、藏匿的意思。

有百十。饶你满身是手,也打不出我的门去。"行者道:"不要胡说!莫说百十个,就有几千,几万,只要一个个查明白了好打,棍棍无空,教你断根绝迹!"

那怪闻言,急传号令,把那山前山后群妖,洞里洞外诸怪,一齐点起,各执器械,把那三四层门,密密拦阻不放。行者见了,满心欢喜,双手理棍,喝声叫:"变!"变的三头六臂;把金箍棒幌一幌,变做三根金箍棒。你看他六只手使着三根棒,一路打将去,好便似虎入羊群,鹰来鸡栅。可怜那小怪,汤着的,头如粉碎,刮着的,血似水流!——往来纵横,如入无人之境。止剩一个老妖,赶出门来骂道:"你这泼猴,其实惫懒!怎么上门子欺负人家!"行者急回头,用手招呼道:"你来!你来!打倒你,才是功绩!"

那怪物举宝刀,分头便砍;好行者,掣铁棒,觌面相迎。这一场,在那山顶上,半云半雾的杀哩:

> 大圣神通大,妖魔本事高。这个横理生金棒,那个斜举蘸钢刀。悠悠刀起明霞亮,轻轻棒架彩云飘。往来护顶翻多次,反复浑身转数遭。一个随风更面目,一个立地把身摇。那个大睁火眼伸猿膊,这个明幌金睛折虎腰。你来我去交锋战,刀迎棒架不相饶。猴王铁棍依《三略》[①],怪物钢刀按《六韬》。一个惯行手段为魔主,一个广施法力保唐僧。猛烈的猴王添猛烈,英豪的怪物长英豪。死生不顾空中打,都为唐僧拜佛遥。

他两个战有五六十合,不分胜负。行者心中暗喜道:"这个泼怪,他那口刀,倒也抵得住老孙的这根棒。等老孙丢个破绽与

① 《三略》:与下文的《六韬》都是古代兵书名,也代指兵法。

他，看他可认得。”好猴王，双手举棍，使一个“高探马”的势子。那怪不识是计，见有空儿，舞着宝刀，径奔下三路砍，被行者急转个“大中平”，挑开他那口刀，又使个“叶底偷桃势”，望妖精头顶一棍，就打得他无影无踪，急收棍子看处，不见了妖精。行者大惊道：“我儿啊，不禁打，就打得不见了。果是打死，好道也有些脓血，如何没一毫踪影？想是走了。”急纵身跳在云端里看处，四边更无动静。——“老孙这双眼睛，不管那里，一抹[1]都见，却怎么走得这等溜撒[2]？——我晓得了：那怪说有些儿认得我，想必不是凡间的怪，多是天上来的精。”

那大圣一时忍不住怒发，揝着铁棒，打个筋斗，只跳到南天门上。慌得那庞、刘、苟、毕、张、陶、邓、辛等众，两边躬身控背，不敢拦阻，让他打入天门，直至通明殿下。早有张、葛、许、丘四大天师问道：“大圣何来？”行者道：“因保唐僧至宝象国，有一妖魔欺骗国女，伤害吾师。老孙与他赌斗，正斗间，不见了这怪。想那怪不是凡间之怪，多是天上之精，特来查勘，那一路走了甚么妖神。”天师闻言，即进灵霄殿上启奏，蒙差查勘。九曜星官、十二元辰、东西南北中央五斗、河汉群辰、五岳四渎、普天神圣都在天上，更无一个敢离方位。又查那斗牛宫外，二十八宿，颠倒只有二十七位，内独少了奎星。

天师回奏道：“奎木狼下界了。”玉帝道：“多少时不在天了？”天师道：“四卯不到。三日点卯一次，今已十三日了。”玉帝道：“天上十三日，下界已是十三年。”即命本部收他上界。

那二十七宿星员领了旨意，出了天门，各念咒语，惊动奎星。

---

① 一抹：一瞥、一瞧。

② 溜撒：利索，麻利。

你道他在那里躲避？他原来是孙大圣大闹天宫时打怕了的神将，闪在那山涧里潜灾，被水气隐住妖云，所以不曾看见他。他听得本部星员念咒，方敢出头，随众上界。被大圣拦住天门要打，幸亏众星劝住，押见玉帝。那怪腰间取出金牌，在殿下叩头纳罪。玉帝道："奎木狼，上界有无边的胜景，你不受用，却私走一方，何也？"奎宿叩头奏道："万岁，赦臣死罪。那宝象国王公主，非凡人也。他本是披香殿侍香的玉女，因欲与臣私通，臣恐点污了天宫胜境，他思凡先下界去，托生于皇宫内院。是臣不负前期，变作妖魔，占了名山，摄他到洞府，与他配了一十三年夫妇。'一饮一啄，莫非前定'。今被孙大圣到此成功。"玉帝闻言，收了金牌，贬他去兜率宫与太上老君烧火，带俸差操①，有功复职，无功重加其罪。行者见玉帝如此发放，心中欢喜。朝上唱个大喏，又向众神道："列位，起动②了。"天师笑道："那个妖猴还是这等村俗。替他收了怪神，也倒不谢天恩，却就喏喏而退。"玉帝道："只得他无事，落得天上清平是幸。"

那大圣按落祥光，径转碗子山波月洞，寻出公主，将那思凡下界收妖的言语正然陈诉。只听得半空中八戒、沙僧厉声高叫道："师兄，有妖精，留几个儿我们打耶。"行者道："妖精已尽绝矣。"沙僧道："既把妖精打绝，无甚挂碍，将公主引入朝中去罢。不要睁眼。——兄弟们，使个缩地法来。"

那公主只闻得耳内风响，霎时间径回城里。他三人将公主带上金銮殿上，那公主参拜了父王、母后，会了姊妹，各官俱来拜见。那公主才启奏道："多亏孙长老法力无边，降了黄袍怪，救

① 带俸差操：明代对军官的一种处分。即免除职务，仍允许带着俸禄编入军队服役。差操，差使，差遣。

② 起动：意为烦劳、麻烦别人。

奴回国。”那国王问曰：“黄袍是个甚怪？”行者道：“陛下的驸马，是上界的奎星；令爱乃侍香的玉女，因思凡降落人间，不非小可，都因前世前缘，该有这些姻眷。那怪被老孙上天宫启奏玉帝，玉帝查得他四卯不到，下界十三日，就是十三年了，——盖天上一日，下界一年。——随差本部星宿，收他上界，贬在兜率宫立功去讫，老孙却救得令爱来也。”那国王谢了行者的恩德，便教：“看你师父去来。”

他三人径下宝殿，与众官到朝房里，抬出铁笼，将假虎解了铁索。别人看他是虎，独行者看他是人。原来那师父被妖术魇住，不能行走，心上明白，只是口眼难开。行者笑道：“师父呵，你是个好和尚，怎么弄出这般个恶模样来也？你怪我行凶作恶，赶我回去，你要一心向善，怎么一旦弄出个这等嘴脸？”八戒道：“哥啊，救他救儿罢。不要只管揭挑①他了。”行者道：“你凡事撺唆，是他个得意的好徒弟，你不救他，又寻老孙怎的？——原与你说来，待降了妖精，报了骂我之仇，就回去的。”沙僧近前跪下道：“哥啊，古人云：‘不看僧面看佛面。’兄长既是到此，万望救他一救。若是我们能救，也不敢许远的来奉请你也。”行者用手挽起道：“我岂有安心不救之理？快取水来。”那八戒飞星去驿中，取了行李、马匹，将紫金钵盂取出，盛水半盂，递与行者。行者接水在手，念动真言，望那虎劈头一口喷上，退了妖术，解了虎气。

长老现了原身，定性睁睛，才认得是行者，一把搀住道：“悟空！你从那里来也？”沙僧侍立左右，把那请行者，降妖精，救公主，解虎气，并回朝上项事，备陈了一遍。三藏谢之不尽，道：

① 揭挑：揭短、数落、挑剔。

"贤徒,亏了你也!亏了你也!这一去,早诣西方,径回东土,奏唐王,你的功劳第一。"行者笑道:"莫说!莫说!但不念那话儿,足感爱厚之情也。"国王闻此言,又劝谢了他四众,整治素筵,大开东阁。他师徒受了皇恩,辞王西去。国王又率多官远送。这正是:君回宝殿定江山,僧去雷音参佛祖。毕竟不知此后又有甚事,几时得到西天,且听下回分解。

第三十二回

平顶山功曹传信　莲花洞木母逢灾

话说唐僧复得了孙行者，师徒们一心同体，共诣西方。自宝象国救了公主，承君臣送出城西，说不尽沿路饥餐渴饮，夜住晓行。却又值三春景候。那时节：

轻风吹柳绿如丝，佳景最堪题。时催鸟语，暖烘花发，遍地芳菲。　　海棠庭院来双燕，正是赏春时。红尘紫陌，绮罗弦管，斗草传卮①。

师徒正行赏间，又见一山挡路，唐僧道："徒弟们仔细。前遇山高，恐有虎狼阻挡。"行者道："师父，出家人莫说在家话。你记得那乌巢和尚的《心经》云'心无挂碍；无挂碍，方无恐怖，远离颠倒梦想'之言？但只是'扫除心上垢，洗净耳边尘。不受苦中苦，难为人上人'。你莫生忧虑，但有老孙，就是塌下天来，可保无事。怕甚么虎狼！"长老勒回马道："我

当年奉旨出长安，只忆西来拜佛颜。
舍利国中金像采，浮屠塔里玉毫斑。
寻穷天下无名水，历遍人间不到山。
逐逐烟波重叠叠，几时能够此身闲？"

---

① 斗草传卮（zhī）：斗草，又称斗百草，古代民间游戏。传卮，即传杯。卮，古代酒器。

行者闻说,笑呵呵道:"师要身闲,有何难事?若功成之后,万缘都罢,诸法皆空。那时节,自然而然,却不是身闲也?"长老闻言,只得乐以忘忧,放辔催银骝,兜缰趱玉龙。

师徒们上得山来,十分险峻,真个嵯峨。好山:

巍巍峻岭,削削尖峰。湾环深涧下,孤峻陡崖边。湾环深涧下,只听得唿喇喇戏水蟒翻身;孤峻陡崖边,但见那崒嵂嵂出林虎剪尾。往上看,峦头突兀透青霄;回眼观,壑下深沉邻碧落[①]。上高来,似梯似凳;下低行,如堑如坑。真个是古怪巅峰岭,果然是连尖削壁崖。巅峰岭上,采药人寻思怕走;削壁崖前,打柴夫寸步难行。胡羊野马乱撺梭,狡兔山牛如布阵。山高蔽日遮星斗,时逢妖兽与苍狼。草径迷漫难进马,怎得雷音见佛王?

长老勒马观山,正在难行之处,只见那绿莎坡上,伫立着一个樵夫。你道他怎生打扮:

头戴一顶老蓝毡笠,身穿一领毛皂衲衣。老蓝毡笠,遮烟盖日果稀奇;毛皂衲衣,乐以忘忧真罕见。手持钢斧快磨明,刀伐干柴收束紧。担头春色,幽然四序融融;身外闲情,常是三星澹澹。到老只于随分过,有何荣辱暂关山?

那樵子:

正在坡前伐朽柴,忽逢长老自东来。

停柯住斧出林外,趋步将身上石崖。

对长老厉声高叫道:"那西进的长老!暂停片时。我有一言奉告:此山有一伙毒魔狠怪,专吃你东来西去的人哩。"

长老闻言,魂飞魄散,战兢兢坐不稳雕鞍,急回头忙呼徒弟

---

① 碧落:道教称东方第一层天叫"碧落"。后用来泛指青天。

道："你听那樵夫报道，此山有毒魔狠怪。谁敢去细问他一问？"行者道："师父放心，等老孙去问他一个端的。"

好行者，拽开步，径上山来，对樵子叫声"大哥"，道个问讯。樵夫答礼道："长老呵，你们有何缘故来此？"行者道："不瞒大哥说，我们是东土差来西天取经的。那马上是我的师父，他有些胆小。适蒙见教，说有甚么毒魔狠怪，故此我来奉问一声：那魔是几年之魔，怪是几年之怪？还是个把势[①]，还是个雏儿[②]？烦大哥老实说说，我好着山神、土地递解[③]他起身。"樵子闻言，仰天大笑道："你原来是个风和尚。"行者道："我不风阿！这是老实话。"樵子道："你说是老实，便怎敢说把他递解起身？"行者道："你这等长他那威风，胡言乱语的拦路报信，莫不是与他有亲？不亲必邻，不邻必友。"樵子笑道："你这个风泼和尚，忒没道理。我倒是好意，特来报与你们，教你们走路时，早晚间防备，你倒转赖在我身上。且莫说我不晓得妖魔出处，就晓得呵，你敢把他怎么的递解？解往何处？"行者道："若是天魔，解与玉帝；若是土魔，解与土府。西方的归佛，东方的归圣；北方的解与真武，南方的解与火德。是蛟精解与海主，是鬼祟解与阎王。——各有地头方向。我老孙到处里人熟，发一张批文，把他连夜解着飞跑。"

那樵子止不住呵呵冷笑道："你这个风泼和尚，想是在方上云游，学了些书符咒水[④]的法术，只可驱邪缚鬼，还不曾撞见这

---

① 把势：行会中专精一套武艺的叫把势。也作把式，犹如现在说有一手。这里指行家。

② 雏儿：未经世故的。这里指外行的人。

③ 递解：旧时解送犯人，由沿途官府派人一站一站押送，叫递解。

④ 书符咒水：书符，即画符。道士在特定的纸张上画出特定符号，以驱神役鬼。咒水，即对水念咒，使水达到驱邪的效果。

等狠毒的怪哩。”行者道:“怎见他狠毒?”樵子道:“此山径过有六百里远近,名唤平顶山,山中有一洞,名唤莲花洞,洞里有两个魔头。他画影图形,要捉和尚,抄名访姓,要吃唐僧。你若别处来的还好,但犯了一个‘唐’字儿,莫想去得,去得!”行者道:“我们正是唐朝来的。”樵子道:“他正要吃你们哩。”行者道:“造化!造化!但不知他怎的样吃哩?”樵子道:“你要他怎的吃?”行者道:“若是先吃头,还好耍子,若是先吃脚,就难为了。”樵子道:“先吃头怎么说?先吃脚怎么说?”行者道:“你还不曾经着哩。若是先吃头,一口将他咬下,我已死了,凭他怎么煎炒熬煮,我也不知疼痛;若是先吃脚,他啃了孤拐,嚼了腿亭,吃到腰截骨,我还急忙不死,却不是零零碎碎受苦?此所以难为也。”樵子道:“和尚,他那里有这许多工夫,只是把你拿住,捆在笼里,囫囵蒸吃了!”行者笑道:“这个更好!更好!疼倒不忍疼,只是受些闷气罢了。”樵子道:“和尚不要调嘴。那妖怪随身有五件宝贝,神通极大极广。就是擎天的玉柱,架海的金梁,若保得唐朝和尚去,也须要发发昏是。”行者道:“发几个昏么?”樵子道:“要发三四个昏是。”行者道:“不打紧,不打紧。我们一年,常发七八百个昏儿。这三四个昏儿易得发,发发儿就过去了。”

好大圣,全然无惧,一心只是要保唐僧,捽脱樵夫,拽步而转,径至山坡马头前道:“师父,没甚大事。有便有个把妖精儿,只是这里人胆小,放他在心上。有我哩,怕他怎的?走路!走路!”长老见说,只得放怀随行。

正行处,早不见了那樵夫。长老道:“那报信的樵子如何就不见了?”八戒道:“我们造化低,撞见日里鬼了。”行者道:“想是他钻进林子里寻柴去了。等我看看来。”好大圣,睁开火眼金睛,漫山越岭的望处,都无踪迹。忽抬头往云端里一看,看见是日值功曹，他就纵云赶上，骂了几声“毛鬼”，道：“你怎么有话不来直说，却那般变化了，演漾①老孙？”慌得那功曹施礼道：“大圣，报信来迟，勿罪，勿罪。那怪果然神通广大，变化多端。只看你腾那乖巧，运动神机，仔细保你师父；假若怠慢了些儿，西天路莫想去得。”

行者闻言，把功曹叱退，切切在心，按云头，径来山上。只见长老与八戒、沙僧，簇拥前进，他却暗想：“我若把功曹的言语实实告诵师父，师父他不济事，必就哭了。假若不与他实说，梦②着头，带着他走，常言道：‘乍入芦圩，不知深浅。’——倘或被妖魔捞去，却不又要老孙费心？……且等我照顾八戒一照顾，先着他出头与那怪打一仗看。若是打得过他，就算他一功；若是没手段，被怪拿去，等老孙再去救他不迟。却好显我本事出名。”正自家计较，以心问心道：“只恐八戒躲懒便不肯出头，师父又有些护短。等老孙羁勒③他羁勒。”

好大圣，你看他弄个虚头，把眼揉了一揉，揉出些泪来，迎着师父，往前径走。八戒看见，连忙叫：“沙和尚，歇下担子，拿出行李来，我两个分了罢！”沙僧道：“二哥，分怎的？”八戒道：“分了，便你往流沙河还做妖怪，老猪往高老庄上盼盼④浑家。把白马卖了，买口棺木，与师父送老⑤，大家散火。还往西天去哩？”长老在马上听见，道：“这个夯货！正走路，怎么又胡说了？”八戒道：“你儿子便胡说！你不看见孙行者那里哭将来了？他是

① 演漾：同“演样”，即迷惑。
② 梦：同“矇”。这里作蒙、闷解释。
③ 羁勒：束缚。这里有捉弄、为难的意思。
④ 盼盼：看看。
⑤ 送老：埋葬、送终。

个钻天入地,斧砍火烧,下油锅都不怕的好汉,如今戴了个愁帽,泪汪汪的哭来,必是那山险峻,妖怪凶狠。似我们这样软弱的人儿,怎么去得?”长老道:“你且休胡谈。待我问他一声,看是怎么说话。”问道:“悟空,有甚话当面计较。你怎么自家烦恼?这般样个哭包脸,是虎唬我也?”行者道:“师父啊,刚才那个报信的,是日值功曹。他说妖精凶狠,此处难行,果然的山高路峻,不能前进。改日再去罢。”长老闻言,恐惶悚惧,扯住他虎皮裙子道:“徒弟呀,我们三停路已走了停半,因何说退悔之言?”行者道:“我没个不尽心的,但只恐魔多力弱,行势孤单。‘总然是块铁,下炉能打得几根钉?’”长老道:“徒弟呵,你也说得是,果然一个人也难。兵书云:‘寡不可敌众。’我这里还有八戒、沙僧,都是徒弟,凭你调度使用,或为护将帮手,协力同心,扫清山径,领我过山,却不都还了正果?”

那行者这一场扭捏,只逗出长老这几句话来。他揾了泪道:“师父呵,若要过得此山,须是猪八戒依得我两件事儿,才有三分去得。假若不依我言,替不得我手,半分儿也莫想过去。”八戒道:“师兄,不去就散火罢,不要攀我。”长老道:“徒弟,且问你师兄,看他教你做甚么。”呆子真个对行者说道:“哥哥,你教我做甚事?”行者道:“第一件是看师父,第二件是去巡山。”八戒道:“看师父是坐,巡山去是走,终不然教我坐一会又走,走一会又坐。两处怎么顾盼得来?”行者道:“不是教你两件齐干,只是领了一件便罢。”八戒又笑道:“这等也好计较。但不知看师父是怎样,巡山是怎样。你先与我讲讲,等我依个相应些儿的去干罢。”行者道:“看师父呵:师父去出恭,你伺候;师父要走路,你扶持;师父要吃斋,你化斋。若他饿了些儿,你该打;黄了些儿脸皮,你该打;瘦了些儿形骸,你该打。”八戒慌了道:“这个难!

难！难！伺候扶持，通不打紧，就是不离身驮着，也还容易；假若教我去乡下化斋，他这西方路上，不识我是取经的和尚，只道是那山里走出来的一个半壮不壮的健猪，伙上许多人，叉钯扫帚，把老猪围倒，拿家去宰了，腌着过年，这个却不就遭瘟了？”行者道：“巡山去罢。”八戒道：“巡山便怎么样儿？”行者道：“就入此山，打听有多少妖怪，是甚么山，是甚么洞，我们好过去。”八戒道：“这个小可，老猪去巡山罢。”那呆子就撒起衣裙，挺着钉钯，雄纠纠，径入深山，气昂昂，奔上大路。

行者在旁，忍不住嘻嘻冷笑。长老骂道：“你这个泼猴！兄弟们全无爱怜之意，常怀嫉妒之心。你做出这样獐智，巧言令色，撮弄他去甚么巡山，却又在这里笑他！”行者道：“不是笑他，我这笑中有味。你看猪八戒这一去，决不巡山，也不敢见妖怪，不知往那里去躲闪半会，捏一个谎来，哄我们也。”长老道：“你怎么就晓得他？”行者道：“我估出他是这等。不信，等我跟他去看看，听他一听，一则帮副①他手段降妖，二来看他可有个诚心拜佛。”长老道：“好！好！好！你却莫去捉弄他。”行者应诺了，径直赶上山坡，摇身一变，变作个蟭蟟虫儿。其实变得轻巧。但见他：

翅薄舞风不用力，腰尖细小如针。穿蒲抹草过花阴，疾似流星还甚。眼睛明映映，声气渺瘖瘖。昆虫之类惟他小，亭亭款款机深。几番闲日歇幽林，一身浑不见，千眼莫能寻。

嘤的一翅飞将去，赶上八戒，丁在他耳朵后面鬃根底下。那呆子只管走路，怎知道身上有人，行有七八里路，把钉钯撇下，吊转头来，望着唐僧，指手画脚的骂道：“你罢软的老和尚，捉掐②的弼

① 帮副：帮附，协助。

② 捉掐：就是促狭。缺德的意思。

马温，面弱的沙和尚！他都在那里自在，捉弄我老猪来蹡路！大家取经，都要望成正果，偏是教我来巡甚么山！哈！哈！哈！晓得有妖怪，躲着些儿走。还不够一半，却教我去寻他，这等晦气哩！我往那里睡觉去，睡一觉回去，含含糊糊的答应他，只说是巡了山，就了其帐也。”那呆子一时间侥幸，搴着钯又走。只见山凹里一弯红草坡，他一头钻得进去，使钉钯扑个地铺，毂辘的睡下，把腰伸了一伸，道声：“快活！就是那弼马温，也不得像我这般自在！”原来行者在他耳根后，句句儿听着哩，忍不住，飞将起来，又捉弄他一捉弄。又摇身一变，变作个啄木虫儿。但见：

铁嘴尖尖红溜，翠翎艳艳光明。一双钢爪利如钉，腹馁何妨林静。　最爱枯槎朽烂，偏嫌老树伶仃。圜睛决尾[1]性丢灵[2]，辟剥之声堪听。

这虫鹥[3]不大不小的，上秤称，只有二三两重；红铜嘴，黑铁脚，刷刺的一翅飞下来。那八戒丢倒头，正睡着了，被他照嘴唇上扢揸的一下。那呆子慌得爬将起来，口里乱嚷道：“有妖怪！有妖怪！把我戳了一枪去了！嘴上好不疼呀！”伸手摸摸，泱出血来了。他道：“蹭蹬呵！我又没甚喜事，怎么嘴上挂了红耶？”他看着这血手，口里絮絮叨叨的两边乱看，却不见动静，道：“无甚妖怪，怎么戳我一枪么？”忽抬头往上看时，原来是个啄木虫，在半空中飞哩。呆子咬牙骂道：“这个亡人！弼马温欺负我罢了，你也来欺负我！——我晓得了，他一定不认我是个人，只把我嘴当一段黑朽枯烂的树，内中生了虫，寻虫儿吃的，将我啄了这一下也。等我把嘴揣在怀里睡罢。”那呆子毂辘的依然睡倒。

① 决尾：尾巴张开。
② 丢灵：活溜、灵巧。
③ 虫鹥(yī)：指飞禽。《水浒》作虫蚁。

行者又飞来，着耳根后又啄了一下。呆子慌得爬起来道："这个亡人，却打搅得我很！想必这里是他的窠巢，生蛋布雏，怕我占了，故此这般打搅。罢！罢！罢！不睡他了！"搴着钯，径出红草坡，找路又走。可不喜坏了孙行者，笑倒个美猴王。行者道："这夯货大睁着两个眼，连自家人也认不得！"

好大圣，摇身又一变，还变做个蟭蟟虫，丁在他耳朵后面，不离他身上。那呆子入深山，又行有四五里，只见山凹中有桌面大的四四方方三块青石头。呆子放下钯，对石头唱个大喏。行者暗笑道："这呆子！石头又不是人，又不会说话，又不会还礼，唱他喏怎的，可不是个瞎帐①？"原来那呆子把石头当着唐僧、沙僧、行者三人，朝着他演习哩。他道："我这回去，见了师父，若问有妖怪，就说有妖怪。他问甚么山，——我若说是泥捏的，土做的，锡打的，铜铸的，面蒸的，纸糊的，笔画的，他们见说我呆哩，若讲这话，一发说呆了，——我只说是石头山。他问甚么洞，也只说是石头洞。他问甚么门，却说是钉钉的铁叶门。他问里边有多远，只说入内有三层。——十分再搜寻，问门上钉子多少，只说老猪心忙记不真。此间编造停当，哄那弼马温去！"

那呆子捏合了，拖着钯，径回本路。怎知行者在耳朵后，一一听得明白。行者见他回来，即腾两翅预先回去，现原身，见了师父。师父道："悟空，你来了，悟能怎不见回？"行者笑道："他在那里编谎哩。就待来也。"长老道："他两个耳朵盖着眼，愚拙之人也。他会编甚么谎？又是你捏合甚么鬼话赖他哩。"行者道："师父，你只是这等护短。这是有对问的话。"把他那钻在草里睡觉，被啄木虫叮醒，朝石头唱喏，编造甚么石头山、石头洞、

① 瞎帐：浑帐、糊涂。

铁叶门、有妖精的话,预先说了。说毕,不多时,那呆子走将来;又怕忘了那谎,低着头,口里温习。被行者喝了一声道:“呆子!念甚么哩?”八戒掀起耳朵来看看道:“我到了地头了!”那呆子上前跪倒,长老搀起道:“徒弟,辛苦啊。”八戒道:“正是。走路的人,爬山的人,第一辛苦了。”长老道:“可有妖怪么?”八戒道:“有妖怪!有妖怪!一堆妖怪哩!”长老道:“怎么打发你来?”八戒说:“他叫我做猪祖宗,猪外公,安排些粉汤素食,教我吃了一顿,说道摆旗鼓送我们过山哩。”行者道:“想是在草里睡着了,说得是梦话?”呆子闻言,就吓得矮了二寸道:“爷爷呀!我睡他怎么晓得?……”行者上前,一把揪住道:“你过来,等我问你。”呆子又慌了,战战兢兢的道:“问便罢了,揪扯怎的?”行者道:“是甚么山?”八戒道:“是石头山。”——“甚么洞?”道:“是石头洞。”——“甚么门?”道:“是钉钉铁叶门。”——“里边有多远?”道:“入内是三层。”行者道:“你不消说了,后半截我记得真。恐师父不信,我替你说了罢。”八戒道:“嘴脸!你又不曾去,你晓得那些儿,要替我说?”行者笑道:“‘门上钉子有多少,只说老猪心忙记不真。’可是么?”那呆子即慌忙跪倒。行者道:“朝着石头唱喏,当做我三人,对他一问一答。可是么?又说:‘等我编得谎儿停当,哄那弼马温去!’可是么?”那呆子连忙只是磕头道:“师兄,我去巡山,你莫成跟我去听的?”行者骂道:“我把你个馕糠的夯货!这般要紧的所在,教你去巡山,你却去睡觉!不是啄木虫叮你醒来,你还在那里睡哩。及叮醒,又编这样大谎,可不误了大事?你快伸过孤拐来,打五棍记心!”

八戒慌了道:“那个哭丧棒重,擦一擦儿皮塌,挽一挽儿筋伤,若打五下,就是死了!”行者道:“你怕打,却怎么扯谎?”八戒道:“哥哥呀,只是这一遭儿,以后再不敢了。”行者道:“一遭便打三棍罢。”八戒道：“爷爷呀，半棍儿也禁不得！”呆子没计奈何，扯住师父道：“你替我说个方便儿。”长老道：“悟空说你编谎，我还不信。今果如此，其实该打。——但如今过山少人使唤，悟空，你且饶他，待过了山再打罢。”行者道：“古人云：‘顺父母言情，呼为大孝。’师父说不打，我就且饶你。你再去与他巡山。若再说谎误事，我定一下也不饶你！”

那呆子只得爬起来又去。你看他奔上大路，疑心生暗鬼，步步只疑是行者变化了跟住他，故见一物，即疑是行者。走有七八里，见一只老虎从山坡上跑过，他也不怕，举着钉钯道：“师兄来听说谎的？这遭不编了。”又走处，那山风来得甚猛，呼的一声，把棵枯木刮倒，滚至面前，他又跌脚捶胸的道：“哥啊！这是怎的起！一行说不敢编谎罢了，又变甚么树来打人！”又走向前，只见一个白颈老鸦，当头喳喳的连叫几声，他又道：“哥哥，不羞！不羞！我说不编就不编了，只管又变着老鸦怎的？你来听么？”原来这一番行者却不曾跟他去，他那里却自惊自怪，乱疑乱猜，故无往而不疑是行者随他身也。呆子惊疑且不题。

却说那山叫做平顶山，那洞叫做莲花洞。洞里两妖，一唤金角大王，一唤银角大王，金角正坐对银角说：“兄弟，我们多少时不巡山了？”银角道：“有半个月了。”金角道：“兄弟，你今日与我去巡巡。”银角道：“今日巡山怎的？”金角道：“你不知，近闻得东土唐朝差个御弟唐僧往西方拜佛，一行四众，叫做孙行者、猪八戒、沙和尚，连马五口。你看他在那处，与我把他拿来。”银角道：“我们要吃人，那里不捞几个？这和尚到得那里，让他去罢。”金角道：“你不晓得，我当年出天界，尝闻得人言，唐僧乃金蝉长老临凡，十世修行的好人，一点元阳未泄。有人吃他肉，延寿长生哩。”银角道：“若是吃了他肉就可以延寿长生，我们打甚么坐，立甚么功，炼甚么龙与虎，配甚么雌与雄？只该吃他去了。等我去拿他来。”金角道：“兄弟，你有些性急，且莫忙着。你若走出门，不管好歹，但是和尚就拿将来，假如不是唐僧，却也不当人子。我记得他的模样，曾将他师徒画了一个影，图了一个形，你可拿去。但遇着和尚，以此照验照验。”又将某人是某名字，一一说了。银角得了图像，知道姓名，即出洞，点起三十名小怪，便来山上巡逻。

却说八戒运拙，正行处，可可的撞见群魔，当面挡住道：“那来的甚么人？”呆子才抬起头来，掀着耳朵，看见是些妖魔，他就慌了，心中暗道：“我若说是取经的和尚，他就捞了去。”只是说：“走路的。”小妖回报道：“大王，是走路的。”那三十名小怪，中间有认得的，有不认得的，旁边有听着指点说话的，道：“大王，这个和尚，像这图中猪八戒模样。”叫挂起影神图①来。八戒看见，大惊道：“怪道这些时没精神哩！原来是他把我的影神传将来也！”小妖用枪挑着，银角用手指道：“这骑白马的是唐僧，这毛脸的是孙行者。”八戒听见道：“城隍，没我便也罢了，猪头三牲，清醮二十四分。……”口里唠叨，只管许愿。那怪又道：“这黑长的是沙和尚，这长嘴大耳的是猪八戒。”呆子听见说他，慌得把个嘴揣在怀里藏了。那怪叫：“和尚，伸出嘴来！”八戒道：“胎里病，伸不出来。”那怪令小妖使钩子钩出来。八戒慌得把个嘴伸出道：“小家形。罢了，这不是？你要看便就看，钩怎的？”

那怪认得是八戒，掣出宝剑，上前就砍。这呆子举钉钯按住

① 影神图：即画像。旧时认为被人画像会被摄魂。故下面八戒说自己“这些时没精神”。

道："我的儿，休无礼！看钯！"那怪笑道："这和尚是半路出家的。"八戒道："好儿子！有些灵性！你怎么就晓得老爷是半路出家的？"那怪道："你会使这钯，一定是在人家园圃中筑地，把他这钯偷将来也。"八戒道："我的儿，你那里认得老爷这钯。我不比那筑地之钯。这是：

巨齿铸来如龙爪，渗金妆就似虎形。
若逢对敌寒风洒，但遇相持火焰生。
能替唐僧消瘴碍，西天路上捉妖精。
抡动烟霞遮日月，使起昏云暗斗星。
筑倒泰山老虎怕，掀翻大海老龙惊。
饶你这妖有手段，一钯九个血窟窿！"

那怪闻言，那里肯让，使七星剑，丢开解数，与八戒一往一来，在山中赌斗有二十回合，不分胜负。八戒发起狠来，舍死的相迎。那怪见他拃耳朵，喷粘涎，舞钉钯，口里吆吆喝喝的，也尽有些悚惧，即回头招呼小怪一齐动手。若是一个打一个，其实还好，他见那些小妖齐上，慌了手脚，遮架不住，败了阵，回头就跑。原来是道路不平，未曾细看，忽被蓏萝藤绊了个踉蹡。挣起来正走，又被一个小妖睡倒在地，扳着他脚跟，扑的又跌了个狗吃屎，被一群赶上按住，抓鬃毛，揪耳朵，扯着脚，拉着尾，扛扛抬抬，擒进洞去。咦！正是：一身魔发难消灭，万种灾生不易除。毕竟不知猪八戒性命如何，且听下回分解。

第三十三回

外道迷真性　元神助本心

却说那怪将八戒拿进洞去，道："哥哥啊，拿将一个来了。"老魔喜道："拿来我看。"二魔道："这不是？"老魔道："兄弟，错拿了，这个和尚没用。"八戒就绰经说道："大王，没用的和尚，放他出去罢。不当人子！"二魔道："哥哥，不要放他，虽然没用，也是唐僧一起的，叫做猪八戒。把他且浸在后边净水池中，浸退了毛衣，使盐腌着，晒干了，等天阴下酒。"八戒听言道："蹭蹬啊！撞着个贩腌腊的妖怪了！"那小妖把八戒抬进去，抛在水里不题。

却说三藏坐在坡前，耳热眼跳，身体不安，叫声："悟空！怎么悟能这番巡山，去之久而不来？"行者道："师父还不晓得他的心哩。"三藏道："他有甚心？"行者道："师父啊，此山若是有怪，他半步难行，一定虚张声势，跑将回来报我；想是无怪，路途平静，他一直去了。"三藏道："假若真个去了，却在那里相会？此间乃是山野空阔之处，比不得那店市城井之间。"行者道："师父莫虑，且请上马。那呆子有些懒惰，断然走的迟慢，你把马打动些儿，我们定赶上他，一同去罢。"真个唐僧上马，沙僧挑担，行者前面引路上山。

却说那老怪又唤二魔道："兄弟，你既拿了八戒，断乎就有唐僧。再去巡巡山来，切莫放过他去。"二魔道："就行，就行。"你看他急点起五十名小妖，上山巡逻。

正走处，只见祥云缥缈，瑞气盘旋。二魔道："唐僧来了。"众妖道："唐僧在那里？"二魔道："好人头上祥云照顶，恶人头上黑气冲天。那唐僧原是金蝉长老临凡，十世修行的好人，所以有这祥云缥缈。"众怪都不看见，二魔用手指道："那不是？"那三藏就在马上打了一个寒噤；又一指，又打个寒噤。一连指了三指，他就一连打了三个寒噤，心神不宁道："徒弟呵，我怎么打寒噤么？"沙僧道："打寒噤想是伤食病发了。"行者道："胡说，师父是走着这深山峻岭，必然小心虚惊。莫怕！莫怕！等老孙把棒打一路与你压压惊。"好行者，理开棒，在马前丢几个解数，上三下四，左五右六，尽按那《六韬》、《三略》，使起神通。那长老在马上观之，真个是寰中少有，世上全无。

剖开路一直前行，险些儿不唬倒那怪物。他在山顶上看见，魂飞魄丧，忽失声道："几年间闻说孙行者，今日才知话不虚传果是真。"众怪上前道："大王，怎么长他人之志气，灭自己之威风？你夸谁哩？"二魔道："孙行者神通广大，那唐僧吃他不成。"众怪道："大王，你没手段，等我们着几个去报大大王，教他点起本洞大小兵来，摆开阵势，合力齐心，怕他走了那里去！"二魔道："你们不曾见他那条铁棒，有万夫不当之勇。我洞中不过有四五百兵，怎禁得他那一棒？"众妖道："这等说，唐僧吃不成，却不把猪八戒错拿了？如今送还他罢。"二魔道："拿便也不曾错拿，送便也不好轻送。唐僧终是要吃，只是眼下还尚不能。"众妖道："这般说，还过几年么？"二魔道："也不消几年。我看见那唐僧，只可善图，不可恶取。若要倚势拿他，闻也不得一闻。只可以善去感他，赚得他心与我心相合，却就善中取计，可以图之。"众妖道："大王如定计拿他，可用我等？"二魔道："你们都各回本寨，但不许报与大王知道。若是惊动了他，必然走了风汛，败了我计策。我自有个神通变化,可以拿他。”

众妖散去,他独跳下山来,在那道路之旁,摇身一变,变做个年老的道者。真个是怎生打扮?但见他:

星冠晃亮,鹤发蓬松。羽衣围绣带,云履缀黄棕。神清目朗如仙客,体健身轻似寿翁。说甚么青牛道士,也强如素券先生。妆成假像如真像,捏作虚情似实情。

他在那大路旁妆做个跌折腿的道士,脚上血淋津,口里哼哼的,只叫:“救人!救人!”

却说这三藏仗着孙大圣与沙僧,欢喜前来。正行处,只听得叫:“师父救人!”三藏闻得,道:“善哉!善哉!这旷野山中,四下里更无村舍,是甚么人叫?想必是虎豹狼虫唬倒的。”这长老兜回骏马,叫道:“那有难者是甚人?可出来。”这怪从草科里爬出,对长老马前,乒乓的只情磕头。三藏在马上见他是个道者,却又年纪高大,甚不过意,连忙下马搀道:“请起,请起。”那怪道:“疼!疼!疼!”丢了手看处,只见他脚上流血。三藏惊问道:“先生呵,你从那里来?因甚伤了尊足?”那怪巧语花言,虚情假意道:“师父呵,此山西去,有一座清幽观宇。我是那观里的道士。”三藏道:“你不在本观中侍奉香火,演习经法,为何在此闲行?”那魔道:“因前日山南里施主家,邀道众禳星①,散福来晚。我师徒二人一路而行,行至深衢,忽遇着一只斑斓猛虎,将我徒弟衔去。贫道战兢兢的亡命奔走,一跤跌在乱石坡上,伤了腿足,不知回路。今日大有天缘,得遇师父。万望师父大发慈悲,救我一命。若得到观中,就是典身卖命,一定重谢深恩。”三藏闻言,认为真实,道:“先生呵,你我都是一命之人。我是僧,

① 禳(ráng)星:道教一种驱除邪恶煞星的法事。

你是道，衣冠虽别，修行之理则同。我不救你呵，就不是出家之辈。——救便救你，你却走不得路哩。”那怪道：“立也立不起来，怎生走路？”三藏道：“也罢，也罢。我还走得路，将马让与你骑一程，到你上宫，还我马去罢。”那怪道：“师父，感蒙厚情，只是腿胯跌伤，不能骑马。”三藏道：“正是。”叫沙和尚：“你把行李捎在我马上，你驮他一程罢。”沙僧道：“我驮他。”

那怪急回头抹①了他一眼，道：“师父呵，我被那猛虎唬怕了，见这晦气色脸的师父，愈加惊怕，不敢要他驮。”三藏叫道：“悟空，你驮罢。”行者连声答应道：“我驮！我驮！”那妖就认定了行者，顺顺的要他驮，再不言语。沙僧笑道：“这个没眼色的老道！我驮着不好，颠倒要他驮。他若看不见师父时，三尖石上，把筋都掼断了你的哩！”行者驮了，口中笑道：“你这个泼魔，怎么敢来惹我！你也问问老孙是几年的人儿！你这般鬼话儿，只好瞒唐僧，又好来瞒我？我认得你是这山中的怪物，想是要吃我师父哩。我师父又非是等闲之辈，是你吃的！你要吃他，也须是分多一半与老孙是。”那魔闻得行者口中念诵，道：“师父，我是好人家儿孙，做了道士。今日不幸，遇着虎狼之厄。我不是妖怪。”行者道：“你既怕虎狼，怎么不念《北斗经》？”三藏正然上马，闻得此言，骂道：“这个泼猴！‘救人一命，胜造七级浮屠’。你驮他驮儿便罢了，且讲甚么‘北斗经’、‘南斗经’！”行者闻言道：“这厮造化哩！我那师父是个慈悲好善之人，又有些外好里枒槎②。我待不驮你，他就怪我。驮便驮，须要与你讲开：若是

① 抹：这里指盯、瞟、睃。犹现在说瞄。后文第五十二回的抹字，则做撸、勒解释。

② 外好里枒槎：形容人外面看去不错，内里却很难缠。这里含有对外人好、对自己人苛刻之意。

大小便,先和我说。若在脊梁上淋下来,臊气不堪,且污了我的衣服,没人浆洗。”那怪道:“我这般一把子年纪,岂不知你的话说?”行者才拉将起来,背在身上,同长老、沙僧,奔大路西行。那山上高低不平之处,行者留心慢走,让唐僧前去。

行不上三五里路,师父与沙僧下了山凹之中,行者却望不见,心中埋怨道:“师父偌大年纪,再不晓得事体。这等远路,就是空身子也还嫌手重,恨不得捽了,却又教我驮着这个妖怪!——莫说他是妖怪,就是好人,这们年纪,也死得着了。掼杀他罢,驮他怎的?”这大圣正算计要掼,原来那怪就知道了,且会遣山,就使一个“移山倒海”的法术,就在行者背上捻诀,念动真言,把一座须弥山遣在空中,劈头来压行者。这大圣慌的把头偏一偏,压在左肩臂上,笑道:“我的儿,你使甚么重身法来压老孙哩?这个倒也不怕,只是‘正担好挑,偏担儿难挨’。”那魔道:“一座山压他不住!”却又念咒语,把一座峨眉山遣在空中来压。行者又把头偏一偏,压在右肩臂上。看他挑着两座大山,飞星来赶师父!那魔头看见,就吓得浑身是汗,遍体生津道:“他却会担山!”又整性情,把真言念动,将一座泰山遣在空中,劈头压住行者。那大圣力软筋麻,遭逢他这泰山下顶之法,只压得三尸神咋,七窍喷红。

好妖魔,使神通压倒行者,却疾驾长风,去赶唐三藏,就于云端里伸下手来,马上挝①人。慌得个沙僧丢了行李,掣出降妖棒,当头挡住。那妖魔举一口七星剑,对面来迎。这一场好杀:

七星剑,降妖杖,万映金光如闪亮。这个圜眼凶如黑杀神,那个铁脸真是卷帘将。那怪山前大显能,一心要捉唐三

---

① 挝(zhuā):同“抓”。

藏。这个努力保真僧，一心宁死不肯放。他两个喷云暖雾
照天宫，播土扬尘遮斗象。杀得那一轮红日淡无光，大地乾
坤昏荡荡。来往相持八九回，不期战败沙和尚。

那魔十分凶猛，使口宝剑，流星的解数滚来，把个沙僧战得软弱难搪，回头要走，早被他逼住宝杖，抡开大手，挝住沙僧，挟在左胁下，将右手去马上拿了三藏，脚尖儿钩着行李，张开口，咬着马鬃，使起摄法，把他们一阵风，都拿到莲花洞里，厉声高叫道："哥哥！这和尚都拿来了！"

老魔闻言，大喜道："拿来我看。"二魔道："这不是？"老魔道："贤弟呀，又错拿来了也。"二魔道："你说拿唐僧的。"老魔道："是便就是唐僧，只是还不曾拿住那有手段的孙行者。须是拿住他，才好吃唐僧哩。若不曾拿得他，切莫动他的人。那猴王神通广大，变化多般。我们若吃了他师父，他肯甘心？来那门前吵闹，莫想能得安生。"二魔笑道："哥呵，你也忒会抬举人。若依你夸奖他，天上少有，地上全无；自我观之，也只如此，没甚手段。"老魔道："你拿住了？"二魔道："他已被我遣三座大山压在山下，寸步不能举移。所以才把唐僧、沙和尚连马、行李，都摄将来也。"那老魔闻言，满心欢喜道："造化！造化！拿住这厮，唐僧才是我们口里的食哩。"叫小妖："快安排酒来，且与你二大王奉一个得功的杯儿。"二魔道："哥哥，且不要吃酒，叫小的们把猪八戒捞上水来吊起。"遂把八戒吊在东廊，沙僧吊在西边，唐僧吊在中间，白马送在槽上，行李收将进去。

老魔笑道："贤弟好手段，两次捉了三个和尚！但孙行者虽是有山压住，也须要作个法，怎么拿他来凑蒸，才好哩。"二魔道："兄长请坐。若要拿孙行者，不消我们动身，只教两个小妖，拿两件宝贝，把他装将来罢。"老魔道："拿甚么宝贝去？"二魔

道:"拿我的紫金红葫芦,你的羊脂玉净瓶。"老魔将宝贝取出道:"差那两个去?"二魔道:"差精细鬼、伶俐虫二人去。"分付道:"你两个拿着这宝贝,径至高山绝顶,将底儿朝天,口儿朝地,叫一声'孙行者',他若应了,就已装在里面。随即贴上'太上老君急急如律令奉敕'的帖儿,他就一时三刻化为脓了。"二小妖叩头,将宝贝领出去拿行者不题。

却说那大圣被魔使法压住在山根之下,遇苦思三藏,逢灾念圣僧,厉声叫道:"师父啊!想当时你到两界山,揭了压帖,老孙脱了大难,秉教沙门;感菩萨赐与法旨,我和你同住同修,同缘同相,同见同知。怎想到了此处,遭逢魔障,又被他遣山压了。可怜!可怜!你死该当,只难为沙僧、八戒与那小龙化马一场!这正是树大招风风撼树,人为名高名丧人!"叹罢,那珠泪如雨。

早惊了山神、土地与五方揭谛神众,会金头揭谛道:"这山是谁的?"土地道:"是我们的。""你山下压的是谁?"土地道:"不知是谁。"揭谛道:"你等原来不知。这压的是五百年前大闹天宫的齐天大圣孙悟空行者,如今皈依正果,跟唐僧做了徒弟。你怎么把山借与妖魔压他?你们是死了。他若有一日脱身出来,他肯饶你!就是从轻,土地也问个摆站,山神也问个充军,我们也领个大不应①是。"那山神、土地才怕道:"委实不知,不知。只听得那魔头念起遣山咒法,我们就把山移将来了。谁晓得是孙大圣?"揭谛道:"你且休怕。律上有云:'不知者不坐②。'我与你计较,放他出来,不要教他动手打我们。"土地道:"就没理

① 不应:即"不应为",指律法虽然没有规定,但依照情理不应该做的事。

② 坐:定罪。

了,既放出来又打?”揭谛道:“你不知他有一条如意金箍棒,十分利害:打着的就死,挽着的就伤;磕一磕儿筋断,擦一擦儿皮塌哩!”

那土地、山神心中恐惧,与五方揭谛商议了,却来到三山门外叫道:“大圣!山神、土地、五方揭谛来见。”好行者,他虎瘦雄心还在,自然的气象昂昂,声音朗朗道:“见我怎的?”土地道:“告大圣得知:遣开山,请大圣出来,赦小神不恭之罪。”行者道:“遣开山,不打你。”喝声:“起去!”就如官府发放一般。那众神念动真言咒语,把山仍遣归本位,放起行者。行者跳将起来,抖抖土,束束裙,耳后掣出棒来,叫山神、土地:“都伸过孤拐来,每人先打两下,与老孙散散闷!”众神大惊道:“刚才大圣已分付,恕我等之罪,怎么出来就变了言语要打?”行者道:“好土地!好山神!你倒不怕老孙,却怕妖怪!”土地道:“那魔神通广大,法术高强,念动真言咒语,拘唤我等在他洞里,一日一个轮流当值哩!”

行者听见“当值”二字,却也心惊,仰面朝天,高声大叫道:“苍天!苍天!自那混沌初分,天开地辟,花果山生了我。我也曾遍访明师,传授长生秘诀。想我那随风变化,伏虎降龙,大闹天宫,名称大圣,更不曾把山神、土地欺心使唤。今日这个妖魔无状,怎敢把山神、土地唤为奴仆,替他轮流当值?天啊!既生老孙,怎么又生此辈?”

那大圣正感叹间,又见山凹里霞光焰焰而来。行者道:“山神、土地,你既在这洞中当值,那放光的是甚物件?”土地道:“那是妖魔的宝贝放光,想是有妖精拿宝贝来降你。”行者道:“这个却好耍子儿啊!我且问你,他这洞中有甚人与他相往?”土地道:“他爱的是烧丹炼药,喜的是全真道人。”行者道:“怪道他变个老道士，把我师父骗去了。既这等，你都且记打，回去罢。等老孙自家拿他。"那众神俱腾空而散。

这大圣摇身一变，变做个老真人。你道他怎生打扮：

头挽双髽髻，身穿百衲衣。
手敲渔鼓简，腰系吕公绦。
斜倚大路下，专候小魔妖。
顷刻妖来到，猴王暗放刁。

不多时，那两个小妖到了。行者将金箍棒伸开，那妖不曾防备，绊着脚，扑的一跌。爬起来，才看见行者，口里嚷道："惫懒！惫懒！若不是我大王敬重你这行人，就和比较①起来。"行者陪笑道："比较甚么？道人见道人，都是一家人。"那怪道："你怎么睡在这里，绊我一跌？"行者道："小道童见我这老道人，要跌一跌儿做见面钱。"那妖道："我大王见面钱只要几两银子，你怎么跌一跌儿做见面钱？你别是一乡风，决不是我这里道士。"行者道："我当真不是。我是蓬莱山来的。"那妖道："蓬莱山是海岛神仙境界。"行者道："我不是神仙，谁是神仙？"那妖却回嗔作喜，上前道："老神仙，老神仙！我等肉眼凡胎，不能识认，言语冲撞，莫怪，莫怪。"行者道："我不怪你。常言道'仙体不踏凡地'，你怎知之？我今日到你山上，要度一个成仙了道的好人。那个肯跟我去？"精细鬼道："师父，我跟你去。"伶俐虫道："师父，我跟你去。"

行者明知故问道："你二位从那里来的？"那怪道："自莲花洞来的。""要往那里去？"那怪道："奉我大王教命，拿孙行者去的。""拿那个？"那怪又道："拿孙行者。"孙行者道："可是跟唐

① 比较：较量、计较。

僧取经的那个孙行者么?”那妖道:“正是,正是。你也认得他?”行者道:“那猴子有些无礼,我认得他,我也有些恼他。我与你同拿他去,就当与你助功。”那怪道:“师父,不须你助功。我二大王有些法术,遣了三座大山把他压在山下,寸步难移,教我两个拿宝贝来装他的。”行者道:“是甚宝贝?”精细鬼道:“我的是红葫芦,他的是玉净瓶。”行者道:“怎么样装他?”小妖道:“把这宝贝的底儿朝天,口儿朝地,叫他一声,他若应了,就装在里面,贴上一张‘太上老君急急如律令奉敕’的帖子,他就一时三刻化为脓了。”行者见说,心中暗惊道:“利害!利害!当时日值功曹报信,说有五件宝贝,这是两件了,不知那三件又是甚么东西?……”行者笑道:“二位,你把宝贝借我看看。”那小妖那知甚么诀窍,就于袖中取出两件宝贝,双手递与行者。行者见了,心中暗喜道:“好东西!好东西!我若把尾子一抉①,嗖的跳起走了,只当是送老孙。”忽又思道:“不好!不好!抢便抢去,只是坏了老孙的名头,这叫做白日抢夺了。”复递与他去,道:“你还不曾见我的宝贝哩。”那怪道:“师父有甚宝贝?也借与我凡人看看压灾。”

好行者,伸下手把尾上毫毛拔了一根,捻一捻,叫:“变!”即变做一个一尺七寸长的大紫金红葫芦,自腰里拿将出来道:“你看我的葫芦么?”那伶俐虫接在手,看了道:“师父,你这葫芦长大,有样范,好看,——却只是不中用。”行者道:“怎的不中用?”那怪道:“我这两件宝贝,每一个可装千人哩。”行者道:“你这装人的,何足稀罕?我这葫芦,连天都装在里面哩!”那怪道:“就可以装天?”行者道:“当真的装天。”那怪道:“只怕是谎。就装

① 抉:同“撅”。

与我们看看才信,不然,决不信你。”行者道:“天若恼着我,一月之间,常装他七八遭;不恼着我,就半年也不装他一次。”伶俐虫道:“哥啊,装天的宝贝,与他换了罢。”精细鬼道:“他装天的,怎肯与我装人的相换?”伶俐虫道:“若不肯啊,贴他这个净瓶也罢。”行者心中暗喜道:“葫芦换葫芦,馀外贴净瓶。一件换两件,其实甚相应!”即上前扯住那伶俐虫道:“装天可换么?”那怪道:“但装天就换,不换,我是你的儿子!”行者道:“也罢,也罢,我装与你们看看。”

好大圣,低头捻诀,念个咒语,叫那日游神、夜游神、五方揭谛神:“即去与我奏上玉帝,说老孙皈依正果,保唐僧去西天取经,路阻高山,师逢苦厄。妖魔那宝,吾欲诱他换之。万千拜上,将天借与老孙装闭半个时辰,以助成功。若道半声不肯,即上灵霄殿,动起刀兵!”

那日游神径至南天门里,灵霄殿下,启奏玉帝,备言前事。玉帝道:“这泼猴头,出言无状。前者观音来说,放了他保护唐僧,朕这里又差五方揭谛、四值功曹,轮流护持,如今又借天装,天可装乎?”才说装不得,那班中闪出哪吒三太子,奏道:“万岁,天也装得。”玉帝道:“天怎样装?”哪吒道:“自混沌初分,以轻清为天,重浊为地。天是一团清气而扶托瑶天宫阙,以理论之,其实难装;但只孙行者保唐僧西去取经,诚所谓泰山之福缘,海深之善庆,今日当助他成功。”玉帝道:“卿有何助?”哪吒道:“请降旨意,往北天门问真武借皂雕旗在南天门上一展,把那日月星辰闭了。对面不见人,捉白不见黑,哄那怪道,只说装了天,以助行者成功。”玉帝闻言:“依卿所奏。”那太子奉旨,前来北天门见真武,备言前事,那祖师随将旗付太子。

早有游神急降大圣耳边道:“哪吒太子来助功了。”行者仰面观之，只见祥云缭绕，果是有神，却回头对小妖道："装天罢。"小妖道："要装就装，只管阿绵花屎①怎的？"行者道："我方才运神念咒来。"那小妖都睁着眼，看他怎么样装天。这行者将一个假葫芦儿抛将上去。你想，这是一根毫毛变的，能有多重？被那山顶上风吹去，飘飘荡荡，足有半个时辰，方才落下。只见那南天门上，哪吒太子把皂旗拨喇喇展开，把日月星辰俱遮闭了，真是乾坤墨染就，宇宙靛妆成。二小妖大惊道："才说话时，只好向午，却怎么就黄昏了？"行者道："天既装了，不辨时候，怎不黄昏！""如何又这等样黑？"行者道："日月星辰都装在里面，外却无光，怎么不黑！"小妖道："师父，你在那厢说话哩？"行者道："我在你面前不是？"小妖伸手摸着道："只见说话，更不见面目。师父，此间是甚么去处？"行者又哄他道："不要动脚，此间乃是渤海岸上。若塌了脚，落下去呵，七八日还不得到底哩！"小妖大惊道："罢！罢！罢！放了天罢。我们晓得是这样装了。若弄一会子，落下海去，不得归家！"

好行者，见他认了真实，又念咒语，惊动太子，把旗卷起，却早见日光正午。小妖笑道："妙啊！妙啊！这样好宝贝，若不换呵，诚为不是养家的儿子！"那精细鬼交了葫芦，伶俐虫拿出净瓶，一齐儿递与行者。行者却将假葫芦儿递与那怪。行者既换了宝贝，却又干事找绝：脐下拔一根毫毛，吹口仙气，变作一个铜钱，叫道："小童，你拿这个钱去买张纸来。"小妖道："何用？"行者道："我与你写个合同文书。你将这两件装人的宝贝换了我一件装天的宝贝，恐人心不平，向后去日久年深，有甚反悔不便，故写此各执为照。"小妖道："此间又无笔墨，写甚文书？我与你

① 阿绵花屎：比喻办事拖拉，不干脆利索。阿，同"屙"。

赌个咒罢。”行者道：“怎么样赌?”小妖道：“我两件装人之宝，贴换你一件装天之宝，若有反悔，一年四季遭瘟。”行者笑道：“我是决不反悔，如有反悔，也照你四季遭瘟。”说了誓，将身一纵，把尾子跷了一跷，跳在南天门前，谢了哪吒太子麾旗相助之功。太子回宫缴旨，将旗送还真武不题。这行者伫立霄汉之间，观看那个小妖。毕竟不知怎生区处，且听下回分解。

第三十四回

魔头巧算困心猿　大圣腾那骗宝贝

却说那两个小妖,将假葫芦拿在手中,争看一会,忽抬头不见了行者。伶俐虫道:"哥呵,神仙也会打诳语。他说换了宝贝,度我等成仙,怎么不辞就去了?"精细鬼道:"我们相应便宜的多哩,他敢去得成?拿过葫芦来,等我装装天,也试演试演看。"真个把葫芦往上一抛,扑的就落将下来。慌得个伶俐虫道:"怎么不装!不装!莫是孙行者假变神仙,将假葫芦换了我们真的去耶?"精细鬼道:"不要胡说!孙行者是那三座山压住了,怎生得出?拿过来,等我念他那几句咒儿装了看。"这怪也把葫芦儿望空丢起,口中念道:"若有半声不肯,就上灵霄殿上,动起刀兵!"念不了,扑的又落将下来。两妖道:"不装!不装!一定是个假的!"

正嚷处,孙大圣在半空里听得明白,看得真实,恐怕他弄得时辰多了,紧要处走了风汛,将身一抖,把那变葫芦的毫毛收上身来,弄得那两妖四手皆空。精细鬼道:"兄弟,拿葫芦来。"伶俐虫道:"你拿着的。——天呀!怎么不见了?"都去地下乱摸,草里胡寻,吞袖子,揣腰间,那里得有?二妖吓得呆呆挣挣道:"怎的好!怎的好!当时大王将宝贝付与我们,教拿孙行者,今行者既不曾拿得,连宝贝都不见了。我们怎敢去回话?这一顿直直的打死了也!怎的好!怎的好!"伶俐虫道:"我们走了罢。"精细鬼道:"往那里走么?"伶俐虫道:"不管那里走罢。若回去说没宝贝,断然是送命了。"精细鬼道:"不要走,还回去。二大王平日看你甚好,我推一句儿在你身上。他若肯将就,留得性命;说不过,就打死,还在此间。莫弄得两头不着。去来!去来!"那怪商议了,转步回山。

行者在半空中见他回去,又摇身一变,变作苍蝇儿,飞下去,跟着小妖。你道他既变了苍蝇,那宝贝却放在何处?如丢在路上,藏在草里,被人看见拿去,却不是劳而无功?他还带在身上。带在身上呵,苍蝇不过豆粒大小,如何容得?原来他那宝贝,与他金箍棒相同,叫做如意佛宝,随身变化,可以大,可以小,故身上亦可容得。他嘤的一声飞下去,跟定那怪。

不一时,到了洞里,只见那两个魔头,坐在那里饮酒。小妖朝上跪下,行者就钉在那门柜上,侧耳听着。小妖道:"大王。"二老魔即停杯道:"你们来了?"小妖道:"来了。"又问:"拿着孙行者否?"小妖叩头,不敢声言。老魔又问,又不敢应,只是叩头。问之再三,小妖俯伏在地:"赦小的万千死罪!赦小的万千死罪!我等执着宝贝,走到半山之中,忽遇着蓬莱山一个神仙。他问我们那里去,我们答道,拿孙行者去。那神仙听见说孙行者,他也恼他,要与我们帮工。是我们不曾叫他帮工,却将拿宝贝装人的情由,与他说了。那神仙也有个葫芦,善能装天。我们也是妄想之心,养家之意:他的装天,我的装人,与他换了罢。原说葫芦换葫芦,伶俐虫又贴他个净瓶。谁想他仙家之物,经不得凡人之手。正试演处,就连人都不见了。万望饶小的们死罪!"老魔听说,暴躁如雷道:"罢了!罢了!这就是孙行者假妆神仙骗哄去了!那猴头神通广大,处处人熟,不知那个毛神放他出来,骗去宝贝!"

二魔道："兄长息怒。叵耐那猴头着然无礼，既有手段，便走了也罢，怎么又骗宝贝？我若没本事拿他，永不在西方路上为怪！"老魔道："怎生拿他？"二魔道："我们有五件宝贝，去了两件，还有三件，务要拿住他。"老魔道："还有那三件？"二魔道："还有七星剑与芭蕉扇在我身边，那一条幌金绳，在压龙山压龙洞老母亲那里收着哩。如今差两个小妖，去请老母来吃唐僧肉，就教他带幌金绳来拿孙行者。"老魔道："差那个去？"二魔道："不差这样废物去！"将精细鬼、伶俐虫一声喝起。二人道："造化！造化！打也不曾打，骂也不曾骂，却就饶了。"二魔道："叫那常随的伴当巴山虎、倚海龙来。"二人跪下，二魔分付道："你却要小心。"俱应道："小心。""却要仔细。"俱应道："仔细。"又问道："你认得老奶奶家么？"又俱应道："认得。""你既认得，你快早走动，到老奶奶处，多多顶上①，说请吃唐僧肉哩，就着带幌金绳来，要拿孙行者。"

二怪领命疾走，怎知那行者在旁，一一听得明白。他展开翅，飞将去，赶上巴山虎，钉在他身上。行经二三里，就要打杀他两个，又思道："打死他，有何难事？但他奶奶身边有那幌金绳，又不知住在何处。等我且问他一问再打。"好行者，嘤的一声，躲离小怪，让他先行有百十步，却又摇身一变，也变做个小妖儿，戴一顶狐皮帽子，将虎皮裙子倒插上来勒住，赶上道："走路的，等我一等。"那倚海龙回头问道："是那里来的？"行者道："好哥啊，连自家人也认不得？"小妖道："我家没有你。"行者道："怎么没我？你再认认看。"小妖道："面生，面生，不曾相会。"行者道："正是。你们不曾会着我，我是外班的。"小妖道："外班长官，是

① 顶上：即"拜上"。顶礼是佛教拜佛的最高敬礼。

不曾会。你往那里去?”行者道:“大王说差你二位请老奶奶来吃唐僧肉,教他就带幌金绳来,拿孙行者。恐你二位走得缓,有些贪顽,误了正事,又差我来催你们快去。”小妖见说着海底眼①,更不疑惑,把行者果认做一家人,急急忙忙,往前飞跑。一气又跑有八九里,行者道:“忒走快了些。我们离家有多少路了?”小怪道:“有十五六里了。”行者道:“还有多远?”倚海龙用手一指道:“乌林子里就是。”行者抬头见一带黑林不远,料到那老怪只在林子里外。却立定步,让那小怪前走,即取出铁棒,走上前,着脚后一刮,可怜忒不禁打,就把两个小妖刮做一团肉饼,却拖着脚,藏在路旁深草科里。即便拔下一根毫毛,吹口仙气,叫:“变!”变做个巴山虎,自身却变做个倚海龙。假妆做两个小妖,径往那压龙洞请老奶奶。这叫做七十二变神通大,指物腾那手段高。

三五步跳到林子里,正找寻处,只见有两扇石门半开半掩,不敢擅入,只得洋叫②一声:“开门!开门!”早惊动那把门的一个女怪,将那半扇儿开了,道:“你是那里来的?”行者道:“我是平顶山莲花洞里差来请老奶奶的。”那女怪道:“进去。”到了三层门下,闪着头,往里观看,又见那正当中高坐着一个老妈妈儿。你道他怎生模样?但见:

雪鬓蓬松,星光晃亮。脸皮红润皱文多,牙齿稀疏神气壮。貌似菊残霜里色,形如松老雨馀颜。头缠白练攒丝帕,耳坠黄金嵌宝环。

孙大圣见了,不敢进去,只在二门外仵③着脸,脱脱的哭起来。

---

① 海底眼:底细、隐秘、根底。

② 洋叫:假装叫。洋,同“佯”。

③ 仵:同“捂”。

你道他哭怎的,莫成是怕他?就怕也便不哭,况先哄了他的宝贝,又打杀他的小妖,却为何而哭?他当时曾下九鼎油锅,就煠①了七八日也不曾有一点泪儿。只为想起唐僧取经的苦恼,他就泪出痛肠,故此便哭。心却想道:"老孙既显手段,变做小妖,来请这老怪,没有个直直的站了说话之理,一定见他磕头才是。我为人做了一场好汉,止拜了三个人:西天拜佛祖;南海拜观音;两界山师父救了我,我拜了他四拜。为他使碎六叶连肝肺,用尽三毛七孔心。一卷经能值几何?今日却教我去拜此怪。若不跪拜,必定走了风汛。——苦啊!算来只为师父受困,故使我受辱于人!"到此际也没及奈何,撞将进去,朝上跪下道:"奶奶磕头。"

那怪道:"我儿,起来。"行者暗道:"好!好!好!叫得结实!"老怪问道:"你是那里来的?"行者道:"平顶山莲花洞,蒙二位大王有令,差来请奶奶去吃唐僧肉,教带幌金绳,要拿孙行者哩。"老怪大喜道:"好孝顺的儿子!"就去叫抬出轿来。行者道:"我的儿啊!妖精也抬轿!"后壁厢即有两个女怪,抬出一顶香藤轿,放在门外,挂上青绢帏幔。老怪起身出洞,坐在轿里。后有几个小女怪,捧着减妆②,端着镜架,提着手巾,托着香盒,跟随左右。那老怪道:"你们来怎的?我往自家儿子去处,愁那里没人伏侍,要你们去献勤塌嘴③?都回去!关了门看家!"那几个小妖果俱回去,止有两个抬轿的。老怪问道:"那差来的叫做甚么名字?"行者连忙答应道:"他叫做巴山虎,我叫做倚海龙。"老怪道:"你两个前走,与我开路。"行者暗想道:"可是晦气!经

① 煠(zhá):同"炸"。

② 减妆:梳头匣子。由于携带便利,也叫简妆。

③ 塌嘴:就是多嘴。

倒不曾取得,且来替他做皂隶①!”却又不敢抵强,只得向前引路,大四声喝起②。

行了五六里远近,他就坐在石崖上,等候那抬轿的到了,行者道:“略歇歇如何? 压得肩头疼啊。”小怪那知甚么诀窍,就把轿子歇下。行者在轿后,胸脯上拔下一根毫毛,变做一个大烧饼,抱着啃。轿夫道:“长官,你吃的是甚么?”行者道:“不好说。这远的路来请奶奶,没些儿赏赐,肚里饥了,原带来的干粮,等我吃些儿再走。”轿夫道:“把些儿我们吃吃。”行者笑道:“来么,都是一家人,怎么计较?”那小妖不知好歹,围着行者,分其干粮。被行者掣出棒,着头一磨,一个荡着的,打得稀烂,一个擦着的,不死还哼。那老怪听得人哼,轿子里伸出头来看时,被行者跳到轿前,劈头一棍,打了个窟窿,脑浆迸流,鲜血直冒。拖出轿来看处,原是个九尾狐狸。行者笑道:“造业畜! 叫甚么老奶奶! 你叫老奶奶,就该称老孙做上太祖公公是!”好猴王,把他那幌金绳搜出来,笼在袖里,欢喜道:“那泼魔纵有手段,已此三件儿宝贝姓孙了!”却又拔两根毫毛变做个巴山虎、倚海龙;又拔两根变做两个抬轿的;他却变做老奶奶模样,坐在轿里。将轿子抬起,径回本路。

不多时,到了莲花洞口,那毫毛变的小妖,俱在前道:“开门! 开门!”内有把门的小妖,开了门道:“巴山虎、倚海龙来了?”毫毛道:“来了。”——“你们请的奶奶呢?”毫毛用手指道:“那轿抬的不是?”小怪道:“你且住,等我进去先报。”报道:“大王,奶奶来耶。”两个魔头闻说,即命排香案来接。行者听得,暗

---

① 皂隶:本指奴隶,后为衙门中差役的专称。

② 大四声喝起:古代官员出行,衙役在前面大喊四声“行人回避”等口号。

喜道："造化！也轮到我为人了！我先变小妖，去请老怪，磕了他一个头；这番来，我变老怪，是他母亲，定行四拜之礼。虽不怎的，好道也赚他两个头儿！"好大圣，下了轿子，抖抖衣服，把那四根毫毛收在身上。那把门的小妖，把空轿抬入门里。他却随后徐行，那般娇娇啻啻①，扭扭捏捏，就像那老怪的行动，径自进去。又只见大小群妖，都来跪接，鼓乐箫韶，一派响亮，博山炉里，霭霭香烟。他到正厅中，南面坐下。两个魔头双膝跪倒，朝上叩头，叫道："母亲，孩儿拜揖。"行者道："我儿起来。"

却说猪八戒吊在梁上，哈哈的笑了一声。沙僧道："二哥，好啊！吊出笑来也！"八戒道："兄弟，我笑中有故。"沙僧道："甚故？"八戒道："我们只怕是奶奶来了就要蒸吃，原来不是奶奶，是旧话来了。"沙僧道："甚么旧话？"八戒笑道："弼马温来了。"沙僧道："你怎么认得是他？"八戒道："弯倒腰，叫'我儿起来'，那后面就掬起猴尾巴子。我比你吊得高，所以看得明也。"沙僧道："且不要言语，听他说甚么话。"八戒道："正是，正是。"

那孙大圣坐在中间，问道："我儿，请我来有何事干？"魔头道："母亲啊，连日儿等少礼，不曾孝顺得。今早愚兄弟拿到东土唐僧，不敢擅吃，请母亲来献献生②，好蒸与母亲吃了延寿。"行者道："我儿，唐僧的肉，我倒不吃，听见有个猪八戒的耳朵甚可，可割将下来整治整治我下酒。"那八戒听见慌了道："遭瘟的！你来为割我耳朵的！我喊出来不好听呵！"

噫！只为呆子一句通情话，走了猴王变化的风。那里有几个巡山的小怪，把门的众妖，都撞将进来，报道："大王，祸事了！

① 啻啻：犹滴滴。

② 献生：旧时打到猎物后，要先献给神灵或者尊长，叫献生。

孙行者打杀奶奶,他妆来耶!”魔头闻此言,那容分说,掣七星宝剑,望行者劈脸砍来。好大圣,将身一幌,只见满洞红光,预先走了。似这般手段,着实好耍子,正是那聚则成形,散则成气。唬得个老魔头魂飞魄散,众群精噬指①摇头。老魔道:“兄弟,把唐僧与沙僧、八戒、白马、行李都送还那孙行者,闭了是非之门罢。”二魔道:“哥哥,你说那里话?我不知费了多少辛勤,施这计策,将那和尚都摄将来。如今似你这等怕惧孙行者的诡谲,就俱送去还他,真所谓畏刀避剑之人,岂大丈夫之所为也?你且请坐勿惧。我闻你说孙行者神通广大,我虽与他相会一场,却不曾与他比试。取披挂来,等我寻他交战三合。假若他三战胜我不过,唐僧还是我们之食;如三战我不能胜他,那时再送唐僧与他未迟。”老魔道:“贤弟说得是。”教:“取披挂。”

众妖抬出披挂,二魔结束齐整,执宝剑出门外,叫声:“孙行者!你往那里走了?”此时大圣已在云端里,闻得叫他名字,急回头观看,原来是那二魔。你看他怎生打扮:

头戴凤盔欺腊雪,身披战甲幌镔铁。
腰间带是蟒龙筋,粉皮靴靿梅花折。
颜如灌口活真君,貌比巨灵无二别。
七星宝剑手中擎,怒气冲霄威烈烈。

二魔高叫道:“孙行者!快还我宝贝与我母亲来,我饶你唐僧取经去!”大圣忍不住骂道:“这泼怪物,错认了你孙外公!赶早儿送还我师父、师弟、白马、行囊,仍打发我些盘缠,往西走路。若牙缝里道半个‘不’字,就自家搓根绳儿去罢,也免得你外公动手。”二魔闻言,急纵云跳在空中,抡宝剑来刺。行者掣铁棒劈

① 噬指:咬手指头。形容畏惧的神态。

手相迎。他两个在半空中，这场好杀：

棋逢对手，将遇良才。棋逢对手难藏兴，将遇良才可用功。那两员神将相交，好便似南山虎斗，北海龙争。龙争处，鳞甲生辉；虎斗时，爪牙乱落。爪牙乱落撒银钩，鳞甲生辉支铁叶。这一个翻翻复复，有千般解数；那一个来来往往，无半点放闲。金箍棒，离顶门只隔三分；七星剑，向心窝惟争一蹍①。那个威风逼得斗牛寒，这个怒气胜如雷电险。

他两个战了有三十回合，不分胜负。

行者暗喜道："这泼怪倒也架得住老孙的铁棒！我已得了他三件宝贝，却这般苦苦的与他厮杀，可不误了我的工夫？不若拿葫芦或净瓶装他去，多少是好。"又想到："不好！不好！常言道：'物随主便。'倘若我叫他不答应，却又不误了事业？且使幌金绳扣头罢。"好大圣，一只手使棒，架住他的宝剑，一只手把那绳抛起，刷喇的扣了魔头。原来那魔头有个《紧绳咒》，有个《松绳咒》，若扣住别人，就念《紧绳咒》，莫能得脱，若扣住自家人，就念《松绳咒》，不得伤身。他认得是自家的宝贝，即念《松绳咒》，把绳松动，便脱出来，反望行者抛将去，却早扣住了大圣。大圣正要使"瘦身法"，想要脱身，却被那魔念动《紧绳咒》，紧紧扣住，怎能得脱？褪至颈项之下，原是一个金圈子套住。那怪将绳一扯，扯将下来，照光头上砍了七八宝剑，行者头皮儿也不曾红了一红。那魔道："这猴子，你这等头硬。我不砍你，且带你回去，再打你。将我那两件宝贝趁早还我！"行者道："我拿你甚么宝贝，你问我要？"那魔头将身上细细搜检，却将那葫芦、净瓶

① 蹍(zhǎn)：这里是"皻(zhā)"字的音转。伸开手指量物的长短叫皻。这里形容距离很短。

都搜出来，又把绳子牵着，带至洞里道："兄长，拿将来了。"老魔道："拿了谁来？"二魔道："孙行者。你来看，你来看。"老魔一见，认得是行者，满面欢喜道："是他！是他！把他长长的绳儿拴在柱料上耍子！"真个把行者拴住，两个魔头却进后面堂里饮酒。

那大圣在柱根下爬踏，忽惊动八戒。那呆子吊在梁上，哈哈的笑道："哥哥呵，耳朵吃不成了！"行者道："呆子！可吊得自在么？我如今就出去，管情救了你们。"八戒道："不羞！不羞！本身难脱，还想救人？罢！罢！罢！师徒们都在一处死了，好到阴司里问路！"行者道："不要胡说！你看我出去。"八戒道："我看你怎么出去。"那大圣口里与八戒说话，眼里却抹着那些妖怪。见他在里边吃酒，有几个小妖拿盘拿盏，执壶釃酒①，不住的两头乱跑，关防②的略松了些儿。他见面前无人，就弄神通，顺出棒来，吹口仙气，叫："变！"即变做一个纯钢的锉儿，扳过那颈项的圈子，三五锉，锉做两段，扳开锉口，脱将出来，拔了一根毫毛，叫变做一个假身，拴在那里，真身却幌一幌，变做个小妖，立在旁边。八戒又在梁上喊道："不好了！不好了！拴的是假货，吊的是正身！"老魔停杯便问："那猪八戒吆喝的是甚么？"行者已变做小妖，上前道："猪八戒撺道③孙行者教变化走了罢，他不肯走，在那里吆喝哩。"二魔道："还说猪八戒老实，原来这等不老实！该打二十多嘴棍！"

这行者就去拿条棍来打，八戒道："你打轻些儿，若重了些儿，我又喊起。我认得你！"行者道："老孙变化，也只为你们，你

---

① 釃(shī)酒：斟酒。

② 关防：防备警戒。

③ 撺道：怂恿、调唆。

怎么倒走了风息？这一洞里妖精都不认得，怎的偏你认得？”八戒道：“你虽变了头脸，还不曾变得屁股。那屁股上两块红不是？我因此认得是你。”行者随往后面，演到厨中，锅底上摸了一把，将两臀擦黑，行至前边。八戒看见，又笑道：“那个猴子去那里混了这一会，弄做个黑屁股来了。”

行者仍站在跟前，要偷他宝贝，真个甚有见识：走上厅，对那怪扯个腿子道：“大王，你看那孙行者拴在柱上，左右爬踏，磨坏那根金绳，得一根粗壮些的绳子换将下来才好。”老魔道：“说得是。”即将腰间的狮蛮带解下，递与行者。行者接了带，把假妆的行者拴住，换下那条绳子，一窝儿窝儿笼在袖内；又拔一根毫毛，吹口仙气，变作一根假幌金绳，双手送与那怪。那怪只因贪酒，那曾细看，就便收下。这个是大圣腾那弄本事，毫毛又换幌金绳。

得了这件宝贝，急转身跳出门外，现了原身。高叫：“妖怪！”那把门的小妖问道：“你是甚人，在此呼喝？”行者道：“你快早进去报与你那泼魔，说者行孙来了。”那小妖如言报告。老魔大惊道：“拿住孙行者，又怎么有个者行孙？”二魔道：“哥哥，怕他怎的？宝贝都在我手里，等我拿那葫芦出去，把他装将来。”老魔道：“兄弟仔细。”二魔拿了葫芦，走出山门，忽看见与孙行者模样一般，只是略矮些儿。问道：“你是那里来的？”行者道：“我是孙行者的兄弟。闻说你拿了我家兄，却来与你寻事的。”二魔道：“是我拿了，锁在洞中。你今既来，必要索战，我也不与你交兵，我且叫你一声，你敢应我么？”行者道：“可怕你？叫上千声，我就答应你万声！”那魔执了宝贝，跳在空中，把底儿朝天，口儿朝地，叫声：“者行孙。”行者却不敢答应，心中暗想道：“若是应了，就装进去哩。”那魔道：“你怎么不应我？”行者道：

"我有些耳闭,不曾听见。你高叫。"那怪物又叫声:"者行孙。"行者在底下掐着指头算了一算,道:"我真名字叫做孙行者,起的鬼名字叫做者行孙。真名字可以装得,鬼名字好道装不得。"却就忍不住,应了他一声。嗖的被他吸进葫芦去,贴上帖儿。原来那宝贝,那管甚么名字真假,但绰个应的气儿,就装了去也。

大圣到他葫芦里,浑然乌黑,把头往上一顶,那里顶得动,且是塞得甚紧,却才心中焦躁道:"当时我在山上,遇着那两个小妖,他曾告诵我说:不拘葫芦、净瓶,把人装在里面,只消一时三刻,就化为脓了,敢莫化了我么?"一条心又想着道:"没事!化不得我!老孙五百年前大闹天宫,被太上老君放在八卦炉中炼了四十九日,炼成个金子心肝,银子肺腑,铜头铁背,火眼金睛,那里一时三刻就化得我?且跟他进去,看他怎的。"

二魔拿入里面道:"哥哥,拿来了。"老魔道:"拿了谁?"二魔道:"者行孙。是我装在葫芦里也。"老魔欢喜道:"贤弟,请坐。不要动,只等摇得响再揭帖儿。"行者听得道:"我这般一个身子,怎么便摇得响?只除化成稀汁,才摇得响是,等我撒泡溺罢。他若摇得响时,一定揭帖起盖,我乘空走他娘罢!"又思道:"不好!不好!溺虽可响,只是污了这直裰。等他摇时,我但聚些唾津漱口,稀漓呼喇的,哄他揭开,老孙再走罢。"大圣作了准备,那怪贪酒不摇。大圣作个法,意思只是哄他来摇,忽然叫道:"天呀!孤拐都化了!"那魔也不摇。大圣又叫道:"娘啊!连腰截骨都化了!"老魔道:"化至腰时,都化尽矣。揭起帖儿看看。"

那大圣闻言,就拔了一根毫毛,叫:"变!"变作个半截的身子,在葫芦底上,真身却变做个蟭蟟虫儿,叮在那葫芦口边。只见那二魔揭起帖子看时,大圣早已飞出,打个滚,又变做个倚海龙。倚海龙却是原去请老奶奶的那个小妖,他变了站在旁边。

那老魔扳着葫芦口，张了一张，见是个半截身子动耽，他也不认真假，慌忙叫："兄弟，盖上！盖上！还不曾化得了哩！"二魔依旧贴上。大圣在旁暗笑道："不知老孙已在此矣！"

那老魔拿了壶，满满的斟了一杯酒，近前双手递与二魔道："贤弟，我与你递个钟儿。"二魔道："兄长，我们已吃了这半会酒，又递甚钟？"老魔道："你拿住唐僧、八戒、沙僧犹可，又索了孙行者，装了者行孙，如此功劳，该与你多递几钟。"二魔见哥哥恭敬，怎敢不接，但一只手托着葫芦，一只手不敢去接，却把葫芦递与倚海龙，双手去接杯，不知那倚海龙是孙行者变的。你看他端葫芦，殷勤奉侍。二魔接酒吃了，也要回奉一杯，老魔道："不消回酒，我这里陪你一杯罢。"两人只管谦逊。行者顶着葫芦，眼不转睛，看他两个左右传杯，全无计较，他就把个葫芦撂入衣袖。拔根毫毛，变个假葫芦，一样无二，捧在手中。那魔递了一会酒，也不看真假，一把接过宝贝，各上席，安然坐下，依然叙饮。孙大圣撤身走过，得了宝贝，心中暗喜道："饶这魔头有手段，毕竟葫芦还姓孙！"毕竟不知向后怎样施为，方得救师灭怪，且听下回分解。

第三十五回

外道施威欺正性　心猿获宝伏邪魔

本性圆明道自通，翻身跳出网罗中。
修成变化非容易，炼就长生岂俗同？
清浊几番随运转，辟开数劫任西东。
逍遥万亿年无计，一点神光永注空。

此诗暗合孙大圣的道妙①。他自得了那魔真宝，笼在袖中，喜道："泼魔苦苦用心拿我，诚所谓水中捞月；老孙若要擒你，就好似火上弄冰。"藏着葫芦，密密的溜出门外，现了本相，厉声高叫道："精怪开门！"旁有小妖道："你又是甚人，敢来吆喝？"行者道："快报与你那老泼魔，吾乃行者孙来也。"

那小妖急入里报道："大王，门外有个甚么行者孙来了。"老魔大惊道："贤弟，不好了！惹动他一窝风了！幌金绳现拴着孙行者，葫芦里现装着者行孙，怎么又有个甚么行者孙？想是他几个兄弟都来了。"二魔道："兄长放心，我这葫芦装下一千人哩。我才装了者行孙一个，又怕那甚么行者孙！等我出去看看，一发装来。"老魔道："兄弟仔细。"

你看那二魔拿着个假葫芦，还像前番，雄纠纠，气昂昂，走出门高呼道："你是那里人氏，敢在此间吆喝？"行者道："你认不

---

① 道妙：玄妙的道行。

得我？

家居花果山，祖贯水帘洞。

只为闹天宫，多时罢争竞。

如今幸脱灾，弃道从僧用。

秉教上雷音，求经归觉正。

相逢野泼魔，却把神通弄。

还我大唐僧，上西参佛圣。

两家罢战争，各守平安径。

休惹老孙焦，伤残老性命！”

那魔道：“你且过来。我不与你相打，但我叫你一声，你敢应么？”行者笑道：“你叫我，我就应了。我若叫你，你可应么？”那魔道：“我叫你，是我有个宝贝葫芦，可以装人。你叫我，却有何物？”行者道：“我也有个葫芦儿。”那魔道：“既有，拿出来我看。”行者就于袖中取出葫芦道：“泼魔，你看！”幌一幌，复藏在袖中，恐他来抢。

那魔见了大惊道：“他葫芦是那里来的？怎么就与我的一般？……纵是一根藤上结的，也有个大小不同，偏正不一，却怎么一般无二？”他便正色叫道：“行者孙，你那葫芦是那里来的？”行者委的不知来历，接过口来，就问他一句道：“你那葫芦是那里来的？”那魔不知是个见识，只道是句老实言语，就将根本从头说出道：“我这葫芦是混沌初分，天开地辟，有一位太上老祖，解化女娲之名，炼石补天，普救阎浮世界；补到乾宫夬地①，见一座昆仑山脚下，有一缕仙藤，上结着这个紫金红葫芦，却便是老

---

① 乾宫夬地：我国古代根据八卦将周天分为八个等份，每个等份为一宫。乾宫位于正北方。同时，又根据六十四卦将一宫分为八个等份，每个等份为一地。夬地位于乾宫稍偏西的方位。

君留下到如今者。”大圣闻言，就绰了他口气道：“我的葫芦，也是那里来的。”魔头道：“怎见得？”大圣道：“自清浊初开，天不满西北，地不满东南，太上道祖解化女娲，补完天缺，行至昆仑山下，有根仙藤，藤结有两个葫芦。我得一个是雄的，你那个却是雌的。”那怪道：“莫说雌雄，但只装得人的，就是好宝贝。”大圣道：“你也说得是，我就让你先装。”

那怪甚喜，急纵身跳将起去，到空中，执着葫芦，叫一声：“行者孙。”大圣听得，却就不歇气连应了八九声，只是不能装去。那魔坠将下来，跌脚捶胸道：“天那！只说世情不改变哩！这样个宝贝，也怕老公，雌见了雄，就不敢装了！”行者笑道：“你且收起，轮到老孙该叫你哩。”急纵筋斗，跳起去，将葫芦底儿朝天，口儿朝地，照定妖魔，叫声：“银角大王。”那怪不敢闭口，只得应了一声，倏的装在里面，被行者贴上“太上老君急急如律令奉敕”的帖子，心中暗喜道：“我的儿，你今日也来试试新了！”

他就按落云头，拿着葫芦，心心念念，只是要救师父，又往莲花洞口而来。那山上都是些洼踏不平之路，况他又是个圈盘腿，拐呀拐的走着，摇的那葫芦里漷漷索索，响声不绝。你道他怎么便有响声？原来孙大圣是熬炼过的身体，急切化他不得；那怪虽也能腾云驾雾，不过是些法术，大端是凡胎未脱，到于宝贝里就化了。行者还不当他就化了，笑道：“我儿子啊，不知是撒尿耶，不知是漱口哩，这是老孙干过的买卖。不等到七八日，化成稀汁，我也不揭盖来看。——忙怎的？有甚要紧？想着我出来的容易，就该千年不看才好！”他拿着葫芦，说着话，不觉的到了洞口，把那葫芦摇摇，一发响了。他道：“这个像发课[①]的筒子响，

① 发课：卜卦、占算。

倒好发课。等老孙发一课，看师父甚么时才得出门。”你看他手里不住的摇，口里不住的念道：“周易文王、孔子圣人、桃花女先生①、鬼谷子先生……”

那洞里小妖看见道：“大王，祸事了！行者孙把二大王爷爷装在葫芦里发课哩！”那老魔闻得此言，唬得魂飞魄散，骨软筋麻，扑的跌倒在地，放声大哭道：“贤弟呀！我和你私离上界，转托尘凡，指望同享荣华，永为山洞之主，怎知为这和尚，伤了你的性命，断吾手足之情！”满洞群妖，一齐痛哭。

猪八戒吊在梁上，听得他一家子齐哭，忍不住叫道：“妖精，你且莫哭，等老猪讲与你听。先来的孙行者，次来的者行孙，后来的行者孙，反复三字，都是我师兄一人。他有七十二变化，腾那进来，盗了宝贝，装了令弟。令弟已是死了，不必这等扛丧②，快些儿刷净锅灶，办些香蕈、蘑菇、茶芽、竹笋、豆腐、面筋、木耳、蔬菜，请我师徒们下来，与你令弟念卷《受生经》。”那老魔闻言，心中大怒道：“只说猪八戒老实，原来甚不老实！他倒作笑话儿打觑③我！”叫小妖：“且休举哀！把猪八戒解下来，蒸得稀烂，等我吃饱了，再去拿孙行者报仇。”沙僧埋怨八戒道：“好么！我说教你莫多话，多话的要先蒸吃哩！”那呆子也尽有几分悚惧。旁一小妖道：“大王，猪八戒不好蒸。”八戒道：“阿弥陀佛！是那位哥哥积阴德的？果是不好蒸。”又有一个妖道：“将他皮剥了，就好蒸。”八戒慌了道：“好蒸！好蒸！皮骨虽然粗糙，汤滚就烂。

---

① 桃花女先生：我国民间传说，殷朝有个叫周公的人，他因为替人算命，每次都受到桃花女的禳解，后来两人斗法，周公给他儿子娶了桃花女。这个故事叫做“桃花女破法嫁周公”。

② 扛丧：哭丧，办丧事。

③ 打觑(qù)：打趣，嘲笑。

棬户①！棬户！”

正嚷处，只见前门外一个小妖报道：“行者孙又骂上门来了！”那老魔又大惊道：“这厮轻我无人！”叫：“小的们，且把猪八戒照旧吊起，查一查还有几件宝贝。”管家的小妖道：“洞中还有三件宝贝哩。”老魔问：“是那三件？”管家的道：“还有七星剑、芭蕉扇与净瓶。”老魔道：“那瓶子不中用，原是叫人，人应了就装得，转把个口诀儿教了那孙行者，倒把自家兄弟装去了。不用他，放在家里。快将剑与扇子拿来。”那管家的即将两件宝贝献与老魔。老魔将芭蕉扇插在后项衣领，把七星剑提在手中，又点起大小群妖，有三百多名，都教一个个拈枪弄棒，理索抡刀。这老魔却顶盔贯甲，罩一领赤焰焰的丝袍。群妖摆出阵去，要拿孙大圣。那孙大圣早已知二魔化在葫芦里面，却将他紧紧拴扣停当，撒在腰间，手持着金箍棒，准备厮杀。只见那老妖红旗招展，跳出门来。却怎生打扮？

头上盔缨光焰焰，腰间带束彩霞鲜。
身穿铠甲龙鳞砌，上罩红袍烈火然。
圆眼睛开光掣电，钢须飘起乱飞烟。
七星宝剑轻提手，芭蕉扇子半遮肩。
行似流云离海岳，声如霹雳震山川。
威风凛凛欺天将，怒帅群妖出洞前。

那老魔急令小妖摆开阵势，骂道：“你这猴子，十分无礼！害我兄弟，伤我手足，着然可恨！”行者骂道：“你这讨死的怪物！你一个妖精的性命舍不得，似我师父、师弟连马四个生灵，平白

① 棬(juàn)户：指在圈里喂养的。较之野外放养的，它的皮肉柔嫩一些，故说“汤滚就烂”。

的吊在洞里，我心何忍！情理何甘！快快的送将出来还我，多多贴些盘费，喜喜欢欢打发老孙起身，还饶了你这个老妖的狗命！”那怪那容分说，举宝剑劈头就砍。这大圣使铁棒举手相迎。这一场在洞门外好杀！咦！

金箍棒与七星剑，对撞霞光如闪电。悠悠冷气逼人寒，荡荡昏云遮岭堰。那个皆因手足情，些儿不放善；这个只为取经僧，毫厘不容缓。两家各恨一般仇，二处每怀生怒怨。只杀得天昏地暗鬼神惊，日淡烟浓龙虎战。这个咬牙锉玉钉，那个怒目飞金焰。一来一往逞英雄，不住翻腾棒与剑。

这老魔与大圣战经二十回合，不分胜负。他把那剑梢一指，叫声“小妖齐来！”那三百馀精一齐拥上，把行者围在垓心。好大圣，公然无惧，使一条棒，左冲右撞，后抵前遮。那小妖都有手段，越打越上，一似绵絮缠身，搂腰扯腿，莫肯退后。大圣慌了，即使个身外身法，将左胁下毫毛拔了一把，嚼碎喷去，喝声叫：“变！”一根根都变做行者。你看他长的使棒，短的抡拳，再小的没处下手，抱着孤拐啃筋，把那小妖都打得星落云散，齐声喊道：“大王啊，事不谐矣！难矣乎哉！满地盈山，皆是孙行者了！”被这身外法把群妖打退，止撇得老魔围困中间，赶得东奔西走，出路无门。

那魔慌了，将左手擎着宝剑，右手伸于项后，取出芭蕉扇子，望东南丙丁火，正对离宫①，唿喇的一扇子搧将下来，只见那就地上火光焰焰。原来这般宝贝，平白地搧出火来。那怪物着实

① 东南丙丁火，正对离宫：按古人的五行理论，天干中的丙属阳火，丁属阴火，合称丙丁火。丙丁属于南方位上的离宫，这里又有“东南”二字，可能是因为东南方为巽宫，巽属风，取风助火势之意。

无情,一连搧了七八扇子,熯①天炽地,烈火飞腾。好火:

> 那火不是天上火,不是炉中火,也不是山头火,也不是灶底火,乃是五行中自然取出的一点灵光火。这扇也不是凡间常有之物,也不是人工造就之物,乃是自开辟混沌以来产成的珍宝之物。用此扇,搧此火,煌煌烨烨,就如电掣红绡;灼灼辉辉,却似霞飞绛绮。更无一缕青烟,尽是满山赤焰。只烧得岭上松翻成火树,崖前柏变作灯笼。那窝中走兽贪性命,西撞东奔;这林内飞禽惜羽毛,高飞远举。这场神火飘空燎,只烧得石烂溪干遍地红!

大圣见此恶火,却也心惊胆颤,道声:"不好了!我本身可处,毫毛不济,一落这火中,岂不真如燎毛之易?"将身一抖,遂将毫毛收上身来,只将一根变作假身子,避火逃灾。他的真身捻着避火诀,纵筋斗跳将起去,脱离了大火之中,径奔他莲花洞里,想着要救师父。急到门前,把云头按落,又见那洞门外有百十个小妖,都破头折脚,肉绽皮开。原来都是他分身法打伤了的,都在这里声声唤唤,忍疼而立。大圣见了,按不住恶性凶顽,抡起铁棒,一路打将进去。可怜把那苦炼人身的功果息,依然是块旧皮毛!

那大圣打绝了小妖,撞入洞里,要解师父,又见那内面有火光焰焰,唬得他手慌脚忙道:"罢了!罢了!这火从后门口烧起来,老孙却难救师父也!"正悚惧处,仔细看时,呀!原来不是火光,却是一道金光。他正了性,往里视之,乃羊脂玉净瓶放光,却自心中欢喜道:"好宝贝耶!这瓶子曾是那小妖拿在山上放光,老孙得了,不想那怪又复搜去,今日藏在这里,原来也放光。"你看他窃了这瓶子,喜喜欢欢,且不救师父,急抽身往洞外而走。

---

① 熯(hàn):燃烧,烘烤。

才出门，只见那妖魔提着宝剑，拿着扇子，从南而来。孙大圣回避不及，被那老魔喝道："那里走！"举剑劈头就砍。大圣急纵筋斗云，跳将起去，无影无踪的逃了不题。

却说那怪到得门口，但见尸横满地，就是他手下的群精，慌得仰天长叹，止不住放声大哭道："苦哉！痛哉！"有诗为证。诗曰：

可恨猿乖马劣顽，灵胎转托降尘凡。
只因错念离天阙，致使忘形落此山。
鸿雁失群情切切，妖兵绝族泪潺潺。
何时孽满开愆锁，返本还原上御关？

那老魔惭惶不已，一步一声，哭入洞内。只见那什物家火俱在，只落得静悄悄没个人形，悲切切愈加凄惨。独自个坐在洞中，蹋伏在那石案之上，将宝剑斜倚案边，把扇子插于肩后，昏昏默默睡着了。这正是"人逢喜事精神爽，闷上心来瞌睡多"。

话说孙大圣拨转筋斗云，伫立山前，想着要救师父，把那净瓶儿牢扣腰间，径来洞口打探。见那门开两扇，静悄悄的不闻消耗①，随即轻轻移步，潜入里边。只见那魔斜倚石案，呼呼睡着，芭蕉扇褪出肩衣，半盖着脑后，七星剑还斜倚案边，却被他轻轻的走上前拔了扇子，急回头，呼的一声跑将出去。原来这扇柄儿刮着那怪的头发，早惊醒他。抬头看时，是孙行者偷了，急慌忙执剑来赶。那大圣早已跳出门前，将扇子撒在腰间，双手抡开铁棒，与那魔抵敌。这一场好杀：

恼坏泼妖王，怒发冲冠志。恨不过挝来囫囵吞，难解心

① 消耗：音信，声息。

头气。恶口骂猢狲:"你老大将人戏！伤我若干生,还来偷宝贝。这场决不容,定见存亡计!"大圣喝妖魔:"你好不知趣！徒弟要与老孙争,累卵焉能击石碎?"宝剑来,铁棒去,两家更不留仁义。一翻二复赌输赢,三转四回施武艺。盖为取经僧,灵山参佛位,致令金火不相投,五行拨乱伤和气;扬威耀武显神通,走石飞沙弄本事。交锋渐渐日将晡,魔头力怯先回避。

那老魔与大圣战经三四十合,天将晚矣,抵敌不住,败下阵来,径往西南上,投奔压龙洞去不题。

这大圣才按落云头,闯入莲花洞里,解下唐僧与八戒、沙和尚来。他三人脱得灾危,谢了行者,却问:"妖魔那里去了?"行者道:"二魔已装在葫芦里,想是这会子已化了。大魔才然一阵战败,往西南压龙山去讫。概洞小妖,被老孙分身法打死一半,还有些败残回的,又被老孙杀绝,方才得入此处,解放你们。"唐僧谢之不尽道:"徒弟啊,多亏你受了劳苦!"行者笑道:"诚然劳苦。你们还只是吊着受疼,我老孙再不曾住脚,比急递铺[1]的铺兵还甚,反复里外,奔波无已。因是偷了他的宝贝,方能平退妖魔。"猪八戒道:"师兄,你把那葫芦儿拿出来与我们看看,只怕那二魔已化了也。"大圣先将净瓶解下,又将金绳与扇子取出,然后把葫芦儿拿在手道:"莫看！莫看！他先曾装了老孙,被老孙漱口,哄得他揭开盖子,老孙方得走了。我等切莫揭盖,只怕他也会弄喧[2]走了。"师徒们喜喜欢欢,将他那洞中的米面菜蔬寻出,烧刷了锅灶,安排些素斋吃了。饱餐一顿,安寝洞中,一夜

① 急递铺:传送紧急文书的驿站。

② 弄喧:使花样,做手脚。

无词。早又天晓。

却说那老魔径投压龙山，会聚了大小女怪，备言打杀母亲，装了兄弟，绝灭妖兵，偷骗宝贝之事，众女怪一齐大哭。哀痛多时道："你等且休凄惨。我身边还有这口七星剑，欲会汝等女兵，都去压龙山后，会借外家亲戚，断要拿住那孙行者报仇。"说不了，有门外小妖报道："大王，山后老舅爷帅领若干兵卒来也。"老魔闻言，急换了缟素孝服，躬身迎接。原来那老舅爷是他母亲之弟，名唤狐阿七大王。因闻得哨山的妖兵报道，他姐姐被孙行者打死，假变姐形，盗了外甥宝贝，连日在平顶山拒敌。他却帅本洞妖兵二百馀名，特来助阵，故此先拢姐家问信。才进门，见老魔挂了孝服，二人大哭。哭久，老魔拜下，备言前事。那阿七大怒，即命老魔换了孝服，提了宝剑，尽点女妖，合同一处，纵风云，径投东北而来。

这大圣却教沙僧整顿早斋，吃了走路。忽听得风声，走出门看，乃是一伙妖兵，自西南上来。行者大惊，急抽身，忙呼八戒道："兄弟，妖精又请救兵来也。"三藏闻言，惊恐失色道："徒弟，似此如何？"行者笑道："放心！放心！把他这宝贝都拿来与我。"大圣将葫芦、净瓶系在腰间，金绳笼于袖内，芭蕉扇插在肩后，双手抡着铁棒，教沙僧保守师父稳坐洞中，着八戒执钉钯同出洞外迎敌。

那怪物摆开阵势，只见当头的是阿七大王。他生的玉面长髯，钢眉刀耳，头戴金炼盔，身穿锁子甲，手执方天戟，高声骂道："我把你个大胆的泼猴！怎敢这等欺人！偷了宝贝，伤了眷族，杀了妖兵，又敢久占洞府！赶早儿一个个引颈受死，雪我姐家之仇！"行者骂道："你这伙作死的毛团，不识你孙外公的手段！不要走！领吾一棒！”那怪物侧身躲过，使方天戟劈面相还。两个在山头一来一往，战经三四回合，那怪力软，败阵回走。行者赶来，却被老魔接住，又斗了三合，只见那狐阿七复转来攻。这壁厢八戒见了，急掣九齿钯挡住。一个抵一个，战经多时，不分胜败。那老魔喝了一声，众妖兵一齐围上。

却说那三藏坐在莲花洞里，听得喊声振地，便叫：“沙和尚，你出去看你师兄胜负何如。”沙僧果举降妖杖出来，喝一声，撞将出去，打退群妖。阿七见事势不利，回头就走，被八戒赶上，照背后一钯，就筑得九点鲜红往外冒，可怜一灵真性赴前程，急拖来剥了衣服看处，原来也是个狐狸精。

那老魔见伤了他老舅，丢了行者，提宝剑，就劈八戒，八戒使钯架住。正赌斗间，沙僧撞近前来，举杖便打。那怪抵敌不住，纵风云往南逃走，八戒、沙僧紧紧赶来。大圣见了，急纵云跳在空中，解下净瓶，罩定老魔，叫声：“金角大王。”那怪只道是自家败残的小妖呼叫，就回头应了一声，嗖的装将进去，被行者贴上“太上老君急急如律令奉敕”的帖子。只见那七星剑坠落尘埃，也归了行者。八戒迎着道：“哥哥，宝剑你得了，精怪何在？”行者笑道：“了了！已装在我这瓶儿里也。”沙僧听说，与八戒十分欢喜。

当时通扫净诸邪，回至洞里，与三藏报喜道：“山已净，妖已无矣，请师父上马走路。”三藏喜不自胜。师徒们吃了早斋，收拾了行李、马匹，奔西找路。

正行处，猛见路旁闪出一个瞽者，走上前扯住三藏马，道：“和尚，那里去？还我宝贝来！”八戒大惊道：“罢了！这是老妖来讨宝贝了！”行者仔细观看，原来是太上李老君，慌得近前施礼道：“老官儿，那里去？”那老祖急升玉局宝座，九霄空里伫立，叫："孙行者，还我宝贝。"大圣起到空中道："甚么宝贝？"老君道："葫芦是我盛丹的，净瓶是我盛水的，宝剑是我炼魔的，扇子是我搧火的，绳子是我一根勒袍的带。那两个怪：一个是我看金炉的童子，一个是我看银炉的童子。只因他偷了我的宝贝，走下界来，正无觅处，却是你今拿住，得了功绩。"大圣道："你这老官儿，着实无礼。纵放家属为邪，该问个钤属①不严的罪名！"老君道："不干我事，不可错怪了人。此乃海上菩萨问我借了三次，送他在此托化妖魔，看你师徒可有真心往西去也。"大圣闻言，心中作念道："这菩萨也老大惫懒！当时解脱老孙，教保唐僧西去取经，我说路途艰涩难行，他曾许我到急难处亲来相救，如今反使精邪掯害②。语言不的③，该他一世无夫！——若不是老官儿亲来，我决不与他，既是你这等说，拿去罢。"那老君收得五件宝贝，揭开葫芦与净瓶盖口，倒出两股仙气，用手一指，仍化为金、银二童子，相随左右。只见那霞光万道。噫！缥缈同归兜率院，逍遥直上大罗天。毕竟不知此后又有甚事，孙大圣怎生保护唐僧，几时得到西天，且听下回分解。

① 钤(qián)属：管束家属、属下。钤，钤束，约束。

② 掯(kèn)害：刁难，找麻烦。

③ 不的：不可靠，不确实。

第三十六回

心猿正处诸缘伏　劈破傍门见月明

却说孙行者按落云头，对师父备言菩萨借童子，老君收去宝贝之事。三藏称谢不已，死心塌地，办虔诚，舍命投西，攀鞍上马，猪八戒挑着行李，沙和尚拢着马头，孙行者执了铁棒，剖开路，径下高山前进。说不尽那水宿风餐，披霜冒露。师徒们行罢多时，前又一山阻路。三藏在那马上高叫："徒弟啊，你看那里山势崔巍，须是要仔细提防，恐又有魔障侵身也。"行者道："师父休得胡思乱想，只要定性存神，自然无事。"三藏道："徒弟呀，西天怎么这等难行？我记得离了长安城，在路上春尽夏来，秋残冬至，有四五个年头，怎么还不能得到？"行者闻言，呵呵笑道："早哩！早哩！还不曾出大门哩！"八戒道："哥哥不要扯谎。人间就有这般大门？"行者道："兄弟，我们还在堂屋里转哩！"沙僧笑道："师兄，少说大话吓我。那里就有这般大堂屋，却也没处买这般大过梁啊。"行者道："兄弟，若依老孙看时，把这青天为屋瓦，日月作窗棂，四山五岳为梁柱，大地犹如一敞厅！"八戒听说道："罢了！罢了！我们只当转些时回去罢。"行者道："不必乱谈，只管跟着老孙走路。"

好大圣，横担了铁棒，领定了唐僧，剖开山路，一直前进。那师父在马上遥观，好一座山景。真个是：

山顶嵯峨摩斗柄，树梢仿佛接云霄。青烟堆里，时闻得谷口猿啼；乱翠阴中，每听得松间鹤唳。啸风山魅立溪间，戏弄樵夫；成器狐狸坐崖畔，惊张猎户。好山！看那八面崔巍，四围险峻。古怪乔松盘翠盖，枯摧老树挂藤萝。泉水飞流，寒气透人毛发冷；巅峰屹崱①，清风射眼梦魂惊。时听大虫哮吼，每闻山鸟时鸣。麂鹿成群穿荆棘，往来跳跃；獐犯结党寻野食，前后奔跑。伫立草坡，一望并无客旅；行来深凹，四边俱有豺狼。应非佛祖修行处，尽是飞禽走兽场。

那师父战战兢兢，进此深山，心中凄惨，兜住马，叫声："悟空呵！我

自从益智登山盟，王不留行送出城。

路上相逢三棱子，途中催趱马兜铃。

寻坡转涧求荆芥，迈岭登山拜茯苓。

防己一身如竹沥，茴香何日拜朝廷②？"

孙大圣闻言，呵呵冷笑道："师父不必挂念，少要心焦。且自放心前进，还你个'功到自然成'也。"师徒们玩着山景，信步行时，早不觉红轮西坠。正是：

十里长亭无客走，九重天上现星辰。

八河船只皆收港，七千州县尽关门。

六宫五府回官宰，四海三江罢钓纶。

两座楼头钟鼓响，一轮明月满乾坤。

那长老在马上遥观，只见那山凹里有楼台叠叠，殿阁重重。三藏道："徒弟，此时天色已晚，幸得那壁厢有楼阁不远，想必是庵观寺院。我们都到那里借宿一宵，明日再行罢。"行者道："师

① 屹崱(lì)：山峰耸立的样子。

② 茴香何日拜朝廷：这是一首用药名集成的诗。益智、王不留行、三棱子、马兜铃、荆芥、茯苓、防己、竹沥、茴香等，都是药名。

父说得是。不要忙，等我且看好歹如何。”那大圣跳在空中，仔细观看，果然是座山门。但见：

八字砖墙泥红粉，两边门上钉金钉。
叠叠楼台藏岭畔，层层宫阙隐山中。
万佛阁对如来殿，朝阳楼应大雄门。
七层塔屯云宿雾，三尊佛神现光荣。
文殊台对伽蓝舍，弥勒殿靠大慈厅。
看山楼外青光舞，步虚阁上紫云生。
松关①竹院依依绿，方丈禅堂处处清。
雅雅幽幽供乐事，川川道道喜回迎。
参禅处有禅僧讲，演乐房多乐器鸣。
妙高台上昙花坠，说法坛前贝叶生。
正是那林遮三宝地，山拥梵王宫②。
半壁灯烟光闪灼，一行香霭雾朦胧。

孙大圣按下云头，报与三藏道：“师父，果然是一座寺院，却好借宿。我们去来。”

这长老放开马，一直前来，径到了山门之外。行者道：“师父，这一座是甚么寺？”三藏道：“我的马蹄才然停住，脚尖还未出镫，就问我是甚么寺，好没分晓！”行者道：“你老人家自幼为僧，须曾讲过儒书，方才去演经法，文理皆通，然后受唐王的恩宥③。门上有那般大字，如何不认得？”长老骂道：“泼猢狲！说话无知！我才面西催马，被那太阳影射，奈何门虽有字，又被尘垢朦胧，所以未曾看见。”行者闻言，把腰儿躬一躬，长了二丈馀

① 松关：柴门。关，门。
② 梵王宫：原为佛教称大梵天王的宫殿，后衍为佛寺的通称。
③ 恩宥(yòu)：降恩宽待。宥，宽待。

高,用手展去灰尘道:“师父,请看。”上有五个大字,乃是“敕建宝林寺”。行者收了法身,道:“师父,这寺里谁进去借宿?”三藏道:“我进去。你们的嘴脸丑陋,言语粗疏,性刚气傲,倘或冲撞了本处僧人,不容借宿,反为不美。”行者道:“既如此,请师父进去,不必多言。”

那长老却丢了锡杖,解下斗篷,整衣合掌,径入山门。只见两边红漆栏杆里面,高坐着一对金刚,妆塑的威仪恶丑:

> 一个铁面钢须似活容,一个燥眉圜眼若玲珑。左边的拳头骨突如生铁,右边的手掌崚嶒①赛赤铜。金甲连环光灿烂,明盔绣带映飘风。西方真个多供佛,石鼎中间香火红。

三藏见了,点头长叹道:“我那东土,若有人也将泥胎塑这等大菩萨,烧香供养呵,我弟子也不往西天去矣。”正叹息处,又到了二层山门之内,见有四大天王之相,乃是持国、多闻、增长、广目,按东北西南、风调雨顺之意。进了二层门里,又见有乔松四树,一树树翠盖蓬蓬,却如伞状。忽抬头,乃是大雄宝殿,那长老合掌皈依,舒身下拜。拜罢起来,转过佛台,到于后门之下,又见有倒座观音②普度南海之相。那壁上都是良工巧匠妆塑的那些鱼、虾、蟹、鳖,出头露尾,跳海水波潮耍子。长老又点头三五度,感叹万千声道:“可怜呵!鳞甲众生都拜佛,为人何不肯修行!”

正赞叹间,又见三门里走出一个道人。那道人忽见三藏相貌稀奇,丰姿非俗,急趋步上前施礼道:“师父那里来的?”三藏

---

① 崚嶒:形容山的高低不平。这里借喻手掌的凹凸像山一样。嶒,不见于字书,应作嶒。后文第五十回“崚嶒怪石列”可证。

② 倒座观音:寺院多于大雄宝殿释迦牟尼像后,塑面向北的观音海岛塑像,称倒坐观音。

道："弟子是东土大唐驾下差来，上西天拜佛求经的。今到宝方，天色将晚，告借一宿。"那道人道："师父莫怪，我做不得主。我是这里扫地撞钟打勤劳的道人，里面还有个管家的老师父哩。待我进去禀他一声，他若留你，我就出来奉请，若不留你，我却不敢羁迟①。"三藏道："累及你了。"

那道人急到方丈报道："老爷，外面有个人来了。"那僧官即起身，换了衣服，按一按毗卢帽，披上袈裟，急开门迎接，问道人："那里人来？"道人用手指定道："那正殿后边不是一个人？"那三藏光着一个头，穿一领二十五条达摩②衣，足下蹬一双拖泥带水的达公鞋，斜倚在那后门首。僧官见了，大怒道："道人少打！你岂不知我是僧官，但只有城上来的士夫降香，我方出来迎接。这等个和尚，你怎么多虚少实，报我接他！看他那嘴脸，不是个诚实的，多是云游方上僧，今日天晚，想是要来借宿。我们方丈中，岂容他打搅！教他往前廊下蹲罢了，报我怎么！"抽身转去。

长老闻言，满眼垂泪道："可怜！可怜！这才是'人离乡贱'！我弟子从小儿出家，做了和尚，又不曾拜忏吃荤生歹意，看经怀怒坏禅心；又不曾丢瓦抛砖伤佛殿，阿罗脸上剥真金。噫！可怜啊！不知是那世里触伤天地，教我今生常遇不良人！——和尚，你不留我们宿便罢了，怎么又说这等惫懒话，教我们在前道廊下去'蹲'？此话不与行者说还好，若说了，那猴子进来，一顿铁棒，把孤拐都打断你的！"长老道："也罢，也罢。常言道：'人将礼乐为先。'我且进去问他一声，看意下

① 羁迟：淹留耽搁。这里是委婉地拒绝留宿。

② 达摩：佛教传说，禅宗东土六祖中第一祖，就是菩提达摩。

如何。”

那师父踏脚迹，跟他进方丈门里。只见那僧官脱了衣服，气呼呼的坐在那里，不知是念经，又不知是与人家写法事，见那桌案上有些纸札堆积。唐僧不敢深入，就立于天井里，躬身高叫道：“老院主，弟子问讯了！”那和尚就有些不耐烦他进里边来的意思，半答不答的还了个礼，道：“你是那里来的？”三藏道：“弟子乃东土大唐驾下差来，上西天拜活佛求经的。经过宝方，天晚，求借一宿，明日不犯天光就行了。万望老院主方便方便。”那僧官才欠起身来道：“你是那唐三藏么？”三藏道：“不敢，弟子便是。”僧官道：“你既往西天取经，怎么路也不会走？”三藏道：“弟子更不曾走贵处的路。”他道：“正西去，只有四五里远近，有一座三十里店，店上有卖饭的人家，方便好宿。我这里不便，不好留你们远来的僧。”三藏合掌道：“院主，古人有云：‘庵观寺院，都是我方上人的馆驿，见山门就有三升米分。’你怎么不留我，却是何情？”僧官怒声叫道：“你这游方的和尚，便是有些油嘴油舌的说话！”三藏道：“何为油嘴油舌？”僧官道：“古人云：‘老虎进了城，家家都闭门。虽然不咬人，日前坏了名。’”三藏道：“怎么‘日前坏了名’？”他道：“向年有几众行脚僧，来于山门口坐下。是我见他寒薄，一个个衣破鞋无，光头赤脚。我叹他那般褴褛，即忙请入方丈，延之上坐，款待了斋饭，又将故衣各借一件与他，就留他住了几日。怎知他贪图自在衣食，更不思量起身，就住了七八个年头。住便也罢，又干出许多不公的事来。”三藏道：“有甚么不公的事？”僧官道：“你听我说：

闲时沿墙抛瓦，闷来壁上扳钉。冷天向火折窗棂，夏日拖门拦径。　　幡布扯为脚带，牙香偷换蔓菁。常将琉璃把油倾，夺碗夺锅赌胜。”

三藏听言,心中暗道:"可怜呵!我弟子可是那等样没脊骨①的和尚?"欲待要哭,又恐那寺里的老和尚笑他,但暗暗扯衣揩泪,忍气吞声,急走出去,见了三个徒弟。那行者见师父面上含怒,向前问:"师父,寺里和尚打你来?"唐僧道:"不曾打。"八戒说:"一定打来。不是,怎么还有些哭包声?"那行者道:"骂你来?"唐僧道:"也不曾骂。"行者道:"既不曾打,又不曾骂,你这般苦恼怎么?好道是思乡哩?"唐僧道:"徒弟,他这里不方便。"行者笑道:"这里想是道士?"唐僧怒道:"观里才有道士,寺里只是和尚!"行者道:"你不济事!但是和尚,即与我们一般。常言道:'既在佛会下,都是有缘人。'你且坐,等我进去看看。"

好行者,按一按顶上金箍,束一束腰间裙子,执着铁棒,径到大雄宝殿上,指着那三尊佛像道:"你本是泥塑金妆假像,内里岂无感应?我老孙保领大唐圣僧,往西天拜佛求取真经,今晚特来此处投宿,趁早与我报名!假若不留我等,就一顿棍打碎金身,教你还现本相泥土!"

这大圣正在前边发狠,捣叉子②乱说,只见一个烧晚香的道人,点了几枝香,来佛前炉里插。被行者咄的一声,唬了一跌;爬起来看见脸,又是一跌;吓得滚滚蹡蹡,跑入方丈里,报道:"老爷!外面有个和尚来了!"那僧官道:"你这伙道人都少打!一行说教他往前廊下去'蹲',又报甚么!再说打二十!"道人说:"老爷,这个和尚,比那个和尚不同,生得恶躁,没脊骨。"僧官道:"怎的模样?"道人道:"是个圆眼睛,查耳朵,满面毛,雷公嘴。手执一根棍子,咬牙恨恨的,要寻人打哩。"僧官道:"等我

① 没脊骨:形容不正直,不守规矩。

② 捣叉子:叉子意同岔子,犹找茬儿。就是寻衅惹事的意思。

出去看。”

他即开门，只见行者撞进来了，真个生得丑陋：七高八低孤拐脸，两只黄眼睛，一个磕额头，獠牙往外生，就像属螃蟹的，肉在里面，骨在外面。那老和尚慌得把方丈门关了。行者赶上，扑的打破门扇，道：“赶早将干净房子打扫一千间，老孙睡觉！”僧官躲在房里，对道人说：“怪他生得丑么！原来是说大话，折作①的这般嘴脸。我这里连方丈、佛殿、钟鼓楼、两廊，共总也不上三百间，他却要一千间睡觉。却打那里来？”道人说：“师父，我也是吓破胆的人了，凭你怎么答应他罢。”那僧官战索索的高叫道：“那借宿的长老，我这小荒山不方便，不敢奉留，往别处去宿罢。”

行者将棍子变得盆来粗细，直壁壁的竖在天井里，道：“和尚，不方便，你就搬出去！”僧官道：“我们从小儿住的寺，师公传与师父，师父传与我辈，我辈要远继儿孙。他不知是那里勾当，冒冒实实的，教我们搬哩。”道人说：“老爷，十分不尴尬，搬出去也罢。——杠子打进门来了。”僧官道：“你莫胡说！我们老少众人四五百名和尚，往那里搬？搬出去，却也没处住。”行者听见道：“和尚，没处搬，便着一个出来打样棍！”老和尚叫：“道人，你出去与我打个样棍来。”那道人慌了道：“爷爷呀！那等个大杠子，教我去打样棍？”老和尚道：“‘养军千日，用军一朝’。你怎么不出去？”道人说：“那杠子莫说打来，若倒下来，压也压个肉泥！”老和尚道：“也莫要说压，只道竖在天井里，夜晚间走路，不记得呵，一头也撞个大窟窿！”道人说：“师父，你晓得这般重，却教我出去打甚么样棍？”他自家里面转闹起来。

① 折作：因做恶、不善而受到报应。

行者听见道："是也禁不得。假若就一棍打杀一个，我师父又怪我行凶了。且等我另寻一个甚么打与你看看。"忽抬头，只见方丈门外有一个石狮子，却就举起棍来，乒乓一下，打得粉乱麻碎。那和尚在窗眼儿里看见，就吓得骨软筋麻，慌忙往床下拱，道人就往锅门里钻，口中不住叫："爷爷！棍重，棍重！禁不得！方便，方便！"行者道："和尚，我不打你。我问你：这寺里有多少和尚？"僧官战索索的道："前后是二百八十五房头，共有五百个有度牒的和尚。"行者道："你快去把那五百个和尚都点得齐齐整整，穿了长衣服出去，把我那唐朝的师父接进来，就不打你了。"僧官道："爷爷，若是不打，便抬也抬进来。"行者道："趁早去！"僧官叫："道人，你莫说吓破了胆，就是吓破了心，便也去与我叫这些人，来接唐僧老爷爷来。"

那道人没奈何，舍了性命，不敢撞门，从后边狗洞里钻将出去，径到正殿上，东边打鼓，西边撞钟。钟鼓一齐响处，惊动了两廊大小僧众，上殿问道："这早还不晚哩，撞钟打鼓做甚？"道人说："快换衣服，随老师父排班，出山门外迎接唐朝来的老爷。"那众和尚，真个齐齐整整，摆班出门迎接。有的披了袈裟，有的着了偏衫，无的穿着个一口钟直裰，十分穷的，没有长衣服，就把腰裙接起两条披在身上。行者看见道："和尚，你穿的是甚么衣服？"和尚见他恶丑，道："爷爷，不要打，等我说。——这是我们城中化的布，此间没有裁缝，是自家做的个'一裹穷'。"

行者闻言暗笑，押着众僧，出山门下跪下。那僧官磕头高叫道："唐老爷，请方丈里坐。"八戒看见道："师父老大不济事。你进去时，泪汪汪，嘴上挂得油瓶。师兄怎么就有此獐智，教他们磕头来接？"三藏道："你这个呆子，好不晓礼！常言道：'鬼也怕恶人哩。'"唐僧见他们磕头礼拜，甚是不过意，上前叫："列位请起。”众僧叩头道：“老爷，若和你徒弟说声方便，不动杠子，就跪一个月也罢。”唐僧叫：“悟空，莫要打他。”行者道：“不曾打。若打，这会已打断了根矣。”那些和尚却才起身，牵马的牵马，挑担的挑担，抬着唐僧，驮着八戒，挽着沙僧，一齐都进山门里去；却到后面方丈中，依叙坐下。

众僧却又礼拜，三藏道：“院主请起，再不必行礼，作践贫僧。我和你都是佛门弟子。”僧官道：“老爷是上国钦差，小和尚有失迎接。今到荒山，奈何俗眼不识尊仪，与老爷邂逅相逢。动问老爷：一路上是吃素？是吃荤？我们好去办饭。”三藏道：“吃素。”僧官道：“徒弟，这个爷爷好的吃荤。”行者道：“我们也吃素，都是胎里素。”那和尚道：“爷爷呀，这等凶汉也吃素！”有一个胆量大的和尚，近前又问：“老爷既然吃素，煮多少米的饭方够吃？”八戒道：“小家子和尚！问甚么！一家煮上一石米。”那和尚都慌了，便去刷洗锅灶，各房中安排茶饭，高掌明灯，调开桌椅，管待唐僧。

师徒们都吃罢了晚斋，众僧收拾了家火，三藏称谢道：“老院主，打搅宝山了。”僧官道：“不敢，不敢。怠慢，怠慢。”三藏道：“我师徒却在那里安歇？”僧官道：“老爷不要忙，小和尚自有区处。”叫：“道人，那壁厢有几个人听使令的？”道人说：“师父，有。”僧官分付道：“你们着两个去安排草料，与唐老爷喂马；着几个去前面，把那三间禅堂打扫干净，铺设床帐，快请老爷安歇。”

那些道人听命，各各整顿齐备，却来请唐老爷安寝。他师徒们牵马挑担，出方丈，径至禅堂门首看处，只见那里面灯火光明，两梢间铺着四张藤屉床。行者见了，唤那办草料的道人，将草料抬来，放在禅堂里面，拴下白马，教道人都出去。三藏坐在中间灯下，两班儿立五百个和尚，都伺候着，不敢侧离。三藏欠身道："列位请回，贫僧好自在安寝也。"众僧决不敢退。僧官上前分付大众："伏侍老爷安置了再回。"三藏道："即此就是安置了，都就请回。"众人却才敢散去讫。

唐僧举步出门小解，只见明月当天，叫："徒弟。"行者、八戒、沙僧都出来侍立。因感这月清光皎洁，玉宇深沉，真是一轮高照，大地分明，对月怀归，口占一首古风长篇。诗云：

"皓魄当空宝镜悬，山河摇影十分全。
琼楼玉宇清光满，冰鉴银盘爽气旋。
万里此时同皎洁，一年今夜最明鲜。
浑如霜饼离沧海，却似冰轮挂碧天。
别馆寒窗孤客闷，山村野店老翁眠。
乍临汉苑惊秋鬓，才到秦楼促晚奁。
庾亮有诗传晋史①，袁宏不寐泛江船②。
光浮杯面寒无力，清映庭中健有仙。
处处窗轩吟白雪，家家院宇弄冰弦。
今宵静玩来山寺，何日相同返故园？"

行者闻言，近前答曰："师父呵，你只知月色光华，心怀故里，更不知月中之意，乃先天法象之规绳也。月至三十日，阳魂之金散

---

① 庾亮有诗传晋史：庾亮，字元规。晋成帝时，作过中书令（宰相）。传说他在武昌坐镇时，曾于秋夜和一些人登南楼赏月作诗。此处引用的就是这个故事。

② 袁宏不寐泛江船：袁宏，字彦伯。晋代文学家。小时很穷，替人运租米维持生活。一次，谢尚在安徽当涂县牛渚山下采石矶泛舟赏月，听见邻船袁宏正在读他作的《咏史诗》。此处引用的就是这个故事。

尽，阴魄之水盈轮，故纯黑而无光，乃曰'晦'。此时与日相交，在晦朔两日之间，感阳光而有孕。至初三日一阳现，初八日二阳生，魄中魂半，其平如绳，故曰'上弦'。至今十五日，三阳备足，是以团圆，故曰'望'。至十六日一阴生，二十二日二阴生，此时魂中魄半，其平如绳，故曰'下弦'。至三十日三阴备足，亦当晦。此乃先天采炼之意。我等若能温养二八，九九成功，那时节，见佛容易，返故田亦易也。诗曰：

　　前弦之后后弦前，药味平平气象全。
　　采得归来炉里炼，志心功果即西天。"

那长老听说，一时解悟，明彻真言，满心欢喜，称谢了悟空。沙僧在旁笑道："师兄此言虽当，只说的是弦前属阳，弦后属阴，阴中阳半，得水之金，更不道：

　　水火相搀各有缘，全凭土母配如然。
　　三家同会无争竞，水在长江月在天。"

那长老闻得，亦开茅塞。正是理明一窍通千窍，说破无生即是仙。八戒上前扯住长老道："师父，莫听乱讲，误了睡觉。这月呵：

　　缺之不久又团圆，似我生来不十全。
　　吃饭嫌我肚子大，拿碗又说有粘涎。
　　他都伶俐修来福，我自痴愚积下缘。
　　我说你取经还满三涂业，摆尾摇头直上天！"

三藏道："也罢，徒弟们走路辛苦，先去睡下。等我把这卷经来念一念。"行者道："师父差了。你自幼出家做了和尚，小时的经文那本不熟？却又领了唐王旨意，上西天见佛，求取大乘真典。如今功未完成，佛未得见，经未曾取，你念的是那卷经儿？"三藏道："我自出长安，朝朝跋涉，日日奔波，小时的经文恐怕生了，幸今夜得闲，等我温习温习。”行者道：“既这等说，我们先去睡也。”他三人各往一张藤床上睡下。长老掩上禅堂门，高剔银缸①，铺开经本，默默看念。正是那：楼头初鼓人烟静，野浦渔舟火灭时。毕竟不知那长老怎么样离寺，且听下回分解。

① 缸：油灯。

第三十七回

鬼王夜谒唐三藏　悟空神化引婴儿

却说三藏坐于宝林寺禅堂中灯下，念一会《梁皇水忏》，看一会《孔雀真经》，只坐到三更时候，却才把经本包在囊里。正欲起身去睡，只听得门外扑剌剌一声响亮，淅零零刮阵怪风。那长老恐吹灭了灯，慌忙将偏衫袖子遮住。又见那灯或明或暗，便觉有些心惊胆战。此时又困倦上来，伏在经案上盹睡。虽是合眼朦胧，却还心中明白，耳内嘤嘤听着那窗外阴风飒飒。好风，真个那：

淅淅潇潇，飘飘荡荡。淅淅潇潇飞落叶，飘飘荡荡卷浮云。满天星斗皆昏昧，遍地尘沙尽洒纷。一阵家猛，一阵家纯。纯时松竹敲清韵，猛处江湖波浪浑。刮得那山鸟难栖声哽哽，海鱼不定跳喷喷。东西馆阁门窗脱，前后房廊神鬼瞋。佛殿花瓶吹堕地，琉璃摇落慧灯昏。香炉攲倒香灰迸，烛架歪斜烛焰烟。幢幡宝盖都摇折，钟鼓楼台撼动根。

那长老昏梦中听着风声一时过处，又闻得禅堂外，隐隐的叫一声："师父！"忽抬头梦中观看，门外站着一条汉子：浑身上下，水淋淋的，眼中垂泪，口里不住的只叫"师父"。三藏欠身道："你莫是魍魉妖魅，神怪邪魔，至夜深时，来此戏我？我却不是那贪欲贪嗔之类。我本是个光明正大之僧，奉东土大唐旨意，上西天拜佛求经者。我手下有三个徒弟，都是降龙伏虎之英豪，扫怪除魔之壮士,他若见了你,碎尸粉骨,化作微尘。此是我大慈悲之意,方便之心,你趁早儿潜身远遁,莫上我的禅门来。”那人倚定禅堂道:“师父,我不是妖魔鬼怪,亦不是魍魉邪神。”三藏道:“你既不是此类,却深夜来此何为?”那人道:“师父,你舍眼①看我一看。”长老果仔细定睛看处,——呀!只见他:

头戴一顶冲天冠,腰束一条碧玉带,身穿一领飞龙舞凤赭黄袍,足踏一双云头绣口无忧履,手执一柄列斗罗星白玉珪②。面如东岳长生帝,形似文昌开化君。

三藏见了,大惊失色,急躬身厉声高叫道:“是那一朝陛下?请坐。”用手忙搀,扑了个空虚,回身坐定,再看处还是那个人。长老便问:“陛下,你是那里皇王?何邦帝主?想必是边土不宁,谗臣欺虐,半夜逃生至此。有何话说,说与我听。”这人才泪滴腮边谈旧事,愁攒眉上诉前因,道:“师父阿,我家住在正西,离此只有四十里远近。那厢有座城池,便是兴基之处。”三藏道:“叫做甚么地名?”那人道:“不瞒师父说,便是朕当时创立家邦,改号乌鸡国。”三藏道:“陛下这等惊慌,却因甚事至此?”那人道:“师父呵,我这里五年前,天年干旱,草子不生,民皆饥死,甚是伤情。”三藏闻言,点头叹道:“陛下呵,古人云:‘国正天心顺。’想必是你不慈恤万民。既遭荒歉,怎么就躲离城廓?且去开了仓库,赈济黎民;悔过前非,重兴今善,放赦了那枉法冤人。自然天心和合,雨顺风调。”那人道:“我国中仓廪③空虚,钱粮尽绝。文武两班停俸禄,寡人膳食亦无荤。仿效禹王治水,与万民

① 舍眼:睁眼、抬眼。

② 珪:古代举行重要典礼时国王或诸侯手中拿的一种玉器,多为上剑头形或圆形、下方形的长条形状。

③ 仓廪(lǐn):储藏米谷的仓库。

同受甘苦，沐浴斋戒，昼夜焚香祈祷。如此三年，只干得河枯井涸。正都在危急之处，忽然钟南山来了一个全真，能呼风唤雨，点石成金。先见我文武多官，后来见朕。当即请他登坛祈祷，果然有应，只见令牌①响处，顷刻间大雨滂沱。寡人只望三尺雨足矣，他说久旱不能润泽，又多下了二寸。朕见他如此尚义，就与他八拜为交，以‘兄弟’称之。”三藏道：“此陛下万千之喜也。”那人道：“喜自何来？”三藏道：“那全真既有这等本事，若要雨时，就教他下雨，若要金时，就教他点金。还有那些不足，却离了城阙来此？”那人道：“朕与他同寝食者，只得二年。又遇着阳春天气，红杏夭桃，开花绽蕊，家家士女，处处王孙，俱去游春赏玩。那时节，文武归衙，嫔妃转院。朕与那全真携手缓步，至御花园里，忽行到八角琉璃井边，不知他抛下些甚么物件，井中有万道金光。哄朕到井边看甚么宝贝，他陡起凶心，扑通的把寡人推下井内，将石板盖住井口，拥上泥土，移一株芭蕉栽在上面。——可怜我啊，已死去三年，是一个落井伤生的冤屈之鬼也！”

唐僧见说是鬼，唬得筋力酥软，毛骨耸然，没奈何，只得将言又问他道：“陛下，你说的这话，全不在理。既死三年，那文武多官，三宫皇后，遇三朝见驾殿上，怎么就不寻你？”那人道：“师父呵，说起他的本事，果然世间罕有！自从害了朕，他当时在园内摇身一变，就变做朕的模样，更无差别。现今占了我的江山，暗侵了我的国土。他把我两班文武，四百朝官，三宫皇后，六院嫔妃，尽属了他矣。”三藏道：“陛下，你忒也懦。”那人道：“何懦？”三藏道：“陛下，那怪倒有些神通，变作你的模样，侵占你的乾坤，文武不能

① 令牌：古代军中上级发给下级作为执行命令的凭证，多为银、铜或象牙制成。道教令牌多为木制的长方形法器，用来发号施令，召神遣将。

识，后妃不能晓，只有你死的明白，你何不在阴司阎王处具告，把你的屈情伸诉伸诉？”那人道：“他的神通广大，官吏情熟，——都城隍常与他会酒，海龙王尽与他有亲，东岳天齐是他的好朋友，十代阎罗是他的异兄弟。——因此这般，我也无门投告。”

三藏道：“陛下，你阴司里既没本事告他，却来我阳世间作甚？”那人道：“师父啊，我这一点冤魂，怎敢上你的门来？山门前有那护法诸天、六丁六甲、五方揭谛、四值功曹、一十八位护教伽蓝，紧随鞍马，却才亏夜游神一阵神风，把我送将进来。他说我三年水灾该满，着我来拜谒师父。他说你手下有一个大徒弟，是齐天大圣，极能斩怪降魔。今来志心拜恳，千乞到我国中，拿住妖魔，辨明邪正。朕当结草衔环①，报酬师恩也！”三藏道：“陛下，你此来是请我徒弟，与你捉那妖怪么？”那人道：“正是！正是！”三藏道：“我徒弟干别的事不济，但说降妖捉怪，正合他宜。陛下啊，虽是着他拿怪，但恐理上难行。”那人道：“怎么难行？”三藏道：“那怪既神通广大，变得与你相同，满朝文武，一个个言和心顺，三宫妃嫔，一个个意合情投。我徒弟纵有手段，决不敢轻动干戈。倘被多官拿住，说我们欺邦灭国，问一款大逆之罪，困陷城中，却不是画虎刻鹄②也？”

---

① 结草衔环：指报恩。据记载，春秋时魏颗不用父妾殉葬，把她嫁了。一次，魏颗和秦国的杜回作战，见一老人结草绳将回绊倒，因而捉获了杜回。夜里魏颗梦见老人来说，他就是被嫁的那个妾的父亲，这是来报恩。《续齐谐记》记载：东汉杨宝救了一只黄雀，一天夜里有一黄衣童子以四枚白环相报，后并令其子孙显贵。

② 画虎刻鹄：比喻好事没做成，反变了坏事。汉朝马援训诫他侄子的信中说：龙伯高是个敦厚节俭的人，我喜欢和敬重他，希望你学习他。杜季良是个豪侠好义、是非分明的人，我也喜欢和尊敬他，但不愿你学习他。因为学习龙伯高不成，还可以做个老实的人，好像刻鹄不像，还像野鸭子。如果学杜季良不成，就变成轻薄的人，好像画虎没画成，倒像一条狗了。

那人道："我朝中还有人哩。"三藏道："却好！却好！想必是一代亲王侍长，发付何处镇守去了？"那人道："不是。我本宫有个太子，是我亲生的储君。"三藏道："那太子想必被妖魔贬了？"那人道："不曾。他只在金銮殿上，五凤楼中，或与学士讲书，或共全真登位。自此三年，禁太子不入皇宫，不能够与娘娘相见。"三藏道："此是何故？"那人道："此是妖怪使下的计策，只恐他母子相见，闲中论出长短，怕走了消息，故此两不会面，他得永住常存也。"三藏道："你的灾屯，想应天付，却与我相类。当时我父曾被水贼伤生，我母被水贼欺占，经三个月，分娩了我。我在水中逃了性命，幸金山寺恩师救养成人。记得我幼年无父母，此间那太子失双亲，惭惶不已！"又问道："你纵有太子在朝，我怎的与他相见？"那人道："如何不得见？"三藏道："他被妖魔拘辖，连一个生身之母尚不得见，我一个和尚，欲见何由？"那人道："他明早出朝来也。"三藏问："出朝作甚？"那人道："明日早朝，领三千人马，架鹰犬，出城采猎，师父断得与他相见。见时肯将我的言语说与他，他便信了。"三藏道："他本是肉眼凡胎，被妖魔哄在殿上，那一日不叫他几声父王？他怎肯信我的言语？"那人道："既恐他不信，我留下一件表记与你罢。"三藏问："是何物件？"那人把手中执的金镶白玉珪放下道："此物可以为记。"三藏道："此物何如？"那人道："全真自从变作我的模样，只是少变了这件宝贝。他到宫中，说那求雨的全真拐了此珪去了。自此三年，还没此物。我太子若看见，他睹物思人，此仇必报。"三藏道："也罢，等我留下，着徒弟与你处置。——却在那里等么？"那人道："我也不敢等。我这去，还央求夜游神再使一阵神风，把我送进皇宫内院，托一梦与我那正宫皇后，教他母子们合意，你师徒们同心。"三藏点头应承道："你去罢。"

那冤魂叩头拜别,举步相送,不知怎么蹋了脚,跌了一个筋斗,把三藏惊醒,却原来是南柯一梦。慌得对着那盏昏灯,连忙叫:"徒弟!徒弟!"八戒醒来道:"甚么'土地土地'?——当时我做好汉,专一吃人度日,受用腥膻,其实快活,偏你出家,教我们保护你跑路!原说只做和尚,如今拿做奴才,日间挑包袱牵马,夜间提尿瓶务脚①!这早晚不睡,又叫徒弟作甚?"三藏道:"徒弟,我刚才伏在案上打盹,做了一个怪梦。"行者跳将起来道:"师父,梦从想中来。你未曾上山,先怕妖怪,又愁雷音路远,不能得到,思念长安,不知何日回程,所以心多梦多。似老孙一点真心,专要西方见佛,更无一个梦儿到我。"三藏道:"徒弟,我这桩梦,不是思乡之梦。才然合眼,见一阵狂风过处,禅房门外有一朝皇帝,自言是乌鸡国王。浑身水湿,满眼泪垂。"这等这等,如此如此,将那梦中话一一的说与行者。行者笑道:"不消说了,他来托梦与你,分明是照顾老孙一场生意。必然是个妖怪在那里篡位谋国,等我与他辨个真假。想那妖魔,棍到处,立业成功。"三藏道:"徒弟,他说那怪神通广大哩。"行者道:"怕他甚么广大!早知老孙到,教他即走无方!"三藏道:"我又记得留下一件宝贝作表记。"八戒答道:"师父莫要胡缠,做个梦便罢了,怎么只管当真?"沙僧道:"'不信直中直,须防仁不仁'。我们打起火,开了门,看看如何便是。"

行者果然开门,一齐看处,只见星月光中,阶檐上,真个放着一柄金镶白玉珪。八戒近前拿起道:"哥哥,这是甚么东西?"行者道:"这是国王手中执的宝贝,名唤玉珪。师父呵,既有此物,

① 务脚:就是焐脚,同床两头睡,用这一个人的身体偎暖另一个人的脚叫做焐脚。

想此事是真。明日拿妖，全都在老孙身上。只是要你三桩儿造化低哩。”八戒道：“好！好！好！做个梦罢了，又告诵他。他那些儿不会作弄人哩？就教你三桩儿造化低。”三藏回入里面道：“是那三桩？”行者道：“明日要你顶缸、受气、遭瘟。”八戒笑道：“一桩儿也是难的，三桩儿却怎么耽得？”唐僧是个聪明的长老，便问：“徒弟呵，此三事如何讲？”行者道：“也不消讲，等我先与你二件物。”

好大圣，拔了一根毫毛，吹口仙气，叫声：“变！”变做一个红金漆匣儿，把白玉珪放在内盛着，道：“师父，你将此物捧在手中，到天晓时，穿上锦襕袈裟，去那正殿坐着念经，等我去看看他那城池。端的是个妖怪，就打杀他，也在此间立个功绩；假若不是，且休撞祸。”三藏道：“正是！正是！”行者道：“那太子不出城便罢，若真个应梦出城来，我定引他来见你。”三藏道：“见了我如何迎答？”行者道：“来到时，我先报知。你把那匣盖儿扯开些，等我变作二寸长的一个小和尚，钻在匣儿里，你连我捧在手中。那太子进了寺来，必然拜佛，你尽他怎的下拜，只是不睬他。他见你不动身，一定教拿你，你凭他拿下去，——打也由他，绑也由他，杀也由他。”三藏道：“呀！他的军令大，真个杀了我，怎么好？”行者道：“没事，有我哩。若到那紧关处，我自然护你。他若问时，你说是东土钦差上西天拜佛取经进宝的和尚。他道：‘有甚宝贝？’你却把锦襕袈裟对他说一遍，说道：‘此是三等宝贝。还有头一等、第二等的好物哩。’但问处，就说这匣内有一件宝贝，上知五百年，下知五百年，中知五百年，共一千五百年过去未来之事，俱尽晓得。却把老孙放出来，我将你梦中话告诵那太子，他若肯信，就去拿了那妖魔，一则与他父王报仇，二来我们立个名节；他若不信，再将白玉珪拿与他看。——只恐他年幼，还不认得哩。”三藏闻言,大喜道:“徒弟呵,此计绝妙!但说这宝贝,一个叫做锦襕袈裟,一个叫做白玉珪,你变的宝贝却叫做甚名?”行者道:“就叫做‘立帝货’罢。”三藏依言,记在心上。师徒们一夜那曾得睡,盼到天明,恨不得点头唤出扶桑日,喷气吹散满天星。

不多时,东方发白。行者又分付了八戒、沙僧,教他两个:“不可搅扰僧人,出来乱走。待我成功之后,共汝等同行。”才别了唐僧,打了唿哨,一筋斗跳在空中,睁火眼平西看处,果见有一座城池。你道怎么就看见了?当时说那城池离寺只有四十里,故此凭高就望见了。

行者近前仔细看处,又见那怪雾愁云漠漠,妖风怨气纷纷。行者在空中赞叹道:

“若是真王登宝座,自有祥光五色云;
只因妖怪侵龙位,腾腾黑气锁金门。”

行者正然感叹,忽听得炮声响亮,又只见东门开处,闪出一路人马,真个是采猎之军,果然势勇。但见:

晓出禁城东,分围浅草中。彩旗开映日,白马骤迎风。鼍鼓冬冬擂,标枪对对冲。架鹰军猛烈,牵犬将骁雄。火炮连天振,粘竿映日红。人人支弩箭,个个挎雕弓。张网山坡下,铺绳小径中。一声惊霹雳,千骑拥貔熊。狡兔身难保,乖獐智亦穷。狐狸该命尽,麋鹿丧当中。山雉难飞脱,野鸡怎避凶?他都要捡占山场擒猛兽,摧残林木射飞虫。

那些人出得城来,散布东郊。不多时,有二十里向高田地,又只见中军营里,有小小的一个将军:顶着盔,贯着甲,裹肚花,十八札,手执青锋宝剑,坐下黄骠马,腰带满弦弓。真个是:

隐隐君王像,昂昂帝主容。

规模非小辈，行动显青龙。

行者在空暗喜道："不须说，那个就是皇帝的太子了，等我戏他一戏。"好大圣，按落云头，撞入军中太子马前，摇身一变，变作一个白兔儿，只在太子马前乱跑。太子看见，正合欢心，拈起箭，拽满弓，一箭正中了那兔儿。

原来是那大圣故意教他中了，却眼乖手疾，一把接住那箭头，把箭翎花落在前边，丢开脚步跑了。那太子见箭中了玉兔，兜开马，独自争先来赶。不知马行的快，行者如风，马行的迟，行者慢走，只在他面前不远。看他一程一程，将太子哄到宝林寺山门之下，行者现了本身，——不见兔儿，只见一枝箭插在门槛上。——径撞进去，见唐僧道："师父，来了！来了！"却又一变，变做二寸长短的小和尚儿，钻在红匣之内。

却说那太子赶到山门前，不见了白兔，只见门槛上插住一枝雕翎箭。太子大惊失色道："怪哉！怪哉！分明我箭中了玉兔，玉兔怎么不见，只见箭在此间！想是年多日久，成了精魅也。"拔了箭，抬头看处，山门上有五个大字，写着"敕建宝林寺"。太子道："我知之矣。向年间曾记得，我父王在金銮殿上差官赍些金帛与这和尚修理佛殿佛像，不期今日到此。正是'因过竹院逢僧话，又得浮生半日闲'①。我且进去走走。"

那太子跳下马来，正要进去，只见那保驾的官将与三千人马赶上，簇簇拥拥，都入山门里面。慌得那本寺众僧，都来叩头拜接。接入正殿中间，参拜佛像，却才举目观瞻，又欲游廊玩景，忽

① "因过竹院逢僧话，又得浮生半日闲"：这是唐朝诗人李涉《题鹤林寺僧舍》诗的后两句。

见正当中坐着一个和尚。太子大怒道："这个和尚无礼！我今半朝銮驾①进山，虽无旨意知会，不当远接，此时军马临门，也该起身，怎么还坐着不动？"教："拿下来！"说声"拿"字，两边校尉一齐下手，把唐僧抓将下来，急理绳索便捆。行者在匣里魆魆②的念咒，教道："护法诸天、六丁六甲，我今设法降妖，这太子不能知识，将绳要捆我师父。汝等即早护持，若真捆了，汝等都该有罪！"那大圣暗中分付，谁敢不遵，却将三藏护持定了：有些人摸也摸不着他光头，好似一壁墙挡住，难拢其身。

那太子道："你是那方来的，使这般隐身法欺我！"三藏上前施礼道："贫僧无隐身法，乃是东土唐僧，上雷音寺拜佛求经进宝的和尚。"太子道："你那东土虽是中原，其穷无比，有甚宝贝，你说来我听。"三藏道："我身上穿的这袈裟，是第三样宝贝。还有第一等、第二等更好的物哩！"太子道："你那衣服，半边苫身，半边露臂，能值多少物，敢称宝贝！"三藏道："这袈裟虽不全体，有诗几句。诗曰：

佛衣偏袒不须论，内隐真如脱世尘。
万线千针成正果，九珠八宝合元神。
仙娥圣女恭修制，遗赐禅僧静垢身③。
见驾不迎犹自可，你的父冤未报枉为人！"

太子闻言，心中大怒道："这泼和尚胡说！你那半片衣，凭着你口能舌便，夸好夸强。我的父冤从何未报，你说来我听。"三藏进前一步，合掌问道："殿下，为人生在天地之间，能有几恩？"太

① 半朝銮驾：古时皇帝出巡，摆列全部执事。太子只用皇帝执事的一半，所以叫"半朝銮驾"。

② 魆（xū）魆：暗暗，悄悄。

③ 垢身：佛教指不干净的肉体躯壳。

子道："有四恩。"三藏道："那四恩？"太子道："感天地盖载之恩，日月照临之恩，国王水土之恩，父母养育之恩。"三藏笑曰："殿下言之有失。人只有天地盖载，日月照临，国王水土，那得个父母养育来？"太子怒道："和尚是那游手游食削发逆君之徒！人不得父母养育，身从何来？"三藏道："殿下，贫僧不知。但只这红匣内有一件宝贝，叫做'立帝货'，他上知五百年，中知五百年，下知五百年，共知一千五百年过去未来之事，便知无父母养育之恩，——令贫僧在此久等多时矣。"

太子闻说，教："拿来我看。"三藏扯开匣盖儿，那行者跳将出来，钹呀钹的①，两边乱走。太子道："这星星小人儿，能知甚事？"行者闻言嫌小，却就使个神通，把腰伸一伸，就长了有三尺四五寸。众军士吃惊道："若是这般快长，不消几日，就撑破天也。"行者长到原身，就不长了。太子才问道："立帝货，这老和尚说你能知未来过去吉凶，你却有龟作卜？有蓍作筮？凭书句断人祸福？"行者道："我一毫不用，只是全凭三寸舌，万事尽皆知。"太子道："这厮又是胡说！自古以来，《周易》之书，极其玄妙，断尽天下吉凶，使人知所趋避，故龟所以卜，蓍所以筮。听汝之言，凭据何理？妄言祸福，扇惑人心！"

行者道："殿下且莫忙，等我说与你听。你本是乌鸡国王的太子。你那里五年前，年程②荒旱，万民遭苦，你家皇帝共臣子，秉心祈祷。正无点雨之时，钟南山来了一个道士，他善呼风唤雨，点石为金。君王忒也爱小③，就与他拜为兄弟。这桩事有么？"太子道："有！有！有！你再说说。"行者道："后三年不见

① 钹(bá)呀钹的：形容身材短小的人走路时一晃一晃的样子。

② 年程：同"年成"。

③ 爱小：贪图小利。

全真,称孤的却是谁?”太子道:“果是有个全真,父王与他拜为兄弟,食则同食,寝则同寝。三年前在御花园里玩景,被他一阵神风,把父王手中金镶白玉珪,摄回钟南山去了。至今父王还思慕他,因不见他,遂无心赏玩,把花园紧闭了已三年矣。做皇帝的,非我父王而何?”

行者闻言,哂笑不绝。太子再问不答,只是哂笑。太子怒道:“这厮当言不言,如何这等哂笑?”行者又道:“还有许多话哩。奈何左右人众,不是说处。”太子见他言语有因,将袍袖一展,教军士且退。那驾上官将急传令,将三千人马都出门外住扎。此时殿上无人,太子坐在上面,长老立在前边,左手旁立着行者,本寺诸僧皆退。行者才正色上前道:“殿下,化风去的是你生身之父母,见坐位的是那祈雨之全真。”太子道:“胡说!胡说!我父自全真去后,风调雨顺,国泰民安。照依你说,就不是我父王了。还是我年孺容得你,若我父王听见你这反话,拿了去碎尸万段!”把行者咄的喝下来。行者对唐僧道:“如何?我说他不信,果然!果然!如今却拿那宝贝进与他,倒换关文,往西方去罢。”三藏即将红匣子递与行者,行者接过来,将身一抖,那匣儿卒不见了,——原是他毫毛变的,被他收上身去。——却将白玉珪双手捧上,献与太子。

太子见了道:“好和尚!好和尚!你五年前本是个全真,来骗了我家的宝贝,如今又妆做和尚来进献!”叫:“拿了!”一声传令,把长老唬得慌忙指着行者道:“你这弼马温!专撞空头祸①,带累我哩!”行者近前一齐拦住道:“休嚷!莫走了风!我不叫做立帝货,还有真名哩。”太子怒道:“你上来!我问你个真名

① 空头祸:无缘无故引来的祸事。

字，好送法司定罪！”

行者道：“我是那长老大徒弟，名唤悟空孙行者。因与我师父上西天取经，昨宵到此觅宿。我师父夜读经卷，至三更时分，得一梦。梦见你父王道，他被那全真欺害，推在御花园八角琉璃井内，全真变作他的模样。满朝官不能知，你年幼亦无分晓。禁你入宫，关了花园，大端①怕漏了消息。你父王今夜特来请我降魔。我恐不是妖邪，自空中看了，果然是个妖精。正欲动手拿他，不期你出城打猎。你箭中的玉兔，就是老孙。老孙把你引到寺里，见师父，诉此衷肠，句句是实。你既然认得白玉珪，怎么不念鞠②养恩情，替亲报仇？”那太子闻言，心中惨慽，暗自伤愁道：“若不信此言语，他却有三分儿真实；若信了，争奈殿上见是我父王。”这才是进退两难心问口，三思忍耐口问心。行者见他疑惑不定，又上前道：“殿下不必心疑。请殿下驾回本国，问你国母娘娘一声，看他夫妻恩爱之情，比三年前如何。只此一问，便知真假矣。”

那太子回心道：“正是！且待我问我母亲去来。”他跳起身，笼了玉珪就走。行者扯住道：“你这些人马都回，却不走漏消息，我难成功？但要你单人独马进城，不可扬名卖弄。莫入正阳门，须从后宰门进去。到宫中见你母亲，切休高声大气，须是悄语低言，——恐那怪神通广大，一时走了消息，你娘儿们性命俱难保也。”太子谨遵教命，出山门分付将官：“稳在此扎营，不得移动。我有一事，待我去了就来，一同进城。”看他：指挥号令屯军士，上马如飞即转城。这一去，不知见了娘娘，有何话说，且听下回分解。

① 大端：大概、大约、大抵。

② 鞠（jū）：养育，抚养。

第三十八回

婴儿问母知邪正　金木参玄见假真

逢君只说受生因，便作如来会上人。
一念静观尘世佛，十方同看降威神。
欲知今日真明主，须问当年嫡母身。
别有世间曾未见，一行一步一花新。

却说那乌鸡国王太子，自别大圣，不多时回至城中。果然不奔朝门，不敢报传宣诏，径至后宰门首，见几个太监在那里把守。——见太子来，不敢阻滞，让他进去了。好太子，夹一夹马，撞入里面，忽至锦香亭下，只见那正宫娘娘坐在锦香亭上，两边有数十个嫔妃掌扇，那娘娘倚雕栏儿流泪哩。你道他流泪怎的？原来他四更时也做了一梦，记得一半，含糊了一半，沉沉思想。这太子下马，跪于亭下，叫："母亲！"那娘娘强整欢容，叫声："孩儿，喜呀！喜呀！这二三年在前殿与你父王开讲，不得相见，我甚思量，今日如何得暇来看我一面？诚万千之喜！诚万千之喜！孩儿，你怎么声音悲惨？你父王年纪高迈，有一日龙归碧海，凤返丹霄[①]，你就传了帝位，还有甚么不悦？"太子叩头道："母亲，我问你：即位登龙是那个？称孤道寡果何人？"娘娘闻言道："这孩儿发风了！做皇帝的是你父王，你问怎的？"太子叩头道："万

---

① 龙归碧海，凤返丹霄：都是帝王去世的委婉说法。

望母亲赦子无罪，敢问；不赦，不敢问。”娘娘道：“子母家有何罪？赦你，赦你！快快说来。”太子道：“母亲，我问你三年前夫妻宫里之事与后三年恩爱同否，如何？”

娘娘见说，魂飘魄散，急下亭抱起，紧搂在怀，眼中滴泪道：“孩儿！我与你久不相见，怎么今日来宫问此？”太子发怒道：“母亲有话早说，不说时且误了大事。”娘娘才喝退左右，泪眼低声道：“这桩事，孩儿不问，我到九泉之下，也不得明白。既问时，听我说：

三载之前温又暖，三年之后冷如冰。

枕边切切将言问，他说老迈身衰事不兴！”

太子闻言，撒手脱身，攀鞍上马。那娘娘一把扯住道：“孩儿，你有甚事，话不终就走？”太子跪在前面道：“母亲，不敢说。今日早朝，蒙钦差架鹰逐犬，出城打猎，偶遇东土驾下来的个取经圣僧，有大徒弟乃孙行者，极善降妖。原来我父王死在御花园八角琉璃井内，这全真假变父王，侵了龙位。今夜三更，父王托梦，请他到城捉怪。孩儿不敢尽信，特来问母。母亲才说出这等言语，必然是个妖精。”那娘娘道：“儿呵，外人之言，你怎么就信为实？”太子道：“儿还不敢认实，父王遗下表记与他了。”娘娘问是何物，太子袖中取出那金镶白玉珪，递与娘娘。那娘娘认得是当时国王之宝，止不住泪如泉涌，叫声：“主公！你怎么死去三年，不来见我，却先见圣僧，后来见我？”太子道：“母亲，这话是怎的说？”娘娘道：“儿呵，我四更时分，也做了一梦，梦见你父王水淋淋的站在我跟前，亲说他死了，鬼魂儿拜请了唐僧降假皇帝，救他前身。记便记得是这等言语，只是一半儿不得分明。正在这里狐疑，怎知今日你又来说这话，又将宝贝拿出。我且收下，你且去请那圣僧急急为之。果然扫荡妖气,辨明邪正,庶①报你父王养育之恩也。”

太子急忙上马,出后宰门,躲离城池,真个是噙泪叩头辞国母,含悲顿首复唐僧。不多时,出了城门,径至宝林寺山门前下马。众军士接着太子,又见红轮将坠,太子传令,不许军士乱动。他又独自个入了山门,整束衣冠,拜请行者。只见那猴王从正殿摇摇摆摆走来,那太子双膝跪下道:“师父,我来了。”行者上前搀住道:“请起,你到城中,可曾问谁么?”太子道:“问母亲来。”将前言尽说了一遍。行者微微笑道:“若是那般冷呵,想是个甚么冰冷的东西变的。不打紧!不打紧!等我老孙与你扫荡。却只是今日晚了,不好行事。你先回去,待明早我来。”太子跪地叩拜道:“师父,我只在此伺候,到明日同师父一路去罢。”行者道:“不好!不好!若是与你一同入城,那怪物生疑,不说是我撞着你,却说是你请老孙,却不惹他反怪你也?”太子道:“我如今进城,他也怪我。”行者道:“怪你怎么?”太子道:“我自早朝蒙差,带领若干人马鹰犬出城,今一日更无一件野物,怎么见驾?若问我个不才之罪,监陷羑里②,你明日进城,却将何倚?况那班部中更没个相知人也。”行者道:“这甚打紧!你肯早说时,却不寻下些等你?”

好大圣!你看他就在太子面前,显个手段,将身一纵,跳在云端里,捻着诀,念一声“唵蓝净法界”的真言,拘得那山神、土地在半空中施礼道:“大圣,呼唤小神,有何使令?”行者道:“老孙保护唐僧至此,欲拿邪魔,奈何那太子打猎无物,不敢回朝,问

① 庶:庶几,或许。
② 羑(yǒu)里:地名,故址在今河南省汤阴县境内。传说殷朝纣王曾把周文王姬昌在这里囚禁七年。

汝等讨个人情，快将獐犯鹿兔，走兽飞禽，各寻些来，打发他回去。”山神、土地闻言，敢不承命？又问各要几何。大圣道：“不拘多少，取些来便罢。”那各神即着本处阴兵，刮一阵聚兽阴风，捉了些野鸡山雉，角鹿肥獐，狐獾狢兔，虎豹狼虫，共有百千馀只，献与行者。行者道：“老孙不要。你可把他都捻就①了筋，单摆在那四十里路上两旁，教那些人不纵鹰犬，拿回城去，算了汝等之功。”众神依言，散了阴风，摆在左右。

行者才按云头，对太子道：“殿下请回。路上已有物了，你自收去。”太子见他在半空中弄此神通，如何不信，只得叩头拜别，出山门传了令，教军士们回城。只见那路旁果有无限的野物，军士们不放鹰犬，一个个俱着手擒捉喝采，俱道是千岁殿下的洪福，怎知是老孙的神功？你听凯歌声唱，一拥回城。

这行者保护了三藏，那本寺中的和尚，见他们与太子这样绸缪，怎不恭敬？却又安排斋供，管待了唐僧，依然还歇在禅堂里。将近有一更时分，行者心中有事，急睡不着。他一毂辘爬起来，到唐僧床边，叫：“师父。”此时长老还未睡哩。他晓得行者会失惊打怪的，推睡不应。行者摸着他的光头，乱摇道：“师父怎睡着了？”唐僧怒道：“这个顽皮！这早晚还不睡，吆喝甚么？”行者道：“师父，有一桩事儿，和你计较计较。”长老道：“甚么事？”行者道：“我日间与那太子夸口，说我的手段比山还高，比海还深，拿那妖精如探囊取物一般，伸了手去就拿将转来，——却也睡不着，想起来，有些难哩。”唐僧道：“你说难，便就不拿了罢。”行者道：“拿是还要拿，只是理上不顺。”唐僧道：“这猴头乱说！妖精

① 就：就是抽、朒（nù）的意思。

夺了人君位,怎么叫做理上不顺?”行者道:“你老人家只知念经拜佛,打坐参禅,那曾见那萧何的律法①?常言道:‘拿贼拿赃。’那怪物做了三年皇帝,又不曾走了马脚,漏了风声。他与三宫妃后同眠,又和两班文武共乐,我老孙就有本事拿住他,也不好定个罪名。”唐僧道:“怎么不好定罪?”行者道:“他就是个没嘴的葫芦,也与你滚上几滚。他敢道:‘我是乌鸡国王。有甚逆天之事,你来拿我?’将甚执照②与他折辩?”唐僧道:“凭你怎生裁处?”

行者笑道:“老孙的计已成了。只是干碍着你老人家,有些儿护短。”唐僧道:“我怎么护短?”行者道:“八戒生得夯,你有些儿偏向他。”唐僧道:“我怎么向他?”行者道:“你若不向他呵,且如今把胆放大些,与沙僧只在这里。待老孙与八戒趁此时先入那乌鸡国城中,寻着御花园,打开琉璃井,把那皇帝尸首捞将上来,包在我们包袱里。明日进城,且不管甚么倒换文牒,见了那怪,掣棍子就打。他但有言语,就将骨榇③与他看,说:‘你杀的是这个人!’却教太子上来哭父,皇后出来认夫,文武多官见主,我老孙与兄弟们动手,这才是有对头的官事好打。”唐僧闻言,暗喜道:“只怕八戒不肯去。”行者笑道:“如何?我说你护短。你怎么就知他不肯去?你只像我叫你时不答应,半个时辰便了!我这去,但凭三寸不烂之舌,莫说是猪八戒,就是‘猪九戒’,也有本事教他跟着我走。”唐僧道:“也罢,随你去叫他。”

行者离了师父,径到八戒床边,叫:“八戒!八戒!”那呆子是走路辛苦的人,丢倒头,只情打呼,那里叫得醒。行者揪着耳

① 萧何的律法:萧何是汉代法律的制定者,故后世常以“萧律”代指法律。

② 执照:此处指证据。

③ 骨榇(chèn):死人埋葬后经过腐烂剩下来的骨头。这里指尸体。

朵,抓着鬃,把他一拉,拉起来,叫声:"八戒。"那呆子还打棱挣[1]。行者又叫一声,呆子道:"睡了罢,莫顽!明日要走路哩!"行者道:"不是顽,有一桩买卖,我和你做去。"八戒道:"甚么买卖?"行者道:"你可曾听得那太子说么?"八戒道:"我不曾见面,不曾听见说甚么。"行者道:"那太子告诵我说,那妖精有件宝贝,万夫不当之勇。我们明日进朝,不免与他争敌,倘那怪执了宝贝,降倒我们,却不反成不美?我想着打人不过,不如先下手。我和你去偷他的来,却不是好?"八戒道:"哥哥,你哄我去做贼哩。这个买卖,我也去得,果是晓得实实的帮寸[2],我也与你讲个明白:偷了宝贝,降了妖精,我却不奈烦甚么小家罕气的分宝贝,我就要了。"行者道:"你要作甚?"八戒道:"我不如你们乖姣能言,人面前化得出斋来。老猪身子又夯,言语又粗,不能念经,若到那无济无生处,可好换斋吃么。"行者道:"老孙只要图名,那里图甚宝贝,就与你罢便了。"那呆子听见说都与他,他就满心欢喜,一毂辘爬将起来,套上衣服,就和行者走路。这正是青酒红人面,黄金动道心。两个密密的开了门,躲离三藏,纵祥光,径奔那城。

不多时到了,按落云头,只听得楼头方二鼓矣。行者道:"兄弟,二更时分了。"八戒道:"正好!正好!人都在头觉里正浓睡也。"二人不奔正阳门,径到后宰门首,只听得梆铃声响。行者道:"兄弟,前后门皆紧急,如何得入?"八戒道:"那见做贼的从门里走么?瞒墙跳过便罢。"行者依言,将身一纵,跳上里罗城墙。八戒也跳上去。二人潜入里面,找着门路,径寻那御

① 棱挣:从熟睡中被突然叫起,精神尚未清醒的半迷糊状态。

② 帮寸:即帮衬。

花园。

正行时，只见有一座三檐白簇的门楼，上有三个亮灼灼的大字，映着那星月光辉，乃是“御花园”。行者近前看了，有几重封皮，公然将锁门锈住了，即命八戒动手。那呆子掣铁钯，尽力一筑，把门筑得粉碎。行者先举步跋①入，忍不住跳将起来，大呼小叫，唬得八戒上前扯住道：“哥呀，害杀我也！那见做贼的乱嚷？似这般吆喝，惊醒了人，把我们拿住，送入官司，就不该死罪，也要解回原籍充军。”行者道：“兄弟呵，你却不知我发急为何。你看这：

彩画雕栏狼狈，宝妆亭阁攲歪。莎汀蓼岸尽尘埋，芍药荼蘼俱败。　茉莉玫瑰香暗，牡丹百合空开。芙蓉木槿草垓垓②，异卉奇葩壅坏。

巧石山峰俱倒，池塘水涸鱼衰。青松紫竹似干柴，满路茸茸蒿艾。　丹桂碧桃枝损，海榴棠棣根歪。桥头曲径有苍苔，冷落花园境界！”

八戒道：“且叹他做甚？快干我们的买卖去来！”行者虽然感慨，却留心想起唐僧的梦来，说芭蕉树下方是井。正行处，果见一株芭蕉，生得茂盛，比众花木不同。真是：

一种灵苗秀，天生体性空。
枝枝抽片纸，叶叶卷芳丛。
翠缕千条细，丹心一点红。
凄凉愁夜雨，憔悴怯秋风。
长养元丁力，栽培造化工。

---

① 跋（chà）：大步跨进。
② 垓（gāi）垓：形容乱草丛生的样子。

缄书成妙用，挥洒有奇功。
凤翎宁得似，鸾尾迥相同。
薄露瀼瀼滴，轻烟淡淡笼。
青阴遮户牖，碧影上帘栊。
不许栖鸿雁，何堪系玉骢。
霜天形槁悴，月夜色朦胧。
仅可消炎暑，犹宜避日烘。
愧无桃李色，冷落粉墙东。

行者道："八戒，动手么！宝贝在芭蕉树下埋着哩。"那呆子双手举钯，筑倒了芭蕉，然后用嘴一拱，拱了有三四尺深，见一块石板盖住。呆子欢喜道："哥呀！造化了！果有宝贝！是一片石板盖着哩！不知是坛儿盛着，是柜儿装着哩。"行者道："你掀起来看看。"那呆子果又一嘴，拱开看处，又见有霞光灼灼，白气明明。八戒笑道："造化！造化！宝贝放光哩！"又近前细看时，呀！原来是星月之光，映得那井中水亮。八戒道："哥呀，你但干事，便要留根。"行者道："我怎留根？"八戒道："这是一眼井。你在寺里早说是井中有宝贝，我却带将两条捆包袱的绳来，怎么作个法儿，把老猪放下去。如今空手，这里面东西，怎么得下去上来耶？"行者道："你下去么？"八戒道："正是要下去，只是没绳索。"行者笑道："你脱了衣服，我与你个手段。"八戒道："有甚么好衣服？解了这直裰子就是了。"

好大圣，把金箍棒拿出来，两头一扯，叫："长！"足有七八丈长。教："八戒，你抱着一头儿，把你放下井去。"八戒道："哥呀，放便放下去，若到水边，就住了罢。"行者道："我晓得。"那呆子抱着铁棒，被行者轻轻提将起来，将他放下去。不多时，放至水边。八戒道："到水了！"行者听见他说，却将棒往下一按。那呆子扑通的一个没头蹲，丢了铁棒，便就负水①，口里哺哺的嚷道："这天杀的！我说到水莫放，他却就把我一按！"行者掣上棒来，笑道："兄弟，可有宝贝么？"八戒道："那见甚么宝贝，只是一井水！"行者道："宝贝沉在水底下哩。你下去摸一摸来。"呆子真个深知水性，却就打个猛子②淬将下去。呀！那井底深得紧！他却着实又一淬，忽睁眼见有一座牌楼，上有"水晶宫"三个字。八戒大惊道："罢了！罢了！错走了路了！蹡下海来也！海内有个水晶宫，井里如何有之？"原来八戒不知此是井龙王的水晶宫。

八戒正叙话处，早有一个巡水的夜叉，开了门，看见他的模样，急抽身进去报道："大王，祸事了！井上落一个长嘴大耳的和尚来了！赤淋淋的，衣服全无，还不死，逼法说话哩。"那井龙王忽闻此言，心中大惊道："这是天蓬元帅来也。昨夜夜游神奉上敕旨，来取乌鸡国王魂灵去拜见唐僧，请齐天大圣降妖。这怕是齐天大圣、天蓬元帅来了。却不可怠慢他，快接他去也。"

那龙王整衣冠，领众水族，出门来厉声高叫道："天蓬元帅，请里面坐。"八戒却才欢喜道："原来是个故知。"那呆子不管好歹，径入水晶宫里。——其实不知上下赤淋淋的，——就坐在上面。龙王道："元帅，近闻你得了性命，皈依释教，保唐僧西天取经，如何得到此处？"八戒道："正为此说。我师兄孙悟空多多拜上，着我来问你取甚么宝贝哩。"龙王道："可怜，我这里怎么得个宝贝！比不得那江、河、淮、济的龙王，飞腾变化，便有宝贝。

① 负水：同"凫水"，游泳。
② 猛子：以头倒入水中的泅水法。

我久困于此，日月且不能长见，宝贝果何自而来也？”八戒道：“不要推辞，有便拿出来罢。”龙王道：“有便有一件宝贝，只是拿不出来，就元帅亲自来看看，何如？”八戒道：“妙！妙！妙！须是看看来也。”

那龙王前走，这呆子随后，转过了水晶宫殿，只见廊庑下横䑨①着一个六尺长躯。龙王用手指定道：“元帅，那厢就是宝贝了。”八戒上前看了，呀！原来是个死皇帝，戴着冲天冠，穿着赭黄袍，踏着无忧履，系着蓝田带，直挺挺睡在那厢。八戒笑道：“难！难！难！算不得宝贝！想老猪在山为怪时，时常将此物当饭；且莫说见的多少，吃也吃够无数，那里叫做甚么宝贝。”龙王道：“元帅原来不知。他本是乌鸡国王的尸首，自到井中，我与他定颜珠定住，不曾得坏。你若肯驮他出去，见了齐天大圣，假有起死回生之意呵，莫说宝贝，凭你要甚么东西都有。”八戒道：“既这等说，我与你驮出去，只说把多少烧埋钱②与我？”龙王道：“其实无钱。”八戒道：“你好白使人？果然没钱，不驮！”龙王道：“不驮，请行。”八戒就走。龙王差两个有力量的夜叉，把尸抬将出去，送到水晶宫门外，丢在那厢，摘了辟水珠，就有水响。

八戒急回头看，不见水晶宫门，一把摸着那皇帝的尸首，慌得他脚软筋麻，撺出水面，扳着井墙，叫道：“师兄！伸下棒来救我一救！”行者道：“可有宝贝么？”八戒道：“那里有！只是水底下有一个井龙王，教我驮死人，我不曾驮，他就把我送出门来，就不见那水晶宫了，只摸着那个尸首，唬得我手软筋麻，挣搓不动了！哥呀！好歹救我救儿！”行者道：“那个就是宝贝，如何不驮

① 䑨（duǒ）：此处为躺着的意思。

② 烧埋钱：旧时烧化、埋葬死人的报酬叫烧埋钱。

上来?”八戒道:“知他死了多少时了,我驮他怎的?”行者道:“你不驮,我回去耶。”八戒道:“你回那里去?”行者道:“我回寺中,同师父睡觉去。”八戒道:“我就不去了?”行者道:“你爬得上来,便带你去,爬不上来,便罢。”八戒慌了:“怎生爬得动!你想,城墙也难上。这井肚子大,口儿小,壁陡的圈墙,又是几年不曾打水的井,团团都长的是苔痕,好不滑也,教我怎爬?哥哥,不要失了兄弟们和气,等我驮上来罢。”行者道:“正是。快快驮上来,我同你回去睡觉。”那呆子又一个猛子淬将下去,摸着尸首,拽过来,背在身上,撺出水面,扶井墙道:“哥哥,驮上来了。”那行者睁睛看处,真个的背在身上,却才把金箍棒伸下井底。那呆子着了恼的人,张开口,咬着铁棒,被行者轻轻的提将出来。

八戒将尸放下,捞过衣服穿上。行者看时,那皇帝容颜依旧,似生时未改分毫。行者道:“兄弟呵,这人死了三年,怎么还容颜不坏?”八戒道:“你不知之。这井龙王对我说,他使了定颜珠定住了,尸首未曾坏得。”行者道:“造化!造化!一则是他的冤仇未报,二来该我们成功。兄弟快把他驮了去。”八戒道:“驮往那里去?”行者道:“驮了去见师父。”八戒口中作念道:“怎的起!怎的起!好好睡觉的人,被这猢狲花言巧语,哄我教做甚么买卖,如今却干这等事,教我驮死人!驮着他,腌臜臭水淋将下来,污了衣服,没人与我浆洗。上面有几个补丁,天阴发潮,如何穿么?”行者道:“你只管驮了去,到寺里,我与你换衣服。”八戒道:“不羞!连你穿的也没有,又替我换!”行者道:“这般弄嘴,便不驮罢!”八戒道:“不驮!”——“便伸过孤拐来,打二十棒!”八戒慌了道:“哥哥,那棒子重,若是打上二十,我与这皇帝一般了。”行者道:“怕打时,趁早儿驮着走路!”八戒果然怕打,没好气,把尸首拽将过来,背在身上,拽步出园就走。

好大圣，捻着诀，念声咒语，往巽地上吸一口气，吹将去，就是一阵狂风，把八戒撮出皇宫内院。躲离了城池，息了风头，二人落地，徐徐却走将来。那呆子心中暗恼，算计要恨报行者，道："这猴子捉弄我，我到寺里也捉弄他捉弄，撺道师父，只说他医得活；医不活，教师父念《紧箍儿咒》，把这猴子的脑浆勒出来，方趁我心！"走着路，再再寻思道："不好！不好！若教他医人，却是容易，他去阎王家讨将魂灵儿来，就医活了。只说不许赴阴司，阳世间就能医活，这法儿才好。"

说不了，却到了山门前，径直进去，将尸首丢在那禅堂门前，道："师父，起来看邪。"那唐僧睡不着，正与沙僧讲行者哄了八戒去久不回之事。忽听得他来叫了一声，唐僧连忙起身道："徒弟，看甚么？"八戒道："行者的外公，教老猪驮将来了。"行者道："你这馕糠的呆子！我那里有甚么外公。"八戒道："哥，不是你外公，却教老猪驮他来怎么？也不知费多少力了！"

那唐僧与沙僧开门看处，那皇帝容颜未改，似活的一般。长老忽然惨凄道："陛下，你不知那世里冤家，今生遇着他，暗丧其身，抛妻别子，致令文武不知，多官不晓！可怜你妻子昏蒙，谁曾见焚香献茶？"忽失声泪如雨下。八戒笑道："师父，他死了可干你事？又不是你家父祖，哭他怎的！"三藏道："徒弟啊，出家人慈悲为本，方便为门。你怎的这等心硬？"八戒道："不是心硬。师兄和我说来，他能医得活。若是医不活，我也不驮他来了。"那长老原来是一头水①的，被那呆子摇动了，也便就叫："悟空，若果有手段医活这个皇帝，正是'救人一命，胜造七级浮图'。我等也强似灵山拜佛。"行者道："师父，你怎么信这呆子乱谈！

① 一头水：没有主见，像水一样，哪头重就向哪头倒。

人若死了,或三七五七,尽七七日,受满了阳间罪过,就转生去了。如今已此三年,如何救得!”三藏闻其言道:“也罢了。”八戒苦恨不息,道:“师父,你莫被他瞒了。他有些夹脑风。你只念念那话儿,管他还你一个活人。”真个唐僧就念《紧箍儿咒》,勒得那猴子眼胀头疼。毕竟不知怎生医救,且听下回分解。

第三十九回

一粒金丹天上得　三年故主世间生

话说那孙大圣头痛难禁，哀告道："师父，莫念！莫念！等我医罢！"长老问："怎么医？"行者道："只除过阴司，查勘那个阎王家有他魂灵，请将来救他。"八戒道："师父莫信他。他原说不用过阴司，阳世间就能医活，方见手段哩。"那长老信邪风，又念《紧箍儿咒》，慌得行者满口招承道："阳世间医罢！阳世间医罢！"八戒道："莫要住！只管念！只管念！"行者骂道："你这呆孽畜，撺道师父咒我哩！"八戒笑得打跌道："哥耶！哥耶！你只晓得捉弄我，不晓得我也捉弄你捉弄！"行者道："师父，莫念！莫念！待老孙阳世间医罢。"三藏道："阳世间怎么医？"行者道："我如今一筋斗云，撞入南天门里，不进斗牛宫，不入灵霄殿，径到那三十三天之上，离恨天宫兜率院内，见太上老君，把他'九转还魂丹'求得一粒来，管取救活他也。"

三藏闻言大喜，道："就去，快来！"行者道："如今有三更时候罢了，投到回来，好天明了。只是这个人睡在这里，冷冷淡淡，不像个模样，须得举哀人看着他哭，便才好哩。"八戒道："不消讲，这猴子一定是要我哭哩。"行者道："怕你不哭！你若不哭，我也医不成！"八戒道："哥哥，你自去，我自哭罢了。"行者道："哭有几样：若干着口喊，谓之嚎；扭搜出些眼泪儿来，谓之啕；又要哭得有眼泪，又要哭得有心肠，才算着嚎啕痛哭哩。"八戒道:“我且哭个样子你看看。”他不知那里扯个纸条,捻作一个纸捻儿,往鼻孔里通了两通,打了几个涕喷,你看他眼泪汪汪,粘涎答答的,哭将起来,口里不住的絮絮叨叨,数黄道黑,真个像死了人的一般。哭到那伤情之处,唐长老也泪滴心辜①。行者笑道:“正是那样哀痛,再不许住声。你这呆子哄得我去了,你就不哭。我还听哩!若是这等哭便罢,若略住住声儿,定打二十个孤拐!”八戒笑道:“你去!你去!我这一哭动头,有两日哭哩。”沙僧见他数落,便去寻几枝香来烧献。行者笑道:“好!好!好!一家儿都有些敬意,老孙才好用功。”

好大圣,此时有半夜时分,别了他师徒三众,纵筋斗云,只入南天门里。果然也不谒灵霄宝殿,不上那斗牛天宫,一路云光,径来到三十三天离恨天兜率宫中。才入门,只见那太上老君正坐在那丹房中,与众仙童执芭蕉扇搧火炼丹哩。他见行者来时,即分付看丹的童儿:“各要仔细。偷丹的贼又来也。”行者作礼笑道:“老官儿,这等没搭撒②。防备我怎的?我如今不干那样事了。”老君道:“你那猴子,五百年前大闹天宫,把我灵丹偷吃无数,着小圣二郎捉拿上界,送在我丹炉炼了四十九日,炭也不知费了多少。你如今幸得脱身,皈依佛果,保唐僧往西天取经。前者在平顶山上降魔,弄刁难,不与我宝贝,今日又来做甚?”行者道:“前日事,老孙更没稽迟③,将你那五件宝贝当时交还,你反疑心怪我?”

老君道:“你不走路,潜入吾宫怎的?”行者道:“自别后,西遇一方,名乌鸡国。那国王被一妖精假妆道士,呼风唤雨,阴害

① 辜:通“苦”。

② 没搭撒:无聊、不振作、提不起精神、垂头丧气。这里作没正经解释。

③ 稽迟:耽误,拖误。

了国王，那妖假变国王相貌，现坐金銮殿上。是我师父夜坐宝林寺看经，那国王鬼魂参拜我师，敦请老孙与他降妖，辨明邪正。正是老孙思无指实，与弟八戒夜入园中，打破花园，寻着埋藏之所，乃是一眼八角琉璃井内。捞上他的尸首，容颜不改。到寺中见了我师，他发慈悲，着老孙医救，不许去赴阴司里求索灵魂，只教在阳世间救治。我想着无处回生，特来参谒。万望道祖垂怜，把'九转还魂丹'借得一千丸儿，与我老孙，搭救他也。"老君道："这猴子胡说！甚么一千丸，二千丸！当饭吃哩！是那里土块捘①的，这等容易？——咄！快去！没有！"行者笑道："百十丸儿也罢。"老君道："也没有。"行者道："十来丸也罢。"老君怒道："这泼猴却也缠帐②！没有，没有！出去，出去！"行者笑道："真个没有，我问别处去救罢。"老君喝道："去！去！去！"这大圣拽转步，往前就走。

老君忽的寻思道："这猴子惫懒哩，说去说去，只怕溜进来就偷。"即命仙童叫回来道："你这猴子，手脚不稳。我把这'还魂丹'送你一丸罢。"行者道："老官儿，既然晓得老孙的手段，快把金丹拿出来，与我四六分分，还是你的造化哩，不然，就送你个'皮笊篱，——一捞个罄尽'。"那老祖取过葫芦来，倒吊过底子，倾出一粒金丹，递与行者道："止有此了。拿去，拿去！送你这一粒，医活那皇帝，只算你的功果罢。"行者接了道："且休忙，等我尝尝看。只怕是假的，莫被他哄了。"扑的往口里一丢，慌得那老祖上前扯住，一把揪着顶瓜皮，揝着拳头，骂道："这泼猴若要咽下去，就直打杀了！"行者笑道："嘴脸！小家子样！那个吃

① 捘(zùn)：搓，用手团弄成球形。

② 缠帐：纠缠，搅扰。即赖皮的意思。

你的哩！能值几个钱！虚多实少的。在这里不是?”原来那猴子颏下有嗉袋儿。他把那金丹噙在嗉袋里,被老祖捻着道:“去罢！去罢！再休来此缠绕!”这大圣才谢了老祖,出离了兜率天宫。

你看他千条瑞霭离瑶阙,万道祥云降世尘。须臾间,下了南天门,回到东观,早见那太阳星上。按云头,径至宝林寺山门外,只听得八戒还哭哩。忽近前叫声:“师父。”三藏喜道:“悟空来了。可有丹药?”行者道:“有。”八戒道:“怎么得没有？他偷也去偷人家些来!”行者笑道:“兄弟,你过去罢,用不着你了。你揩揩眼泪,别处哭去。”教:“沙和尚,取些水来我用。”沙僧急忙往后面井上,有个方便吊桶,即将半钵盂水递与行者。行者接了水,口中吐出丹来,安在那皇帝唇里,两手扳开牙齿,用一口清水,把金丹冲灌下肚。有半个时辰,只听他肚里呼呼的乱响,只是身体不能转移。行者道:“师父弄我！金丹也不能救活,可是掯[①]杀老孙么?”三藏道:“岂有不活之理？似这般久死之尸,如何吞得水下？此乃金丹之仙力也。自金丹入腹,却就肠鸣了,肠鸣乃血脉和动,但气绝不能回伸。莫说人在井里浸了三年,就是生铁也上锈了,只是元气尽绝,得个人度他一口气便好。”那八戒上前就要度气,三藏一把扯住道:“使不得！还教悟空来。”那师父甚有主张:原来猪八戒自幼儿伤生作孽吃人,是一口浊气;惟行者从小修持,咬松嚼柏,吃桃果为生,是一口清气。这大圣上前,把个雷公嘴噙着那皇帝口唇,呼的一口气,吹入咽喉,度下重楼,转明堂,径至丹田,从涌泉倒返泥垣宫。呼的一声响亮,那

① 掯(kèn):勒掯。这里是刁难的意思。

君王气聚神归,便翻身,抡拳曲足,叫了一声:“师父!”双膝跪在尘埃道:“记得昨夜鬼魂拜谒,怎知道今朝天晓返阳神!”三藏慌忙搀起道:“陛下,不干我事。你且谢我徒弟。”行者笑道:“师父说那里话?常言道:‘家无二主。’你受他一拜儿不亏。”

三藏甚不过意,搀起那皇帝来,同入禅堂,又与八戒、行者、沙僧拜见了,方才按座。只见那本寺的僧人,整顿了早斋,却欲来奉献,忽见那个水衣皇帝,个个惊张,人人疑说。孙行者跳出来道:“那和尚,不要这等惊疑。这本是乌鸡国王,乃汝之真主也。三年前被怪害了性命,是老孙今夜救活。如今进他城去,要辨明邪正。若有了斋,摆将来,等我们吃了走路。”众僧即奉献汤水,与他洗了面,换了衣服。把那皇帝赭黄袍脱了,本寺僧官,将两领布直裰,与他穿了;解下蓝田带,将一条黄丝绦子与他系了;褪下无忧履,与他一双旧僧鞋撒①了;却才都吃了早斋,扣背马匹。

行者问:“八戒,你行李有多重?”八戒道:“哥哥,这行李日逐挑着,倒也不知有多重。”行者道:“你把那一担儿分为两担,将一担儿你挑着,将一担儿与这皇帝挑。我们赶早进城干事。”八戒欢喜道:“造化!造化!当时驮他来,不知费了多少力,如今医活了,原来是个替身。”

那呆子就弄玄虚,将行李分开,就问寺中取条扁担,轻些的自己挑了,重些的教那皇帝挑着。行者笑道:“陛下,着你那般打扮,挑着担子,跟我们走走,可亏你么?”那国王慌忙跪下道:“师父,你是我重生父母一般。莫说挑担,情愿执鞭坠镫②,伏侍

① 撒:同“靸(sǎ)”。方言。指把鞋后帮踩在脚下拖着穿。

② 执鞭坠镫:表面意思是服侍别人骑马,实际表达对别人的敬仰或报恩之情。坠镫,向下拉马镫,以利于尊者上马。

老爷,同行上西天去也。”行者道:“不要你去西天,我内中有个缘故。你只挑得四十里进城,待捉了妖精,你还做你的皇帝,我们还取我们的经也。”八戒听言道:“这等说,他只挑四十里路,我老猪还是长工!”行者道:“兄弟,不要胡说,趁早外边引路。”

真个八戒领那皇帝前行,沙僧伏侍师父上马,行者随后。只见那本寺五百僧人,齐齐整整,吹打着细乐,都送出山门之外。行者笑道:“和尚们不必远送,但恐官家有人知觉,泄漏我的事机,反为不美。快回去!快回去!但把那皇帝的衣服冠带,整顿干净,或是今晚明早,送进城来,我讨些封赠赏赐谢你。”众僧依命各回讫。行者放开大步,赶上师父,一直前来。正是:

西方有诀好寻真,金木和同却炼神。
丹母空怀懞懂梦,婴儿长恨杌樗①身。
必须井底求明主,还要天堂拜老君。
悟得色空还本性,诚为佛度有缘人。

师徒们在路上,那消半日,早望见城池相近。三藏道:“悟空,前面想是乌鸡国了。”行者道:“正是。我们快赶进城干事。”那师徒进得城来,只见街市上人物齐整,风光闹热,早又见凤阁龙楼,十分壮丽。有诗为证。诗曰:

海外宫楼如上邦,人间歌舞若前唐。
花迎宝扇红云绕,日照鲜袍翠雾光。
孔雀屏开香霭出,珍珠帘卷彩旗张。
太平景象真堪贺,静列多官没奏章。

---

① 杌(wù)樗(chū):杌,树没有枝。樗,臭椿树。杌樗,比喻不成材料、没出息。

三藏下马道："徒弟呵，我们就此进朝倒换关文，省得又拢那个衙门费事。"行者道："说得有理。我兄弟们都进去，人多才好说话。"唐僧道："都进去，莫要撒村①，先行了君臣礼，然后再讲。"行者道："行君臣礼，就要下拜哩。"三藏道："正是，要行五拜三叩头的大礼。"行者笑道："师父不济。若是对他行礼，诚为不智。你且让我先走到里边，自有处置。等他若有言语，让我对答。我若拜，你们也拜；我若蹲，你们也蹲。"你看那惹祸的猴王，引至朝门，与阁门大使言道："我等是东土大唐驾下差来，上西天拜佛求经者。今到此倒换关文，烦大人转达，是谓不误善果。"那黄门官即入端门，跪下丹墀，启奏道："朝门外有五众僧人，言是东土唐国钦差上西天拜佛求经。今至此倒换关文，不敢擅入，现在门外听宣。"那魔王即令传宣。

唐僧却同入朝门里面，那回生的国主随行。正行，忍不住腮边堕泪，心中暗道："可怜！我的铜斗儿江山，铁围的社稷，谁知被他阴占了！"行者道："陛下切莫伤感，恐走漏消息。这棍子在我耳朵里跳哩，如今决要见功。管取打杀妖魔，扫荡邪物。这江山不久就还归你也。"那君王不敢违言，只得扯衣揩泪，舍死相从，径来到金銮殿下。

又见那两班文武，四百朝官，一个个威严端肃，像貌轩昂。这行者引唐僧站立在白玉阶前，挺身不动。那阶下众官无不悚惧，道："这和尚十分愚浊！怎么见我王便不下拜，亦不开言呼祝，喏也不唱一个？好大胆无礼！"说不了，只听得那魔王开口问道："那和尚是那方来的？"行者昂然答道："我是南赡部洲东土大唐国奉钦差前往西域天竺国大雷音寺拜活佛求真经者。今

---

① 撒村：说话粗野、没礼貌。有时说黄色骂人的话，也叫撒村。

到此方,不敢空度,特来倒换通关文牒。”那魔王闻说,心中作怒,道:“你东土便怎么! 我不在你朝进贡,不与你国相通,你怎么见吾抗礼①,不行参拜!”行者笑道:“我东土古立天朝,久称上国,汝等乃下土边邦。自古道:‘上邦皇帝,为父为君;下邦皇帝,为臣为子。’你倒未曾接我,且敢争我不拜?”那魔王大怒,教文武官:“拿下这野和尚去!”说声叫“拿”,你看那多官一齐踊跃。这行者喝了一声,用手一指,教:“莫来!”那一指,就使个定身法,众官俱莫能行动,真个是校尉阶前如木偶,将军殿上似泥人。

那魔王见他定住了文武多官,急纵身跳下龙床,就要来拿。猴王暗喜道:“好! 正合老孙之意。这一来就是个生铁铸的头,荡着棍子,也打个窟窿!”正动身,不期旁边转出一个救命星来。你道是谁? 原来是乌鸡国王的太子,急上前扯住那魔王的朝服,跪在面前道:“父王息怒。”妖精问:“孩儿怎么说?”太子道:“启父王得知。三年前闻得人说,有个东土唐朝驾下钦差圣僧往西天拜佛求经,不期今日才来到我邦。父王尊性威烈,若将这和尚拿去斩首,只恐大唐有日得此消息,必生嗔怒。你想那李世民自称王位,一统江山,尚心未足,又兴过海征伐;若知我王害了他御弟圣僧,一定兴兵发马,来与我王争敌。奈何兵少将微,那时悔之晚矣。父王依儿所奏,且把那四个和尚,问他个来历分明,先定他一段不参王驾,然后方可问罪。”

这一篇,原来是太子小心,恐怕来伤了唐僧,故意留住妖魔,更不知行者安排着要打。那魔王果信其言,立在龙床前面,大喝一声道:“那和尚是几时离了东土? 唐王因甚事着你求经?”行

① 抗礼:行平等的礼节。这里指不行参拜礼。

者昂然而答道:"我师父乃唐王御弟,号曰三藏。因唐王驾下有一丞相,姓魏名征,奉天条梦斩泾河老龙。大唐王梦游阴司地府,复得回生之后,大开水陆道场,普度冤魂孽鬼。因我师父敷演[1]经文,广运慈悲,忽得南海观世音菩萨指教来西。我师父大发弘愿,情忻意美,报国尽忠,蒙唐王赐与文牒。那时正是大唐贞观十三年九月望前三日。离了东土,前至两界山,收了我做大徒弟,姓孙,名悟空行者;又到乌斯国界高老庄,收了二徒弟,姓猪,名悟能八戒;流沙河界,又收了三徒弟,姓沙,名悟净和尚;前日在敕建宝林寺,又新收个挑担的行童[2]道人。"魔王闻说,又没法搜检那唐僧,弄巧计盘诘行者,怒目问道:"那和尚,你起初时,一个人离东土,又收了四众。那三僧可让,这一道难容。那行童断然是拐来的,他叫做甚么名字?有度牒是无度牒?拿他上来取供。"唬得那皇帝战战兢兢道:"师父呵!我却怎的供?"孙行者捻他一把道:"你休怕,等我替你供。"

好大圣,趋步上前,对怪物厉声高叫道:"陛下,这老道是一个瘖哑[3]之人,却又有些耳聋。只因他年幼间曾走过西天,认得道路。他的一节儿起落根本,我尽知之,望陛下宽恕,待我替他供罢。"魔王道:"趁早实实的替他供来,免得取罪。"行者道:

"供罪行童年且迈,痴聋瘖哑家私坏。
祖居原是此间人,五载之前遭破败。
天无雨,民干坏,君王黎庶都斋戒。
焚香沐浴告天公,万里全无云叆叇。
百姓饥荒若倒悬,钟南忽降全真怪。

① 敷演:讲解。
② 行童:寺院中地位低下的俗家弟子。
③ 瘖(yīn)哑:哑巴,不能说话。

呼风唤雨显神通，然后暗将他命害。

推下花园水井中，阴侵龙位人难解。

幸吾来，功果大，起死回生无挂碍。

情愿皈依作行童，与僧同去朝西界。

假变君王是道人，道人转是真王代。”

那魔王在金銮殿上，闻得这一篇言语，唬得他心头撞小鹿，面上起红云。急抽身就要走路，奈何手内无一兵器，转回头，只见一个镇殿将军腰挎一口宝刀，被行者使了定身法，直挺挺如痴如哑，立在那里。他近前夺了这宝刀，就驾云头望空而去。气得沙和尚爆躁如雷，猪八戒高声喊叫，埋怨行者是一个急猴子：“你就慢说些儿，却不稳住他了？如今他驾云逃走，却往何处追寻？”行者笑道：“兄弟们且莫乱嚷。我等叫那太子下来拜父，嫔后出来拜夫。”却又念个咒语，解了定身法：“教那多官苏醒回来拜君，方知是真实皇帝。教诉前情，才见分晓，我再去寻他。”好大圣，分付八戒、沙僧：“好生保护他君臣父子嫔后与我师父！”只听说声去，就不见形影。

他原来跳在九霄空里，睁眼四望，看那魔王哩。只见那畜果逃了性命，径往东北上走哩。行者赶得将近，喝道：“那怪物，那里去！老孙来了也！”那魔王急回头，掣出宝刀，高叫道：“孙行者，你好惫懒！我来占别人的帝位，与你无干，你怎么来抱不平，泄漏我的机密！”行者呵呵笑道：“我把你那个大胆的泼怪！皇帝又许你做？你既知我是老孙，就该远遁，怎么还刁难我师父，要取甚么供状！适才那供状是也不是？你不要走！好汉吃我老孙这一棒！”那魔侧身躲过，缠宝刀劈面相还。他两个搭上手，这一场好杀，真是：

猴王猛，魔王强，刀迎棒架敢相当。

一天云雾迷三界，只为当朝立帝王。

他两个战经数合，那妖魔抵不住猴王，急回头复从旧路跳入城里，闯在白玉阶前两班文武丛中，摇身一变，即变得与唐三藏一般模样，并搀手，立在阶前。这大圣赶上，就欲举棒来打，那怪道："徒弟莫打，是我！"急掣棒要打那个唐僧，却又道："徒弟莫打，是我！"一样两个唐僧，实难辨认。——"倘若一棒打杀妖怪变的唐僧，这个也成了功果；假若一棒打杀我的真实师父，却怎么好！……"只得停手，叫八戒、沙僧问道："果然那一个是怪，那一个是我的师父？你指与我，我好打他。"八戒道："你在半空中相打相嚷，我们瞥瞥眼就见两个师父，也不知谁真谁假。"

行者闻言，捻诀念声咒语，叫那护法诸天、六丁六甲、五方揭谛、四值功曹、一十八位护教伽蓝、当坊土地、本境山神道："老孙至此降妖，妖魔变作我师父，气体相同，实难辨认。汝等暗中知会者，请师父上殿，让我擒魔。"原来那妖怪善腾云雾，听得行者言语，急撒手跳上金銮宝殿，这行者举起棒望唐僧就打。可怜！若不是唤那几位神来，这一下，就是二十个唐僧，也打为肉酱！多亏众神架住铁棒道："大圣，妖怪会腾云，先上殿去了。"行者赶上殿，他又跳将下来扯住唐僧，在人丛里又混了一混，依然难认。

行者心中不快，又见那八戒在旁冷笑，行者大怒道："你这夯货怎的？如今有两个师父，你有得叫，有得应，有得伏侍哩。你这般欢喜得紧！"八戒笑道："哥啊，说我呆，你比我又呆哩！师父既不认得，何劳费力？你且忍些头疼，叫我师父念念那话儿，我与沙僧各搀一个听着。若不会念的，必是妖怪，有何难也？"行者道："兄弟，亏你也。正是，那话儿只有三人记得。原是我佛如来心苗上所发，传与观世音菩萨，菩萨又传与我师父，便再没人知道。——也罢,师父,念念。”真个那唐僧就念起来。那魔王怎么知得,口里胡哼乱哼。八戒道:“这哼的却是妖怪了!”他放了手,举钯就筑,那魔王纵身跳起,踏着云头便走。

好八戒,喝一声,也驾云头赶上。慌得那沙和尚丢了唐僧,也掣出宝杖来打。唐僧才停了咒语。孙大圣忍着头疼,揝着铁棒,赶在空中。呀!这一场,三个狠和尚,围住一个泼妖魔。那魔王被八戒、沙僧使钉钯宝杖左右攻住了。行者笑道:“我要再去当面打他,他却有些怕我,只恐他又走了。等我老孙跳高些,与他个捣蒜打,结果了他罢。”

这大圣纵祥光,起在九霄,正欲下个切手①,只见那东北上一朵彩云里面,厉声叫道:“孙悟空,且休下手!”行者回头看处,原来文殊菩萨。急收棒,上前施礼道:“菩萨,那里去?”文殊道:“我来替你收这个妖怪的。”行者谢道:“累烦了。”那菩萨袖中取出照妖镜,照住了那怪的原身。行者才招呼八戒、沙僧,齐来见了菩萨,却将镜子里看处,那魔王生得好不凶恶:

眼似琉璃盏,头若炼砂缸。浑身三伏靛,四爪九秋霜。搭拉②两个耳,一尾扫帚长。青毛生锐气,红眼放金光。匾牙排玉板,圆须挺硬枪。镜里观真像,原是文殊一个狮猁王。

行者道:“菩萨,这是你坐下的一个青毛狮子,却怎么走将来成精?你就不收服他?”菩萨道:“悟空,他不曾走。他是佛旨差来的。”行者道:“这畜类成精,侵夺帝位,还奉佛旨差来?似老孙

① 切手:绝招,狠手。
② 搭拉:形容下垂的样子。

保唐僧受苦,就该领几道敕书!”

菩萨道:“你不知道。当初这乌鸡国王,好善斋僧,佛差我来度他归西,早证金身罗汉。因是不可原身相见,变做一种凡僧,问他化些斋供。被吾几句言语相难,他不识我是个好人,把我一条绳捆了,送在那御水河中,浸了我三天三夜。多亏六甲金身救我归西,奏与如来,如来将此怪令到此处推他下井,浸他三年,以报吾三日水灾之恨。‘一饮一啄,莫非前定’。今得汝等来此,成了功绩。”

行者道:“你虽报了甚么‘一饮一啄’的私仇,但那怪物不知害了多少人也!”菩萨道:“也不曾害人。自他到后,这三年间,风调雨顺,国泰民安,何害人之有?”行者道:“固然如此,但只三宫娘娘,与他同眠同起,点污了他的身体,坏了多少纲常伦理,还叫做不曾害人?”菩萨道:“点污他不得。他是个骟①了的狮子。”八戒闻言,走近前,就摸了一把,笑道:“这妖精真个是‘糟鼻子不吃酒——枉担其名’了!”行者道:“既如此,收了去罢。若不是菩萨亲来,决不饶他性命。”那菩萨却念个咒,喝道:“畜生,还不皈正,更待何时!”那魔王才现了原身。菩萨放莲花罩定妖魔,坐在背上,踏祥光辞了行者。咦!径转五台山上去,宝莲座下听谈经。毕竟不知那唐僧师徒怎的出城,且听下回分解。

① 骟(shàn):阉割。指对禽兽而言。

第四十回

婴儿戏化禅心乱　猿马刀圭木母空

却说那孙大圣兄弟三人，按下云头，径至朝内。只见那君臣储后，几班儿拜接谢恩。行者将菩萨降魔收怪的那一节，陈诉与他君臣听了，一个个顶礼不尽。正都在贺喜之间，又听得黄门官来奏："主公，外面又有四个和尚来也。"八戒慌了道："哥哥，莫是妖精弄法，假捏文殊菩萨，哄了我等，却又变作和尚，来与我们斗智哩？"行者道："岂有此理！"即命宣进来看。

众文武传令，着他进来。行者看时，原来是那宝林寺僧人，捧着那冲天冠、碧玉带、赭黄袍、无忧履进得来也。行者大喜道："来得好！来得好！"且教道人过来，摘下包巾，戴上冲天冠；脱了布衣，穿上赭黄袍；解了绦子，系上碧玉带；褪了僧鞋，蹬上无忧履；教太子拿出白玉珪来，与他执在手里，早请上殿称孤。正是自古道："朝廷不可一日无君。"那皇帝那里肯坐，哭啼啼，跪在阶心道："我已死三年，今蒙师父救我回生，怎么又敢妄自称尊？请那一位师父为君，我情愿领妻子城外为民足矣。"那三藏那里肯受，一心只是要拜佛求经。又请行者，行者笑道："不瞒列位说，老孙若肯要做皇帝，天下万国九州皇帝，都做遍了。只是我们做惯了和尚，是这般懒散。若做了皇帝，就要留头长发，黄昏不睡，五鼓不眠，听有边报，心神不安，见有灾荒，忧愁无奈。我们怎么弄得惯？你还做你的皇帝，我还做我的和尚，修功行去也。”那国王苦让不过，只得上了宝殿，南面称孤，大赦天下，封赠了宝林寺僧人回去。却才开东阁，筵宴唐僧。一壁厢传旨宣召丹青，写下唐师徒四位喜容①，供养在金銮殿上。

那师徒们安了邦国，不肯久停，欲辞王驾投西。那皇帝与三宫妃后、太子、诸臣，将镇国的宝贝，金银缎帛，献与师父酬恩。那三藏分毫不受，只是倒换关文，催悟空等背马早行。那国王甚不过意，摆整朝銮驾请唐僧上坐，着两班文武引导，他与三宫妃后并太子一家儿，捧毂推轮②，送出城廓，却才下龙辇，与众相别。国王道：“师父呵，到西天经回之日，是必还到寡人界内一顾。”三藏道：“弟子领命。”那皇帝阁泪③汪汪，遂与众臣回去了。

那唐僧一行四僧，上了羊肠大路，一心里专拜灵山。正值秋尽冬初时节，但见：

霜凋红叶林林瘦，雨熟黄粱处处盈。
日暖岭梅开晓色，风摇山竹动寒声。

师徒们离了乌鸡国，夜住晓行，将半月有馀，忽又见一座高山，真个是摩天碍日。三藏马上心惊，急兜缰，忙呼行者。行者道：“师父有何分付？”三藏道：“你看前面又有大山峻岭，须要仔细提防，恐一时又有邪物来侵我也。”行者笑道：“只管走路，莫再多心。老孙自有防护。”那长老只得宽怀，加鞭策马，奔至山岩，果然也十分险峻。但见得：

高不高，顶上接青霄；深不深，涧中如地府。山前常见

① 喜容：活人的画像。
② 捧毂（gǔ）推轮：扶着车毂推车前进，表示恭敬。毂，车轮中心插轴的部位。
③ 阁泪：含着眼泪。

骨都都白云，圪腾腾黑雾。红梅翠竹，绿柏青松。山后有千万丈挟魂灵台，台后有古古怪怪藏魔洞。洞中有叮叮当当滴水泉，泉下更有弯弯曲曲流水涧。又见那跳天搠地献果猿，丫丫叉叉带角鹿，呢呢痴痴看人獐。至晚巴山寻穴虎，待晓翻波出水龙。登得洞门唿喇的响，惊得飞禽扑鲁的起，看那林中走兽鞠律律的行。见此一伙禽和兽，吓得人心圪磴磴惊。堂倒洞堂堂倒洞，洞当当倒洞当仙。青石染成千块玉，碧纱笼罩万堆烟。

师徒们正当悚惧，又只见那山凹里有一朵红云，直冒到九霄空内，结聚了一团火气。行者大惊，走近前，把唐僧搊①着脚，推下马来，叫："兄弟们，不要走了！妖怪来矣！"慌得个八戒急掣钉钯，沙僧忙抡宝杖，把唐僧围护在当中。

话分两头。却说红光里真是个妖精，他数年前闻得人讲："东土唐僧往西天取经，乃是金蝉长老转生，十世修行的好人。有人吃他一块肉，延生长寿，与天地同休。"他朝朝在山间等候，不期今日到了。他在那半空里正然观看，只见三个徒弟，把唐僧围护在马上，各各准备。这精灵夸赞不尽道："好和尚！我才看着一个白面胖和尚骑了马，真是那唐朝圣僧，却怎么被三个丑和尚护持住了！一个个伸拳敛袖，各执兵器，似乎要与人打的一般。——噫！不知是那个有眼力的，想应认得我了。似此模样，莫想得那唐僧的肉吃。"沉吟半晌，以心问心的自家商量道："若要倚势而擒，莫能得近，或者以善迷他，却到得手。但哄得他心迷惑，待我在善内生机，断然拿了。且下去戏他一戏。"

好妖怪，即散红光，按云头落下，去那山坡里摇身一变，变作

① 搊(chōu)：顶，推。

七岁顽童,赤条条的,身上无衣,将麻绳捆了手足,高吊在那松树梢头,口口声声只叫:“救人!救人!”

却说那孙大圣忽抬头再看处,只见那红云散尽,火气全无,便叫:“师父,请上马走路。”唐僧道:“你说妖怪来了,怎么又敢走路?”行者道:“我才然间,见一朵红云从地而起,到空中结做一团火气,断然是妖精。这一会红云散了,想是个过路的妖精,不敢伤人。我们去耶!”八戒笑道:“师兄说话最巧,妖精又有个甚么过路的?”行者道:“你那里知道。若是那山那洞的魔王设宴,邀请那诸山各洞之精赴会,却就有东南西北四路的精灵都来赴会,故此他只有心赴宴,无意伤人。此乃过路之妖精也。”

三藏闻言,也似信不信的,只得攀鞍在马,顺路奔山前进。正行时,只听得叫声:“救人!”长老大惊道:“徒弟呀,这半山中,是那里甚么人叫?”行者上前道:“师父只管走路,莫缠甚么‘人轿’、‘骡轿’、‘明轿’、‘睡轿’。这所在,就有轿,也没个人抬你。”唐僧道:“不是扛抬之轿,乃是叫唤之叫。”行者笑道:“我晓得。莫管闲事,且走路。”

三藏依言,策马又进。行不上一里之遥,又听得叫声:“救人!”长老道:“徒弟,这个叫声,不是鬼魅妖邪;若是鬼魅妖邪,但有出声,无有回声。你听他叫一声,又叫一声,想必是个有难之人。我们可去救他一救。”行者道:“师父,今日且把这慈悲心略收起收起,待过了此山,再发慈悲罢。这去处凶多吉少。你知道那倚草附木之说,是物可以成精。诸般还可,只有一般蟒蛇,但修得年远日深,成了精魅,善能知人小名儿。他若在草科里,或山凹中,叫人一声,人不答应还可,若答应一声,他就把人元神绰去,当夜跟来,断然伤人性命。且走!且走!古人云:‘脱得去,谢神明。’切不可听他。”

长老只得依他，又加鞭催马而去。行者心中暗想："这泼怪不知在那里，只管叫阿叫的。等老孙送他一个'卯酉星法[①]'，教他两不见面。"好大圣，叫沙和尚前来："拢着马，慢慢走着，让老孙解解手。"你看他让唐僧先行几步，却念个咒语，使个移山缩地之法，把金箍棒往后一指，他师徒过此峰头，往前走了，却把那怪物撇下。他再拽开步，赶上唐僧，一路奔山。只见那三藏又听得那山背后叫声："救人！"长老道："徒弟呀，那有难的人，大没缘法，不曾得遇着我们。我们走过他了，你听他在山后叫哩。"八戒道："在便还在山前，只是如今风转了也。"行者道："管他甚么转风不转风，且走路。"因此，遂都无言语，恨不得一步跩过此山，不题话下。

却说那妖精在山坡里，连叫了三四声，更无人到。他心中思量道："我等唐僧在此，望见他离不上三里，却怎么这半晌还不到？……想是抄[②]下路去了。"他抖一抖身躯，脱了绳索，又纵红光，上空再看。不觉孙大圣仰面回观，识得是妖怪，又把唐僧撮着脚推下马来道："兄弟们，仔细！仔细！那妖精又来也！"慌得那八戒、沙僧各持兵刀，将唐僧又围护在中间。

那精灵见了，在半空中称羡不已道："好和尚！我才见那白面和尚坐在马上，却怎么又被他三人藏了？这一去见面方知，先把那有眼力的弄倒了，方才捉得唐僧。不然呵，徒费心机难获物，枉劳情兴总成空。"却又按下云头，却似前番变化，高吊在松

① 卯酉星法：星法，星命之法，即旧时算命、算八字之类，是把社会人事的年月日时和地域方位，同天上的日月星辰和阴阳五行（金木水火土）牵合起来，以推定吉凶祸福的一种方术。这里的"卯酉星法"是一种嘲谑说法：卯时日出，酉时日落，一出一落，正好相背，所以下文说"叫他两不见面"。

② 抄：走近路的意思。

树梢头等候。这番却不上半里之地。

却说那孙大圣抬头再看，只见那红云又散，复请师父上马前行。三藏道："你说妖精又来，如何又请走路？"行者道："这还是个过路的妖精，不敢惹我们。"长老又怀怒道："这个泼猴，十分弄我！正当有妖魔处，却说无事，似这般清平之所，却又恐吓我，不时的嚷道有甚妖精。虚多实少，不管轻重，将我搊着脚，捽下马来，如今却解说甚么过路的妖精。假若跌伤了我，却也过意不去！这等，这等！……"行者道："师父莫怪。若是跌伤了你的手足，却还好医治；若是被妖精捞了去，却何处跟寻？"三藏大怒，哏哏①的要念《紧箍儿咒》，却是沙僧苦劝，只得上马又行。

还未曾坐得稳，只听又叫："师父救人呵！"长老抬头看时，原来是个小孩童，赤条条的吊在那树上，兜住缰便骂行者道："这泼猴多大惫懒！全无有一些儿善良之意，心心只是要撒泼行凶哩！我那般说叫唤的是个人声，他就千言万语只嚷是妖怪！你看那树上吊的不是个人么？"大圣见师父怪下来了，却又觌面看见模样，一则做不得手脚，二来又怕念《紧箍儿咒》，低着头，再也不敢回言，让唐僧到了树下。那长老将鞭梢指着问道："你是那家孩儿？因有甚事，吊在此间？说与我，好救你。"——噫！分明他是个精灵，变化得这等，那师父却是个肉眼凡胎，不能相识。

那妖魔见他下问，越弄虚头，眼中噙泪，叫道："师父呀，山西去有一条枯松涧，涧那边有一庄村，我是那里人家。我祖公公姓红，只因广积金银，家私巨万，混名唤做红百万，年老归世已

① 哏哏：狠心的样子。

久,家产遗与我父。近来人事奢侈,家私渐废,改名唤做红十万,专一结交四路豪杰,将金银借放,希图利息。怎知那无籍之人①,设骗了去呵,本利无归。我父发了洪誓,分文不借。那借金银人,身贫无计,结成凶党,明火执杖,白日杀上我门,将我财帛尽情劫掳,把我父亲杀了;见我母亲有些颜色,拐将去做甚么压寨夫人。那时节,我母亲舍不得我,把我抱在怀里,哭哀哀,战兢兢,跟随贼寇,不期到此山中,又要杀我。多亏我母亲哀告,免教我刀下身亡,却将绳子吊我在树上,只教冻饿而死。那些贼将我母亲不知掠往那里去了。我在此已吊三日三夜,更没一个人来行走。不知那世里修积,今生得遇老师父。若肯舍大慈悲,救我一命回家,就典身卖命,也酬谢师恩,致使黄沙盖面,更不敢忘也。"

三藏闻言,认了真实,就教八戒解放绳索,救他下来。那呆子也不识人,便要上前动手。行者在旁,忍不住喝了一声道:"那泼物!有认得你的在这里哩!莫要只管架空捣鬼,说谎哄人!你既家私被劫,父被贼伤,母被人掳,救你去交与谁人?你将何物与我作谢?这谎脱节了耶!"那怪闻言,心中害怕,就知大圣是个能人,暗将他放在心上,却又战战兢兢,滴泪而言曰:"师父,虽然我父母空亡,家财尽绝,还有些田产未动,亲戚皆存。"行者道:"你有甚么亲戚?"妖怪道:"我外公家在山南,姑娘住居岭北,涧头李四是我姨夫,林内红三是我族伯,还有堂叔、堂兄都住在本庄左右。老师父若肯救我,到了庄上,见了诸亲,将老师父拯救之恩,一一对众言说,典卖些田产,重重酬谢也。"

① 无籍之人:即无赖汉。

八戒听说，扛①住行者道："哥哥，这等一个小孩子家，你只管盘诘他怎的！他说得是，强盗只打劫他些浮财，莫成连房屋田产也劫得去？若与他亲戚们说了，我们纵有广大食肠，也吃不了他十亩田价。救他下来罢。"呆子只是想着吃食，那里管甚么好歹，使戒刀挑断绳索，放下怪来。那怪对唐僧马下，泪汪汪只情磕头。长老心慈，便叫："孩儿，你上马来，我带你去。"那怪道："师父呵，我手脚都吊麻了，腰胯疼痛，一则是乡下人家，不惯骑马。"唐僧叫八戒驮着，那妖怪抹了一眼道："师父，我的皮肤都冻熟了，不敢要这位师父驮。他的嘴长耳大，脑后鬃硬，搠得我慌。"唐僧道："教沙和尚驮着。"那怪也抹了一眼道："师父，那些贼来打劫我家时，一个个都搽了花脸，带假胡子，拿刀弄杖的。我被他唬怕了，见这位晦气脸的师父，一发没了魂了，也不敢要他驮。"唐僧教孙行者驮着，行者呵呵笑道："我驮！我驮！"

那怪物暗自欢喜，顺顺当当的要行者驮他。行者把他扯在路旁边，试了一试，只好有三斤十来两重。行者笑道："你这个泼怪物，今日该死了，怎么在老孙面前捣鬼！我认得你是个'那话儿'呵。"妖怪道："师父，我是好人家儿女，不幸遭此大难，我怎么是个甚么'那话儿'？"行者道："你既是好人家儿女，怎么这等骨头轻？"妖怪道："我骨格儿小。"行者道："你今年几岁了？"那怪道："我七岁了。"行者笑道："一岁长一斤，也该七斤。你怎么不满四斤重么？"那怪道："我小时失乳。"行者说："也罢，我驮着你，若要尿尿把把②，须和我说。"三藏才与八戒、沙僧前走，行

① 扛：顶撞、抬杠。

② 把把：方言。粪便。用手端着婴儿让他大小便的动作，也叫把把。这里指前者。

者背着孩儿随后，一行径投西去。有诗为证。诗曰：

道德高隆魔障高，禅机本静静生妖。
心君正直行中道，木母痴顽躧外趫①。
意马不言怀爱欲，黄婆无语自忧焦。
客邪得志空欢喜，毕竟还从正处消。

孙大圣驮着妖魔，心中埋怨唐僧不知艰苦："行此险峻山场，空身也难走，却教老孙驮人。这厮莫说他是妖怪，就是好人，他没了父母，不知将他驮与何人，倒不如掼杀他罢。"那怪物却早知觉了，便就使个神通，往四下里吸了四口气，吹在行者背上，便觉重有千斤，行者笑道："我儿呵，你弄重身法压我老爷哩！"那怪闻言，恐怕大圣伤他，却就解尸，出了元神，跳将起去，伫立在九霄空里。这行者背上越重了，猴王发怒，抓过他来，往那路旁边赖石头上滑辣的一掼，将尸骸掼得像个肉饼一般。还恐他又无礼，索性将四肢扯下，丢在路两边，俱粉碎了。

那物在空中明明看着，忍不住心头火起道："这猴和尚，十分惫懒！就作我是个妖魔，要害你师父，却还不曾见怎么下手哩，你怎么就把我这等伤损！早是我有算计，出神走了。不然，是无故伤生也。若不趁此时拿了唐僧，再让一番，越教他停留长智②。"好怪物，就在半空里弄了一阵旋风，呼的一声响亮，走石扬沙，诚然凶狠。好风：

淘淘怒卷水云腥，黑气腾腾闭日明。
岭树连根通拔尽，野梅带干悉皆平。
黄沙迷目人难走，怪石伤残路怎平。

① 躧外趫(qiáo)：走上歪路。趫，行走。
② 长智：学乖。

滚滚团团平地暗，遍山禽兽发哮声。

刮得那三藏马上难存，八戒不敢仰视，沙僧低头掩面。孙大圣情知是怪物弄风，急纵步来赶时，那怪已骋风头，将唐僧摄去了，无踪无影，不知摄向何方，无处跟寻。

一时间风声暂息，日色光明。行者上前观看，只见白龙马战兢兢发喊声嘶，行李担丢在路下，八戒伏于崖下呻吟，沙僧蹲在坡前叫唤。行者喊："八戒！"那呆子听见是行者的声音，却抬头看时，狂风已静，爬起来，扯住行者道："哥哥，好大风啊！"沙僧却也上前道："哥哥，这是一阵旋风。"又问："师父在那里？"八戒道："风来得紧，我们都藏头遮眼，各自躲风，师父也伏在马上的。"行者道："如今却往那里去了？"沙僧道："是个灯草做的，想被一风卷去也。"

行者道："兄弟们，我等自此就该散了！"八戒道："正是，趁早散了，各寻头路，多少是好。那西天路无穷无尽，几时能到得！"沙僧闻言，打了一个失惊，浑身麻木道："师兄，你都说的是那里话？我等因为前生有罪，感蒙观世音菩萨劝化，与我们摩顶受戒，改换法名，皈依佛果，情愿保护唐僧上西方拜佛求经，将功折罪。今日到此，一旦俱休，说出这等各寻头路的话来，可不违了菩萨的善果，坏了自己的德行，惹人耻笑，说我们有始无终也！"行者道："兄弟，你说的也是，奈何师父不听人说。我老孙火眼金睛，认得好歹。才然这风，是那树上吊的孩儿弄的。我认得他是个妖精，你们不识，那师父也不识，认作是好人家儿女，教我驮着他走。是老孙算计要摆布他，他就弄个重身法压我。是我把他掼得粉碎，他想是又使解尸之法，弄阵旋风，把我师父摄去也。因此上怪他每每不听我说，故我意懒心灰，说各人散了。既是贤弟有此诚意，教老孙进退两难。——八戒，你端的要怎的处?”八戒道:“我才自失口乱说了几句,其实也不该散。哥哥,没及奈何,还信沙弟之言,去寻那妖怪救师父去。”行者却回嗔作喜道:“兄弟们,还要来结同心,收拾了行李、马匹,上山找寻怪物,搭救师父去。”

三个人附葛扳藤,寻坡转涧,行经有五七十里,却也没个音信。那山上飞禽走兽全无,老柏乔松常见。孙大圣着实心焦,将身一纵,跳上那巅险峰头,喝一声叫:“变!”变作三头六臂,似那大闹天宫的本像。将金箍棒,幌一幌,变作三根金箍棒,劈哩扑辣的,往东打一路,往西打一路,两边不住的乱打。八戒见了道:“沙和尚,不好了。师兄是寻不着师父,恼出气心风来了。”

那行者打了一会,打出一伙穷神来,都披一片,挂一片,裩无裆,裤无口的,跪在山前,叫:“大圣,山神、土地来见。”行者道:“怎么就有许多山神、土地?”众神叩头道:“上告大圣:此山唤做‘六百里钻头号山’,我等是十里一山神,十里一土地,共该三十名山神,三十名土地。昨日已此闻大圣来了,只因一时会不齐,故此接迟,致令大圣发怒。万望恕罪。”行者道:“我且饶你罪名。我问你,这山上有多少妖精?”众神道:“爷爷呀,只有得一个妖精,把我们头也摩光了,弄得我们少香没纸,血食全无,一个个衣不充身,食不充口,还吃得有多少妖精哩!”行者道:“这妖精在山前住,是山后住?”众神道:“他也不在山前山后。这山中有一条涧,叫做枯松涧。涧边有一座洞,叫做火云洞。那洞里有一个魔王,神通广大,常常的把我们山神、土地拿了去,烧火顶门,黑夜与他提铃喝号。小妖儿又讨甚么常例钱①。”行者道:“汝等乃是阴鬼之仙,有何钱钞?”众神道:“正是没钱与他,只得

① 常例钱:按惯例应上交的钱,实际上是旧时官员吏役勒索百姓的名目。

捉几个山獐、野鹿，早晚间打点群精；若是没物相送，就要来拆庙宇，剥衣裳，搅得我等不得安生！万望大圣与我等剿除此怪，拯救山上生灵。”行者道：“你等既受他节制，常在他洞下，可知他是那里妖精，叫做甚么名字？”众神道：“说起他来，或者大圣也知道。他是牛魔王的儿子，罗刹女养的。他曾在火焰山修行了三百年，炼成三昧真火，却也广大神通。牛魔王使他来镇守号山，乳名叫做红孩儿，号叫做圣婴大王。”

行者闻言，满心欢喜，喝退了土地、山神，却现了本像，跳下峰头，对八戒、沙僧道：“兄弟们放心，再不须思念，师父决不伤生。妖精与老孙有亲。”八戒笑道：“哥哥，莫要说谎。你在东胜神洲，他这里是西牛贺洲，路程遥远，隔着万水千山，海洋也有两道，怎的与你有亲？”行者道：“刚才这伙人都是本境土地、山神。我问他妖怪的原因，他道是牛魔王的儿子，罗刹女养的，名字唤做红孩儿，号圣婴大王。想我老孙五百年前大闹天宫时，遍游天下名山，寻访大地豪杰，那牛魔王曾与老孙结七兄弟。一般五六个魔王，止有老孙生得小巧，故此把牛魔王称为大哥。这妖精是牛魔王的儿子，我与他父亲相识，若论将起来，还是他老叔哩。他怎敢害我师父？我们趁早去来。”沙和尚笑道：“哥呵，常言道‘三年不上门，当亲也不亲’哩。你与他相别五六百年，又不曾往还杯酒，又没有个节礼相邀，他那里与你认甚么亲耶？”行者道：“你怎么这等量人！常言道：‘一叶浮萍归大海，为人何处不相逢！’纵然他不认亲，好道也不伤我师父。不望他相留酒席，必定也还我个囫囵唐僧。”三兄弟各办虔心，牵着白马，马上驮着行李，找大路一直前进。

无分昼夜，行了百十里远近，忽见一松林，林中有一条曲涧，涧下有碧澄澄的活水飞流，那涧梢头有一座石板桥，通着那厢洞府。行者道:"兄弟,你看那壁厢有石崖磷磷,想必是妖精住处了。我等从众商议,那个管看守行李、马匹,那个肯跟我过去降妖?"八戒道:"哥哥,老猪没甚坐性,我随你去罢。"行者道:"好!好!"教沙僧:"将马匹、行李俱潜在树林深处,小心守护,待我两个上门去寻师父耶。"那沙僧依命,八戒相随,与行者各持兵器前来。正是:未炼婴儿邪火胜,心猿木母共扶持。毕竟不知这一去吉凶何如,且听下回分解。

第四十一回

心猿遭火败　木母被魔擒

善恶一时忘念，荣枯都不关心。晦明隐现任浮沉，随分饥餐渴饮。　神静湛然常寂，昏冥便有魔侵。五行蹭蹬破禅林，风动必然寒凛。

却说那孙大圣引八戒别了沙僧，跳过枯松涧，径来到那怪石崖前。果见有一座洞府，真个也景致非凡。但见：

回銮古道幽还静，风月也听玄鹤弄。
白云透出满川光，流水过桥仙意兴。
猿啸乌啼花木奇，藤萝石蹬芝兰胜。
苍摇崖壑散烟霞，翠染松篁招彩凤。
远列巅峰似插屏，山朝涧绕真仙洞。
昆仑地脉发来龙，有分有缘方受用。

将近行到门前，见有一座石碣，上镌八个大字，乃是"号山枯松涧火云洞"。那壁厢一群小妖，在那里抡枪舞剑的，跳风①顽耍。孙大圣厉声高叫道："那小的们，趁早去报与洞主知道，教他送出我唐僧师父来，免你这一洞精灵的性命！牙迸半个'不'字，我就掀翻了你的山场，踢平了你的洞府！"那些小妖闻得此言，慌忙急转身，各归洞里，关了两扇石门，到里边来报："大王，祸

① 跳风：蹈空。与前文"踢天"意近。

事了!”

却说那怪自把三藏拿到洞中,选剥了衣服,四马攒蹄,捆在后院里,着小妖打干净水刷洗,要上笼蒸吃哩。忽听得报声“祸事”,且不刷洗,便来前庭上问:“有何祸事?”小妖道:“有个毛脸雷公嘴的和尚,带一个长嘴大耳的和尚,在门前要甚么唐僧师父哩。但若牙迸半个‘不’字,就要掀翻山场,踊平洞府。”魔王微微冷笑道:“这是孙行者与猪八戒。他却也会寻哩。我拿他师父,自半山中到此,有百五十里,却怎么就寻上门来?”教:“小的们,把管车的,推出车去!”那一班几个小妖,推出五辆小车儿来,开了前门。八戒望见道:“哥哥,这妖精想是怕我们,推出车子,往那厢搬哩。”行者道:“不是。且看他放在那里。”只见那小妖将车子按金、木、水、火、土安下,着五个看着,五个进去通报。那魔王问:“停当了?”答应:“停当了。”教:“取过枪来。”有那一伙管兵器的小妖,着两个抬出一杆丈八长的火尖枪,递与妖王。妖王抡枪拽步,也无甚么盔甲,只是腰间束一条锦绣战裙,赤着脚走出门前。行者与八戒抬头观看,但见那怪物:

面如傅粉三分白,唇若涂朱一表才。
鬓挽青云欺靛染,眉分新月似刀裁。
战裙巧绣盘龙凤,形比哪吒更富胎①。
双手绰枪威凛冽,祥光护体出门来。
哏声响若春雷吼,暴眼明如掣电乖。
要识此魔真姓氏,名扬千古唤红孩。

那红孩儿怪出得门来,高呼道:“是甚么人,在我这里吆喝!”行者近前笑道:“我贤侄,莫弄虚头。你今早在山路旁,高

① 富胎:胖的意思。避讳说胖,变称富胎。

吊在松树梢头，是那般一个瘦怯怯的黄病孩儿，哄了我师父。我倒好意驮着你，你就弄风儿把我师父摄将来。你如今又弄这个样子，我岂不认得你？趁早送出我师父，不要白[1]了面皮，失了亲情；恐你令尊知道，怪我老孙以长欺幼，不像模样。"那怪闻言，心中大怒，咄的一声喝道："那泼猴头！我与你有甚亲情？你在这里满口胡柴[2]，绰甚声经儿！那个是你贤侄？"行者道："哥哥，是你也不晓得。当年我与你令尊做弟兄时，你还不知在那里哩。"那怪道："这猴子一发胡说！你是那里人，我是那里人，怎么得与我父亲做兄弟？"行者道："你是不知。我乃五百年前大闹天宫的齐天大圣孙悟空是也。我当初未闹天宫时，遍游海角天涯，四大部洲，无方不到。那时节，专慕豪杰。你令尊叫做牛魔王，称为覆天大圣，与我老孙结为七兄弟，让他做了大哥；还有个蛟魔王，称为覆海大圣，做了二哥；又有个大鹏魔王，称为混天大圣，做了三哥；又有个狮狔王，称为移山大圣，做了四哥；又有个猕猴王，称为通风大圣，做了五哥；又有个㺄狨王，称为驱神大圣，做了六哥；惟有老孙身小，称为齐天大圣，排行第七。我老弟兄们那时节耍子时，还不曾生你哩！"

那怪物闻言，那里肯信，举起火尖枪就刺。行者正是那会家不忙，又使了一个身法，闪过枪头，抡起铁棒，骂道："你这小畜生，不识高低！看棍！"那妖精也使身法，让过铁棒道："泼猢狲，不达时务！看枪！"他两个也不论亲情，一齐变脸，各使神通，跳在云端里，好杀：

行者名声大，魔王手段强。一个横举金箍棒，一个直挺

① 白：人于急怒时脸气得煞白。这里指变脸。
② 胡柴：就是胡说、胡扯。

火尖枪。吐雾遮三界，喷云照四方。一天杀气凶声吼，日月星辰不见光。语言无逊让，情意两乖张①。那一个欺心失礼仪，这一个变脸没纲常。棒架威风长，枪来野性狂。一个是混元真大圣，一个是正果善财郎。二人努力争强胜，只为唐僧拜法王。

那妖魔与孙大圣战经二十合，不分胜败。猪八戒在旁边，看得明白：妖精虽不败阵，却只是遮拦隔架，全无攻杀之能；行者纵不赢他，棒法精强，来回只在那妖精头上，不离了左右。八戒暗想道："不好啊！行者溜撒，一时间丢个破绽，哄那妖魔钻进来，一铁棒打倒，就没了我的功劳。……"你看他抖擞精神，举着九齿钯，在空里，望妖精劈头就筑。那怪见了心惊，急拖枪败下阵来。行者喝教八戒："赶上！赶上！"

二人赶到他洞门前，只见妖精一只手举着火尖枪，站在那中间一辆小车儿上，一只手捏着拳头，往自家鼻子上捶了两拳。八戒笑道："这厮放赖不羞！你好道捶破鼻子，淌出些血来，搽红了脸，往那里告我们去耶？"那妖魔捶了两拳，念个咒语，口里喷出火来，鼻子里浓烟迸出，闸闸眼②，火焰齐生。那五辆车子上，火光涌出。连喷了几口，只见那红焰焰大火烧空，把一座火云洞，被那烟火迷漫，真个是熯天炽地。八戒慌了道："哥哥，不停当！这一钻在火里，莫想得活，把老猪弄做个烧熟的，加上香料，尽他受用哩！快走！快走！"说声走，他也不顾行者，跑过涧去了。

这行者神通广大，捏着避火诀，撞入火中，寻那妖怪。那妖怪见行者来，又吐上几口，那火比前更胜。好火：

---

① 乖张：不顺，不正常。

② 闸闸眼：即眨眨眼。

炎炎烈烈盈空燎，赫赫威威遍地红。却似火轮飞上下，犹如炭屑舞西东。这火不是燧人钻木，又不是老子炮丹，非天火，非野火，乃是妖魔修炼成真三昧火。五辆车儿合五行，五行生化火煎成。肝木能生心火旺，心火致令脾土平。脾土生金金化水，水能生木彻通灵。生生化化皆因火，火遍长空万物荣。妖邪久悟呼三昧，永镇西方第一名。

行者被他烟火飞腾，不能寻怪，看不见他洞门前路径，抽身跳出火中。那妖精在门首看得明白，他见行者走了，却才收了火具，帅群妖转于洞内，闭了石门，以为得胜，着小的排宴奏乐，欢笑不题。

却说行者跳过枯松涧，按下云头，只听得八戒与沙僧朗朗的在松间讲话。行者上前喝八戒道："你这呆子，全无人气！你就惧怕妖火，败走逃生，却把老孙丢下。早是我有些南北①哩！"八戒笑道："哥啊，你被那妖精说着了，果然不达时务。古人云：'识得时务者，呼为俊杰。'那妖精不与你亲，你强要认亲；既与你赌斗，放出那般无情的火来，又不走，还要与他恋战哩！"行者道："那怪物的手段比我何如？"八戒道："不济。""枪法比我何如？"八戒道："也不济。老猪见他撑持不住，却来助你一钯，不期他不识耍，就败下阵来，没天理，就放火了。"行者道："正是你不该来。我再与他斗几合，我取巧儿捞他一棒，却不是好？"他两个只管论那妖精的手段，讲那妖精的火毒。沙和尚倚着松根，笑得骇②了。行者看见道："兄弟，你笑怎么？你好道有甚手段，擒得那妖魔，破得那火阵？这桩事，也是大家有益的事。常言

① 南北：算计、计谋。这里作有两下子解释。

② 骇(ái)：呆，傻。

道:'众毛攒毬①。'你若拿得妖魔,救了师父,也是你的一件大功绩。"沙僧道:"我也没甚手段,也不能降妖。我笑你两个都着了忙也。"行者道:"我怎么着忙?"沙僧道:"那妖精手段不如你,枪法不如你,只是多了些火势,故不能取胜。若依小弟说,以相生相克拿他,有甚难处?"行者闻言,呵呵笑道:"兄弟说得有理。果然我们着忙了,忘了这事。若以相生相克之理论之,须是以水克火,却往那里寻些水来,泼灭这妖火,可不救了师父?"沙僧道:"正是这般。不必迟疑。"行者道:"你两个只在此间,莫与他索战。待老孙去东洋大海求借龙兵,将些水来,泼息妖火,捉这泼怪。"八戒道:"哥哥放心前去,我等理会得。"

好大圣,纵云离此地,顷刻到东洋,却也无心看玩海景,使个逼水法分开波浪。正行时,见一个巡海夜叉相撞,看见是孙大圣,急回到水晶宫里,报知那老龙王。敖广即率龙子龙孙、虾兵蟹卒一齐出门迎接,请里面坐。坐定,礼毕,告茶。行者道:"不劳茶,有一事相烦。我因师父唐僧往西天拜佛取经,经过号山枯松涧火云洞,有个红孩儿妖精,号圣婴大王,把我师父拿了去。是老孙寻到洞边,与他交战,他却放出火来。我们禁不得他,想着水能克火,特来向你求些水去,与我下场大雨,泼灭了妖火,救唐僧一难。"那龙王道:"大圣差来。若要求取雨水,不该来问我。"行者道:"你是四海龙王,主司雨泽,不来问你,却去问谁?"龙王道:"我虽司雨,不敢擅专。须得玉帝旨意,分付在那地方,要几尺几寸,甚么时辰起住,还要三官举笔,太乙移文,会令了雷公、电母、风伯、云童。俗语云'龙无云而不行'哩。"行者道:"我

① 众毛攒毬:毛发虽小,但积攒的多了,就能填满皮毬。比喻只要每个人都发挥自己的作用,就能干成大事。毬,圆形皮囊中塞毛作成的皮球。

也不用着风云雷电，只是要些雨水灭火。”龙王道：“大圣不用风云雷电，但我一人也不能助力，着舍弟们同助大圣一功如何？”行者道：“令弟何在？”龙王道：“南海龙王敖钦、北海龙王敖顺、西海龙王敖闰。”行者笑道：“我若再游过三海，不如上界去求玉帝旨意了。”龙王道：“不消大圣去，只我这里撞动铁鼓、金钟，他自顷刻而至。”行者闻其言道：“老龙王，快撞钟鼓。”

须臾间，三海龙王拥至，问：“大哥，有何事命弟等？”敖广道：“孙大圣在这里借雨助力降妖。”三弟即引进见毕，行者备言借水之事。众神个个欢从，即点起：

鲨鱼骁勇为前部，鳠痴口大作先锋。
鲤元帅翻波跳浪，鯾提督吐雾喷风。
鲭太尉东方打哨，鲌都司西路催征。
红眼马郎南面舞，黑甲将军北下冲。
鱑把总中军掌号，五方兵处处英雄。
纵横机巧鼋枢密，妙算玄微龟相公。
有谋有智鼍丞相，多变多能鳖总戎。
横行蟹士抡长剑，直跳虾婆扯硬弓。
鲇外郎查明文簿，点龙兵出离波中。

诗曰：

四海龙王喜助功，齐天大圣请相从。
只因三藏途中难，借水前来灭火红。

那行者领着龙兵，不多时，早到号山枯松涧上。行者道：“敖氏昆玉①，有烦远跉。此间乃妖魔之处，汝等且停于空中，不

① 昆玉：称别人兄弟时所用的敬词。

要出头露面。让老孙与他赌斗,若赢了他,不须列位捉拿;若输与他,也不用列位助阵;只是他但放火时,可听我呼唤,一齐喷雨。”龙王俱如号令。

行者却按云头,入松林里,见了八戒、沙僧,叫声:“兄弟。”八戒道:“哥哥来得快呀!可曾请得龙王来?”行者道:“俱来了。你两个切须仔细,只怕雨大,莫湿了行李。待老孙与他打去。”沙僧道:“师兄放心前去,我等俱理会得了。”

行者跳过涧,到了门首,叫声:“开门!”那些小妖又去报道:“孙行者又来了。”红孩仰面笑道:“那猴子想是火中不曾烧了他,故此又来。这一来切莫饶他,断然烧个皮焦肉烂才罢!”急纵身,挺着长枪,教:“小的们,推出火车子来!”他出门前,对行者道:“你又来怎的?”行者道:“还我师父来。”那怪道:“你这猴头,忒不通变。那唐僧与你做得师父,也与我做得按酒,你还思量要他哩。莫想!莫想!”行者闻言,十分恼怒,掣金箍棒劈头就打。那妖精使火尖枪,急架相迎。这一场赌斗,比前不同。好杀:

怒发泼妖魔,恼急猴王将。这一个专救取经僧,那一个要吃唐三藏。心变没亲情,情疏无义让。这个恨不得捉住活剥皮,那个恨不得拿来生蘸酱。真个忒英雄,果然多猛壮。棒来枪架赌输赢,枪去棒迎争下上。举手相轮二十回,两家本事一般样。

那妖王与行者战经二十回合,见得不能取胜,虚幌一枪,急抽身,捏着拳头,又将鼻子捶了两下,却就喷出火来。那门前车子上,烟火迸起,口眼中,赤焰飞腾。孙大圣回头叫道:“龙王何在?”那龙王兄弟帅众水族,望妖精火光里喷下雨来。好雨!真个是:

潇潇洒洒，密密沉沉。潇潇洒洒，如天边坠落银星；密密沉沉，似海口倒悬浪滚。起初时如拳大小，次后来瓮泼盆倾。满地浇流鸭顶绿，高山洗出佛头青。沟壑水飞千丈玉，涧泉波涨万条银。三叉路口看看满，九曲溪中渐渐平。这个是唐僧有难神龙助，扳倒天河往下倾。

那雨淙淙大小，莫能止息那妖精的火势。原来龙王私雨，只好泼得凡火，妖精的三昧真火，如何泼得？好一似火上浇油，越泼越灼。大圣道：“等我捻着诀，钻入火中！”抡铁棒，寻妖要打。那妖见他来到，将一口烟劈脸喷来。行者急回头，熰得眼花雀乱，忍不住泪落如雨。原来这大圣不怕火，只怕烟。当年因大闹天宫时，被老君放在八卦炉中，煅过一番。他幸在那巽位安身，不曾烧坏，只是风搅得烟来，把他熰做火眼金睛，故至今只是怕烟。那妖又喷一口，行者当不得，纵云头走了。那妖王却又收了火具，回归洞府。

这大圣一身烟火，炮燥难禁，径投于涧水内救火。怎知被冷水一逼，弄得火气攻心，三魂出舍。可怜气塞胸堂喉舌冷，魂飞魄散丧残生！慌得那四海龙王在半空里，收了雨泽，高声大叫：“天蓬元帅！卷帘将军！休在林中藏隐，且寻你师兄出来！”

八戒与沙僧听得呼他圣号，急忙解了马、挑着担出林来，也不顾泥泞，顺涧边找寻。只见那上溜头翻波滚浪，急流中淌下一个人来。沙僧见了，连衣跳下水中，抱上岸来，却是孙大圣身躯。噫！你看他踡跼四肢伸不得，浑身上下冷如冰。沙和尚满眼垂泪道：“师兄！可惜了你，亿万年不老长生客，如今化作个中途短命人！”八戒笑道：“兄弟莫哭。这猴子推佯死，吓我们哩。你摸他摸胸前还有一点热气没有？”沙僧道：“浑身都冷了，就有一点儿热气，怎的就得回生？”八戒道：“他有七十二般变化，就有七十二条性命。你扯着脚，等我摆布他。”真个那沙僧扯着脚，八戒扶着头，把他拽个直，推上脚来，盘膝坐定。八戒将两手搓热，仵住他的七窍，使一个按摩禅法。原来那行者被冷水逼了，气阻丹田，不能出声。却幸得八戒按摸揉擦，须臾间，气透三关，转明堂，冲开孔窍，叫了一声：“师父呵！”沙僧道：“哥啊，你生为师父，死也还在口里。且苏醒，我们在这里哩。”行者睁开眼道：“兄弟们在这里？老孙吃了亏也！”八戒笑道：“你才子发昏的，若不是老猪救你呵，已此了帐了。还不谢我哩！”行者却才起身，仰面道：“敖氏弟兄何在？”那四海龙王在半空中答应道：“小龙在此伺候。”行者道：“累你远劳，不曾成得功果。且请回去，改日再谢。”龙王帅水族泱泱①而回，不在话下。

沙僧搀着行者，一同到松林之下坐定。少时间，却定神顺气，止不住泪滴腮边，又叫：“师父啊！

忆昔当年出大唐，岩前救我脱灾殃。

三山六水遭魔障，万苦千辛割寸肠。

托钵朝餐随厚薄，参禅暮宿或林庄。

一心指望成功果，今日安知痛受伤！”

沙僧道：“哥哥，且休烦恼。我们早安计策，去那里请兵助力，搭救师父耶。”行者道：“那里请救么？”沙僧道：“当初菩萨分付，着我等保护唐僧，他曾许我们，叫天天应，叫地地应。那里请救去？”行者道：“想老孙大闹天宫时，那些神兵都禁不得我。这妖精神通不小，须是比老孙手段大些的，才降得他哩。天神不济，地煞不能，若要拿此妖魔，须是去请观音菩萨才好。奈何我皮肉酸麻，腰膝疼痛，驾不起筋斗云，怎生请得？”八戒道：“有甚话分

① 泱泱：同“怏怏”，不高兴或者不满意的样子。

付，等我去请。”行者笑道：“也罢，你是去得。若见了菩萨，切休仰视，只可低头礼拜。等他问时，你却将地名、妖名说与他，再请救师父之事。他若肯来，定取擒了怪物。”八戒闻言，即便驾了云雾，向南而去。

却说那个妖王在洞里欢喜道：“小的们，孙行者吃了亏去了。这一阵虽不得他死，好道也发个大昏。——咦，只怕他又请救兵来也。快开门，等我去看他请谁。”

众妖开了门，妖精就跳在空里观看，只见八戒往南去了。妖精想着南边再无他处，断然是请观音菩萨，急按下云，叫：“小的们，把我那皮袋寻出来。多时不用，只恐口绳不牢，与我换上一条，放在二门之下。等我去把八戒赚将回来，装于袋内，蒸得稀烂，犒劳你们。”原来那妖精有一个如意的皮袋，众小妖拿出来，换了口绳，安于洞门内不题。

却说那妖王久居于此，俱是熟游之地。他晓得那条路上南海去近，那条去远。他从那近路上一驾云头，赶过了八戒，端坐在壁岩之上，变作一个假观世音模样，等候着八戒。

那呆子正纵云行处，忽然望见菩萨。他那里识得真假？这才是见像作佛。呆子停云下拜道：“菩萨，弟子猪悟能叩头。”妖精道：“你不保唐僧去取经，却见我有何事干？”八戒道：“弟子因与师父行至中途，遇着号山枯松涧火云洞，有个红孩儿妖精，他把我师父摄了去。是弟子与师兄等寻上他门，与他交战。他原来会放火，头一阵，不曾得赢；第二阵，请龙王助雨，也不能灭火。师兄被他烧坏了，不能行动，着弟子来请菩萨。万望垂慈，救我师父一难！”妖精道：“那火云洞洞主，不是个伤生的，一定是你们冲撞了他也。”八戒道：“我不曾冲撞他，是师兄悟空冲撞他的。他变作一个小孩子，吊在树上，试我师父。师父甚有善心，教我解下来，着师兄驮他一程。是师兄掼了他一掼，他就弄风儿，把师父摄去了。”妖精道：“你起来，跟我进那洞里见洞主，与你说个人情，你陪一个礼，把你师父讨出来罢。”八戒道：“菩萨呀，若肯还我师父，就磕他一个头也罢。”

妖王道：“你跟来。”那呆子不知好歹，就跟着他，径回旧路，却不向南洋海，随赴火云门。顷刻间，到了门首。妖精进去道：“你休疑忌，他是我的故人。你进来。”呆子只得举步入门。众妖一齐呐喊，将八戒捉倒，装于袋内。束紧了口绳，高吊在驮梁之上。妖精现了本相，坐在当中道：“猪八戒，你有甚么手段，就敢保唐僧取经，就敢请菩萨降我？你大睁着两个眼，还不认得我是圣婴大王哩！如今拿你，吊得三五日，蒸熟了赏赐小妖，权为案酒！”八戒听言，在里面骂道：“泼怪物！十分无礼！若论你百计千方，骗了我吃，管教你一个个遭肿头天瘟！”呆子骂了又骂，嚷了又嚷，不题。

却说孙大圣与沙僧正坐，只见一阵腥风刮面而过，他就打了一个喷嚏道：“不好！不好！这阵风凶多吉少。想是猪八戒走错路也。”沙僧道：“他错了路，不会问人？”行者道：“想必撞见妖精了。”沙僧道：“撞见妖精，他不会跑回？”行者道：“不停当。你坐在这里看守，等我跑过涧去打听打听。”沙僧道：“师兄腰疼，只恐又着他手，等小弟去罢。”行者道：“你不济事，还让我去。”

好行者，咬着牙，忍着疼，捻着铁棒，走过涧，到那火云洞前，叫声：“妖怪！”那把门的小妖，又急入里报：“孙行者又在门首叫哩！”那妖王传令叫拿，那伙小妖，枪刀簇拥，齐声呐叫，即开门，都道：“拿住！拿住！”行者果然疲倦，不敢相迎，将身钻在路旁，念个咒语叫：“变！”即变做一个销金包袱。小妖看见，报道：“大王，孙行者怕了；只见说一声‘拿’字，慌得把包袱丢下走了。”妖王笑道：“那包袱也无甚么值钱之物，左右是和尚的破偏衫，旧帽子，背进来拆洗做补衬①。”一个小妖果将包袱背进，不知是行者变的。行者道：“好了！这个销金包袱，背着了！”那妖精不以为事，丢在门内。

好行者，假中又假，虚里还空，即拔一根毫毛，吹口仙气，变作个包袱一样，他的真身却又变作一个苍蝇儿，丁在门枢上。只听得八戒在那里哼哩哼的，声音不清，却似一个瘟猪。行者嘤的飞了去寻时，原来他吊在皮袋里也。行者丁在皮袋，又听得他恶言恶语骂道，妖怪长，妖怪短：“你怎么假变作个观音菩萨，哄我回来，吊我在此，还说要吃我！有一日我师兄：

大展齐天无量法，满山泼怪等时擒！

解开皮袋放我出，筑你千钯方趁心！”

行者闻言，暗笑道：“这呆子虽然在这里面受闷气，却还不倒了旗枪。老孙一定要拿了此怪，若不如此，怎生雪恨！”

正欲设法拯救八戒出来，只听那妖王叫道：“六健将何在？”时有六个小妖，是他知己的精灵，封为健将，都有名字：一个叫做云里雾，一个叫做雾里云；一个叫做急如火，一个叫做快如风；一个叫做兴烘掀，一个叫做掀烘兴。六健将上前跪下。妖王道：“你们认得老大王家么？”六健将道：“认得。”妖王道：“你与我星夜去请老大王来，说我这里捉唐僧蒸与他吃，寿延千纪。”六怪领命，一个个厮拖厮扯，径出门去了。行者嘤的一声，飞下袋来，跟定那六怪，躲离洞中。毕竟不知怎的请来，且听下回分解。

① 补衬：残破碎布，不能做衣服，只能作打补钉、衬里子用。

第四十二回

大圣殷勤拜南海　观音慈善缚红孩

话说那六健将出洞门，径往西南上依路而走。行者心中暗想道："他要请老大王吃我师父，老大王断是牛魔王。我老孙当年与他相会，真个意合情投，交游甚厚。至如今我归正道，他还是邪魔。虽则久别，还记得他模样。且等老孙变作牛魔王，哄他一哄，看是何如。"好行者，躲离了六个小妖，展开翅，飞向前边，离小妖有十数里远近，摇身一变，变作个牛魔王；拔下几根毫毛，叫："变！"即变作几个小妖，在那山凹里，驾鹰牵犬，搭弩张弓，充作打围的样子，等候那六健将。

那一伙厮拖厮扯，正行时，忽然看见牛魔王坐在中间，慌得兴烘掀、掀烘兴扑的跪下道："老大王爷爷在这里也。"那云里雾、雾里云、急如火、快如风都是肉眼凡胎，那里认得真假，也就一同跪倒，磕头道："爷爷！小的们是火云洞圣婴大王处差来，请老大王爷爷去吃唐僧肉，寿延千纪哩。"行者借口答道："孩儿们起来，同我回家去，换了衣服来也。"小妖叩头道："望爷爷方便，不消回府罢。路程遥远，恐我大王见责。小的们就此请行。"行者笑道："好乖儿女。也罢，也罢，向前开路，我和你去来。"六怪抖擞精神，向前喝路。大圣随后而来。

不多时，早到了本处。快如风、急如火撞进洞里，报："大王，老大王爷爷来了。"妖王欢喜道："你们却中用，这等来的快。”即便叫：“各路头目，摆队伍，开旗鼓，迎接老大王爷爷。”满洞群妖，遵依旨令，齐齐整整，摆将出去。这行者昂昂烈烈，挺着胸脯，把身子抖了一抖，却将那架鹰犬的毫毛，都收回身上；拽开大步，径走入门里，坐在南面当中。红孩儿当面跪下，朝上叩头道：“父王，孩儿拜揖。”行者道：“孩儿免礼。”那妖王四大拜拜毕，立于下手。行者道：“我儿，请我来有何事？”妖王躬身道：“孩儿不才，昨日获得一人，乃东土大唐和尚。常听得人讲，他是一个十世修行之人，有人吃他一块肉，寿似蓬瀛不老仙。愚男不敢自食，特请父王同享唐僧之肉，寿延千纪。”行者闻言，打了个失惊道：“我儿，是那个唐僧？”妖王道：“是往西天取经的人也。”行者道：“我儿，可是孙行者师父么？”妖王道：“正是。”行者摆手摇头道：“莫惹他！莫惹他！别的还好惹，孙行者是那样人哩？我贤郎，你不曾会他？那猴子神通广大，变化多端。他曾大闹天宫，玉皇上帝差十万天兵，布下天罗地网，也不曾捉得他。你怎么敢吃他师父！快早送出去还他，不要惹那猴子。他若打听着你吃了他师父，他也不来和你打，他只把那金箍棒往山腰里搠个窟窿，连山都掬了去。我儿，弄得你何处安身，教我倚靠何人养老！”

妖王道：“父王说那里话，长他人志气，灭孩儿的威风。那孙行者共有兄弟三人，领唐僧在我半山之中，被我使个变化，将他师父摄来。他与那猪八戒当时寻到我的门前，讲甚么攀亲托熟之言，被我怒发冲天，与他交战几合，也只如此，不见甚么高作①。那猪八戒刺邪里就来助战，是孩儿吐出三昧真火，把他烧

① 高作：这里借用来比喻武艺的高低。“不见甚么高作”，就是不见有甚么高明的地方。

败了一阵。慌得他去请四海龙王助雨，又不能灭得我三昧真火，被我烧了一个小发昏，连忙着猪八戒去请南海观音菩萨。是我假变观音，把猪八戒赚来，见吊在如意袋中，也要蒸他与众小的们吃哩。那行者今早又来我的门首吆喝，我传令教拿他，慌得他把包袱都丢下走了。却才去请父王来看看唐僧活像，方可蒸与你吃，延寿长生不老也。”

行者笑道：“我贤郎啊，你只知有三昧火赢得他，不知他有七十二般变化哩！”妖王道：“凭他怎么变化，我也认得。谅他决不敢进我门来。”行者道：“我儿，你虽然认得他，他却不变大的，如狼犺大象，恐进不得你门；他若变作小的，你却难认。”妖王道：“凭他变甚小的。我这里每一层门上，有四五个小妖把守，他怎生得入！”行者道：“你是不知。他会变苍蝇、蚊子、虼蚤，或是蜜蜂、蝴蝶并蟭蟟虫等项，又会变我模样，你却那里认得？”妖王道：“勿虑！他就是铁胆铜心，也不敢近我门来也。”

行者道：“既如此说，贤郎甚有手段，实是敌得他过，方来请我吃唐僧的肉，奈何我今日还不吃哩。”妖王道：“如何不吃？”行者道：“我近来年老，你母亲常劝我作些善事。我想无甚作善，且持些斋戒。”妖王道：“不知父王是长斋，是月斋？”行者道：“也不是长斋，也不是月斋，唤做‘雷斋[①]’。每月只该四日。”妖王问：“是那四日？”行者道：“三辛逢初六。今朝是辛酉日，一则当斋，二来酉不会客[②]。且等明日，我去亲自刷洗蒸他，与儿等同享罢。”

那妖王闻言，心中暗想道：“我父王平日吃人为生，今活够

---

① 雷斋：敬奉雷神辛天君的人所持的斋戒。雷神诞辰日和每月的三个辛日及初六日斋戒，所以下文说“三辛逢初六”。

② 酉不会客：由于杜康死于酉日，故某些地方有酉日不会客饮酒的习俗。

有一千馀岁，怎么如今又吃起斋来了？想当初作恶多端，这三四日斋戒，那里就积得过来？此言有假，可疑！可疑！"即抽身走出二门之下，叫六健将来问："你们老大王是那里请来的？"小妖道："是半路请来的。"妖王道："我说你们来的快。不曾到家么？"小妖道："是，不曾到家。"妖王道："不好了！着了他假也！这不是老大王！"小妖一齐跪下道："大王，自家父亲，也认不得？"妖王道："观其形容动静都像，只是言语不像。只怕着了他假，吃了人亏。你们都要仔细：会使刀的，刀要出鞘；会使枪的，枪要磨明；会使棍的使棍；会使绳的使绳。待我再去问他，看他言语如何。若果是老大王，莫说今日不吃，明日不吃，便迟个月何妨！假若言语不对，只听我哏的一声，就一齐下手。"群魔各各领命讫。

这妖王复转身到于里面，对行者当面又拜。行者道："孩儿，家无常礼，不须拜，但有甚话，只管说来。"妖王伏于地下道："愚男一则请来奉献唐僧之肉，二来有句话儿上请。我前日闲行，驾祥光直至九霄空内，忽逢着祖延①道陵张先生。"行者道："可是做天师的张道陵么？"妖王道："正是。"行者问曰："有甚话说？"妖王道："他见孩儿生得五官周正，三停②平等，他问我是几年、那月、那日、那时出世。儿因年幼，记得不真。先生子平③精熟，要与我推看五星。今请父王，正欲问此，倘或下次再得会他，好烦他推算。"行者闻言，坐在上面暗笑道："好妖怪呀！老孙自

① 祖延：延，应为"庭"字的刊误。道教对道祖讲经传道的地方叫祖庭。

② 三停：相面家认为，人的面部和身体都可分为三个部分，称为上中下三停。传说三停均等的人富贵寿考。

③ 子平：宋徐子平精通星命之术（参见第四十回注），后因以子平指星命之学。

归佛果，保唐师父，一路上也捉了几个妖精，不似这厮克剥。他问我甚么家长礼短，少米无柴的话说，我也好信口捏脓①答他。他如今问我生年月日，我却怎么知道！……”好猴王，也十分乖巧：巍巍端坐中间，也无一些儿惧色，面上反喜盈盈的笑道：“贤郎请起。我因年老，连日有事不遂心怀，把你生时果偶然忘了。且等到明日回家，问你母亲便知。”

妖王道：“父王把我八个字②时常不离口论说，说我有同天不老之寿，怎么今日一旦忘记！岂有此理！必是假的！”哏的一声，群妖枪刀簇拥，望行者没头没脸的扎来。这大圣使金箍棒架住了，现出本像，对妖精道：“贤郎，你却没理。那里儿子好打爷的？”那妖王满面羞惭，不敢回视。行者化金光，走出他的洞府。小妖道：“大王，孙行者走了。”妖王道：“罢！罢！罢！让他走了罢！我吃他这一场亏也！且关了门，莫与他打话，只来刷洗唐僧蒸吃便罢。”

却说那行者搴着铁棒，呵呵大笑，自涧那边而来。沙僧听见，急出林迎着道：“哥阿，这半日方回，如何这等哂笑，想救出师父来也？”行者道：“兄弟，虽不曾救得师父，老孙却得个上风来了。”沙僧道：“甚么上风？”行者道：“原来猪八戒被那怪假变观音哄将回来，吊于皮袋之内。我欲设法救援，不期他着甚么六健将去请老大王来吃师父肉。是老孙想着他老大王必是牛魔王，就变了他的模样，充将进去，坐在中间。他叫父王，我就应他，他便叩头，我就直受。着实快活！果然得了上风！”沙僧道：

① 捏脓：就是捏造、含胡、说假话。

② 八个字：即“八字”。按天干地支纪时法，人的生年、月、日、时均有一干一支，合起来共八个字，星命家称其为“八字”，并据以推算人的命运好坏。

“哥呵，你便图这般小便宜，恐师父性命难保。”行者道：“不须虑，等我去请菩萨来。”沙僧道：“你还腰疼哩。”行者道：“我不疼了。古人云：‘人逢喜事精神爽。’你看着行李、马匹，等我去。”沙僧道：“你置下仇了，恐他害我师父。你须快去快来。”行者道：“我来得快，只消顿饭时，就回来矣。”

好大圣，说话间躲离了沙僧，纵筋斗云，径投南海。在那半空里，那消半个时辰，望见普陀山景。须臾，按下云头，直至落伽崖上，端肃正行，只见二十四路诸天迎着道：“大圣，那里去？”行者作礼毕，道：“要见菩萨。”诸天道：“少停，容通报。”时有鬼子母诸天来潮音洞外报道：“菩萨得知，孙悟空特来参见。”菩萨闻报，即命进去。大圣敛衣皈命，捉[①]定步，径入里边，见菩萨倒身下拜。菩萨道：“悟空，你不领金蝉子西方求经去，却来此何干？”行者道：“上告菩萨。弟子保护唐僧前行，至一方，乃号山枯松涧火云洞。有一个红孩儿妖精，唤作圣婴大王，把我师父摄去。是弟子与猪悟能等寻至门前，与他交战。他放出三昧火来，我等不能取胜，救不出师父。急上东洋大海，请到四海龙王施雨水，又不能胜火，把弟子都熏坏了，稀乎丧了残生。”菩萨道：“既他是三昧火，神通广大，怎么去请龙王，不来请我？”行者道：“本欲来的，只是弟子被烟熏了，不能驾云，却教猪八戒曾请菩萨。”菩萨道：“悟能不曾来呀。”行者道：“正是。未曾到得宝山，被那妖精假变做菩萨模样，把猪八戒又赚入洞中，现吊在一皮袋里，也要蒸吃哩。”

菩萨听说，心中大怒道：“那泼妖敢变我的模样！”恨了一声，将手中宝珠净瓶往海心里扑的一掼，唬得那行者毛骨竦然，

① 捉：此处是把握、稳住的意思。

即起身侍立下面,道:"这菩萨火性不退,好是怪老孙说的话不好,坏了他的德行,就把净瓶掼了。可惜!可惜!早知送了我老孙,却不是一件大人事①?"

说不了,只见那海当中,翻波跳浪,钻出个瓶来,原来是一个怪物驮着出来。行者仔细看那驮瓶的怪物,怎生模样:

根源出处号帮泥②,水底增光独显威。
世隐能知天地性,安藏偏晓鬼神机。
藏身一缩无头尾,展足能行快似飞。
文王画卦曾元卜,常纳庭台伴伏羲。
云龙透出千般俏,号水推波把浪吹。
条条金线穿成甲,点点装成彩玳瑁。
九宫八卦袍披定,散碎铺遮绿灿衣。
生前好勇龙王幸,死后还驮佛祖碑。
要知此物名和姓,兴风作浪恶乌龟。

那龟驮着净瓶,爬上崖边,对菩萨点头二十四点,权为二十四拜。行者见了,暗笑道:"原来是看瓶的。想是不见瓶,就问他要。"菩萨道:"悟空,你在下面说甚么?"行者道:"没说甚么。"菩萨教:"拿上瓶来。"这行者即去拿瓶,——咦!莫想拿得他动。好便似蜻蜓撼石柱,怎生摇得半分毫?行者上前跪下道:"菩萨,弟子拿不动。"菩萨道:"你这猴头,只会说嘴。瓶儿你也拿不动,怎么去降妖缚怪?"行者道:"不瞒菩萨说。平日拿得动,今日拿不动。想是吃了妖精亏,筋力弱了。"菩萨道:"常时是个空瓶。如今是净瓶抛下海去,这一时间,转过了三江五湖,八河四

① 人事:赠送给人的礼物。

② 帮泥:我国古代神话传说,当禹王治水时,黄龙曳尾在前,玄龟负青泥在后相助。所以"帮泥"为龟的代称。

渎,溪源潭洞之间,共借了一海水在里面。你那里有架海的斤量? 此所以拿不动也。”行者合掌道:“是弟子不知。”

那菩萨走上前,将右手轻轻的提起净瓶,托在左手掌上。只见那龟点点头,钻下水去了。行者道:“原来是个养家看瓶的夯货!”菩萨坐定道:“悟空,我这瓶中甘露水浆,比那龙王的私雨不同,能灭那妖精的三昧火。待要与你拿了去,你却拿不动;待要着善财龙女与你同去,你却又不是好心,专一只会骗人。你见我这龙女貌美,净瓶又是个宝物,你假若骗了去,却那有工夫又来寻你? 你须是留须些甚么东西作当。”行者道:“可怜! 菩萨这等多心。我弟子自秉沙门,一向不干那样事了。你教我留些当头,却将何物? 我身上这件绵布直裰,还是你老人家赐的。这条虎皮裙子,能值几个铜钱? 这根铁棒,早晚却要护身。但只是头上这个箍儿,是个金的,却又被你弄了个方法儿长在我头上,取不下来。你今要当头,情愿将此为当,你念个《松箍儿咒》,将此除去罢。不然,将何物为当?”菩萨道:“你好自在啊! 我也不要你的衣服、铁棒、金箍,只将你那脑后救命的毫毛拔一根与我作当罢。”行者道:“这毫毛,也是你老大人家与我的。但恐拔下一根,就拆破群了,又不能救我性命。”菩萨骂道:“你这猴子! 你便一毛也不拔,教我这善财也难舍。”行者笑道:“菩萨,你却也多疑。正是‘不看僧面看佛面’。千万救我师父一难罢!”那菩萨:

逍遥欣喜下莲台,云步香飘上石崖。
只为圣僧遭障害,要降妖怪救回来。

孙大圣十分欢喜,请观音出了潮音仙洞。诸天大神都列在普陀岩上。菩萨道:“悟空,过海。”行者躬身道:“请菩萨先行。”菩萨道:“你先过去。”行者磕头道:“弟子不敢在菩萨面前施展。若驾筋斗云呵，掀露身体，恐菩萨怪我不敬。”菩萨闻言，即着善财龙女去莲花池里，劈一瓣莲花，拖在石岩下边水上，教行者：“你上那莲花瓣儿，我渡你过海。”行者见了道：“菩萨，这花瓣儿又轻又薄，如何载得我起！这一蹦翻跌下水去，却不湿了虎皮裙？走了硝，天冷怎穿！”菩萨喝道：“你且上去看！”行者不敢推辞，舍命往上跳。果然先见轻小，到上面比海船还大三分。行者欢喜道：“菩萨，载得我了。”菩萨道：“既载得，如何不过去？”行者道：“又没个篙、桨、篷、桅，怎生得过？”菩萨道：“不用。”只把他一口气吹开吸拢，又着实一口气，吹过南洋苦海，得登彼岸。行者却脚踊实地，笑道：“这菩萨卖弄神通，把老孙这等呼来喝去，全不费力也！”

那菩萨分付概众诸天各守仙境，着善财龙女闭了洞门，他却纵祥云，躲离普陀岩，到那边叫：“惠岸何在？”惠岸——乃托塔李天王第二个太子，俗名木叉是也，乃菩萨亲传授的徒弟，不离左右，称为护法惠岸行者——即对菩萨合掌伺候。菩萨道：“你快上界去，见你父王，问他借天罡刀来一用。”惠岸道：“师父用着几何？”菩萨道：“全副都要。”

惠岸领命，即驾云头，径入南天门里，到云楼宫殿，见父王下拜。天王见了，问：“儿从何来？”木叉道：“师父是孙悟空请来降妖，着儿拜上父王，将天罡刀借了一用。”天王即唤哪吒将刀取三十六把，递与木叉。木叉对哪吒说：“兄弟，你回去多拜上母亲，我事紧急，等送刀来再磕头罢。”忙忙相别，按落祥光，径至南海，将刀捧与菩萨。

菩萨接在手中，抛将去，念个咒语，只见那刀化作一座千叶莲台。菩萨纵身上去，端坐在中间。行者在旁暗笑道：“这菩萨省使俭用。那莲花池里有五色宝莲台，舍不得坐将来，却又问别人去借。”菩萨道：“悟空，休言语，跟我来也。”却才都驾着云头，离了海上。白鹦哥展翅前飞，孙大圣与惠岸随后。

顷刻间，早见一座山头。行者道：“这山就是号山了。从此处到那妖精门首，约摸有四百馀里。”菩萨闻言，即命住下祥云，在那山头上念一声“唵”字咒语，只见那山左山右，走出许多神鬼，却乃是本山土地众神，都到菩萨宝莲座下磕头。菩萨道：“汝等俱莫惊张，我今来擒此魔王。你与我把这团围打扫干净，要三百里远近地方，不许一个生灵在地。将那窝中小兽，窟内雏虫，都送在巅峰之上安生。”众神遵依而退。须臾间，又来回复。菩萨道：“既然干净，俱各回祠。”遂把净瓶扳倒，唿喇喇倾出水来，就如雷响。真个是：

漫过山头，冲开石壁。漫过山头如海势，冲开石壁似汪洋。黑雾涨天全水气，沧波影日幌寒光。遍崖冲玉浪，满海长金莲。菩萨大展降魔法，袖中取出定身禅。化做落伽仙景界，真如南海一般般。秀蒲挺出昙花嫩，香草舒开贝叶鲜。紫竹几竿鹦鹉歇，青松数簇鹧鸪喧。万叠波涛连四野，只闻风吼水漫天。

孙大圣见了，暗中赞叹道：“果然是一个大慈大悲的菩萨！若老孙有此法力，将瓶儿望山一倒，管甚么禽兽蛇虫哩！”菩萨叫：“悟空，伸手过来。”行者即忙敛袖，将左手伸出。菩萨拔杨柳枝，蘸甘露，把他手心里写一个“迷”字，教他：“捏着拳头，快去与那妖精索战，许败不许胜。败将来我这跟前，我自有法力收他。”

行者领命，返云光，径来至洞口，一只手使拳，一只手使棒，高叫道：“妖怪开门！”那些小妖又进去报道：“孙行者又来了！”妖王道：“紧关了门！莫睬他！”行者叫道：“好儿子！把老子赶在门外,还不开门!”小妖又报道:“孙行者骂出那话儿来了!”妖王只教:“莫睬他!”行者叫两次,见不开门,心中大怒,举铁棒,将门一下打了一个窟窿。慌得那小妖跌将进去道:“孙行者打破门了!”妖王见报几次,又听说打破前门,急纵身跳将出去,挺长枪,对行者骂道:“这猴子,老大不识起倒①! 我让你得些便宜,你还不知尽足,又来欺我! 打破我门,你该个甚么罪名?”行者道:“我儿,你赶老子出门,你该个甚么罪名?”

那妖王羞怒,缠长枪劈胸便刺,这行者举铁棒架隔相还。一番搭上手,斗经四五个回合,行者捏着拳头,拖着棒,败将下来。那妖王立在山前道:“我要刷洗唐僧去哩!”行者道:“好儿子,天看着你哩②! 你来!”那妖精闻言,愈加嗔怒,喝一声,赶到面前,挺枪又刺。这行者抡棒又战几合,败阵又走。那妖王骂道:“猴子,你在前有二三十合的本事,你怎么如今正斗时就要走了,何也?”行者笑道:“贤郎,老子怕你放火。”妖精道:“我不放火了,你上来。”行者道:“既不放火,走开些。好汉子莫在家门前打人。”那妖精不知是诈,真个举枪又赶。行者拖了棒,放了拳头。那妖王着了迷乱,只情追赶。前走的如流星过度,后走的如弩箭离弦。

不一时,望见那菩萨了。行者道:“妖精,我怕你了。你饶我罢。你如今赶至南海观音菩萨处,怎么还不回去?”那妖王不信,咬着牙,只管赶来。行者将身一幌,藏在那菩萨的神光影里。这妖精见没了行者,走近前,睁圆眼,对菩萨道:“你是孙行者请来的救兵么?”菩萨不答应。妖王捻转长枪,喝道:“咄! 你是孙

① 不识起倒:不知高低,不识好歹。
② 天看着你哩:意思说老天有眼,如果做了恶事,会遭到天打雷霹。

行者请来的救兵么?”菩萨也不答应。妖精望菩萨劈心刺一枪来。那菩萨化道金光,径走上九霄空内。行者跟定道:“菩萨,你好欺伏我罢了!那妖精再三问你,你怎么推聋妆哑,不敢做声,被他一枪搠走了,却把那个莲台都丢下耶!”菩萨只教:“莫言语,看他再要怎的。”此时行者与木叉俱在空中,并肩同看。只见那妖呵呵冷笑道:“泼猴头,错认了我也!他不知把我圣婴当做个甚人。几番家战我不过,又去请个甚么脓包菩萨来,却被我一枪,搠得无形无影去了,又把个宝莲台儿丢了。且等我上去坐坐。”好妖精,他也学菩萨,盘手盘脚的,坐在当中。行者看见道:“好!好!好!莲花台儿好送人了!”菩萨道:“悟空,你又说甚么?”行者道:“说甚!说甚!莲台送了人了!那妖精坐放臀下,终不得你还要哩?”菩萨道:“正要他坐哩。”行者道:“他的身躯小巧,比你还坐得稳当。”菩萨叫:“莫言语,且看法力。”

他将杨柳枝往下指定,叫一声:“退!”只见那莲台花彩俱无,祥光尽散,原来那妖王坐在刀尖之上。即命木叉:“使降妖杵,把刀柄儿打打去来。”那木叉按下云头,将降魔杵如筑墙一般,筑了有千百馀下。那妖精,穿通两腿刀尖出,血深成汪皮肉开。好怪物,你看他咬着牙,忍着疼,且丢了长枪,用手将刀乱拔。行者却道:“菩萨呵,那怪物不怕疼,还拔刀哩。”菩萨见了,唤上木叉:“且莫伤他生命。”却又把杨柳枝垂下,念声“唵”字咒语,那天罡刀都变做倒须钩儿,狼牙一般,莫能褪得。那妖精却才慌了,扳着刀尖,痛声苦告道:“菩萨,我弟子有眼无珠,不识你广大法力。千乞垂慈,饶我性命!再不敢恃恶,愿入法门戒行也。”

菩萨闻言,却与二行者、白鹦哥低下金光,到了妖精面前。问道:“你可受吾戒行么?”妖王点头滴泪道:“若饶性命,愿受戒行。"菩萨道:"你可入我门么?"妖王道:"果饶性命,愿入法门。"菩萨道:"既如此,我与你摩顶受戒。"就袖中取出一把金剃头刀儿,近前去,把那怪分顶剃了几刀,剃作一个太山压顶,与他留下三个顶搭,挽起三个窝角揪儿。行者在旁笑道:"这妖精大晦气!弄得不男不女,不知像个甚么东西!"菩萨道:"你今既受我戒,我却也不慢你,称你做善财童子,如何?"那妖点头受持,只望饶命。菩萨却用手一指,叫声:"退!""撞"的一声,天罡刀都脱落尘埃,那童子身躯不损。

菩萨叫:"惠岸,你将刀送上天宫,还你父王,莫来接我,先到普陀岩会众诸天等候。"那木叉领命,送刀上界,回海不题。

却说那童子野性不定,见那腿疼处不疼,臀破处不破,头挽了三个揪儿,他走去绰起长枪,望菩萨道:"那里有甚真法力降我!原来是个掩样术法儿!不受甚戒!看枪!"望菩萨劈脸刺来。恨得个行者抡铁棒要打。菩萨只叫:"莫打,我自有惩治。"却又袖中取出一个金箍儿来道:"这宝贝原是我佛如来赐我往东土寻取经人的'金紧禁'三个箍儿。紧箍儿,先与你戴了;禁箍儿,收了守山大神;这个金箍儿,未曾舍得与人。今观此怪无礼,与他罢。"好菩萨,将箍儿迎风一幌,叫声:"变!"即变作五个箍儿,望童子身上抛了去,喝声:"着!"一个套在他头顶上,两个套在他左右手上,两个套在他左右脚上。菩萨道:"悟空,走开些,等我念念《金箍儿咒》。"行者慌了道:"菩萨呀,请你来此降妖,如何却要咒我?"菩萨道:"这篇咒,不是《紧箍儿咒》咒你的,是《金箍儿咒》咒那童子的。"行者却才放心,紧随左右,听得他念咒。菩萨捻着诀,默默的念了几遍。那妖精搓耳揉腮,攒蹄打滚。正是:一句能通遍沙界,广大无边法力深。毕竟不知那童子怎的皈依,且听下回分解。

第四十三回

黑河妖孽擒僧去　西洋龙子捉鼍回

却说那菩萨念了几遍，却才住口，那妖精就不疼了。又正性起身看处，颈项里与手足上都是金箍，勒得疼痛，便就除那箍儿时，莫想褪得动分毫。这宝贝已此是见肉生根，越抹越痛。行者笑道："我那乖乖，菩萨恐你养不大，与你戴个颈圈镯头①哩。"那童子闻此言，又生烦恼，就此绰起枪来，望行者乱刺。行者急闪身，立在菩萨后面，叫："念咒！念咒！"

那菩萨将杨柳枝儿，蘸了一点甘露，洒将去，叫声："合！"只见他丢了枪，一双手合掌当胸，再也不能开放，至今留了一个"观音扭"，即此意也。那童子开不得手，拿不得枪，方知是法力深微，没奈何，才纳头下拜。

菩萨念动真言，把净瓶攲倒，将那一海水依然收去，更无半点存留，对行者道："悟空，这妖精已是降了，却只是野心不定，等我教他一步一拜，只拜到落伽山，方才收法。你如今快早去洞中，救你师父去来！"行者转身叩头道："有劳菩萨远涉，弟子当送一程。"菩萨道："你不消送，恐怕误了你师父性命。"行者闻言，欢喜叩别。那妖精早归了正果，五十三参，参拜观音。

且不题善菩萨收了童子。却说那沙僧久坐林间，盼望行者

① 颈圈镯头：过去给婴儿戴刻有"长命百岁"的项圈、镯头，有祈福的作用。

不到，将行李捎在马上，一只手执着降妖宝杖，一只手牵着缰绳，出松林向南观看，只见行者欣喜而来。沙僧迎着道："哥哥，你怎么去请菩萨，此时才来！焦杀我也！"行者道："你还做梦哩。老孙已请了菩萨，降了妖怪。"行者却将菩萨的法力，备陈了一遍。沙僧十分欢喜道："救师父去也！"

他两个才跳过涧去，撞到门前，拴下马匹，举兵器齐打入洞里，剿净了群妖，解下皮袋，放出八戒来。那呆子谢了行者道："哥哥，那妖精在那里？等我去筑他几钯，出出气来！"行者道："且寻师父去。"

三人径至后边，只见师父赤条条捆在院中哭哩。沙僧连忙解绳，行者即取衣服穿上。三人跪在面前道："师父吃苦了。"三藏谢道："贤徒啊，多累你等。怎生降得妖魔也？"行者又将请菩萨、收童子之言，备陈一遍。三藏听得，即忙跪下，朝南礼拜。行者道："不消谢他。转是我们与他作福，收了一个童子。"——如今说童子拜观音，五十三参，参参见佛，即此是也。——教沙僧："将洞内宝物收了。且寻米粮，安排斋饭，管待了师父。"那长老得性命全亏孙大圣，取真经只靠美猴精。师徒们出洞来，攀鞍上马，找大路，笃志投西。

行经一个多月，忽听得水声振耳。三藏大惊道："徒弟呀，又是那里水声？"行者笑道："你这老师父，忒也多疑，做不得和尚。我们一同四众，偏你听见甚么水声。你把那《多心经》又忘了也？"唐僧道："《多心经》乃浮屠山乌巢禅师口授，共五十四句，二百七十个字。我当时耳传，至今常念，你知我忘了那句儿？"行者道："老师父，你忘了'无眼耳鼻舌身意'。我等出家人，眼不视色，耳不听声，鼻不嗅香，舌不尝味，身不知寒暑，意不存妄想——如此谓之祛褪六贼。你如今为求经，念念在意；怕妖魔，不肯舍身；要斋吃，动舌；喜香甜，嗅鼻；闻声音，惊耳；睹事物，凝眸。招来这六贼纷纷，怎生得西天见佛？”三藏闻言，默然沉虑道：“徒弟呵，我

一自当年别圣君，奔波昼夜甚殷勤。
芒鞋踏破山头雾，竹笠冲开岭上云。
夜静猿啼殊可叹，月明鸟噪不堪闻。
何时满足三三行，得取如来妙法文？”

行者听毕，忍不住鼓掌大笑道：“这师父原来只是思乡难息！若要那三三行满，有何难哉！常言道‘功到自然成’哩。”八戒回头道：“哥阿，若照依这般魔瘴凶高，就走上一千年也不得成功！”沙僧道：“二哥，你和我一般，拙口钝腮，不要惹大哥热擦①。且只捱肩磨担，终须有日成功也。”

师徒们正话间，脚走不停，马蹄正疾，见前面有一道黑水滔天，马不能进。四众停立崖边，仔细观看。但见那：

层层浓浪，叠叠浑波。层层浓浪翻乌潦，叠叠浑波卷黑油。近观不照人身影，远望难寻树木形。滚滚一地墨，滔滔千里灰。水沫浮来如积炭，浪花飘起似翻煤。牛羊不饮，鸦鹊难飞。牛羊不饮嫌深黑，鸦鹊难飞怕渺弥。只是岸上芦蘋知节令，滩头花草斗青奇。湖泊江河天下有，溪源泽洞世间多。人生皆有相逢处，谁见西方黑水河！

唐僧下马道：“徒弟，这水怎么如此浑黑？”八戒道：“是那家泼了靛缸了。”沙僧道：“不然，是谁家洗笔砚哩。”行者道：“你们且休胡猜乱道，且设法保师父过去。”八戒道：“这河若是老猪过去不难。或是驾了云头，或是下河负水，不消顿饭时，我就过去了。”

---

① 热擦：发急、光火。

沙僧道:“若教我老沙,也只消纵云踊水,顷刻而过。”行者道:“我等容易,只是师父难哩。”三藏道:“徒弟啊,这河有多少宽么?”八戒道:“约摸有十来里宽。”三藏道:“你三个计较,着那个驮我过去罢。”行者道:“八戒驮得。”八戒道:“不好驮。若是驮着腾云,三尺也不能离地。常言道:‘背凡人重若丘山。’若是驮着负水,转连我坠下水去了。”

师徒们在河边正都商议,只见那上溜头,有一人棹下一只小船儿来。唐僧喜道:“徒弟,有船来了。叫他渡我们过去。”沙僧厉声高叫道:“棹船的,来渡人!来渡人!”船上人道:“我不是渡船,如何渡人?”沙僧道:“天上人间,方便第一。你虽不是渡船,我们也不是常来打搅你的。我等是东土钦差取经的佛子。你可方便方便,渡我们过去,谢你。”那人闻此言,却把船儿棹近崖边,扶着桨道:“师父呵,我这船小,你们人多,怎能全渡?”三藏近前看了,那船儿原来是一段木头刻的,中间只有一个舱口,只好坐下两个人。三藏道:“怎生是好?”沙僧道:“这般呵,两遭儿渡罢。”八戒就使心术,要躲懒讨乖,道:“悟净,你与大哥在这边看着行李、马匹,等我保师父先过去,却再来渡马。教大哥跳过去罢。”行者点头道:“你说的是。”

那呆子扶着唐僧,那梢公撑开船,举棹冲流,一直而去。方才行到中间,只听得一声响亮,卷浪翻波,遮天迷目。那阵狂风十分利害!好风:

当空一片炮云起,中溜千层黑浪高。
两岸飞沙迷日色,四边树倒振天号。
翻江搅海龙神怕,播土扬尘花木凋。
呼呼响若春雷吼,阵阵凶如饿虎哮。
蟹鳖鱼虾朝上拜,飞禽走兽失窝巢。

五湖船户皆遭难，四海人家命不牢。

溪内渔翁难把钩，河间稍子怎撑篙？

揭瓦翻砖房屋倒，惊天动地泰山摇。

这阵风，原来就是那棹船人弄的，他本是黑水河中怪物。眼看着那唐僧与猪八戒，连船儿淬在水里，无影无形，不知摄了那方去也。

这岸上，沙僧与行者心慌道："怎么好？老师父步步逢灾，才脱了魔障，幸得这一路平安，又遇着黑水迍邅！"沙僧道："莫是翻了船？我们往下溜头找寻去。"行者道："不是翻船。若翻船，八戒会水，他必然保师父负水而出。我才见那个棹船的有些不正气，想必就是这厮弄风，把师父拖下水去了。"沙僧闻言道："哥哥何不早说！你看着马与行李，等我下水找寻去来。"行者道："这水色不正，恐你不能去。"沙僧道："这水比我那流沙河如何？去得！去得！"

好和尚，脱了褊衫，扎抹了手脚，抡着降妖宝杖，扑的一声，分开水路，钻入波中，大踏步行将进去。正走处，只听得有人言语。沙僧闪在旁边偷睛观看，那壁厢有一座亭台，台门外横封了八个大字，乃是"衡阳峪黑水河神府"。又听得那怪物坐在上面道："一向辛苦，今日方能得物。这和尚乃十世修行的好人，但得吃他一块肉，便做长生不老人。我为他也等够多时，今朝却不负我志。"教："小的们！快把铁笼抬出来，将这两个和尚囫囵蒸熟，具柬去请二舅爷来，与他暖寿①。"沙僧闻言，按不住心头火起，掣宝杖，将门乱打，口中骂道："那泼物，快送我唐僧师父与八戒师兄出来！"唬得那门内妖邪，急跑去报："祸事了！"老怪

① 暖寿：旧时礼俗，对五十岁以上老人，在寿诞的前一天置酒食祝贺，称暖寿。

问："甚么祸事？"小妖道："外面有一个晦气色脸的和尚，打着前门骂，要人哩。"

那怪闻言，即唤取披挂。小妖抬出披挂，老妖结束整齐，手提一根竹节钢鞭，走出门来，真个是凶顽毒像。但见：

方面圜睛霞彩亮，卷唇巨口血盆红。

几根铁线稀髯摆，两鬓朱砂乱发蓬。

形似显灵真太岁，貌如发怒狠雷公。

身披铁甲团花灿，头戴金盔嵌宝浓。

竹节钢鞭提手内，行时滚滚拽狂风。

生来本是波中物，脱去原流变化凶。

要问妖邪真姓字，前身唤做小鼍龙。

那怪喝道："是甚人在此打我门哩？"沙僧道："我把你个无知的泼怪！你怎么弄玄虚，变作梢公，架船将我师父摄来？快早送还，饶你性命！"那怪呵呵笑道："这和尚不知死活！你师父是我拿了，如今要蒸熟了请人哩！你上来，与我见个雌雄！三合敌得我呵，还你师父；如三合敌不得，连你一发都蒸吃了，休想西天去也！"沙僧闻言大怒，抡宝杖，劈头就打。那怪举钢鞭，急架相还。两个在水底下，这场好杀：

降妖杖，竹节鞭，二人怒发各争先。一个是黑水河中千载怪，一个是灵霄殿外旧时仙。那个因贪三藏肉中吃，这个为保唐僧命可怜。都来水底相争斗，各要功成两不然①。杀得虾鱼对对摇头躲，蟹鳖双双缩首潜。只听水府群妖齐擂鼓，门前众怪乱争喧。好个沙门真悟净，单身独力展威权！跃浪翻波无胜败，鞭迎杖架两牵连。算来只为唐和尚，

① 不然：矛盾对立、互相不以为然。然，合理、正确的意思。

欲取真经拜佛天。

他二人战经三十回合，不见高低。沙僧暗想道："这怪物是我的对手，枉自不能取胜，且引他出去，教师兄打他。"这沙僧虚丢了个架子，拖着宝杖就走。那妖精更不赶来，道："你去罢，我不与你斗了。我且具柬帖儿去请客哩。"

沙僧气呼呼跳出水来，见了行者道："哥哥，这怪物无礼。"行者问："你下去许多时才出来，端的是甚妖邪？可曾寻见师父？"沙僧道："他这里边，有一座亭台，台门外横书八个大字，唤做'衡阳峪黑水河神府'。我闪在旁边，听着他在里面说话，教小的们刷洗铁笼，待要把师父与八戒蒸熟了，去请他舅爷来暖寿。是我发起怒来，就去打门。那怪物提一条竹节钢鞭走出来，与我斗了这半日，约有三十合，不分胜负。我却使个佯输法，要引他出来，着你助阵。那怪物乖得紧，他不来赶我，只要回去具柬请客，我才上来了。"行者道："不知是个甚么妖邪？"沙僧道："那模样像一个大鳖，不然便是个鼍龙也。"行者道："不知那个是他舅爷？"

说不了，只见那下湾里走出一个老人，远远的跪下，叫："大圣，黑水河河神叩头。"行者道："你莫是那棹船的妖邪，又来骗我么？"那老人磕头滴泪道："大圣，我不是妖邪，我是这河内真神。那妖精旧年五月间，从西洋海趁大潮来于此处，就与小神交斗。奈我年迈身衰，敌他不过，把我坐的那衡阳峪黑水神府，就占夺去住了，又伤了我许多水族。我却没奈何，径往海内告他。原来西海龙王是他的母舅，不准我的状子，教我让与他住。我欲启奏上天，奈何神微职小，不能得见玉帝。今闻得大圣到此，特来参拜投生①。万望大圣与我出力报冤！"行者闻言道："这等

① 投生：投奔一条生路。

说,四海龙王都该有罪。他如今摄了我师父与师弟,扬言要蒸熟了,去请他舅爷暖寿。我正要拿他,幸得你来报信。这等呵,你陪着沙僧在此看守,等我去海中,先把那龙王捉来,教他擒此怪物。”河神道:“深感大圣大恩!”

行者即驾云,径至西洋大海,按筋斗,捻了避水诀,分开波浪,正然走处,撞见一个黑鱼精捧着一个浑金的请书匣儿,从下流头似箭如梭钻将上来。被行者扑个满面,掣铁棒分顶一下,可怜就打得脑浆迸出,腮骨查开,嗗都的一声,飘出水面。他却揭开匣儿看处,里边有一张简帖,上写着:

“愚甥鼍洁,顿首百拜,启上二舅爷敖老大人台下:向承佳惠,感感[1]。今因获得二物,乃东土僧人,实为世间之罕物。甥不敢自用。因念舅爷圣诞在迩,特设菲筵[2],预祝千寿。万望车驾速临,是荷!”

行者笑道:“这厮却把供状先递与老孙也!”正才袖了帖儿,往前再行。早有一个探海的夜叉,望见行者,急抽身撞上水晶宫报大王:“齐天大圣孙爷爷来了!”那龙王敖闰即领众水族,出宫迎接道:“大圣,请入小宫少坐,献茶。”行者道:“我还不曾吃你的茶,你倒先吃了我的酒也!”龙王笑道:“大圣一向皈依佛门,不动荤酒,却几时请我吃酒来?”行者道:“你便不曾去吃酒,只是惹下一个吃酒的罪名了。”敖闰大惊道:“小龙为何有罪?”行者袖中取出简帖儿,递与龙王。

龙王见了,魂飞魄散,慌忙跪下,叩头道:“大圣恕罪!那厮是舍妹第九个儿子。因妹夫错行了风雨,刻减了雨数,被天曹降

① 感感:感激。

② 菲筵:谦辞,菲薄的筵席。

旨,着人曹官魏征丞相梦里斩了。舍妹无处安身,是小龙带他到此,恩养成人。前年不幸,舍妹疾故,惟他无方居住,我着他在黑水河养性修真,不期他作此恶孽。小龙即差人去擒他来也。”行者道:“你令妹共有几个贤郎?都在那里作怪?”龙王道:“舍妹有九个儿子,那八个都是好的。第一个小黄龙,见居淮渎;第二个小骊龙,见住济渎;第三个青背龙,占了江渎;第四个赤髯龙,镇守河渎;第五个徒劳龙,与佛祖司钟;第六个稳兽龙,与神宫镇脊;第七个敬仲龙,与玉帝守擎天华表;第八个蜃龙,在大家兄处,砥据太岳。此乃第九个鼍龙,因年幼无甚执事,自旧年才着他居黑水河养性,待成名,别迁调用。谁知他不遵吾旨,冲撞大圣也。”

行者闻言,笑道:“你妹妹有几个妹丈?”敖闰道:“只嫁得一个妹丈,乃泾河龙王,向年已此被斩。舍妹孀居于此,前年疾故了。”行者道:“一夫一妻,如何生这几个杂种?”敖闰道:“此正谓‘龙生九种,九种各别’。”行者道:“我才心中烦恼,欲将简帖为证,上奏天庭,问你个通同作怪,抢夺人口之罪。据你所言,是那厮不遵教诲。我且饶你这次,一则是看你昆玉分上,二来只该怪那厮年幼无知,你也不甚知情。你快差人擒来,救我师父,再作区处。”敖闰即唤太子摩昂:“快点五百虾鱼壮兵,将小鼍捉来问罪。一壁厢安排酒席,与大圣陪礼。”行者道:“龙王再勿多心。既讲开饶了你便罢,又何须办酒?我今须与你令郎同回,一则老师父遭愆,二则我师弟盼望。”

那老龙苦留不住,又见龙女捧茶来献。行者立饮他一盏香茶,别了老龙,随与摩昂领兵,离了西海,早到黑水河中。行者道:“贤太子,好生捉怪,我上岸去也。”摩昂道:“大圣宽心。小龙子将他拿上来先见了大圣,惩治了他罪名,把师父送上来,才敢带回海内，见我家父。”行者忻然相别，捏了避水诀，跳出波津，径到了东边崖上。沙僧与那河神迎着道：“师兄，你去时从空而去，怎么回来却自河内而回？”行者把那打死鱼精，得简帖，怪龙王，与太子同领兵来之事，备陈了一遍。沙僧十分欢喜，都立在岸边，候接师父不题。

却说那摩昂太子着介士①先到他水府门前，报与妖怪道：“西海老龙王太子摩昂来也。”那怪正坐，忽闻摩昂来，心中疑惑道：“我差黑鱼精投简帖拜请二舅爷，这早晚不见回话。怎么舅爷不来，却是表兄来耶？”正说间，只见那巡河的小怪又来报：“大王，河内有一枝兵，屯于水府之西，旗号上书着‘西海储君摩昂小帅’。”妖怪道：“这表兄却也狂妄：想是舅爷不得来，命他来赴宴。既是赴宴，如何又领兵劳士？——咳！但恐其间有故。”教：“小的们，将我的披挂钢鞭伺候，恐一时变暴。待我且出去迎他，看是何如。”众妖领命，一个个擦掌摩拳准备。

这鼍龙出得门来，真个见一枝海兵扎营在右。只见：

征旗飘绣带，画戟列明霞。
宝剑凝光彩，长枪缨绕花。
弓弯如月小，箭插似狼牙。
大刀光灿灿，短棍硬沙沙。
鲸鳌并蛤蚌，蟹鳖共鱼虾。
大小齐齐摆，干戈似密麻。
不是元戎令，谁敢乱爬蹅！

鼍怪见了，径至那营门前，厉声高叫：“大表兄，小弟在此拱候，

---

① 介士：这里指鳞介类武士。

有请。”有一个巡营的螺螺，急至中军帐报：“千岁殿下，外有鼍龙叫请哩。”太子按一按顶上金盔，束一束腰间宝带，手提一根三棱简，拽开步，跑出营去，道：“你来请我怎么？”鼍龙进礼道：“小弟今早有简帖拜请舅爷，想是舅爷见弃，着表兄来的。兄长既来赴席，如何又劳师动众？不入水府，扎营在此，又贯甲提兵，何也？”太子道：“你请舅爷做甚？”妖怪道：“小弟一向蒙恩赐居于此，久别尊颜，未得孝顺。昨日捉得一个东土僧人，我闻他是十世修行的元体，人吃了他，可以延寿，欲请舅爷看过，上铁笼蒸熟，与舅爷暖寿哩。”太子喝道：“你这厮十分懵懂！你道僧人是谁？”妖怪道：“他是唐朝来的僧人，往西天取经的和尚。”太子道：“你只知他是唐僧，不知他手下徒弟利害哩。”妖怪道：“他有一个长嘴的和尚，唤做个猪八戒，我也把他捉住了，要与唐和尚一同蒸吃。还有一个徒弟，唤做沙和尚，乃是一条黑汉子，晦气色脸，使一根宝杖。昨日在这门外与我讨师父，被我帅出河兵，一顿钢鞭，战得他败阵逃生，也不见怎的利害。”

太子道：“原来是你不知！他还有一个大徒弟，是五百年前大闹天宫上方太乙金仙齐天大圣，如今保护唐僧往西天拜佛求经，是普陀岩大慈大悲观音菩萨劝善，与他改名，唤做孙悟空行者。你怎么没得做，撞出这件祸来？他又在我海内遇着你的差人，夺了请帖，径入水晶宫，拿捏①我父子们有‘结连妖邪，抢夺人口’之罪。你快把唐僧、八戒送上河边，交还了孙大圣。凭着我与他陪礼，你还好得性命，若有半个‘不’字，休想得全生居于此也！”那怪鼍闻此言，心中大怒道：“我与你嫡亲的姑表，你倒反护他人！听你所言，就教把唐僧送出，天地间那里有这等容易

① 拿捏：故意刁难。

事也！你便怕他，莫成我也怕他？他若有手段，敢来我水府门前，与我交战三合，我才与他师父。若敌不过我，就连他也拿来，一齐蒸熟，也没甚么亲人，也不去请客，自家关了门，教小的们唱唱舞舞，我坐在上面，自自在在，吃他娘不是！”

太子见说，开口骂道：“这泼邪！果然无状！且不要教孙大圣与你对敌，你敢与我相持么？”那怪道：“要做好汉，怕甚么相持！”教：“取披挂！”呼唤一声，众小妖跟随左右，献上披挂，捧上钢鞭。他两个变了脸，各逞英雄，传号令，一齐擂鼓。这一场比与沙僧争斗，甚是不同，但见那：

旌旗照耀，戈戟摇光。这壁厢营盘解散，那壁厢门户开张。摩昂太子提金简，鼍怪抡鞭急架偿。一声炮响河兵烈，三棒锣鸣海士狂。虾与虾争，蟹与蟹斗。鲸鳌吞赤鲤，鳊鲌起黄鲿。鲨鲻吃鲞鲭鱼走，牡蛎擒蛏蛤蚌慌。少扬刺硬如铁棍，鲳司针利似锋芒。鳣鳝追白蟮，鲈鲙捉乌鲳。一河水怪争高下，两处龙兵定弱强。混战多时波浪滚，摩昂太子赛金刚。喝声金简当头重，拿住妖鼍作怪王。

这太子将三棱简闪了一个破绽，那妖精不知是诈，钻将进来；被他使个解数，把妖精右臂只一简打了个踱踵，赶上前又一拍脚，跌倒在地。众海兵一拥上前，揪翻住，将绳子背绑了双手，将铁索穿了琵琶骨，拿上岸来。押至孙行者面前道：“大圣，小龙子捉住妖鼍，请大圣定夺。”

行者与沙僧见了道：“你这厮不遵旨令。你舅爷原着你在此居住，教你养性存身，待你名成之日，别有迁用；你怎么强占水神之宅，倚势行凶，欺心诳上，弄玄虚，骗我师父、师弟？我待要打你这一棒，奈何老孙这棒子甚重，略打打儿就了了性命。你将我师父安在何处哩？”那怪叩头不住道：“大圣，小鼍不知大圣大名。却才逆了表兄，骋强背理，被表兄把我拿住。今见大圣，幸蒙大圣不杀之恩，感谢不尽。你师父还捆在那水府之间，望大圣解了我的铁索，放了我手，等我到河中送他出来。”摩昂在旁道：“大圣，这厮是个逆怪，他极奸诈，若放了他，恐生恶念。”沙和尚道：“我认得他那里，等我寻师父去。”

他两个跳入水中，径至水府门前，那里门扇大开，更无一个小卒。直入亭台里面，见唐僧、八戒赤条条都捆在那里。沙僧即忙解了师父，河神亦随解了八戒，一家背着一个，出水面，径至岸边。猪八戒见那妖精锁绑在侧，急掣钯上前就筑，口里骂道：“泼邪畜！你如今不吃我了？”行者扯住道：“兄弟，且饶他死罪罢。看敖闰贤父子之情。”摩昂进礼道：“大圣，小龙子不敢久停。既然救得你师父，我带这厮去见家父。虽大圣饶了他死罪，家父决不饶他活罪，定有发落处置，仍回复大圣谢罪。”行者道：“既如此，你领他去罢。多多拜上令尊，尚容面谢。”那太子押着那妖泼，投水中，帅领海兵，径转西洋大海不题。

却说那黑水河神谢了行者，道：“多蒙大圣复得水府之恩！”唐僧道：“徒弟呵，如今还在东岸，如何渡此河也？”河神道：“老爷勿虑，且请上马。小神开路，引老爷过河。”那师父才骑了白马，八戒采着缰绳，沙和尚挑了行李，孙行者扶持左右。只见河神作起阻水的法术，将上流挡住。须臾，下流撤干，开出一条大路。师徒们行过西边，谢了河神，登崖上路。这正是：禅僧有救朝西域，彻地无波过黑河。毕竟不知怎生得拜佛求经，且听下回分解。

第四十四回

法身元运逢车力　心正妖邪度脊关[1]

诗曰：

求经脱瘴向西游，无数名山不尽休。
兔走乌飞催昼夜，鸟啼花落自春秋。
微尘眼底三千界，锡杖头边四百州。
宿水餐风登紫陌，未期何日是回头。

话说唐三藏幸亏龙子降妖，黑水河神开路，师徒们过了黑河，找大路一直西来。真个是迎霜冒雪，戴月披星。行够多时，又值早春天气。但见：

三阳转运，万物生辉。三阳转运，满天明媚开图画；万物生辉，遍地芳菲设绣茵。梅残数点雪，麦涨一川云。渐开冰解山泉溜，尽放萌芽没烧痕。正是那：太昊乘震[2]，勾芒御辰[3]；花香风气暖，云淡日光新。道旁杨柳舒青眼，膏雨

---

① 脊关：道教内丹术术语，又名“夹脊”，“双关”等，一般认为是沿着脊椎两侧十七个穴位的总称。修炼的时候要引导下丹田的元气下降，再沿着督脉经尾闾、夹脊、玉枕三关，上升至头部的上丹田；然后再沿人体正面的任脉下降，回到下丹田。这个过程被称为“河车搬运”或者“转河车”。

② 太昊（hào）乘震：震，八卦之一，方位是东方。春天是由东方之“神”太昊来司命，所以春回大地，就称为太昊乘震。

③ 勾芒御辰：勾芒，我国神话传说中的木神名。御辰，掌握这个时令。勾应作句。

滋生万象春。

师徒们在路上游观景色，缓马而行，忽听得一声吆喝，好便似千万人呐喊之声。唐三藏心中害怕，兜住马不能前进，急回头道："悟空，是那里这等响振？"八戒道："好一似地裂山崩。"沙僧道："也就如雷声霹雳。"三藏道："还是人喊马嘶。"孙行者笑道："你们都猜不着。且住，待老孙看是何如。"

好行者，将身一纵，踏云光，起在空中，睁眼观看，远见一座城池，又近觑，倒也祥光隐隐，不见甚么凶气纷纷。行者暗自沉吟道："好去处！如何有响声振耳？……那城中又无旌旗闪灼，戈戟光明，又不是炮声响振，何以若人马喧哗？……"正议间，只见那城门外，有一块沙滩空地，攒簇了许多和尚，在那里扯车儿哩，原来是一齐着力打号，齐喊"大力王菩萨①"，所以惊动唐僧。

行者渐渐按下云头来看处，呀！那车子装的都是砖瓦木植土坯之类；滩头上坡坂最高，又有一道夹脊小路，两座大关；关下之路都是直立壁陡之崖，那车儿怎么拽得上去？虽是天色和暖，那些人却也衣衫蓝缕，看此像十分窘迫。行者心疑道："想是修盖寺院。他这里五谷丰登，寻不出杂工人来，所以这和尚亲自努力。……"正自猜疑未定，只见那城门里，摇摇摆摆，走出两个少年道士来。你看他怎生打扮。但见他：

头戴星冠，身披锦绣。头戴星冠光耀耀，身披锦绣彩霞飘。足踏云头履，腰系熟丝绦。面如满月多聪俊，形似瑶天仙客娇。

① 大力王菩萨：元代平话本《西游记》中"孙悟空"取经功成后被封的佛号。这说明百回本《西游记》的祖本即平话本。

那些和尚见道士来，一个个心惊胆战，加倍着力，恨苦的拽那车子。行者就晓得了："咦！想必这和尚们怕那道士，不然呵，怎么这等着力拽扯？我曾听得人言，西方路上，有个敬道灭僧之处，断乎此间是也。我待要回报师父，奈何事不明白，返惹他怪，敢道这等一个伶俐之人，就不能探个实信。且等下去问得明白，好回师父话。"

你道他来问谁？好大圣，按落云头，去郡城脚下，摇身一变，变做个游方的云水全真①，左臂上挂着一个水火篮儿②，手敲着渔鼓，口唱着道情词，近城门，迎着两个道士，当面躬身道："道长，贫道起手。"那道士还礼道："先生那里来的？"行者道："我弟子

云游于海角，浪荡在天涯。

今朝来此处，欲募善人家。

动问二位道长，这城中那条街上好道？那个巷里好贤？我贫道好去化些斋吃。"那道士笑道："你这先生，怎么说这等败兴的话？"行者道："何为败兴？"道士道："你要化些斋吃，却不是败兴？"行者道："出家人以乞化为由，却不化斋吃，怎生有钱买？"道士笑道："你是远方来的，不知我这城中之事。我这城中，且休说文武官员好道，富民长者爱贤，大男小女见我等拜请奉斋，——这般都不须挂齿，——头一等就是万岁君王好道爱贤。"行者道："我贫道一则年幼，二则是远方乍来，实是不知。烦二位道长将这里地名、君王好道爱贤之事，细说一遍，足见同道之情。"道士说："此城名唤车迟国。宝殿上君王与我们

---

① 云水全真：到处云游的全真道士。全真，道教的一个派别。

② 水火篮儿：云游道人所带的药篮。因篮为红色，篮中药物为黑色，故称水火篮。

有亲。”

行者闻言，呵呵笑道：“想是道士做了皇帝？”他道：“不是。只因这二十年前，民遭亢旱，天无点雨，地绝谷苗。不论君臣黎庶，大小人家，家家沐浴焚香，户户拜天求雨。正都在倒悬捱命之处，忽然天降下三个仙长来，俯救生灵。”行者问道：“是那三个仙长？”道士说：“便是我家师父。”行者道：“尊师甚号？”道士云：“我大师父，号做虎力大仙；二师父，鹿力大仙；三师父，羊力大仙。”行者问曰：“三位尊师，有多少法力？”道士云：“我那师父，呼风唤雨，只在翻掌之间；指水为油，点石成金，却如转身之易；所以有这般法力，能夺天地之造化，换星斗之玄微，君臣相敬，与我们结为亲也。”行者道：“这皇帝十分造化。常言道：‘术动公卿。’老师父有这般手段，结了亲，其实不亏他。——噫，不知我贫道可有星星①缘法，得见那老师父一面哩？”道士笑曰：“你要见我师父，有何难处！我两个是他靠胸贴肉的徒弟，我师父却又好道爱贤，只听见说个‘道’字，就也接出大门。若是我两个引进你，乃吹灰之力。”

行者深深的唱个大喏道：“多承举荐，就此进去罢。”道士说：“且少待片时，你在这里坐下，等我两个把公事干了来，和你进去。”行者道：“出家人无拘无束，自由自在，有甚公干？”道士用手指定那沙滩上僧人：“他做的是我家生活，恐他躲懒，我们去点他一卯就来。”行者笑道：“道长差了！僧道之辈都是出家人，为何他替我们做活，伏我们点卯？”道士云：“你不知道。因当年求雨之时，僧人在一边拜佛，道士在一边告斗②，都请朝廷

① 星星：一些些、一点点。

② 告斗：向北斗星祷告。

的粮偿①;谁知那和尚不中用,空念空经,不能济事。后来我师父一到,唤雨呼风,拔济了万民涂炭。却才恼了朝廷,说那和尚无用,拆了他的山门,毁了他的佛像,追了他的度牒,不放他回乡,御赐与我们家做活,就当小厮一般。我家里烧火的也是他,扫地的也是他,顶门的也是他。因为后边还有住房,未曾完备,着这和尚来拽砖瓦,拖木植,起盖房宇。只恐他贪顽躲懒,不肯拽车,所以着我两个去查点查点。"

行者闻言,扯住道士滴泪道:"我说我无缘,真个无缘,不得见老师父尊面!"道士云:"如何不得见面?"行者道:"我贫道在方上云游,一则是为性命,二则也为寻亲。"道士问:"你有甚么亲?"行者道:"我有一个叔父,自幼出家,削发为僧。向日年程饥馑,也来外面求乞,这几年不见回家,我念祖上之恩,特来顺便寻访。想必是羁迟在此等地方,不能脱身,未可知也。我怎的寻着他见一面,才可与你进城。"道士云:"这般却是容易。我两个且坐下,即烦你去沙滩上替我一查。只点头目有五百名数目便罢,看内中那个是你令叔。果若有呀,我们看道中情分,放他去了,却与你进城好么?"

行者顶谢不尽,长揖一声,别了道士,敲着渔鼓,径往沙滩之上。过了双关,转下夹脊,那和尚一齐跪下磕头道:"爷爷,我等不曾躲懒,五百名半个不少,都在此扯车哩。"行者看见,暗笑道:"这些和尚,被道士打怕了,见我这假道士就这般悚惧。若是个真道士,好道也活不成了。"行者又摇手道:"不要跪,休怕。我不是监工的,我来此是寻亲的。"众僧们听说认亲,就把他圈子阵围将上来,一个个出头露面,咳嗽打响,巴不得要认出去,

① 粮偿:以粮米报偿。指受到朝廷的供养。

道:"不知那个是他亲哩。"行者认了一会,呵呵笑将起来。众僧道:"老爷不认亲,如何发笑?"行者道:"你们知我笑甚么?笑你这些和尚全不长俊[①]!父母生下你来,皆因命犯华盖[②],妨爷克[③]娘,或是不招[④]姊妹,才把你舍断了出家。你怎的不遵三宝,不敬佛法,不去看经拜忏,却怎么与道士佣工,作奴婢使唤?"众僧道:"老爷,你来羞我们哩!你老人家想是个外边来的,不知我这里利害。"行者道:"果是外方来的,其实不知你这里有甚利害。"

众僧滴泪道:"我们这一国君王,偏心无道,只喜得是老爷等辈,恼的是我们佛子。"行者道:"为何来?"众僧道:"只因呼风唤雨,三个仙长来此处灭了我等,哄信君王,把我们寺拆了,度牒追了,不放归乡,亦不许补役当差,赐与那仙长家使用,苦楚难当!但有个游方道者至此,即请拜王领赏;若是和尚来,不分远近,就拿来与仙长家佣工。"行者道:"想必那道士还有甚么巧法术,诱了君王?若只是呼风唤雨,也都是傍门小法术耳,安能动得君心?"众僧道:"他会炼砂干汞,打坐存神,点水为油,点石成金。如今兴盖三清观宇,对天地昼夜看经忏悔,祈君王万年不老,所以就把君心惑动了。"

行者道:"原来这般。你们都走了便罢。"众僧道:"老爷,走不脱!那仙长奏准君王,把我们画了影身图,四下里长川[⑤]张

---

① 长俊:犹长进。

② 华盖:星命家认为,华盖本是"吉星",但由于既主聪明,又主孤独,所以命犯华盖,会缺少父母及亲人的扶助,如下文所说"妨爷克娘","不招姊妹"。

③ 克:迷信说法,认为人生下来有属相相克,有五行相克,命硬的又克父母。

④ 招:引。迷信说法,认为给女孩取名"招弟",可以生个男孩。这里所说的不招,指命孤而言。

⑤ 长川:永远、长久。

挂。他这车迟国地界也宽,各府州县乡村店集之方,都有一张和尚图,上面是御笔亲题。若有官职的,拿得一个和尚,高升三级;无官职的,拿得一个和尚,就赏白银五十两。所以走不脱。且莫说是和尚,就是剪鬃、秃子、毛稀的,都也难逃。四下里快手①又多,缉事的又广,凭你怎么也是难脱。我们没奈何,只得在此苦捱。"

行者道:"既然如此,你们死了便罢。"众僧道:"老爷,有死的。到处捉来与本处和尚,也共有二千馀众。到此熬不得苦楚,受不得爊煎,忍不得寒冷,服不得水土,死了有六七百,自尽了有七八百,只有我这五百个不得死。"行者道:"怎么不得死?"众僧道:"悬梁绳断,刀刎不疼,投河的飘起不沉,服药的身安不损。"行者道:"你却造化,天赐汝等长寿哩!"众僧道:"老爷呀,你少了一个字儿,是'长受罪'哩!我等日食三餐,乃是糙米熬得稀粥,到晚就在沙滩上冒露安身。才合眼,就有神人拥护。"行者道:"想是累苦了,见鬼么?"众僧道:"不是鬼,乃是六丁六甲、护教伽蓝。但至夜,就来保护。但有要死的,就保着,不教他死。"行者道:"这些神却也没理,只该教你们早死早生天,却来保护怎的?"众僧道:"他在梦寐中劝解我们,教'不要寻死,且苦捱着,等那东土大唐圣僧,往西天取经的罗汉。他手下有个徒弟,乃齐天大圣,神通广大,专秉忠良之心,与人间报不平之事,济困扶危,恤孤念寡。只等他来显神通,灭了道士,还敬你们沙门禅教哩'。"

行者闻得此言,心中暗笑道:"莫说老孙无手段,预先神圣早传名。"他急抽身,敲着渔鼓,别了众僧,径来城门口,见了道

---

① 快手:古时专司逮捕人犯的差役。

士。那道士迎着道："先生,那一位是令亲?"行者道:"五百个都与我有亲。"两个道士笑道:"你怎么就有许多亲?"行者道:"一百个是我左邻,一百个是我右舍,一百个是我父党①,一百个是我母党,一百个是我交契。你若肯把这五百人都放了,我便与你进去,不放,我不去了。"道士云:"你想有些风病,一时间就胡说了。那些和尚乃国王御赐,若放一二名,还要在师父处递了病状,然后补个死状,才了得哩。怎么说都放了!此理不通!不通!且不要说我家没人使唤,就是朝廷也要怪。他那里长要差官查勘,或时御驾也亲来点札,怎么敢放?"行者道:"不放么?"道士说:"不放!"行者连问三声,就怒将起来,把耳朵里铁棒取出,迎风捻了一捻,就碗来粗细,晃了一晃,照道士脸上一刮,可怜就打得头破血流身倒地,皮开颈折脑浆倾!

那滩上僧人,远远望见他打杀了两个道士,丢了车儿,跑将上来道:"不好了!不好了!打杀皇亲了!"行者道:"那个是皇亲?"众僧把他簸箕阵围了,道:"他师父上殿不参王,下殿不辞王,朝廷常称做'国师兄长先生'。你怎么到这里闯祸?他徒弟出来监工,与你无干,你怎么把他来打死?那仙长不说是你来打杀,只说是来此监工,我们害了他性命。我等怎了?且与你进城去,会了人命出来。"行者笑道:"列位休嚷。我不是云水全真,我是来救你们的。"众僧道:"你倒打杀人,害了我们,添了担儿,如何是救我们的?"

行者道:"我是大唐圣僧徒弟孙悟空行者,特特来此救你们性命。"众僧道:"不是!不是!那老爷我们认得他。"行者道:"又不曾会他,如何认得?"众僧道:"我们梦中尝见一个老者,自

① 父党:父系宗亲,如叔、伯、姑等。下文"母党"是指母系宗亲,如舅、姨等。

言太白金星，常教诲我等，说那孙行者的模样，莫教错认了。”行者道：“他和你怎么说来？”众僧道：“他说：‘那大圣：

磕额金睛幌亮，圆头毛脸无腮。咨牙尖嘴性情乖，貌比雷公古怪。　惯使金箍铁棒，曾将天阙攻开。如今皈正保僧来，专救人间灾害。’”

行者闻言，又嗔又喜。喜道替老孙传名，嗔道那老贼惫懒，把我的元身都说与这伙凡人！忽失声道：“列位诚然认我不是孙行者。我是孙行者的门人，来此处学闯祸耍子的。那里不是孙行者来了？”用手向东一指，哄得众僧回头，他却现了本相。众僧们方才认得，一个个倒身下拜道：“爷爷！我等凡胎肉眼，不知是爷爷显化。望爷爷与我们雪恨消灾，早进城降邪从正也！”行者道：“你们且跟我来。”众僧紧随左右。

那大圣径至沙滩上，使个神通，将车儿拽过两关，穿过夹脊，提起来，捽得粉碎；把那些砖瓦木植，尽抛下坡坂；喝教众僧：“散！莫在我手脚边。等我明日见这皇帝，灭那道士！”众僧道：“爷爷呀，我等不敢远走，但恐在官人拿住解来，却又吃打发赎，返又生灾。”行者道：“既如此，我与你个护身法儿。”好大圣，把毫毛拔了一把，嚼得粉碎，每一个和尚与他一截，都教他：“捻在无名指甲里，捻着拳头，只情走路。无人敢拿你便罢；若有人拿你，攒紧了拳头，叫一声‘齐天大圣’，我就来护你。”众僧道：“爷爷，倘若去得远了，看不见你，叫你不应，怎么是好？”行者道：“你只管放心。就是万里之遥，可保全无事。”

众僧有胆量大的，捻着拳头，悄悄的叫声：“齐天大圣！”只见一个雷公站在面前，手执铁棒，就是千军万马也不能近身。此时有百十众齐叫，足有百十个大圣护持。众僧叩头道：“爷爷！果然灵显！”行者又分付：“叫声‘寂’字，还你收了。”真个是叫声："寂！"依然还是毫毛在那指甲缝里。众和尚却才欢喜逃生，一齐而散。行者道："不可十分远遁，听我城中消息。但有招僧榜出，就进城还我毫毛也。"五百个和尚，东的东，西的西，走的走，立的立，四散不题。

却说那唐僧在路旁，等不得行者回话，教猪八戒引马投西，遇着些僧人奔走，将近城边，见行者还与十数个未散的和尚在那里。三藏勒马道："悟空，你怎么来打听个响声，许久不回？"行者引了十数个和尚，对唐僧马前施礼，将上项事说了一遍。三藏大惊道："这般呵，我们怎了？"那十数个和尚道："老爷放心。孙大圣爷爷乃天神降的，神通广大，定保老爷无虞。我等是这城里敕建智渊寺内僧人。因这寺是先王太祖御造的，现有先王太祖神像在内，未曾拆毁。城中寺院，大小尽皆拆了。我等请老爷赶早进城，到我荒山安下。待明日早朝，孙大圣必有处置。"行者道："汝等说得是。也罢，趁早进城去来。"

那长老却才下马，行到城门之下，此时已太阳西坠。过吊桥，进了三层门里，街上人见智渊寺的和尚牵马挑包，尽皆回避。正行时，却到山门前，但见那门上高悬着一面金字大匾，乃"敕建智渊寺"。众僧推开门，穿过金刚殿，把正殿门开了。唐僧取袈裟披起，拜毕金身方入。众僧叫："看家的！"老和尚走出来，看见行者就拜，道："爷爷！你来了？"行者道："你认得我是那个爷爷，就这等呼拜？"那和尚道："我认得你是齐天大圣孙爷爷。我们夜夜梦中见你。太白金星常常来托梦，说道只等你来，我们才得性命。今日果见尊颜与梦中无异。爷爷呀，喜得早来！再迟一两日，我等已俱做鬼矣！"行者笑道："请起，请起。明日就有分晓。"众僧安排了斋饭，他师徒们吃了，打扫干净方丈，安寝一宿。

二更时候，孙大圣心中有事，偏睡不着。只听那里吹打，悄悄的爬起来，穿了衣服，跳在空中观看，原来是正南上灯烛荧煌。低下云头仔细再看，却乃是三清观道士禳星哩。但见那：

灵区高殿，福地真堂。灵区高殿，巍巍壮似蓬壶景；福地真堂，隐隐清如化乐宫。两边道士奏笙簧，正面高公擎玉简。宣理《消灾忏》，开讲《道德经》。扬尘几度尽传符，表白一番皆俯伏。咒水发檄，烛焰飘摇冲上界；查罡布斗①，香烟馥郁透清霄。案头有供献新鲜，桌上有斋筵丰盛。

殿门前挂一联黄绫织锦的对句，绣着二十二个大字，云："雨顺风调，愿祝天尊无量法；河清海晏，祈求万岁有馀年。"行者见三个老道士，披了法衣，想是那虎力、鹿力、羊力大仙。下面有七八百个散众，司鼓司钟，侍香表白，尽都侍立两边。行者暗自喜道："我欲下去与他混一混，奈何'单丝不线，孤掌难鸣'。且回去照顾八戒、沙僧，一同来耍耍。"

按落祥云，径至方丈中，原来八戒与沙僧通脚睡着②。行者先叫悟净，沙和尚醒来道："哥哥，你还不曾睡哩？"行者道："你且起来，我和你受用些来。"沙僧道："半夜三更，口枯眼涩，有甚受用？"行者道："这城里果有一座三清观，观里道士们修醮，三清殿上有许多供养：馒头足有斗大，烧果有五六十斤一个，衬饭③无数，果品新鲜。和你受用去来！"那猪八戒睡梦里听见说

① 查罡(gāng)布斗：当为"踏罡布斗"，是道教斋醮时礼拜星斗、召请神灵的一种仪式。作法时要踏着北斗七星的方位，按一定的步伐行走。罡，北斗斗杓的最末一颗星。布，同"步"。

② 通脚睡着：同床两头睡，脚心相对，所以叫通脚睡着。

③ 衬饭：斋供的饭食。

吃好东西，就醒了，道："哥哥，就不带挈我些儿？"行者道："兄弟，你要吃东西，不要大呼小叫，惊醒了师父。都跟我来。"

他两个套上衣服，悄悄的走出门前，随行者踏了云头，跳将起去。那呆子看见灯光，就要下手。行者扯住道："且休忙。待他散了，方可下去。"八戒道："他才念到兴头上，却怎么肯散？"行者道："等我弄个法儿，他就散了。"

好大圣，捻着诀，念个咒语，往巽地上吸一口气，呼的吹去，便是一阵狂风，径直卷进那三清殿上，把他些花瓶烛台，四壁上悬挂的功德，一齐刮倒，遂而灯火无光，众道士心惊胆战。虎力大仙道："徒弟们且散。这阵神风所过，吹灭了灯烛香花。各人归寝，明朝早起，多念几卷经文补数。"众道士果各退回。

这行者却引八戒、沙僧，按落云头，闯上三清殿。呆子不论生熟，拿过烧果来，张口就啃。行者掣铁棒，着手便打。八戒缩手躲过道："还不曾尝着甚么滋味就打！"行者道："莫要小家子行。且叙礼坐下受用。"八戒道："不羞！偷东西吃，还要叙礼！若是请将来，却要如何！"行者道："这上面坐的是甚么菩萨？"八戒笑道："三清也认不得，却认做甚么菩萨！"行者道："那三清？"八戒道："中间的是元始天尊，左边的是灵宝道君，右边的是太上老君。"行者道："都要变得这般模样，才吃得安稳哩。"那呆子急了，闻得那香喷喷供养要吃，爬上高台，把老君一嘴拱下去道："老官儿，你也坐得够了，让我老猪坐坐。"八戒变做太上老君，行者变做元始天尊，沙僧变作灵宝道君，把原像都推下去。

及坐下时，八戒就抢大馒头吃。行者道："莫忙哩！"八戒道："哥哥，变得如此，还不吃等甚？"行者道："兄弟呀，吃东西事小，泄漏天机事大。这圣像都推在地下，倘有起早的道士来撞钟扫地，或绊一个根头，却不走漏消息？你把他藏过一边来。"八戒道:“此处路生,摸门不着,却那里藏他?”行者道:“我才进来时,那右手下有一重小门儿,那里面秽气畜①人,想必是个五谷轮回之所。你把他送在那里去罢。”

这呆子有些夯力量,跳下来,把三个圣像拿在肩膊上,扛将出来;到那厢,用脚蹬开门看时,原来是个大东厕,笑道:“这个弼马温着然会嘴弄舌!把个毛坑也与他起个道号,叫做甚么‘五谷轮回之所’!”那呆子扛在肩上且不丢了去,口里啯啯哝哝的祷道:

“三清,三清,我说你听:远方到此,惯灭妖精。欲享供养,无处安宁。借你坐位,略略少停。你等坐久,也且暂下毛坑。你平日家受用无穷,做个清净道士;今日里不免享些秽物,也做个受臭气的天尊!”

祝罢,烹的望里一捽,灒②了半衣襟臭水,走上殿来。行者道:“可藏得好么?”八戒道:“藏便藏得好,只是灒起些水来,污了衣服,有些腌脏臭气,你休恶心。”行者笑道:“也罢,你且来受用,但不知可得个干净身子出门哩。”那呆子还变做老君。三人坐下,尽情受用。先吃了大馒头,后吃簇盘、衬饭、点心、拖炉、饼锭、油煤、蒸酥,那里管甚么冷熟,任情吃起。原来孙行者不大吃烟火食,只吃几个果子,陪他两个。那一顿如流星赶月,风卷残云,吃得罄尽。已此没得吃了,还不走路,且在那里闲讲,消食耍子。

噫!有这般事!原来那东廊下有一个小道士,才睡下,忽然起来道:“我的手铃儿忘记在殿上,若失落了,明日师父见责。”

① 畜:熏、呛。第六十七回又写作“旭”。

② 灒(zàn):溅。

与那同睡者道:“你睡着,等我寻去。”急忙中不穿底衣,止扯一领直裰,径到正殿中寻铃。摸来摸去,铃儿摸着了,正欲回头,只听得有呼吸之声。道士害怕,急拽步往外走时,不知怎的,蹰着一个荔枝核子,扑的滑了一跌,哨的一声,把个铃儿跌得粉碎。猪八戒忍不住呵呵大笑出来。把个小道士唬走了三魂,惊回了七魄,一步一跌,撞到后方丈外,打着门叫:“师公!不好了!祸事了!”三个老道士还未曾睡,即开门问:“有甚祸事?”他战战兢兢道:“弟子忘失了手铃儿,因去殿上寻铃,只听得有人呵呵大笑,险些儿唬杀我也!”老道士闻言,即叫:“掌灯来!看是甚么邪物?”一声传令,惊动那两廊道士,大大小小,都爬起来点灯着火,往正殿上观看。不知端的何如,且听下回分解。

第四十五回

三清观大圣留名　车迟国猴王显法

却说孙大圣左手把沙和尚捻一把，右手把猪八戒捻一把，他二人却就省悟，坐在高处，倥①着脸，不言不语。凭那些道士点灯着火，前后照看，他三个就如泥塑金妆一般模样。虎力大仙道："没有歹人，如何把供献都吃了？"鹿力大仙道："却像人吃的勾当，有皮的都剥了皮，有核的都吐出核，却怎么不见人形？"羊力大仙道："师兄勿疑。想是我们虔心志意，在此昼夜诵经，前后申文，又是朝廷名号，断然惊动天尊。想是三清爷爷圣驾降临，受用了这些供养。趁今仙从未返，鹤驾在斯，我等可拜告天尊，恳求些圣水金丹，进与陛下，却不是长生永寿，见我们的功果也？"虎力大仙道："说的是。"教："徒弟们动乐诵经！一壁厢取法衣来，等我步罡拜祷。"那些小道士俱遵命，两班儿摆列齐整，当的一声磬响，齐念一卷《黄庭道德真经》。虎力大仙披了法衣，擎着玉简，对面前舞蹈扬尘，拜伏于地，朝上启奏道：

"诚惶诚恐，稽首归依。臣等兴教，仰望清虚。灭僧鄙俚，敬道光辉。敕修宝殿，御制庭闱。广陈供养，高挂龙旗。通宵秉烛，镇日香馡。一诚达上，寸敬虔归。今蒙降驾，未返仙车，望赐些金丹圣水，进与朝廷，寿比南山。"

---

① 倥(kōng)：俯、低、垂的意思。

八戒闻言，心中忐忑，默对行者道："这是我们的不是。吃了东西，且不走路，只等这般祷祝，却怎么答应？"行者又捻一把，忽地开口，叫声："晚辈小仙，且休拜祝。我等自蟠桃会上来的，不曾带得金丹圣水，待改日再来垂赐。"那些大小道士听见说出话来，一个个抖衣而战道："爷爷呀！活天尊临凡，是必莫放，好歹求个长生的法儿！"鹿力大仙上前，又拜云：

"扬尘顿首，谨办丹诚。微臣归命，俯仰三清。自来此界，兴道除僧。国王心喜，敬重玄龄。罗天大醮，彻夜看经。幸天尊之不弃，降圣驾而临庭。俯求垂念，仰望恩荣。是必留些圣水，与弟子们延寿长生。"

沙僧捻着行者，默默的道："哥呀，要得紧，又来祷告了。"行者道："与他些罢。"八戒寂寂道："那里有得？"行者道："你只看着我。我有时，你们也都有了。"那道士吹打已毕，行者开言道："那晚辈小仙，不须伏拜。我欲不留些圣水与你们，恐灭了苗裔①；若要与你，又忒容易了。"众道闻言，一齐俯伏叩头道："万望天尊念弟子恭敬之意，千乞喜赐些须。我弟子广宣道德，奏国王普敬玄门。"行者道："既如此，取器皿来。"那道士一齐顿首谢恩。虎力大仙爱强，就抬一口大缸，放在殿上；鹿力大仙端一砂盆安在供桌之上；羊力大仙把花瓶摘了花，移在中间。行者道："你们都出殿前，掩上格子，不可泄了天机，好留与你些圣水。"众道一齐跪伏丹墀之下，掩了殿门。

那行者立将起来，掀着虎皮裙，撒了一花瓶臊溺。猪八戒见了，欢喜道："哥啊，我把你做这几年兄弟，只这些儿不曾弄我。我才吃了些东西，道要干这个事儿哩。"那呆子揭衣服，忽喇喇，

---

① 苗裔(yì)：子孙后代。

就似吕梁洪倒下坂来，沙沙的溺了一砂盆。沙和尚却也撒了半缸。依旧整衣端坐在上道："小仙领圣水。"

那些道士推开格子，磕头礼拜谢恩，抬出缸去，将那瓶盆总归一处，教："徒弟，取个钟子来尝尝。"小道士即便拿了一个茶钟，递与老道士。道士舀出一钟来，喝下口去，只情抹唇咂嘴。鹿力大仙道："师兄，好吃么？"老道士努着嘴道："不甚好吃，有些酣醂[1]之味。"羊力大仙道："等我尝尝。"也喝了一口，道："有些猪溺臊气。"行者坐在上面，听见说出这话儿来，已此识破了，道："我弄个手段，索性留个名罢。"大叫云：

"道号！道号！你好胡思！那个三清，肯降凡基？吾将真姓，说与你知。大唐僧众，奉旨来西。良宵无事，下降宫闱。吃了供养，闲坐嬉嬉。蒙你叩拜，何以答之？那里是甚么圣水，你们吃的都是我一溺之尿！"

那道士闻得此言，拦住门，一齐动叉钯、扫帚、瓦块、石头，没头没脸，往里面乱打。好行者，左手挟了沙僧，右手挟了八戒，闯出门，驾着云光，径转智渊寺方丈。不敢惊动师父，三人又复睡下。

早是五鼓三点。那国王设朝，聚集两班文武，四百朝官，但见绛纱灯火光明，宝鼎香云叆叇。此时唐三藏醒来，叫："徒弟，徒弟，伏侍我倒换关文去来。"行者与沙僧、八戒急起身，穿了衣服，侍立左右道："上告师父。这昏君信着那些道士，兴道灭僧，恐言语差错，不肯倒换关文；我等护持师父，都进朝去也。"唐僧大喜，披了锦襕袈裟。行者带了通关文牒，教悟净捧着钵盂，悟能拿了锡杖；将行囊、马匹，交与智渊寺僧看守。径到五凤楼前，对黄门官作礼，报了姓名，言是东土大唐取经的和尚来此倒换关

[1] 酣醂(dān)：形容酒坏时的酸涩之气。醂，不好的酒。

文，烦为转奏。那阁门大使进朝俯伏金阶，奏曰："外面有四个和尚，说是东土大唐取经的，欲来倒换关文，现在五凤楼前候旨。"国王闻奏道："这和尚没处寻死，却来这里寻死！那巡捕官员，怎么不拿他解来？"旁边闪过当驾的太师，启奏道："东土大唐，乃南赡部洲，号曰中华大国。到此有万里之遥，路多妖怪。这和尚一定有些法力，方敢西来。望陛下看中华之远僧，且召来验牒放行，庶不失善缘之意。"国王准奏，把唐僧等宣至金銮殿下。师徒们排列阶前，捧关文递与国王。

国王展开方看，又见黄门官来奏："三位国师来也。"慌得国王收了关文，急下龙座，着近侍的设了绣墩，躬身迎接。三藏等回头观看，见那大仙摇摇摆摆，后带着一双丫髻蓬头的小童儿，往里直进。两班官控背躬身，不敢仰视。他上了金銮殿，对国王径不行礼。那国王道："国师，朕未曾奉请，今日如何肯降？"老道士云："有一事奉告，故来也。那四个和尚是那国来的？"国王道："是东土大唐差去西天取经的，来此倒换关文。"那三道士鼓掌大笑道："我说他走了，原来还在这里！"国王惊道："国师有何话说？他才来报了姓名，正欲拿送国师使用，曾奈当驾太师所奏有理，朕因看远来之意，不灭中华善缘，方才召入验牒，不期国师有此问。想是他冒犯尊颜，有得罪处也？"道士笑云："陛下不知，他昨日来的，在东门外打杀了我两个徒弟，放了五百个囚僧，捽碎车辆，夜间闯进观来，把三清圣像毁坏，偷吃了御赐供养。我等被他蒙蔽了，只道是天尊下降，求些圣水金丹，进与陛下，指望延寿长生，不期他遗些小便，哄瞒我等。我等各喝了一口，尝出滋味，正欲下手擒拿，他却走了。今日还在此间，正所谓'冤家路儿窄'也！"那国王闻言发怒，欲诛四众。

孙大圣合掌开言，厉声高叫道："陛下暂息雷霆之怒，容僧等启奏。”国王道：“你冲撞了国师！国师之言，岂有差谬！”行者道：“他说我昨日到城外打杀他两个徒弟，是谁知证？我等且曲认了，着两个和尚偿命，还放两个去取经。他又说我摔碎车辆，放了囚僧，此事亦无见证，料不该死，再着一个和尚领罪罢了。他说我毁了三清，闹了观宇，这又是栽害我也。”国王道：“怎见栽害？”行者道：“我僧乃东土之人，乍来此处，街道尚且不通，如何夜里就知他观中之事？既遗下小便，就该当时捉住，却这早晚坐名害人。天下假名托姓的无限，怎么就说是我？望陛下回嗔详察。”那国王本来昏乱，被行者说了一遍，他就决断不定。

正疑惑之间，又见黄门官来奏：“陛下，门外有许多乡老听宣。”国王道：“有何事干？”即命宣来。宣至殿前，有三四十名乡老，朝上叩头道：“万岁，今年一春无雨，但恐夏月干荒，特来启奏，请那位国师爷爷祈一场甘雨，普济黎民。”国王道：“乡老且退，就有雨来也。”乡老谢恩而出。国王道：“唐朝僧众，朕敬道灭僧为何？只为当年求雨，我朝僧人，更未尝求得一点，幸天降国师，拯援涂炭。你今远来，冒犯国师，本当即时问罪，姑且恕你，敢与我国师赌胜求雨么？若祈得一场甘雨，济度万民，朕即饶你罪名，倒换关文，放你西去。若赌不过，无雨，就将汝等推赴杀场，典刑示众。”行者笑道：“小和尚也晓得些儿求祷。”

国王见说，即命打扫坛场，一壁厢教：“摆驾，寡人亲上五凤楼观看。”当时多官摆驾。须臾，上楼坐了。唐三藏随着行者、沙僧、八戒，侍立楼下。那三道士陪国王坐在楼上。少时间，一员官飞马来报：“坛场诸色皆备，请国师爷爷登坛。”

那虎力大仙欠身拱手，辞了国王，径下楼来。行者向前拦住道：“先生那里去？”大仙道：“登坛祈雨。”行者道：“你也忒自重了，更不让我远乡之僧。也罢，这正是‘强龙不压地头蛇’。先生先去，必须对君前讲开。”大仙道：“讲甚么？”行者道：“我与你都上坛祈雨，知雨是你的，是我的？不见是谁的功绩了。”国王在上听见，心中暗喜，道：“那小和尚说话，倒有些筋节①。”沙僧听见，暗笑道：“不知一肚子筋节，还不曾拿出来哩！”大仙道：“不消讲，陛下自然知之。”行者道：“虽然知之，奈我远来之僧，未曾与你相会。那时彼此混赖，不成勾当。须讲开方好行事。”大仙道：“这一上坛，只看我的令牌为号：一声令牌响，风来；二声响，云起；三声响，雷闪齐鸣；四声响，雨至；五声响，云散雨收。”行者笑道：“妙啊！我僧是不曾见！请了！请了！”

大仙拽开步前进，三藏等随后，径到了坛门外。抬头观看，那里有一座高台，约有三丈多高。台左右插着二十八宿旗号，顶上放一张桌子，桌上有一个香炉，炉中香烟霭霭。两边有两只烛台，台上风烛煌煌。炉边靠着一个金牌，牌上镌的是雷神名号。底下有五个大缸，都注着满缸清水，水上浮着杨柳枝。杨柳枝上，托着一面铁牌，牌上书的是雷霆都司的符字。左右有五个大桩，桩上写着五方蛮雷使者的名录。每一桩边，立两个道士，各执铁锤，伺候着打桩。台后面有许多道士，在那里写作文书。正中间设一架纸炉，又有几个像生②的人物，都是那执符使者、土地赞教③之神。

那大仙走进去，更不谦逊，直上高台立定。旁边有个小道士，捧了几张黄纸书就的符字，一口宝剑，递与大仙。大仙执着宝剑，念声咒语，将一道符在烛上烧了。那底下两三个道士，拿过一个执符的像生，一道文书，亦点火焚之。那上面乒的一声令

① 筋节：这里指说话能说到点子上。

② 像生：用纸或彩帛扎糊成人、物形象，作为祭祀或玩具之用的。

③ 赞教：辅助行法。赞，辅佐。

牌响,只见那半空里,悠悠的风色飘来。猪八戒口里作念道:“不好了!不好了!这道士果然有本事!令牌响了一下,果然就刮风!”行者道:“兄弟悄悄的,你们再莫与我说话,只管护持师父,等我干事去来。”

好大圣,拔下一根毫毛,吹口仙气,叫:“变!”就变作一个假行者,立在唐僧手下。他的真身出了元神,赶到半空中,高叫:“那司风的是那个?”慌得那风婆婆捻住布袋,巽二郎扎住口绳,上前施礼。行者道:“我保护唐朝圣僧西天取经,路过车迟国,与那妖道赌胜祈雨。你怎么不助老孙,反助那道士?我且饶你,把风收了!若有一些风儿,把那道士的胡子吹得动动,各打二十铁棒!”风婆婆道:“不敢!不敢!”遂而没些风气。八戒忍不住乱嚷道:“那先儿①请退!令牌已响,怎么不见一些风儿?你下来,让我们上去!”

那道士又执令牌,烧了符檄,扑的又打了一下,只见那空中云雾遮满。孙大圣又当头叫道:“布云的是那个?”慌得那推云童子、布雾郎君当面施礼。行者又将前事说了一遍,那云童、雾子也收了云雾,放出太阳星耀耀,一天万里更无云。八戒笑道:“这先儿只好哄这皇帝,搪塞黎民,全没些真实本事!令牌响了两下,如何又不见云生?”

那道士心中焦躁,仗宝剑,解散了头发,念着咒,烧了符,再一令牌打将下去。只见那南天门里,邓天君领着雷公、电母到当空,迎着行者进礼。行者又将前项事说了一遍,道:“你们怎么来的志诚?是何法旨?”天君道:“那道士五雷法是个真的。他发了文书,烧了文檄,惊动玉帝,玉帝掷下旨意,径至

① 先儿:就是先生儿的简称。

'九天应元雷声普化天尊'府下。我等奉旨前来,助雷电下雨。"行者道:"既如此,且都住了,伺候老孙行事。"果然雷也不鸣,电也不灼。

那道士愈加着忙,又添香、烧符、念咒、打下令牌。半空中,又有四海龙王一齐拥至。行者当头喝道:"敖广!那里去?"那敖广、敖顺、敖钦、敖闰上前施礼。行者又将前项事说了一遍,道:"向日有劳,未曾成功;今日之事,望为助力。"龙王道:"遵命!遵命!"行者又谢了敖闰道:"前日亏令郎缚怪,搭救师父。"龙王道:"那厮还锁在海中,未敢擅便,正欲请大圣发落。"行者道:"凭你怎么处治了罢。如今且助我一功。那道士四声令牌已毕,却轮到老孙下去干事了。但我不会发符、烧檄、打甚令牌,你列位却要助我行行。"

邓天君道:"大圣分付,谁敢不从!但只是得一个号令,方敢依令而行;不然,雷雨乱了,显得大圣无款也。"行者道:"我将棍子为号罢。"那雷公大惊道:"爷爷呀!我们怎吃得这棍子?"行者道:"不是打你们。但看我这棍子往上一指,就要刮风。"那风婆婆、巽二郎没口的答应道:"就放风!"——"棍子第二指,就要布云。"那推云童子、布雾郎君道:"就布云!就布云!"——"棍子第三指,就要雷电皆鸣。"那雷公、电母道:"奉承!奉承!"——"棍子第四指,就要下雨。"那龙王道:"遵命!遵命!"——"棍子第五指,就要大日天晴。却莫违误。"

分付已毕,遂按下云头,把毫毛一抖,收上身来。那些人肉眼凡胎,那里晓得?行者遂在旁边高叫道:"先生请了。四声令牌俱已响毕,更没有风云雷雨,该让我了。"那道士无奈,不敢久占,只得下了台让他,努着嘴径往楼上见驾。行者道:"等我跟他去,看他说些甚的。"只听得那国王问道:"寡人这里洗耳诚听，你那里四声令响，不见风雨，何也？”道士云：“今日龙神都不在家。”行者厉声道：“陛下，神龙俱在家，只是这国师法不灵，请他不来。等和尚请来你看。”国王道：“即去登坛，寡人还在此候雨。”

行者得旨，急抽身到坛所，扯着唐僧道：“师父请上台。”唐僧道：“徒弟，我却不会祈雨。”八戒笑道：“他害你了。若还没雨，拿上柴蓬，一把火了帐！”行者道：“你不会求雨，好的会念经。等我助你。”那长老才举步登坛，到上面端然坐下，定性归神，默念那《密多心经》。正坐处，忽见一员官飞马来问：“那和尚，怎么不打令牌，不烧符檄？”行者高声答道：“不用！不用！我们是静功祈祷。”那官去回奏不题。

行者听得老师父经文念尽，却去耳朵内取出铁棒，迎风幌了一幌，就有丈二长短，碗来粗细，将棍望空一指。那风婆婆见了，急忙扯开皮袋，巽二郎解放口绳。只听得呼呼风响，满城中揭瓦翻砖，扬砂走石。看起来，真个好风，却比那寻常之风不同也。但见：

> 折柳伤花，摧林倒树。九重殿损壁崩墙，五凤楼摇梁撼柱。天边红日无光，地下黄砂有翅。演武厅前武将惊，会文阁内文官惧。三宫粉黛乱青丝，六院嫔妃蓬宝髻。侯伯金冠落绣缨，宰相乌纱飘展翅。当驾有言不敢谈，黄门执本无由递。金鱼玉带不依班，象简罗衫无品叙。彩阁翠屏尽损伤，绿窗朱户皆狼狈。金銮殿瓦走砖飞，锦云堂门歪槅碎。这阵狂风果是凶，刮得那君王父子难相会；六街三市没人踪，万户千门皆紧闭！

正是那狂风大作，孙行者又显神通，把金箍棒钻一钻，望空又一指。只见那：

推云童子，布雾郎君。推云童子显神威，骨都都触石垂天；布雾郎君施法力，浓漠漠飞烟盖地。茫茫三市暗，冉冉六街昏。因风离海上，随雨出昆仑。顷刻漫天地，须臾蔽世尘。宛然如混沌，不见凤楼门。

此时昏雾朦胧，浓云叆叇。孙行者又把金箍棒钻一钻，望空又一指。慌得那：

雷公奋怒，电母生嗔。雷公奋怒，倒骑火兽下天关；电母生嗔，乱掣金蛇离斗府。唿喇喇施霹雳，振碎了铁叉山；淅沥沥闪红绡，飞出了东洋海。呼呼隐隐滚车声，烨烨煌煌飘稻米。万萌万物精神改，多少昆虫蛰已开。君臣楼上心惊骇，商贾闻声胆怯忙。

那沉雷护闪，乒乒乓乓，一似那地裂山崩之势，唬得那满城人，户户焚香，家家化纸。孙行者高呼："老邓！仔细替我看那贪赃坏法之官，忤逆不孝之子，多打死几个示众！"那雷越发振响起来。行者却又把铁棒望上一指。只见那：

龙施号令，雨漫乾坤。势如银汉倾天堑，疾似云流过海门。楼头声滴滴，窗外响潇潇。天上银河泻，街前白浪滔。淙淙如瓮检，滚滚似盆浇。孤庄将漫屋，野岸欲平桥。真个桑田变沧海，霎时陆岸滚波涛。神龙借此来相助，抬起长江望下浇。

这场雨自辰时下起，只下到午时前后，下得那车迟城，里里外外，水漫了街衢。那国王传旨道："雨够了！雨够了！十分再多，又淹坏了禾苗，反为不美。"五凤楼下听事官策马冒雨来报："圣僧，雨够了。"行者闻言，将金箍棒往上又一指。只见霎时间，雷收风息，雨散云收。国王满心欢喜，文武尽皆称赞道："好和尚！这正是'强中更有强中手'！就是我国师求雨虽灵，若要晴，细雨儿还下半日,便不清爽,怎么这和尚要晴就晴,顷刻间杲杲①日出,万里就无云也?"

国王教回銮,倒换关文,打发唐僧过去。正用御宝时,又被那三个道士上前阻住道:"陛下,这场雨全非和尚之功,还是我道门之力。"国王道:"你才说龙王不在家,不曾有雨,他走上去,以静功祈祷,就雨下来,怎么又与他争功,何也?"虎力大仙云:"我上坛发了文书,烧了符檄,击了令牌,那龙王谁敢不来?想是别方召请,风、云、雷、雨……五司俱不在,一闻我令,随赶而来,适遇着我下他上,一时撞着这个机会,所以就雨。从根算来,还是我请的龙,下的雨,怎么算作他的功果?"那国王昏乱,听此言,却又疑惑未定。

行者近前一步,合掌奏道:"陛下,这些傍门法术,也不成个功果,算不得我的他的。如今有四海龙王,现在空中,我僧未曾发放,他还不敢遽退。那国师若能叫得龙王现身,就算他的功劳。"国王大喜道:"寡人做了二十三年皇帝,更不曾看见活龙是怎么模样。你两家各显法力,不论僧道,但叫得来的,就是有功;叫不出的,有罪。"那道士怎么有那样本事?就叫,那龙王见大圣在此,也不敢出头。道士云:"我辈不能,你是叫来。"

那大圣仰面朝空,厉声高叫:"敖广何在?弟兄们都现原身来看!"那龙王听唤,即忙现了本身。四条龙,在半空中度雾穿云,飞舞向金銮殿上。但见:

飞腾变化,绕雾盘云。玉爪垂钩白,银鳞舞镜明。髯飘素练根根爽,角耸轩昂挺挺清。磕额崔巍,圆睛幌亮。隐显莫能测,飞扬不可评。祷雨随时布雨,求晴即便天晴。这才

① 杲(gǎo)杲:明亮的样子。

是有灵有圣真龙像，祥瑞缤纷绕殿庭。

那国王在殿上焚香，众公卿在阶前礼拜。国王道："有劳贵体降临，请回。寡人改日醮谢。"行者道："列位众神各自归去，这国王改日醮谢哩。"那龙王径自归海，众神各各回天。这正是：广大无边真妙法，至真了性劈傍门。毕竟不知怎么除邪，且听下回分解。

第四十六回

外道弄强欺正法　心猿显圣灭诸邪

话说那国王见孙行者有呼龙使圣之法,即将关文用了宝印,便要递与唐僧,放行西路。那三个道士,慌得拜倒在金銮殿上启奏。那皇帝即下龙位,御手忙搀道:"国师今日行此大礼,何也?"道士说:"陛下,我等至此,匡扶社稷,保国安民,苦历二十年来,今日这和尚弄法力,抓了丢去①,败了我们声名。陛下以一场之雨,就恕杀人之罪,可不轻了我等也?望陛下且留住他的关文,让我兄弟与他再赌一赌,看是何如。"那国王着实昏乱,东说向东,西说向西,真个收了关文,道:"国师,你怎么与他赌?"虎力大仙道:"我与他赌坐禅。"国王道:"国师差矣。那和尚乃禅教出身,必然先会禅机,才敢奉旨求经,你怎与他赌此?"大仙道:"我这坐禅,比常不同,有一异名,教做'云梯显圣'。"国王道:"何为'云梯显圣'?"大仙云:"要一百张桌子,五十张作一禅台,一张一张叠将起去,不许手攀而上,亦不用梯凳而登,各驾一朵云头,上台坐下,约定几个时辰不动。"

国王见此有些难处,就便传旨问道:"那和尚,我国师要与你赌云梯显圣坐禅,那个会么?"行者闻言,沉吟不答。八戒道:"哥哥,怎么不言语?"行者道:"兄弟,实不瞒你说,若是踢天弄

① 抓了丢去:抓了尖去、抢了功去、占了先去的意思。

井，搅海翻江，担山赶月，换斗移星，诸般巧事，我都干得；就是砍头剁脑，剖腹剜心，异样腾那，却也不怕；但说坐禅，我就输了。我那里有这坐性？你就把我锁在铁柱上，我也要上下爬踏，莫想坐得住。”三藏忽的开言道：“我会坐禅。”行者欢喜道：“却好！却好！可坐得多少时？”三藏道：“我幼年遇方上禅僧讲道，那性命根本上，定性存神，在死生关里，也坐二三个年头。”行者道：“师父若坐二三年，我们就不取经罢，多也不上二三个时辰就下来了。”三藏道：“徒弟呀，却是不能上去。”行者道：“你上前答应，我送你上去。”那长老果然合掌当胸道：“贫僧会坐禅。”国王教传旨，立禅台。国家有倒山之力，不消半个时辰，就设起两座台，在金銮殿左右。

那虎力大仙下殿，立于阶心，将身一纵，踏一朵席云，径上西边台上坐下。行者拔一根毫毛，变做假像，陪着八戒、沙僧，立于下面，他却作五色祥云，把唐僧撮起空中，径至东边台上坐下。他又敛祥光，变作一个蟭蟟虫，飞在八戒耳朵边道：“兄弟，仔细看着师父，再莫与老孙替身说话。”那呆子笑道：“理会得！理会得！”

却说那鹿力大仙在绣墩上坐看多时，他两个在高台上，不分胜负，这道士就助他师兄一功：将脑后短发，拔了一根，捻着一团，弹将上去，径至唐僧头上，变作一个大臭虫，咬住长老。那长老先前觉痒，然后觉疼。原来坐禅的不许动手，动手算输。一时间疼痛难禁，他缩着头，就着衣襟擦痒。八戒道：“不好了！师父羊儿风发了。”沙僧道：“不是，是头风发了。”行者听见道：“我师父乃志诚君子，他说会坐禅，断然会坐，说不会只是不会。君子家，岂有谬乎？你两个休言，等我上去看看。”好行者，嘤的一声，飞在唐僧头上，只见有豆粒大小一个臭虫叮他师父，慌忙用手捻下,替师父挠挠摸摸。那长老不疼不痒,端坐上面。行者暗想道:“和尚头光,虱子也安不得一个,如何有此臭虫?……想是那道士弄的玄虚,害我师父。哈哈!枉自也不见输赢,等老孙去弄他一弄!”这行者飞将去,金殿兽头上落下,摇身一变,变作一条七寸长的蜈蚣,径来道士鼻凹里叮了一下。那道士坐不稳,一个筋斗翻将下去,几乎丧了性命,幸亏大小官员人多救起。国王大惊,即着当驾太师领他往文华殿里梳洗去了。行者仍驾祥云,将师父驮下阶前,已是长老得胜。

那国王只教放行。鹿力大仙又奏道:“陛下,我师兄原有暗风疾,因到了高处,冒了天风,旧疾举发,故令和尚得胜。且留下他,等我与他赌隔板猜枚。”国王道:“怎么叫做‘隔板猜枚’?”鹿力道:“贫道有隔板知物之法,看那和尚可能够。他若猜得过我,让他出去;猜不着,凭陛下问拟罪名,雪我昆仲①之恨,不污了二十年保国之恩也。”

真个那国王十分昏乱,依此谗言,即传旨,将一朱红漆的柜子,命内官抬到宫殿,教娘娘放上件宝贝。须臾抬出,放在白玉阶前,教僧道:“你两家各赌法力,猜那柜中是何宝贝。”三藏道:“徒弟,柜中之物,如何得知?”行者敛祥光,还变作蟭蟟虫,叮在唐僧头上道:“师父放心,等我去看看来。”好大圣,轻轻飞到柜上,爬在那柜脚之下,见有一条板缝儿。他钻将进去,见一个红漆丹盘,内放一套宫衣,乃是山河社稷袄,乾坤地理裙;用手拿起来,抖乱了,咬破舌尖上,一口血哨喷将去,叫声:“变!”即变作一件破烂流丢一口钟②;临行又撒上一泡臊溺,却还从板缝里钻

---

① 昆仲:指兄弟。长为昆,次为仲。

② 破烂流丢一口钟:破烂的僧衣。流丢,多用在形容词后边,用来强化形容效果,如“黑不流丢”。一口钟,参看第二十五回注释。

出来，飞在唐僧耳朵上道："师父，你只猜是破烂流丢一口钟。"三藏道："他教猜宝贝哩，流丢是件甚宝贝？"行者道："莫管他，只猜着便是。"

唐僧进前一步，正要猜，那鹿力大仙道："我先猜。那柜里是山河社稷袄，乾坤地理裙。"唐僧道："不是，不是！柜里是件破烂流丢一口钟。"国王道："这和尚无礼！敢笑我国中无宝，猜甚么流丢一口钟！"教："拿了！"那两班校尉就要动手，慌得唐僧合掌高呼："陛下，且赦贫僧一时。待打开柜看，端的是宝，贫僧领罪；如不是宝，却不屈了贫僧也？"国王教打开看。当驾官即开了，捧出丹盘来看，果然是件破烂流丢一口钟。国王大怒道："是谁放上此物？"龙座后面，闪上三宫皇后道："我主，是梓童①亲手放的山河社稷袄，乾坤地理裙，却不知怎么变成此物。"国王道："御妻请退，寡人知之。宫中所用之物，无非是缎绢绫罗，那有此甚么流丢？"教："抬上柜来，等朕亲藏一宝贝，再试如何。"

那皇帝即转后宫，把御花园里仙桃树上结得一个大桃子——有碗来大小——摘下，放在柜内，又抬下叫猜。唐僧道："徒弟呵，又来猜了。"行者道："放心，等我再去看看。"又嘤的一声飞将去，还从板缝儿钻进去，见是一个桃子，正合他意，即现了原身，坐在柜里，将桃子一顿口啃得干干净净，连两边腮凹儿都啃净了，将核儿安在里面。仍变蟭蟟虫，飞将出去，叮在唐僧耳朵上道："师父，只猜是个桃核子。"长老道："徒弟呵，休要弄我。先前不是口快，几乎拿去典刑，这番须猜宝贝方好。桃核子是甚宝贝？"行者道："休怕，只管赢他便了。"

① 梓童：指皇后。多用于皇帝对皇后的称呼，有时亦为皇后自称。

三藏正要开言,听得那羊力大仙道:“贫道先猜。是一颗仙桃。”三藏猜道:“不是桃,是个光桃核子。”那国王喝道:“是朕放的仙桃,如何是核?三国师猜着了。”三藏道:“陛下,打开来看就是。”当驾官又抬上去打开,捧出丹盘,果然是一个核子,皮肉俱无。国王见了,心惊道:“国师,休与他赌斗了,让他去罢。寡人亲手藏的仙桃,如今只是一核子,是甚人吃了?想是有鬼神暗助他也。”八戒听说,与沙僧微微冷笑道:“还不知他是会吃桃子的积年①哩!”

正话间,只见那虎力大仙从文华殿梳洗了,走上殿道:“陛下,这和尚有搬运抵物之术。抬上柜来,我破他术法,与他再猜。”国王道:“国师还要猜甚?”虎力道:“术法只抵得物件,却不抵得人身。将这道童藏在里面,管教他抵换不得。”这小童果藏在柜里,掩上柜盖,抬将下去,教:“那和尚再猜,这三番是甚宝贝。”三藏道:“又来了!”行者道:“等我再去看看。”嘤的又飞去,钻入里面,见是一个小童儿。好大圣,他却有见识。果然是腾那天下少,似这伶俐世间稀!

他就摇身一变,变作个老道士一般容貌,进柜里叫声:“徒弟。”童儿道:“师父,你从那里来的?”行者道:“我使遁法来的。”童儿道:“你来有甚教诲?”行者道:“那和尚看见你进柜来了。他若猜个道童,却又不输了?是特来和你计较计较,剃了头,我们猜和尚罢。”童儿道:“但凭师父处治,只要我们赢他便了。若是再输与他,不但低了声名,又恐朝廷不敬重了。”行者道:“说得是,我儿过来。赢了他,我重重赏你。”将金箍棒就变作一把剃头刀,搂抱着那童儿,口里叫道:“乖乖,忍着疼,莫放声,等我

① 积年:老内行、老油子。

与你剃头。”须臾，剃下发来，窝作一团，塞在那柜脚纥络①里，收了刀儿，摸着他的光头道：“我儿，头便像个和尚，只是衣裳不趁。脱下来，我与你变一变。”那道童穿的一领葱白色云头花绢绣锦沿边的鹤氅，真个脱下来，被行者吹一口仙气，叫：“变！”即变做一件土黄色的直裰儿，与他穿了。却又拔下两根毫毛，变作一个木鱼儿，递在他手里道：“徒弟，须听着。但叫道童，千万莫出去；若叫和尚，你就与我顶开柜盖，敲着木鱼，念一卷佛经钻出来，方得成功也。”童儿道：“我只会念《三官经》、《北斗经》、《消灾经》，不会念佛家经。”行者道：“你可会念佛？”童儿道：“阿弥陀佛，那个不会念？”行者道：“也罢，也罢，就念佛，省得我又教你。切记着，我去也。”还变蟭蟟虫，钻出去，飞在唐僧耳轮边道：“师父，你只猜是个和尚。”三藏道：“这番他准赢了。”行者道：“你怎么定得？”三藏道：“经上有云：‘佛、法、僧三宝。’和尚却也是一宝。”

正说处，只见那虎力大仙道：“陛下，第三番是个道童。”只管叫，他那里肯出来？三藏合掌道：“是个和尚。”八戒尽力高叫道：“柜里是个和尚！”那童儿忽的顶开柜盖，敲着木鱼，念着佛，钻出来。喜得那两班文武，齐声喝采。唬得那三个道士，拑口无言。国王道：“这和尚是有神鬼辅佐！怎么道士入柜，就变做和尚？纵有待诏②跟进去，也只剃得头便了，如何衣服也能趁体，口里又会念佛？——国师呵！让他去罢！”

虎力大仙道：“陛下，左右是‘棋逢对手，将遇良材’。贫道将钟南山幼时学的武艺，索性与他赌一赌。”国王道：“有甚么武

① 纥(gē)络(luò)：旮旯的同音字。就是阁落、角落。

② 待诏：本为官名，后也用以称呼工匠手艺人等。

艺?”虎力道:“弟兄三个都有些神通。会砍下头来,又能安上;剖腹剜心,还再长完;滚油锅里,又能洗澡。”国王大惊道:“此三事都是寻死之路!”虎力道:“我等有此法力,才敢出此朗言,断要与他赌个才休。”那国王叫道:“东土的和尚,我国师不肯放你,还要与你赌砍头剖腹,下滚油锅洗澡哩。”

行者正变作蟭蟟虫,往来报事,忽听此言,即收了毫毛,现出本相,哈哈大笑道:“造化!造化!买卖上门了!”八戒道:“这三件都是丧性命的事,怎么说买卖上门?”行者道:“你还不知我的本事。”八戒道:“哥呵,你只像这等变化腾那也够了,怎么还有这等本事?”行者道:“我呵:

砍下头来能说话,剁了臂膊打得人。
铡去腿脚会走路,剖腹还平妙绝伦。
就似人家包匾食,一捻一个就囫囵。
油锅洗澡更容易,只当温汤涤垢尘。”

八戒、沙僧闻说,呵呵大笑。行者上前道:“陛下,小和尚会砍头。”国王道:“你怎么会砍头?”行者道:“我当年在寺里修行,曾遇着一个方上禅和子[1],教我一个砍头法,不知好也不好,如今且试试新。”国王笑道:“那和尚年幼不知事。砍头那里好试新?头乃六阳之首,砍下即便死矣。”虎力道:“陛下,正要他如此,方才出得我们之气。”那昏君信他言语,即传旨,教设杀场。

一声传旨,即有羽林军三千,摆列朝门之外。国王教:“和尚先去砍头。”行者欣然应道:“我先去!我先去!”拱着手,高呼道:“国师,恕大胆,占先了。”拽回头,往外就走。唐僧一把扯住道:“徒弟呀,仔细些。那里不是要处。”行者道:“怕他怎的!撒

① 禅和子:指打坐参禅的和尚。

了手,等我去来。"

那大圣径至杀场里面,被刽子手挝住了,捆做一团,按在那土墩高处,只听喊一声:"开刀!"嗖的把个头砍将下来。又被刽子手一脚踢了去,好似滚西瓜一般,滚有三四十步远近。行者腔子中更不出血。只听得肚里叫声:"头来!"慌得鹿力大仙见有这般手段,即念咒语,教本坊土地神祇:"将人头扯住!待我赢了和尚,奏了国王,与你把小祠堂盖作大庙宇,泥塑像改作正金身。"原来那些土地神祇因他有五雷法,也服他使唤,暗中真个把行者头按住了。行者又叫声:"头来!"那头一似生根,莫想得动。行者心焦,捻着拳,挣了一挣,将捆的绳子就皆挣断,喝声:"长!"嗖的腔子内长出一个头来。唬得那刽子手,个个心惊,羽林军,人人胆战。那监斩官急走入朝奏道:"万岁,那小和尚砍了头,又长出一颗来了。"八戒冷笑道:"沙僧,那知哥哥还有这般手段。"沙僧道:"他有七十二般变化,就有七十二个头哩。"

说不了,行者走来,叫声:"师父。"三藏大喜道:"徒弟,辛苦么?"行者道:"不辛苦,倒好耍子。"八戒道:"哥哥,可用刀疮药么?"行者道:"你是摸摸看,可有刀痕?"那呆子伸手一摸,就笑得呆呆挣挣道:"妙哉!妙哉!却也长得完全,截疤儿也没些儿!"

兄弟们正都欢喜,又听得国王叫领关文:"赦你无罪。快去!快去!"行者道:"关文虽领,必须国师也赴曹砍砍头,也当试新去来。"国王道:"大国师,那和尚也不肯放你哩。你与他赌胜,且莫唬了寡人。"虎力也只得去,被几个刽子手,也捆翻在地,幌一幌,把头砍下,一脚也踢将去,滚了有三十馀步,他腔子里也不出血,也叫一声:"头来!"行者即忙拔下一根毫毛,吹口仙气,叫:"变!"变作一条黄犬,跑入场中,把那道士头一口衔来，径跑到御水河边丢下不题。

却说那道士连叫三声，人头不到，怎似行者的手段，长不出来，腔子中，骨都都红光迸出。可怜空有唤雨呼风法，怎比长生果正仙？须臾，倒在尘埃。众人观看，乃是一只无头的黄毛虎。

那监斩官又来奏："万岁，大国师砍下头来，不能长出，死在尘埃，是一只无头的黄毛虎。"国王闻奏，大惊失色，目不转睛看那两个道士。鹿力起身道："我师兄已是命到禄绝了，如何是只黄虎！这都是那和尚惫懒，使的掩样法儿，将我师兄变作畜类！我今定不饶他，定要与他赌那剖腹剜心！"

国王听说，方才定性回神，又叫："那和尚，二国师还要与你赌哩。"行者道："小和尚久不吃烟火食，前日西来，忽遇斋公家劝饭，多吃了几个馍馍；这几日腹中作痛，想是生虫，正欲借陛下之刀，剖开肚皮，拿出脏腑，洗净脾胃，方好上西天见佛。"国王听说，教："拿他赴曹。"那许多人搀的搀，扯的扯。行者展[①]脱手道："不用人搀，自家走去。但一件，不许缚手，我好用手洗刷脏腑。"国王传旨，教："莫绑他手。"

行者摇摇摆摆，径至杀场，将身靠着大桩，解开衣带，露出肚腹，那刽子手将一条绳套在他膊项上，一条绳扎住他腿足，把一口牛耳短刀，幌一幌，着肚皮下一割，搠个窟窿。这行者双手爬开肚腹，拿出肠脏来，一条条理够多时，依然安在里面，照旧盘曲，捻着肚皮，吹口仙气，叫："长！"依然长合。国王大惊，将他那关文捧在手中道："圣僧莫误西行，与你关文去罢。"行者笑道："关文小可，也请二国师剖剖剜剜，何如？"国王对鹿力说：

① 展：作挣解。

“这事不与寡人相干,是你要与他做对头的。请去,请去。”鹿力道:“宽心,料我决不输与他。”

你看他也像孙大圣,摇摇摆摆,径入杀场,被刽子手套上绳,将牛耳短刀,嗯喇的一声,割开肚腹。他也拿出肝肠,用手理弄。行者即拔一根毫毛,吹口仙气,叫:“变!”即变作一只饿鹰,展开翅爪,嗖的把他五脏心肝,尽情抓去,不知飞向何方受用。这道士弄做一个空腔破肚淋漓鬼,少脏无肠浪荡魂。那刽子手蹬倒大桩,拖尸来看,呀!原来是一只白毛角鹿!

慌得那监斩官又来奏道:“二国师晦气,正剖腹时,被一只饿鹰将脏腑肝肠都刁去了,死在那里。原身是个白毛角鹿也。”国王害怕道:“怎么是个角鹿?”那羊力大仙又奏道:“我师兄既死,如何得现兽形?这都是那和尚弄术法坐害我等。等我与师兄报仇者。”国王道:“你有甚么法力赢他?”羊力道:“我与他赌下滚油锅洗澡。”国王便教取一口大锅,满着香油,教他两个赌去。行者道:“多承下顾。小和尚一向不曾洗澡,这两日皮肤燥痒,好歹荡荡去。”

那当驾官果安下油锅,架起干柴,燃着烈火,将油烧滚,教和尚先下去。行者合掌道:“不知文洗,武洗?”国王道:“文洗如何?武洗如何?”行者道:“文洗不脱衣服,似这般叉着手,下去打个滚,就起来,不许污坏了衣服,若有一点油腻算输。武洗要取一张衣架,一条手巾,脱了衣服,跳将下去,任意翻筋斗,竖蜻蜓,当耍而洗也。”国王对羊力说:“你要与他文洗,武洗?”羊力道:“文洗恐他衣服是药炼过的,隔油。武洗罢。”行者又上前道:“恕大胆,屡次占先了。”你看他脱了布直裰,褪了虎皮裙,将身一纵,跳在锅内,翻油斗浪,就似负水一般顽耍。

八戒见了,咬着指头,对沙僧道:“我们也错看了这猴子了!

平时间劖言讪语①,斗他耍子,怎知他有这般真实本事!”他两个唧唧哝哝,夸奖不尽。行者望见,心疑道:“那呆子笑我哩!正是‘巧者多劳拙者闲’。老孙这般舞弄,他倒自在。等我作成他捆一绳,看他可怕。”正洗浴,打个夯子②,淬在油锅底上,变作个枣核钉儿,再也不起来了。

那监斩官近前又奏:“万岁,小和尚被滚油烹死了。”国王大喜,教捞上骨骸来看。刽子手将一把铁笊篱,在油锅里捞。原来那笊篱眼稀,行者变得钉小,往往来来,从眼孔漏下去了,那里捞得着!又奏道:“和尚身微骨嫩,俱扎③化了。”

国王教:“拿三个和尚下去!”两边校尉见八戒面凶,先揪翻,把背心捆了。慌得三藏高叫:“陛下,赦贫僧一时。我那个徒弟,自从归教,历历有功,今日冲撞国师,死在油锅之内,奈何先死者为神,我贫僧怎敢贪生!正是天下官员也管着天下百姓。陛下若教臣死,臣岂敢不死?只望宽恩,赐我半盏凉浆水饭,三张纸马,容到油锅边,烧此一陌纸,也表我师徒一念,那时再领罪也。”国王闻言道:“也是,那中华人多有义气。”命取些浆饭、黄钱与他。果然取了,递与唐僧。

唐僧教沙和尚同去,行至阶下,有几个校尉,把八戒揪着耳朵,拉在锅边,三藏对锅祝曰:“徒弟孙悟空!

自从受戒拜禅林,护我西来恩爱深。
指望同时成大道,何期今日你归阴!
生前只为求经意,死后还存念佛心。
万里英魂须等候,幽冥做鬼上雷音!”

① 劖(chán)言讪语:刻薄、嘲讽、玩笑的意思。
② 打个夯(mèi)子:做出一个向下潜水的动作。夯,潜水。
③ 扎:“炸”的借字。

八戒听见道："师父，不是这般祝了。沙和尚，你替我奠浆饭，等我祷。"那呆子捆在地下，气呼呼的道：

"闯祸的泼猴子，无知的弼马温！该死的泼猴子，油烹的弼马温！猴儿了帐，马温断根！"

孙行者在油锅底上，听得那呆子乱骂，忍不住现了本相，赤淋淋的站在油锅底道："馕糟的夯货！你骂那个哩！"唐僧见了道："徒弟，唬杀我也！"沙僧道："大哥干净①推佯死惯了！"慌得那两班文武，上前来奏道："万岁，那和尚不曾死，又打油锅里钻出来了。"监斩官恐怕虚诳朝廷，却又奏道："死是死了，只是日期犯凶，小和尚来显魂哩。"

行者闻言大怒，跳出锅来，揩了油腻，穿上衣服，掣出棒，挝过监斩官，着头一下，打做了肉团，道："我显甚么魂哩！"唬得多官连忙解了八戒，跪地哀告："恕罪！恕罪！"国王走下龙座，行者上殿扯住道："陛下不要走，且教你三国师也下下油锅去。"那皇帝战战兢兢道："三国师，你救朕之命，快下锅去，莫教和尚打我。"

羊力下殿，照依行者脱了衣服，跳下油锅，也那般支吾洗浴。

行者放了国王，近油锅边，叫烧火的添柴，却伸手探了一把，——呀！那滚油都冰冷，心中暗想道："我洗时滚热，他洗时却冷。我晓得了，这不知是那个龙王，在此护持他哩。"急纵身跳在空中，念声"唵"字咒语，把那北海龙王唤来："我把你这个带角的蚯蚓，有鳞的泥鳅！你怎么助道士冷龙护住锅底，教他显圣赢我！"唬得那龙王喏喏连声道："敖顺不敢相助。大圣原来

① 干净：此处是"敢情"的意思，表示以前虽然有发现，但不敢肯定，此时可以肯定了。

不知,这个孽畜苦修行了一场,脱得本壳,却只是五雷法真受,其馀都蹈了傍门,难归仙道。这个是他在小茅山学来的'大开剥'。那两个已是大圣破了他法,现了本相。这一个也是他自己炼的冷龙,只好哄瞒世俗之人耍子,怎瞒得大圣!小龙如今就收了他冷龙,管教他骨碎皮焦,显甚么手段。"行者道:"趁早收了,免打!"那龙王化一阵旋风,到油锅边,将冷龙捉下海去不题。

行者下来,与三藏、八戒、沙僧立在殿前,见那道士在滚油锅里打挣,爬不出来,滑了一跌,霎时间骨脱皮焦肉烂。

监斩官又来奏道:"万岁,三国师煠化了也。"那国王满眼垂泪,手扑着御案,放声大哭道:

"人身难得果然难,不遇真传莫炼丹。
空有驱神咒水术,却无延寿保生丸。
圆明混,怎涅槃?徒用心机命不安。
早觉这般轻折挫,何如秘食稳居山!"

这正是:点金炼汞成何济,唤雨呼风总是空!毕竟不知师徒们怎的维持,且听下回分解。

第四十七回

圣僧夜阻通天水　金木垂慈救小童

却说那国王倚着龙床，泪如泉涌，只哭到天晚不住。行者上前高呼道："你怎么这等昏乱！见放着那道士的尸骸，一个是虎，一个是鹿，那羊力是一个羚羊。不信时，捞上骨头来看。那里人有那样骷髅？他本是成精的山兽，同心到此害你，因见气数还旺，不敢下手。若再过二年，你气数衰败，他就害了你性命，把你江山一股儿尽属他了。幸我等早来，除妖邪救了你命。你还哭甚！哭甚！急打发关文，送我出去。"国王闻此，方才省悟。那文武多官俱奏道："死者果然是白鹿、黄虎，油锅里果是羊骨。圣僧之言，不可不听。"国王道："既是这等，感谢圣僧。今日天晚……"教："太师，且请圣僧至智渊寺。明日早朝，大开东阁，教光禄寺安排素净筵宴酬谢。"果送至寺里安歇。

次日五更时候，国王设朝，聚集多官，传旨："快出招僧榜文，四门各路张挂。"一壁厢大排筵宴，摆驾出朝，至智渊寺门外，请了三藏等，共入东阁赴宴，不在话下。

却说那脱命的和尚闻有招僧榜，个个忻然，都入城来寻孙大圣，交纳毫毛谢恩。这长老散了宴，那国王换了关文，同皇后嫔妃，两班文武，送出朝门。只见那些和尚跪拜道旁，口称："齐天大圣爷爷！我等是沙滩上脱命僧人。闻知爷爷扫除妖孽，救拔我等，又蒙我王出榜招僧，特来交纳毫毛，叩谢天恩。"行者笑道："汝等来了几何？"僧人道："五百名，半个不少。"行者将身一抖，收了毫毛，对君臣僧俗人说道："这些和尚，实是老孙放了。车辆是老孙运转双关，穿夹脊，捽碎了。那两个妖道也是老孙打死了。今日灭了妖邪，方知是禅门有道。向后来，再不可胡为乱信。望你把三教归一：也敬僧，也敬道，也养育人才。我保你江山永固。"国王依言，感谢不尽，遂送唐僧出城去讫。

这一去，只为殷勤经三藏，努力修持光一元。晓行夜住，渴饮饥餐，不觉的春尽夏残，又是秋光天气。一日，天色已晚，唐僧勒马道："徒弟，今宵何处安身也？"行者道："师父，出家人莫说那在家人的话。"三藏道："在家人怎么？出家人怎么？"行者道："在家人，这时候温床暖被，怀中抱子，脚后蹬妻，自自在在睡觉；我等出家人，那里能够！便是要带月披星，餐风宿水，有路且行，无路方住。"八戒道："哥哥，你只知其一，不知其二。如今路多险峻，我挑着重担，着实难走，须要寻个去处，好眠一觉，养养精神，明日方好捱担；不然，却不累倒我也？"行者道："趁月光再走一程，到有人家之所再住。"师徒们没奈何，只得相随行者往前。

又行不多时，只听得滔滔浪响。八戒道："罢了！来到尽头路了！"沙僧道："是一股水挡住也。"唐僧道："却怎生得渡？"八戒道："等我试之，看深浅何如。"三藏道："悟能，你休乱谈。水之浅深，如何试得？"八戒道："寻一个鹅卵石，抛在当中。若是溅起水泡来，是浅；若是骨都都沉下有声，是深。"行者道："你去试试看。"那呆子在路旁摸了一块顽石，望水中抛去，只听得骨都都泛起鱼津①，沉下水底。他道："深！深！深！去不得！"唐

① 鱼津：鱼在水中窜跃所溅起的水泡。此处指石头激起的水泡。

僧道:“你虽试得深浅,却不知有多少宽阔。”八戒道:“这个却不知,不知。”行者道:“等我看看。”好大圣,纵筋斗云,跳在空中,定睛观看,但见那:

洋洋光浸月,浩浩影浮天。
灵派吞华岳,长流贯百川。
千层汹浪滚,万叠峻波颠。
岸口无渔火,沙头有鹭眠。
茫然浑似海,一望更无边。

急收云头,按落河边道:“师父,宽哩!宽哩!去不得!老孙火眼金睛,白日里常看千里,凶吉晓得是,夜里也还看三五百里。如今通看不见边岸,怎定得宽阔之数?”

三藏大惊,口不能言,声音哽咽道:“徒弟呵,似这等怎了?”沙僧道:“师父莫哭。你看那水边立的,可不是个人么?”行者道:“想是扳罾①的渔人。等我问他去来。”拿了铁棒,两三步,跑到面前看处,呀!不是人,是一面石碑。碑上有三个篆文大字,下边两行,有十个小字。三个大字,乃“通天河”;十个小字,乃“径过八百里,亘古少人行”。行者叫:“师父,你来看看。”三藏看见,滴泪道:“徒弟呀,我当年别了长安,只说西天易走,那知道妖魔阻隔,山水迢遥!”

八戒道:“师父,你且听,是那里鼓钹声音?想是做斋的人家。我们且去赶些斋饭吃,问个渡口寻船,明日过去罢。”三藏马上听得,果然有鼓钹之声:“却不是道家乐器,足是我僧家举事。我等去来。”行者在前引马,一行闻响而来。那里有甚正路,没高没低,漫过沙滩,望见一簇人家住处,约摸有四五百家,

① 扳罾(zēng):一种捕鱼的方法。罾是用木棍或竹竿做支架的方形鱼网。

却也都住得好。但见：

倚山通路，傍岸临溪。处处柴扉掩，家家竹院关。沙头宿鹭梦魂清，柳外啼鹃喉舌冷。短笛无声，寒砧不韵。红蓼枝摇月，黄芦叶斗风。陌头村犬吠疏篱，渡口老渔眠钓艇。灯火稀，人烟静，半空皎月如悬镜。忽闻一阵白蘋香，却是西风隔岸送。

三藏下马，只见那路头上有一家儿，门外竖一首幢幡，内里有灯烛荧煌，香烟馥郁。三藏道："悟空，此处比那山凹河边，却是不同。在人家屋檐下，可以遮得冷露，放心稳睡。你都莫来，让我先到那斋公①门首告求。若肯留我，我就招呼汝等，假若不留，你却休要撒泼。汝等脸嘴丑露，只恐唬了人，闯出祸来，却倒无住处矣。"行者道："说得有理。请师父先去，我们在此守待。"

那长老才摘了斗笠，光着头，抖抖褊衫，拖着锡杖，径来到人家门外。见那门半开半掩，三藏不敢擅入。聊站片时，只见里面走出一个老者，项下挂着数珠，口念阿弥陀佛，径自来关门，慌得这长老合掌高叫："老施主，贫僧问讯了。"那老者还礼道："你这和尚，却来迟了。"三藏道："怎么说？"老者道："来迟无物了。早来啊，我舍下斋僧，尽饱吃饭，熟米三升，白布一段，铜钱十文。你怎么这时才来？"三藏躬身道："老施主，贫僧不是赶斋的。"老者道："既不赶斋，来此何干？"三藏道："我是东土大唐钦差往西天取经者。今到贵处，天色已晚，听得府上鼓钹之声，特来告借一宿，天明就行也。"那老者摇手道："和尚，出家人休打诳语。东土大唐到我这里，有五万四千里路。你这等单身，如何来得？"三藏道："老施主见得最是。但我还有三个小徒，逢山开

① 斋公：对僧道的敬称。这里指供应斋饭的主人。

路，过水叠桥，保护贫僧，方得到此。”老者道：“既有徒弟，何不同来？”教：“请，请，我舍下有处安歇。”三藏回头，叫声：“徒弟，这里来。”

那行者本来性急，八戒生来粗鲁，沙僧却也莽撞，三个人听得师父招呼，牵着马，挑着担，不问好歹，一阵风闯将进去。那老者看见，唬得跌倒在地，口里只说是：“妖怪来了！妖怪来了！”三藏搀起道：“施主莫怕。不是妖怪，是我徒弟。”老者战兢兢道：“这般好俊师父，怎么寻这样丑徒弟！”三藏道：“虽然相貌不终①，却倒会降龙伏虎，捉怪擒妖。”老者似信不信的，扶着唐僧慢走。

却说那三个凶顽，闯入厅房上，拴了马，丢下行李。那厅中原有几个和尚会经。八戒掬着长嘴，喝道：“那和尚，会的是甚么经？”那些和尚，听见问了一声，忽然抬头：

观看外来人，嘴长耳朵大，
身粗背膊宽，声响如雷咋。
行者与沙僧，容貌更丑陋。
厅堂几众僧，无人不害怕。
阇黎还念经，班首教行罢。
难顾磬和铃，佛像且丢下。
一齐吹息灯，惊散光乍乍。
跌跌与爬爬，门槛何曾跨！
你头撞我头，似倒葫芦架。
清清好道场，翻成大笑话。

这兄弟三人，见那些人跌跌爬爬，鼓着掌哈哈大笑。那些僧越加

① 不终：“终”与“中”同音。不中就是不成、不好。

悚惧，磕头撞脑，各顾性命，通跑净了。三藏搀那老者，走上厅堂，灯火全无，三人嘻嘻哈哈的还笑。唐僧骂道："这泼物，十分不善！我朝朝教诲，日日叮咛。古人云：'不教而善，非圣而何！教而后善，非贤而何！教亦不善，非愚而何！'汝等这般撒泼，诚为至下至愚之类！走进门不知高低，唬倒了老施主，惊散了念经僧，把人家好事都搅坏了，却不是堕罪与我？"说得他们不敢回言。那老者方信是他徒弟，急回头作礼道："老爷，没大事，没大事。才然关了灯，散了花①，佛事将收也。"八戒道："既是了帐，摆出满散②的斋来，我们吃了睡觉。"老者叫："掌灯来！掌灯来！"家里人听得，大惊小怪道："厅上念经，有许多香烛，如何又教掌灯？"几个童仆出来看时，这个黑洞洞的，即便点火把灯笼，一拥而至。忽抬头见八戒、沙僧，慌得丢了火把，忽抽身关了中门，往里嚷道："妖怪来了！妖怪来了！"

行者拿起火把，点上灯烛，扯过一张交椅，请唐僧坐在上面。他兄弟们坐在两旁，那老者坐在前面。正叙坐间，只听得里面门开处，又走出一个老者，拄着拐杖，道："是甚么邪魔，黑夜里来我善门之家？"前面坐的老者，急起身迎到屏门后道："哥哥莫嚷。不是邪魔，乃东土大唐取经的罗汉。徒弟们相貌虽凶，果然是山恶人善③。"那老者方才放下拄杖，与他四位行礼；礼毕，也坐了面前，叫："看茶来。排斋。"连叫数声，几个僮仆战兢兢，不敢拢帐。

---

① 散了花：又称"散华"，做法会时在佛前散花的仪式。

② 满散：功德圆满时的散斋。

③ 山恶人善：原指地理环境虽然险恶，居民却很善良。这里意为相貌丑恶而心地善良。

八戒忍不住问道："老者，你这盛介①，两边走怎的？"老者道："教他们捧斋来侍奉老爷。"八戒道："几个人伏侍？"老者道："八个人。"八戒道："这八个人伏侍那个？"老者道："伏侍你四位。"八戒道："那白面师父，只消一个人；毛脸雷公嘴的，只消两个人；那晦气脸的，要八个人；我得二十个人伏侍方够。"老者道："这等说，想是你的食肠大些。"八戒道："也将就看得过。"老者道："有人，有人。"七大八小，就叫出有三四十人出来。

那和尚与老者一问一答的讲话，众人方才不怕。却将上面排了一张桌，请唐僧上坐；两边摆了三张桌，请他三位坐；前面一张桌，坐了二位老者。先排上素果品菜蔬，然后是面饭、米饭、闲食、粉汤，排得齐齐整整。唐长老举起筯来，先念一卷《启斋经》。那呆子一则有些急吞，二来有些饿了，那里等唐僧经完，拿过红漆木碗来，把一碗白米饭，扑的丢下口去就了了。旁边小的道："这位老爷忒没算计，不笼②馒头，怎的把饭笼了，却不污了衣服？"八戒笑道："不曾笼，吃了。"小的道："你不曾举筯，怎么就吃了？"八戒道："儿子们便说谎！分明吃了。不信，再吃与你看。"那小的们，又端了碗，盛一碗递与八戒。呆子幌一幌，又丢下口去就了了。众僮仆见了道："爷爷呀！你是'磨砖砌的喉咙，着实又光又溜'！"那唐僧一卷经还未完，他已五六碗过手了。然后却才同举筯，一齐吃斋。呆子不论米饭面饭，果品闲食，只情一捞乱噇③，口里还嚷："添饭！添饭！"渐渐不见来了。行者叫道："贤弟，少吃些罢。也强似在山凹里忍饿，将就够得

① 盛介：对对方仆人的敬称。介，仆人。

② 笼：古代人的衣袖很宽大，在袖内藏东西叫笼。这里讳言偷，所以说笼。前文第二十五回"一袖子笼住"，则作装解释，是装在袖里的意思。

③ 噇（chuáng）：穷凶极恶地吃、喝。

半饱也好了。”八戒道:“嘴脸！常言道:‘斋僧不饱,不如活埋’哩。”行者教:“收了家火,莫睬他!”二老者躬身道:“不瞒老爷说。白日里倒也不怕,似这大肚子长老,也斋得起百十众。只是晚了,收了残斋,只蒸得一石面饭、五斗米饭与几桌素食,要请几个亲邻与众僧们散福,不期你列位来,唬得众僧跑了,连亲邻也不曾敢请,尽数都供奉了列位。如不饱,再教蒸去。”八戒道:“再蒸去！再蒸去!”

话毕,收了家火桌席。三藏拱身,谢了斋供,才问:“老施主,高姓?”老者道:“姓陈。”三藏合掌道:“这是我贫僧华宗了。”老者道:“老爷也姓陈?”三藏道:“是,俗家也姓陈。请问适才做的甚么斋事?”八戒笑道:“师父问他怎的！岂不知道?必然是‘青苗斋’、‘平安斋’、‘了场斋’罢了。”老者道:“不是,不是。”三藏又问:“端的为何?”老者道:“是一场‘预修亡斋’。”八戒笑得打跌道:“公公忒没眼力！我们是扯谎架桥,哄人的大王,你怎么把这谎话哄我！和尚家岂不知斋事?只有个‘预修寄库斋’、‘预修填还斋’,那里有个‘预修亡斋’的?你家人又不曾有死的,做甚亡斋?”

行者闻言,暗喜道:“这呆子乖了些也。老公公,你是错说了。怎么叫做‘预修亡斋’?”那二位欠身道:“你等取经,怎么不走正路,却蹭到我这里来?”行者道:“走的是正路,只见一股水挡住,不能得渡;因闻鼓钹之声,特来造府借宿。”老者道:“你们到水边,可曾见些甚么?”行者道:“止见一面石碑,上书‘通天河’三字,下书‘径过八百里,亘古少人行’十字,再无别物。”老者道:“再往上崖走走,好的离那碑记只有里许,有一座灵感大王庙,你不曾见?”行者道:“未见。请公公说说,何为灵感?”那两个老者一齐垂泪道:“老爷呵！那大王:

感应一方兴庙宇，威灵千里祐黎民。

年年庄上施甘露，岁岁村中落庆云。”

行者道：“施甘雨，落庆云，也是好意思，你却这等伤情烦恼，何也？”那老者跌脚捶胸，哏了一声道：“老爷呵！

虽则恩多还有怨，总然慈惠却伤人。

只因要吃童男女，不是昭彰正直神。”

行者道：“要吃童男女么？”老者道：“正是。”行者道：“想必轮到你家了？”老者道：“今年正到舍下。我们这里，有百家人家居住。此处属车迟国元会县所管，唤做陈家庄。这大王一年一次祭赛①，要一个童男，一个童女，猪羊牲醴②供献他。他一顿吃了，保我们风调雨顺；若不祭赛，就来降祸生灾。”行者道：“你府上几位令郎？”老者捶胸道：“可怜！可怜！说甚么令郎，羞杀我等！这个是我舍弟，名唤陈清。老拙叫做陈澄。我今年六十三岁，他今年五十八岁，儿女上都艰难。我五十岁上还没儿子，亲友们劝我纳了一妾。没奈何寻下一房，生得一女，今年才交八岁，取名唤做一秤金。”八戒道：“好贵名！怎么叫做一秤金？”老者道：“我因儿女艰难，修桥补路，建寺立塔，布施斋僧。有一本帐目，那里使三两，那里使五两，到生女之年，却好用过有三十斤黄金。三十斤为一秤，所以唤做一秤金。”

行者道：“那个的儿子么？”老者道：“舍弟有个儿子，也是偏出③，今年七岁了，取名唤做陈关保。”行者问：“何取此名？”老者道：“舍下供养关圣爷爷，因在关爷之位下求得这个儿子，故名关保。我兄弟二人，年岁百二，止得这两人种。不期轮次到我

① 祭赛：祭祀神灵。

② 牲醴：牲，供祭祀用的家畜。醴，用谷物发酵制成的酒，美酒。

③ 偏出：庶出，妾生的子女。

家祭赛,所以不敢不献。故此父子之情,难割难舍,先与孩儿做个超生道场。故曰'预修亡斋'者,此也。"

三藏闻言,止不住腮边泪下道:"这正是古人云:'黄梅不落青梅落,老天偏害没儿人。'"行者笑道:"等我再问他。老公公,你府上有多大家当?"二老道:"颇有些儿:水田有四五十顷,旱田有六七十顷,草场有八九十处;水黄牛有二三百头,驴马有三二十匹,猪羊鸡鹅无数。舍下也有吃不着的陈粮,穿不了的衣服。家财产业,也尽得数。"行者道:"你这等家业,也亏你省将起来的。"老者道:"怎见我省?"行者道:"既有这家私,怎么舍得亲生儿女祭赛?拚了五十两银子,可买一个童男;拚了一百两银子,可买一个童女。连绞缠[1]不过二百两之数,可就留下自己儿女后代,却不是好?"二老滴泪道:"老爷!你不知道。那大王甚是灵感,常来我们人家行走。"行者道:"他来行走,你们看见他是甚么嘴脸?有几多长短?"二老道:"不见其形,只闻得一阵香风,就知是大王爷爷来了,即忙满斗焚香,老少望风下拜。他把我们这人家,匙大碗小之事,他都知道。老幼生时年月,他都记得。只要亲生儿女,他方受用。不要说二三百两没处买,就是几千万两,也没处买这般一模一样同年同月的儿女。"

行者道:"原来这等。也罢,也罢,你且抱你令郎出来,我看看。"那陈清急入里面,将关保儿抱出厅上,放在灯前。小孩儿那知死活,笼着两袖果子,跳跳舞舞的,吃着耍子。行者见了,默默念声咒语,摇身一变,变作那关保儿一般模样。两个孩儿,搀着手,在灯前跳舞,唬得那老者慌忙跪着唐僧道:"老爷,不当人子!不当人子!这位老爷才然说话,怎么就变做我儿一般模样,

---

[1] 绞缠:即搅缠。指费用、开销。后文第九十一回作"缴缠"。

叫他一声,齐应齐走!——却折了我们年寿!请现本相!请现本相!”行者把脸抹了一把,现了本相。那老者跪在面前道:“老爷原来有这样本事。”行者笑道:“可像你儿子么?”老者道:“像!像!像!果然一般嘴脸,一般声音,一般衣服,一般长短。”行者道:“你还没细看哩。取秤来称称,可与他一般轻重。”老者道:“是,是,是。是一般重。”行者道:“似这等可祭赛得过么?”老者道:“忒好!忒好!祭得过了!”

行者道:“我今替这个孩儿性命,留下你家香烟后代,我去祭赛那大王去也。”那陈清跪地磕头道:“老爷果若慈悲替得,我送白银一千两,与唐老爷做盘缠往西天去。”行者道:“就不谢谢老孙?”老者道:“你已替祭,没了你也。”行者道:“怎的得没了?”老者道:“那大王吃了。”行者道:“他敢吃我?”老者道:“不吃你,好道嫌腥?”行者笑道:“任从天命。吃了我,是我的命短;不吃,是我的造化。我与你祭赛去。”

那陈清只管磕头相谢,又允送银五百两;惟陈澄也不磕头,也不说谢,只是倚着那屏门痛哭。行者知之,上前扯住道:“大老,你这不允我,不谢我,想是舍不得你女儿么?”陈澄才跪下道:“是舍不得。敢蒙老爷盛情,救替了我侄子也够了。但只是老拙无儿,止此一女,就是我死之后,他也哭得痛切,怎么舍得!”行者道:“你快去蒸上五斗米的饭,整治些好素菜,与我那长嘴师父吃。教他变作你的女儿,我弟兄同去祭赛。索性行个阴骘,救你两个儿女性命,如何?”那八戒听得此言,心中大惊,道:“哥哥,你要弄精神,不管我死活,就要攀扯我。”行者道:“贤弟,常言道:‘鸡儿不吃无工之食。’你我进门,感承盛斋,你还嚷吃不饱哩,怎么就不与人家救些患难?”八戒道:“哥啊,你便会变化,我却不会哩。”行者道:“你也有三十六般变化,怎么不会?”唐僧叫:“悟能,你师兄说得最是,处得甚当。常言‘救人一命,胜造七级浮屠’。一则感谢厚情,二来当积阴德。况凉夜无事,你兄弟耍耍去来。”八戒道:“你看师父说的话!我只会变山,变树,变石头,变赖象,变水牛,变大胖汉还可,若变小女儿,有几分难哩。”行者道:“老大莫信他,抱出你令爱来看。”那陈澄急入里边,抱将一秤金孩儿到了厅上。一家子妻妾大小,不分老幼内外,都出来磕头礼拜,只请救孩儿性命。那女儿头上戴一个八宝垂珠的花翠箍,身上穿一件红闪黄的纻丝袄,上罩着一件官绿缎子棋盘领的披风,腰间系一条大红花绢裙,脚下踏一双虾蟆头浅红纻丝鞋,腿上系两只绡金膝裤儿;也袖着果子吃哩。行者道:“八戒,这就是女孩儿。你快变的像他,我们祭赛去。”八戒道:“哥呀,似这般小巧俊秀,怎变?”行者叫:“快些!莫讨打!”八戒慌了道:“哥哥不要打,等我变了看。”

这呆子念动咒语,把头摇了几摇,叫:“变!”真个变过头来,就也像女孩儿面目,只是肚子胖大,郎伉不像。行者笑道:“再变变!”八戒道:“凭你打了罢!变不过来,奈何?”行者道:“莫成是丫头的头,和尚的身子?弄的这等不男不女,却怎生是好?你可布起罡①来。”他就吹他一口仙气,果然即时把身子变过,与那孩儿一般,便教:“二位老者,带你宝眷与令郎令爱进去,不要错了。一会家,我兄弟躲懒讨乖,走进去,转难识认。你将好果子与他吃,不可教他哭叫,恐大王一时知觉,走了风汛。等我两人耍子去也!”

好大圣,分付沙僧保护唐僧,他变作陈关保,八戒变作一秤金。二人俱停当了,却问:“怎么供献?还是捆了去,是绑了去?

① 布起罡:即“步罡”,按照北斗星的位置走步作法。

蒸熟了去，是剁碎了去？”八戒道：“哥哥，莫要弄我。我没这个手段。”老者道：“不敢！不敢！只是用两个红漆丹盘，请二位坐在盘里，放在桌上，着两个后生抬一张桌子，把你们抬上庙去。”行者道：“好！好！好！拿盘子出来，我们试试。”那老者即取出两个丹盘，行者与八戒坐上。四个后生抬起两张桌子，往天井里走走儿，又抬回放在堂上。行者欢喜道：“八戒，像这般子走走耍耍，我们也是上台盘的和尚了。”八戒道：“若是抬了去，还抬回来，两头抬到天明，我也不怕。只是抬到庙里，就要吃哩，这个却不是耍子！”行者道：“你只看着我。刬着[①]吃我时，你就走了罢。”八戒道：“知他怎么吃哩？如先吃童男，我便好跑，如先吃童女，我却如何？”老者道：“常年祭赛时，我这里有胆大的，钻在庙后，或在供桌底下，看见他先吃童男，后吃童女。”八戒道：“造化！造化！”兄弟正然谈论，只听得外面锣鼓喧天，灯火照耀，同庄众人打开前门，叫：“抬出童男童女来！”这老者哭哭啼啼，那四个后生将他二人抬将出去。端的不知性命何如，且听下回分解。

① 刬(chǎn)着：等到。

第四十八回

魔弄寒风飘大雪　僧思拜佛履层冰

话说陈家庄众信人等，将猪羊牲醴与行者、八戒，喧喧嚷嚷，直抬至灵感庙里排下，将童男女设在上首。行者回头，看见那供桌上香花蜡烛，正面一个金字牌位，上写"灵感大王之神"，更无别的神像。众信摆列停当，一齐朝上叩头道："大王爷爷，今年、今月、今日、今时，陈家庄祭主陈澄等众信，年甲①不齐，谨遵年例，供献童男一名陈关保，童女一名陈一秤金，猪羊牲醴如数，奉上大王享用。保佑风调雨顺，五谷丰登。"祝罢，烧了纸马，各回本宅不题。

那八戒见人散了，对行者道："我们家去罢。"行者道："你家在那里？"八戒道："往老陈家睡觉去。"行者道："呆子又乱谈了。既允了他，须与他了这愿心才是哩。"八戒道："你倒不是呆子，反说我是呆子！只哄他耍耍便罢，怎么就与他祭赛，当起真来！"行者道："莫胡说！为人为彻，一定等那大王来吃了，才是个全始全终。不然，又教他降灾贻害，反为不美。"

正说间，只听得呼呼风响。八戒道："不好了！风响是那话儿来了！"行者只叫："莫言语，等我答应。"顷刻间，庙门外来了一个妖邪。你看他怎生模样：

---

① 年甲：年龄。

金甲金盔灿烂新，腰缠宝带绕红云。

眼如晚出明星皎，牙似重排锯齿分。

足下烟霞飘荡荡，身边雾霭暖熏熏。

行时阵阵阴风冷，立处层层煞气温。

却似卷帘扶驾将，犹如镇寺大门神。

那怪物拦住庙门问道：“今年祭祀的是那家？”行者笑吟吟的答道：“承下问，庄头是陈澄、陈清家。”那怪闻答，心中疑似道：“这童男胆大，言谈伶俐。常来供养受用的，问一声不言语，再问声，唬了魂，用手去捉，已是死人。怎么今日这童男善能应对？……”怪物不敢来拿，又问：“童男女叫甚名字？”行者笑道：“童男陈关保，童女一秤金。”怪物道：“这祭赛乃上年旧规，如今供献我，当吃你。”行者道：“不敢抗拒，请自在受用。”怪物听说，又不敢动手，拦住门喝道：“你莫顶嘴！我常年先吃童男，今年倒要先吃童女！”八戒慌了道：“大王还照旧罢，不要吃坏例子。”

那怪不容分说，放开手，就捉八戒。呆子扑的跳下来，现了本相，掣钉钯，劈手一筑，那怪物缩了手，往前就走，只听得当的一声响。八戒道：“筑破甲了！”行者也现本相看处，原来是冰盘大小两个鱼鳞，喝声：“赶上！”二人跳到空中。那怪物因来赴会，不曾带得兵器，空手在云端里问道：“你是那方和尚，到此欺人，破了我的香火，坏了我的名声！”行者道：“这泼物原来不知，我等乃东土大唐圣僧三藏奉钦差西天取经之徒弟。昨因夜寓陈家，闻有邪魔，假号灵感，年年要童男女祭赛，是我等慈悲，拯救生灵，捉你这泼物！趁早实实供来！一年吃两个童男女，你在这里称了几年大王，吃了多少男女？一个个算还我，饶你死罪！”那怪闻言就走，被八戒又一钉钯，未曾打着。他化一阵狂风，钻入通天河内。

行者道："不消赶他了，这怪想是河中之物。且待明日设法拿他，送我师父过河。"八戒依言，径回庙里，把那猪羊祭醴，连桌面一齐搬到陈家。此时唐长老、沙和尚，共陈家兄弟，正在厅中候信，忽见他二人将猪羊等物都丢在天井里。三藏迎来问道："悟空，祭赛之事何如？"行者将那称名赶怪钻入河中之事，说了一遍。二老十分欢喜，即命打扫厢房，安排床铺，请他师徒就寝不题。

却说那怪得命，回归水内，坐在宫中，默默无言。水中大小眷族问道："大王每年享祭，回来欢喜，怎么今日烦恼？"那怪道："常年享毕，还带些馀物与汝等受用，今日连我也不曾吃得。造化低，撞着一个对头，几乎伤了性命。"众水族问："大王，是那个？"那怪道："是一个东土大唐圣僧的徒弟，往西天拜佛求经者，假变男女，坐在庙里。我被他现出本相，险些儿伤了性命。一向闻得人讲，唐三藏乃十世修行好人，但得吃他一块肉延寿长生。不期他手下有这般徒弟。我被他坏了名声，破了香火，有心要捉唐僧，只怕不得能够。"

那水族中，闪上一个斑衣鳜婆，对怪物跬跬拜拜[①]，笑道："大王，要捉唐僧，有何难处！但不知捉住他，可赏我些酒肉？"那怪道："你若有谋，合同用力，捉了唐僧，与你拜为兄妹，共席享之。"鳜婆拜谢了道："久知大王有呼风唤雨之神通，搅海翻江之势力，不知可会降雪？"那怪道："会降。"又问："既会降雪，不知可会作冷结冰？"那怪道："更会！"鳜婆鼓掌笑道："如此，极

① 跬(kuǐ)跬拜拜：半步为跬。跬跬拜拜，形容敬礼的虔诚，半步都不敢越过的样子。

易！极易！”那怪道：“你且将极易之功，讲来我听。”鳜婆道：“今夜有三更天气，大王不必迟疑，趁早作法，起一阵寒风，下一阵大雪，把通天河尽皆冻结。着我等善变化者，变作几个人形，在于路口，背包持伞，担担推车，不住的在冰上行走。那唐僧取经之心甚急，看见如此人行，断然踏冰而渡。大王稳坐河心，待他脚踪响处，迸裂寒冰，连他那徒弟们一齐坠落水中，一鼓可得也！”那怪闻言，满心欢喜道：“甚妙！甚妙！”即出水府，踏长空兴风作雪，结冷凝冻成冰不题。

却说唐长老师徒四人，歇在陈家。将近天晓，师徒们衾寒枕冷。八戒咳歌打战①睡不得，叫道：“师兄，冷啊！”行者道：“你这呆子，忒不长俊！出家人寒暑不侵，怎么怕冷？”三藏道：“徒弟，果然冷。你看，就是那：

重衾无暖气，袖手似揣冰。此时败叶垂霜蕊，苍松挂冻铃。地裂因寒甚，池平为水凝。渔舟不见叟，山寺怎逢僧？樵子愁柴少，王孙喜炭增。征人须似铁，诗客笔如菱。皮袄犹嫌薄，貂裘尚恨轻。蒲团僵老衲，纸帐旅魂惊。绣被重裀褥，浑身战抖铃。”

师徒们都睡不得，爬起来穿了衣服。开门看处，呀！外面白茫茫的，原来下雪哩！行者道：“怪道你们害冷哩。却是这般大雪！”四人眼同观看，好雪！但见那：

彤云密布，惨雾重浸。彤云密布，朔风凛凛号空；惨雾重浸，大雪纷纷盖地。真个是：六出花，片片飞琼；千林树，株株带玉。须臾积粉，顷刻成盐。白鹦歌失素，皓鹤羽毛同。平添吴楚千江水，压倒东南几树梅。却便似战退玉龙

① 咳歌打战：发抖、打哆嗦。

三百万，果然如败鳞残甲满天飞。那里得东郭履①，袁安卧②，孙康映读③；更不见子猷舟④，王恭氅⑤，苏武餐毡⑥。但只是几家村舍如银砌，万里青山似玉团。好雪！柳絮漫桥，梨花盖舍。柳絮漫桥，桥边渔叟挂蓑衣；梨花盖舍，舍下野翁煨骨柮⑦。客子难沽酒，苍头苦觅梅。洒洒潇潇裁蝶翅，飘飘荡荡剪鹅衣。团团滚滚随风势，叠叠层层道路迷。阵阵寒威穿小幙，嗖嗖冷气透幽帏。丰年祥瑞从天降，堪贺人间好事宜。

那场雪纷纷洒洒，果如剪玉飞绵。师徒们叹玩多时，只见陈家老者，着两个僮仆扫开道路，又两个送出热汤洗面。须臾，又送滚茶乳饼，又抬出炭火，俱到厢房，师徒们叙坐。长老问道："老施主，贵处时令，不知可分春夏秋冬？"陈老笑道："此间虽是僻地，但只风俗人物与上国不同，至于诸凡谷苗牲畜，都是同天共日，岂有不分四时之理？"三藏道："既分四时，怎么如今就有这般大雪，这般寒冷？"陈老道："此时虽是七月，昨日已交白露，就是八月节了。我这里常年八月间就有霜雪。"三藏道："甚比我东土

---

① 东郭履：古史记载，东郭先生很穷困，经常穿着破衣破鞋，曾穿着没底的履（鞋）在雪中行走。

② 袁安卧：袁安，东汉人。他未做官的时候，一次洛阳大雪，人多出外找东西吃，袁安独僵卧不起。后人把这段故事称为"袁安高卧"。

③ 孙康映读：晋朝孙康，因为家贫，没钱买油点灯，冬天夜里就映雪读书。

④ 子猷舟：晋朝王子猷同戴安道为好友，曾在雪夜驾船到山阴（今浙江绍兴）去访问他，到了戴的门前，没见面就回来了。人问其故，他说："乘兴而来，兴尽而返，何必见戴。"

⑤ 王恭氅：晋朝王恭曾穿鹤氅在雪上行走，为当时人所羡慕。

⑥ 苏武餐毡：汉朝苏武出使匈奴，被其囚禁，渴时饮雪，饿了吃毡子，表现出不受屈辱的民族气节。

⑦ 煨骨柮：靠着火盆烤火。煨，盆中之火。骨柮，木柴块，树根疙瘩。

不同，我那里交冬节方有之。”

正话间，又见僮仆来安桌子，请吃粥。粥罢之后，雪比早间又大，须臾，平地有二尺来深。三藏心焦垂泪。陈老道：“老爷放心，莫见雪深忧虑。我舍下颇有几石粮食，供养得老爷们半生。”三藏道：“老施主不知贫僧之苦。我当年蒙圣恩赐了旨意，摆大驾亲送出关，唐王御手擎杯奉饯，问道：‘几时可回？’贫僧不知有山川之险，顺口回奏：‘只消三年，可取经回国。’自别后，今已七八个年头，还未见佛面，恐违了钦限，又怕的是妖魔凶狠，所以焦虑。今日有缘得寓潭府①，昨夜愚徒们略施小惠报答，实指望求一船只渡河，不期天降大雪，道路迷漫，不知几时才得功成回故土也！”陈老道：“老爷放心，正是多的日子过了，那里在这几日。且待天晴，化了冰，老拙倾家费产，必处置送老爷过河。”

只见一僮又请进早斋。到厅上吃毕，叙不多时，又午斋相继而进。三藏见品物丰盛，再四不安道：“既蒙见留，只可以家常相待。”陈老道：“老爷，感蒙替祭救命之恩，虽逐日歌筵奉款，也难酬难谢。”

此后大雪方住，就有人行走。陈老见三藏不快，又打扫花园，大盆架火，请去雪洞里闲耍散闷。八戒笑道：“那老儿忒没算计！春三二月好赏花园，这等大雪，又冷，赏玩何物！”行者道：“呆子不知事！雪景自然幽静。一则游赏，二来与师父宽怀。”陈老道：“正是，正是。”遂此邀请到园。但见：

景值三秋，风光如腊。苍松结玉蕊，衰柳挂银花。阶下玉苔堆粉屑，窗前翠竹吐琼芽。巧石山头，养鱼池内。巧石

① 潭府：又作“檀府”，对别人住宅的尊称。

山头，削削尖峰排玉笋；养鱼池内，清清活水作冰盘。临岸芙蓉娇色浅，傍崖木槿嫩枝垂。秋海棠，全然压倒；腊梅树，聊发新枝。牡丹亭、海榴亭、丹桂亭，亭亭尽鹅毛堆积；放怀处、款客处、遣兴处，处处皆蝶翅铺漫。两篱黄菊玉绡金，几树丹枫红间白。无数闲庭冷难到，且观雪洞暖如春。那里边放一个兽面象足铜火盆，热烘烘炭火才生；那上下有几张虎皮搭苫漆交椅，软温温纸窗铺设。

四壁上挂几轴名公古画，却是那：

七贤过关①，寒江独钓②，叠嶂层峦团雪景；苏武餐毡，折梅逢使，琼林玉树写寒文。说不尽那家近水亭鱼易买，雪迷山径酒难沽。真个可堪容膝处，算来何用访蓬壶？

众人观玩良久，就于雪洞里坐下，对邻叟道取经之事。又捧香茶饮毕。陈老问："列位老爷，可饮酒么？"三藏道："贫僧不饮，小徒略饮几杯素酒。"陈老大喜，即命："取素果品，炖暖酒，与列位荡寒③。"那僮仆即抬桌围炉，与两个邻叟，各饮了几杯，收了家火。

不觉天色将晚，又仍请到厅上晚斋。只听得街上行人都说："好冷天呵！把通天河冻住了！"三藏闻言道："悟空，冻住河，我们怎生是好？"陈老道："乍寒乍冷，想是近河边浅水处冻结。"那行人道："把八百里都冻的似镜面一般，路口上有人走哩！"三藏听说有人走，就要去看。陈老道："老爷莫忙。今日晚了，明日去看。"遂此别却邻叟。又晚斋毕，依然歇在厢房。

---

① 七贤过关：我国古代名画之一。传为苏轼作。宋黄庭坚题为《七才子入关图》。

② 寒江独钓：这幅图取唐人柳宗元"孤舟蓑笠翁，独钓寒江雪"的诗意。

③ 荡寒：挡寒。

及次日天晓，八戒起来道："师兄，今夜更冷，想必河冻住也。"三藏迎着门，朝天礼拜道："众位护教大神：弟子一向西来，虔心拜佛，苦历山川，更无一声报怨，今至于此，感得皇天佑助，结冻河水。弟子空心权谢，待得经回，奏上唐皇，竭诚酬答。"礼拜毕，遂教悟净背马，趁冰过河。陈老又道："莫忙。待几日雪融冰解，老拙这里办船相送。"沙僧道："就行也不是话，再住也不是话，口说无凭，耳闻不如眼见。我背了马，且请师父亲去看看。"陈老道："言之有理。"教："小的们，快去背我们六匹马来！且莫背唐僧老爷马。"

就有六个小价跟随。一行人径往河边来看，真个是：

雪积如山耸，云收破晓晴。寒凝楚塞千峰瘦，冰结江湖一片平。朔风凛凛，滑冻棱棱。池鱼偎密藻，野鸟恋枯槎。塞外征夫俱坠指，江头稍子乱敲牙。裂蛇腹，断鸟足，果然冰山千百尺。万壑冷浮银，一川寒浸玉。东方自信出僵蚕①，北地果然有鼠窟②。王祥卧③，光武渡④，一夜溪桥连底固。曲沼结棱层，深渊重叠沍⑤。通天阔水更无波，皎洁冰漫如陆路。

三藏与一行人到了河边勒马观看，真个那路口上有人行走。三

① 东方自信出僵蚕：我国古代神话传说，冰蚕出于东海员峤山。这里所说的东方即指此而言。

② 北地果然有鼠窟：我国古代传说，北方有层冰万里，厚百丈，磎鼠的窟就在冰下。

③ 王祥卧：传说晋朝王祥，因为他母亲冬天想吃鱼，他就"卧"在冰上，冰融化了遂得鲤鱼。

④ 光武渡：历史记载，汉朝光武帝刘秀于公元二十四年在敌人追击下，从冰上渡过滹沱河，行至中间，冰解陷在水里。此处即引用这个故事。

⑤ 沍(hù)：冻结。

藏问道："施主，那些人上冰往那里去？"陈老道："河那边乃西梁女国。这起人都是做买卖的。我这边百钱之物，到那边可值万钱；那边百钱之物，到这边亦可值万钱。利重本轻，所以人不顾生死而去。常年家有五七人一船，或十数人一船，飘洋而过。见如今河道冻住，故舍命而步行也。"三藏道："世间事惟名利最重。似他为利的舍死忘生，我弟子奉旨全忠，也只是为名，与他能差几何！"教："悟空，快回施主家，收拾行囊，叩背马匹，趁此层冰，早奔西方去也。"行者笑吟吟答应。

沙僧道："师父呵，常言道：'千日吃了千升米①。'今已托赖陈府上，且再住几日，待天晴化冻，办船而过。忙中恐有错也。"三藏道："悟净，怎么这等愚见！若是正二月，一日暖似一日，可以待得冻解。此时乃八月，一日冷似一日，如何可便望解冻！却不又误了半载行程？"

八戒跳下马来："你们且休讲闲口，等老猪试看有多少厚薄。"行者道："呆子，前夜试水，能去抛石，如今冰冻重漫，怎生试得？"八戒道："师兄不知。等我举钉钯筑他一下，假若筑破，就是冰薄，且不敢行；若筑不动，便是冰厚，如何不行？"三藏道："正是，说得有理。"那呆子撩衣拽步，走上河边，双手举钯，尽力一筑，只听扑的一声，筑了九个白迹，手也振得生疼。呆子笑道："去得！去得！连底都锢住了。"

三藏闻言，十分欢喜，与众同回陈家，只教收拾走路。那两个老者苦留不住，只得安排些干粮烘炒，做些烧饼馍馍相送。一家子磕头礼拜，又捧出一盘子散碎金银，跪在面前道："多蒙老

① 千日吃了千升米：意思是既然已经给人家找了很多麻烦，再多上一点也不算什么。

爷活子之恩，聊表途中一饭之敬。”三藏摆手摇头，只是不受，道：“贫僧出家人，财帛何用？就途中也不敢取出，只是以化斋度日为正事。收了干粮足矣。”二老又再三央求，行者用指尖儿捻了一小块，约有四五钱重，递与唐僧道：“师父，也只当些衬钱①，莫教空负二老之意。”

遂此相向而别。径至河边冰上，那马蹄滑了一滑，险些儿把三藏跌下马来。沙僧道：“师父，难行！”八戒道：“且住！问陈老官讨个稻草来我用。”行者道：“要稻草何用？”八戒道：“你那里得知？要稻草包着马蹄方才不滑，免教跌下师父来也。”陈老在岸上听言，急命人家中取一束稻草，却请唐僧上岸下马。八戒将草包裹马足，然后踏冰而行。

别陈老离河边，行有三四里远近，八戒把九环锡杖递与唐僧道：“师父，你横此在马上。”行者道：“这呆子奸诈！锡杖原是你挑的，如何又叫师父拿着？”八戒道：“你不曾走过冰凌，不晓得。凡是冰冻之上，必有凌眼，倘或蹦着凌眼，脱将下去，若没横担之物，骨都的落水，就如一个大锅盖盖住，如何钻得上来！须是如此架住方可。”行者暗笑道：“这呆子倒是个积年走冰的！”果然都依了他。长老横担着锡杖，行者横担着铁棒，沙僧横担着降妖宝杖，八戒肩挑着行李，腰横着钉钯，师徒们放心前进。这一直行到天晚，吃了些干粮，却又不敢久停，对着星月光华，映的冰冻上亮灼灼、白茫茫，只情奔走，果然是马不停蹄，师徒们莫能合眼，走了一夜。天明又吃些干粮，望西又进。

正行时，只听得冰底下扑喇喇一声响亮，险些儿唬倒了白马。三藏大惊道：“徒弟呀！怎么这般响亮？”八戒道：“这河忒

① 衬钱：做佛事的布施。

也冻得结实,地凌响了。或者这半中间连底通锢住了也。”三藏闻言,又惊又喜,策马前进,趱行不题。

却说那妖邪自从回归水府,引众精在于冰下等候多时。只听得马蹄响处,他在底下弄个神通,滑喇的迸开冰冻。慌得孙大圣跳上空中,早把那白马落于水内,三人尽皆脱下。

那妖邪将三藏捉住,引群精径回水府,厉声高叫:“鳜妹何在?”老鳜婆迎门施礼道:“大王,不敢!不敢!”妖邪道:“贤妹何出此言!‘一言既出,驷马难追。’原说听从汝计,捉了唐僧,与你拜为兄妹。今日果成妙计,捉了唐僧,就好昧了前言?”教:“小的们,抬过案桌,磨快刀来,把这和尚剖腹剜心,剥皮剐肉;一壁厢响动乐器,与贤妹共而食之,延寿长生也。”鳜婆道:“大王,且休吃他,恐他徒弟们寻来吵闹。且宁耐[①]两日,让那厮不来寻,然后剖开,请大王上坐,众眷族环列,吹弹歌舞,奉上大王,从容自在享用,却不好也?”那怪依言,把唐僧藏于宫后,使一个六尺长的石匣,盖在中间不题。

却说八戒、沙僧在水里捞着行囊,放在白马身上驮了,分开水路,涌浪翻波,负水而出。只见行者在半空中看见,问道:“师父何在?”八戒道:“师父姓‘陈’,名‘到底’了。如今没处找寻,且上岸再作区处。”原来八戒本是天蓬元帅临凡,他当年掌管天河八万水兵大众;沙和尚是流沙河内出身;白马本是西海龙孙:故此能知水性。大圣在空中指引。须臾,回转东崖,晒刷了马匹,[②]晾了衣裳。大圣云头按落,一同到于陈家庄上。早有人

① 宁耐:忍耐。

② (zhěn):拧干。

报与二老道："四个取经的老爷，如今只剩了三个来也。"兄弟即忙接出门外，果见衣裳还湿，道："老爷们，我等那般苦留，却不肯住，只要这样方休。怎么不见三藏老爷？"八戒道："不叫做三藏了，改名叫做'陈到底'也。"二老垂泪道："可怜！可怜！我说等雪融备船相送，坚执不从，致令丧了性命！"行者道："老儿，莫替古人耽忧。我师父管他不死长命。老孙知道，决然是那灵感大王弄法算计去了。你且放心，与我们浆浆衣服，晒晒关文，取草料喂着白马，等我弟兄寻着那厮，救出师父，索性剪草除根，替你一庄人除了后患，庶几永得安生也。"陈老闻言，满心欢喜，即命安排斋供。

兄弟三人饱餐一顿，将马匹、行囊，交与陈家看守，各整兵器，径赴水边寻师擒怪。正是：误踏层冰伤本性，大丹脱漏怎周全？毕竟不知怎么救得唐僧，且听下回分解。